U0516779

尚秉和 撰　張善文 校理

尚秉和易學全書

第一卷　周易古筮攷

易説評議

（附　檢齋讀易題要、易學羣書平議）

中華書局

圖書在版編目(CIP)數據

尚秉和易學全書/尚秉和撰;張善文校理. —北京:中華書局,
2020.9(2024.4重印)
ISBN 978-7-101-14699-8

Ⅰ.尚…　Ⅱ.①尚…②張…　Ⅲ.《周易》-研究　Ⅳ.B221.5

中國版本圖書館CIP數據核字(2020)第146323號

書　　名	尚秉和易學全書(全四册)	
撰　　者	尚秉和	
校 理 者	張善文	
責任編輯	聶麗娟	
責任印製	陳麗娜	
出版發行	中華書局	
	(北京市豐臺區太平橋西里38號　100073)	
	http://www.zhbc.com.cn	
	E-mail:zhbc@zhbc.com.cn	
印　　刷	三河市中晟雅豪印務有限公司	
版　　次	2020年9月第1版	
	2024年4月第5次印刷	
規　　格	開本/850×1168毫米　1/32	
	印張78¼　插頁16　字數1470千字	
印　　數	4801-6800册	
國際書號	ISBN 978-7-101-14699-8	
定　　價	298.00元	

行唐尚節之秉和先生（1870-1950）

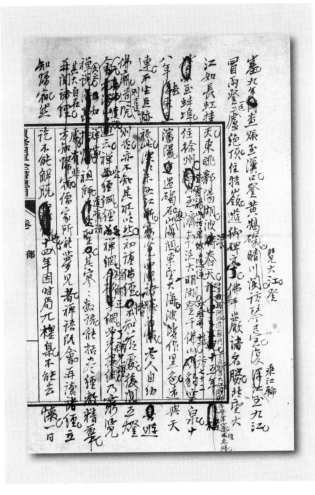

尚秉和先生《滋溪老人傳》手稿墨跡

禔案薛據孔子集語
引呂氏春秋有此占
今本呂氏春秋無之
北堂書鈔一百三十
七引釋訟外傳文

鼎取新也有取意越行不用足卽折足寫取越
意故孔子以爲吉
誠齋雜記孔子使子貢久而不來命弟子占遇鼎
䷱皆言無足不來顏回掩口而笑子曰回也哂
謂賜來平對曰無足者乘舟而至也果然
按此亦不取象辭專取折足義以象與我不親
也
漢永平五年京師少雨上向雲臺自作卦以周易
林占之遇塞䷯其疏曰蟻封穴戶大雨將至上
靜爻

五

《周易古筮攷》刻本及黃批書影（一）

尚氏近著周易尚導零論此
納甲考一文明載矣此
納甲攷子亥考按三家說
納甲攷之巨得孔子亥數三家說
不可證矣其巨亥按春秋十二字中明
京房攷其巨傳其易傳□
八致其巨傳唯易小道於有
甲之數說飛伏游魂歸魂六親之
說似納甲之術皆京房所重
後儒以其理之奧秋□之□
謂排易之巨傳□□□□□□□
以為京房後京今所傳□易傳
未為真為□能耕首後人經
□□楊松丁將軍□□京房真彙
遂向歌□□秦葛國□後予日

周易古筮攷卷八

行唐尚秉和輯

納甲說

解前引占驗故事其用納甲法者如不
可照此法排列納入卦中自瞭然
矣

納甲者將干支排納於六爻中而以干支所屬之
五行及筮時時日視其生尅以斷吉凶也其法始
於漢京房原本於孔門至晉郭璞多用之不明此
法前所引古人占驗故事有不能盡解者故略述
明之其法乾起於子隔一位順推至戌而止坤起

周易古筮攷　卷八　一

《周易古筮攷》刻本及黃批書影（二）

仿有字穚搠者可
扵下原稿変之
今始却底稿也不全

論極精

此十五本共三百八十七篇此曰
我易学思敢精之論知一篇
不可移内恐有黄之六所作者日
久不鉄別容去信要其目録

九家周易集注一卷
薬學　崖藜　警本

（二）九家周易注中、従甘泉學人實奥復輯之、增七縣共
一百五十三絛餘荀爽
虞氏注、存著、最爲多、雖唐志言云十卷、且皆輯荀爽九家集解、驗惟
明釋文衆錄云不知何人所集、輯荀爽者以爲主故也、其載有荀爽京房
馬融鄭玄宋衷虞翻陸績姚信翟子元九人、夫既不知何人所集詞以名
之曰九家荀亦九家之一、而得云爲主者何之賢不可惜也、顧審絛
薬翻解龍云、九家荀紫盡注所輯明易省者九人而荀爽實爲之集緊以
九家爲西漢荀紙以堯解爲荀奥所輯、依虞氏之言即名與實符矣此説

《易説評議》印稿書影（一）

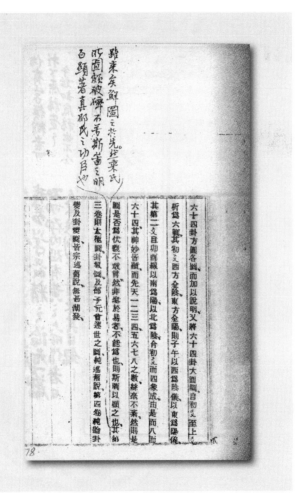

《易説評議》印稿書影（二）

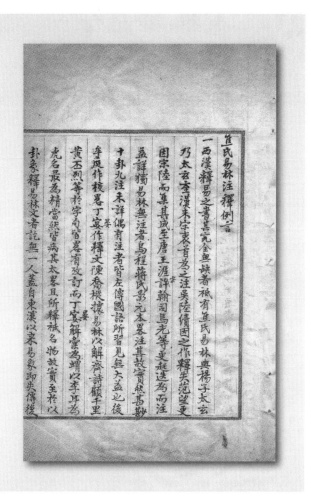

《焦氏易林注》稿本書影

行唐尚秉和節之注

受業　蒲城仵道益校　豐潤韋維城刊

乾之第一

乾

道陟石阪胡言連謇譯瘖且聾莫使道通謂譖不行求事無功○乾為道陟為山故曰石阪兌為言在西北故曰胡言連謇震為鳴坎為耳乾為道譖為今○為兌乾三子各分乾一爻○此易之根本大義自此爻為純乾不見故曰瘖曰聾不通故諸求無功蓋三子各分乾陽則窒故也○乾變陰故曰招此易之根本大義自此爻者不明易多多義多繁辭依古作卷循宋元本

坤

招殃來螫害我邦國病傷手足不得安息○乾變陰故曰招殃來坤陰為災故曰病傷手足震足今艮坤艮震敗故曰病傷手足○殃元本作殃

坤

壽螯為害為邦國民于震足今純坤艮震敗故曰來繫辭來者伸也即謂坤道行故曰來繫辭來者伸也即謂坤道行○

《焦氏易林注》刻本書影

周易尚氏學自序

易理至明也而說者多誤說者何以誤厥有二困一困易理之失

傳太史公曰易以道陰陽陰陽之理同性相感異性相感傳云

上下敵應不相與也謂陰應陽陰應陽陰應陽陰為敵

同人九三曰敵剛謂比陰比陽比陽為敵世敵陰陽既為敵剛

不相與則不能為朋友為類明矣咸傳曰二氣感應以相與悔曰朋

柔皆應乎陰陽柔比陽以陽為朋也損曰一人行則得其友陰行至

來兌兌謂陽柔也陰比陽以陽為友也頤六二曰行失類也謂陰不遇陽也至

上六獲二陰也陽以陰為友也

《周易尚氏學》稿本書影（一）

悞求之多年亦無所(
復讀蒙之卦云二天共
裏其通為離子兄其名
氏偷不可知因卽中文
震艮上坎三劃俱備
故曰三天祇下兄為女
象故曰三天共裏更震
為王艮為名為□坎
為隱伏故曰無曰不可
知字皆便易象生
由此以推凡林詞皆銘
屈而饒故

一焦氏易林後儒皆知其言易象並以象學失傳之故莫有通

其義者如以坤為水以兄為月以艮為火以巽為少妻以兄

為老婦以正反兄正反震為爭訟爭訟而為說卦所無為而

皆為經中所有說者因誤解經而失其象故於易林亦不能

辭兹編取象除左傳國語時訓外多本易林

一易中古文甚多如場作易凟旦趠作次且趾作止佚作失

等不可勝數先儒除鼎說之外知為古文者甚少於是竟讀

易為難易失為得失益編非好異也兄易之古文必仍其舊例

如需於血即需於洫是必

一古書多音同通用而易尤甚如礬作盤作槃作艱運如作監

《周易尚氏學》稿本書影（二）

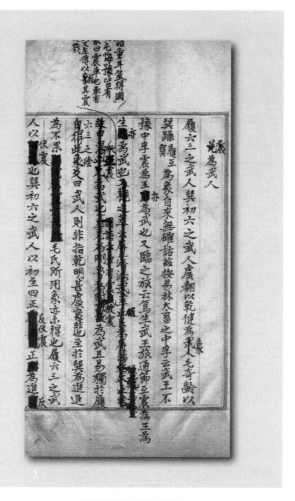

《焦氏易詁》稿本書影

焦氏易詁卷一

敘意

行唐何秉和節之撰

悲哉易之爲書也自東漢迄今幾兩千年總九經之注不
如易一經之多而易義之晦自若也誤解相承如故也李
剛主曰易二千年在漆室屯眞信心之言哉蓋易之爲書
義盡在經中說皆在經外如內外應予卦位貴賤陽升陰
降陽順陰逆乾貞子左行陽時六坤貞未有行陰時六等
說經傳皆不詳也倘乾鑿度不言之後人如何知之又如
互卦如乾南倘左氏不言可竟謂其無矣又如旁通如覆
象左氏雖言之乃至東漢口傳一失遂知之不奠亜左氏

《焦氏易詁》刻本書影

尚秉和易學全書總目錄

第一卷　目録

周易古筮攷

【黃批】左傳哀公九年尚有陽虎遇泰之需一條〔一〕,亦一爻
動者。

周易古筮攷卷四

〔一〕"陽虎遇泰之需"一條,尚氏已錄,即本卷題爲"晉趙鞅筮救鄭伐宋"者。可
參閱。

　　【黄批】按易隱係遊南子曹九錫著。

　　【黄批】又按,黄道周招姜司徒一洪入閩,得蒙之六三,曰:妄

　　動之婦,將不爲人所取矣。何以行爲? 道周曰:非彼勿取我,

　　我勿取彼也。夫我不取彼而不當往耶? 案此亦一爻動之卦,

　　似可補入。

周易古筮攷卷五

〔一〕“郭璞爲王導筮得咸之井”一條,尚氏已録,即本卷題爲“晉郭璞爲王導筮
國事安危”者。可參閲。惟尚氏所録依郭璞《洞林》,文較詳;黄批所記爲
《晉書·郭璞傳》,文較略。

〔二〕“王諸入解”一條,尚氏已收入卷七,題爲“唐王諸筮入解”,作四爻動之例。
可參閲。“遂遇禄山變而返”,黄批“遇”作“入”,據卷七尚引校。又黄批
謂“此亦一爻動之卦”,“一”疑當作“四”。

引六壬占驗數條,有晉書戴洋爲庾亮及祖約諸占,及吳越春
秋數則,又隋蕭吉傳一則。

【黄批】章太炎八卦釋名〔一〕（在太炎文録初編一〔二〕）：

説卦道：乾爲天，坤爲地，震爲雷，巽爲風，坎爲水，離爲火、爲日，艮爲山，兌爲澤。又曰：乾，健也，坤，順也，震，動也，巽，入也，坎，陷也，離，麗也，艮，止也，兌，説也。德象雖具，談者多未明其字詁。案説文：乾，上出也。此説草木冤曲而出，無取天義。字從倝聲，當讀爲倝。倝，日始出，光倝倝也。語轉爲晧、暤、昦。暤者，晧旰也，旰乃倝字（旰字訓晚，無晧旰義）。昦者，元氣昦昦。春爲昦天，稱天者多言昦，故以聲轉謂之倝。其言健者，象聲而爲訓也。坤從土、申，土位在申，爲地易明。象聲而爲訓，故言順。辟歷振物者謂之震，是故震象靁。震、娠、跡、唇、振諸文亦然〔三〕，皆訓動矣。巽，具也，無當于風及入。巽、選，聲類同。廣雅釋詁：選、納、妠，入也。説文：入，内也〔四〕；内，入也。堯典：内于大麓。五帝紀

──────────

〔一〕此下“黄批”凡十條，以墨書小字批於刻本卷首扉頁空白處、自敍天頭及卷二終竟之護頁中，今依次歸列於目録後。所批十條，録章太炎先生易説者七條，録《湖北通志》述李道平事略者二條，又有據《周易集解纂疏》論列李道平説易筮大義者一條，皆於研閱此書有補。文中偶有與所引各本文字互異者，今取各本參檢校訂。

〔二〕“録”原作“編”，依下條“黄批”改。

〔三〕“振”字原闕，據《太炎文録初編》補。

〔四〕“入，内也”原闕，據《太炎文録初編》補。

說堯使舜入山林川澤,列女傳言選于林木。是故選者,入也。選、巽與孫、遯,皆䏭縮潛伏義,亦内入也。選,又遣也,從辵巽。巽,遣之;遣,縱也。春秋傳曰:弗去懼選。荀子儒效曰:選馬而進。放縱使走爲選,縱馬亦爲選馬。釋名:風,放也,氣放散也。風馬牛者,放馬牛。故選爲風矣。坎之爲水,象聲爲陷,易知也。離本離黄、離麗,皆炎之借。爾、爽並從炎。爾者,麗;爾,從炎,其孔炎炎。爽,明也,從炎從大,象隙中光。是故爲火,爲日。羅甸語呼光芒如引竿者爲炎,蓋東西古語同也。艮者,讀爲垠咢。垠或爲圻,其義則岸也,故爲山。圻、幾聲類相似,若雕幾爲彫圻。故垠又取聲於譏。譏者,訖事之樂(古訓幾爲盡者,即此字)。言無邊際,亦曰無垠無圻。故垠爲止矣。兑之爲文,説文訓説。直從易傳,象聲之義耳。本義當爲通道,即今隧字。毛詩傳曰:兑,成蹊也。老子曰:塞其兑。檀弓記曰:襲莒于兑〔一〕。兑,今字爲隧,字本從㕣。㕣,山間陷泥地。因是兩山間注,下通人行者,謂之兑。從几者,在人下,故詘詘,言足迹成蹊也。通達之字當爲兑達,本行不相遇,一曰佻達,往來相見貌,無通迥義,故知宜爲兑。兑與汆聲義復近。汆者,從意也。説繹之字,古音如税,皆聲近。足相隨從謂之兑,志相隨從謂之汆,通迥其道謂之兑,闓忻其心謂之説,義相似也。案始曰兑,説也。字本從㕣,㕣者,山間陷泥地。案始曰兑爲澤也,古字多以衍爲㕣。釋名説下平曰衍,小爾雅説澤之廣謂之衍。㕣字廢不用久,故兑之爲澤莫能明也。

【黄批】章太炎説象象(太炎文録初編一):

〔一〕"襲莒于兑",黄批作"且于之兑"。依《太炎文録初編》校。按《禮記·檀弓下》"莊公襲莒于奪",注:"載甲夜入,且于之隧。隧、奪聲相近,或爲兑。"據注,則"奪"當作"隧",隧、兑同。故云"兑,今字爲隧"。疑章氏此文初引注"且于之兑"爲説,後改引《檀弓》原句也。

豕走謂之彖,南越大獸謂之象,易以爲名。文字之權輿,昉諸八卦,依類象形。韓非曰:人希見生象也,而案其圖以想其生。故人之所以意想者,皆謂之象。爻文於是取法焉。象者,篆之初文。引書爲篆,畫卦亦謂之篆。象字從彑,銳頭也(彑讀若屬,與銳籀文劚同音)。象、銳,聲亦轉。若褖衣作稅衣矣。古文象書,首尾皆削剡,八卦亦爾。故取法於封豨之首。犀厥而前,若有鋒刃,謚之曰象。

【黄批】章太炎丁未三與黄侃書(節錄二則):

宜本宜字。古文宀作⌂,與冂相似。宐本作宜,從古文且,中肉半見,形誤爲宐。張參據熹平石經作宜形[一]。蓋倉頡、凡將正體,異於説文。宣、宓二古文,竝當作宜,其訓當從釋言宜,肴也爲正。引伸爲安。猶甚字從甘,訓尤,安樂。飲食男女,生民以爲大欲,袵席之上[二],尊俎之間,皆便安地也。易曰:需,君子以飲食宴樂。宴樂,即安樂。字本作晏[三]。飲酒爲燕,亦書作宴,並以晏爲本文。説文:晏,安也。孶乳作宴。飲食稱宴[四]。宜,本訓肴。説文:肴,啖也。引伸訓安,與宴反覆相例。

説文:岁,訓不行而進。言小學者皆云:前後當爲岁,經典相承作前。僕謂岁特岁,進字耳。書前後者作前,未爲叚借也。何以明之?説文云[五]:初,始也。從刀從衣,裁衣之始也。前,齊斷也。初、前二篆相次,明其同意。裁衣之始,非用前耶?裁訓製衣,今人猶言前裁相承,亦以裁爲始。才者,草木之初。裁者,製衣之始。

〔一〕"張參據熹平石經作宜形",黄批"宜"下無"形"字。依《太炎文録初編》校。
〔二〕"袵席之上",黄批"上"作"言"。兹依《太炎文録初編》校。
〔三〕"字本作晏",黄批"晏"下多"説"字。兹依《太炎文録初編》校。
〔四〕"孶乳作宴。飲食稱宴。"兩"宴"字,黄批作"晏"。均依《太炎文録初編》校。
〔五〕"説文云",黄批"文"下無"云"字。依《太炎文録初編》增。

故諸言始者，書才及裁[一]，訓詁兩通，無定字爲正。初、前、裁本同義。稱始曰前，不亦悦乎？欸欸欲書靗者，斯未爲宏通也。

【黄批】章太炎國故論衡中文學總略：易所以有文言者，梁武帝以爲文王作易，孔子遵而修改之，故曰文言。非矜其采飾也。又云：文詞之用各有體要，象、象爲占繇，占繇故爲韻語。文言、繫詞爲述贊，述贊故爲儷辭。序卦、説卦爲目録箋疏，目録箋疏故爲散録。

【黄批】原經篇云：易之爲書，廣大悉備，然常用止於別著布卦。春官，太卜掌三兆之法，一曰玉兆，二曰瓦兆，三曰原兆。其經兆之體，皆百有二十。其頌皆千有二百。掌三易之法，一曰連山，二曰歸藏，三曰周易。其經卦皆八，其別皆六十有四。掌三夢之法，一曰致夢，二曰觭夢，三曰咸陟。其經運十，其別九十。仲尼贊易，而易獨貴。其在舊法，世傳之史，則筮書與卜夢等夷。數術略：著龜家有龜書、夏龜、南龜書、巨龜、襍龜。雜占家有黄帝長柳占夢、甘德長柳占夢。書皆別出，雖易亦然。是故六藝略有易經十二篇，數術略著龜家復有周易三十八卷。此爲周世既有兩易，猶逸周書七十一篇別在尚書外也。（左氏説秦伯伐晋，筮卦遇蠱，曰：千乘三去，三去之餘，獲其雄狐。成季將生，筮遇大有之乾，曰：同復于父，敬如君所。説者或云是連山、歸藏，或云筮者之辭。尋連山、歸藏，卦名或異周易。筮者占卦，其語當指切情事，知皆非也。宜在三十八卷中。）蓋易者務以占事知來，惟變所適，不爲典要。故周世既有二家駁文，韓宣子觀書於太史氏，見易象與魯春秋，曰周禮盡在魯矣。尚考九流之學，其根極悉在有司，而易亦掌之太卜。同爲周禮，然非禮器、制度、符節、璽印、幡信之屬不可刊者。故周

[一]"書才及裁"，黄批"才"、"裁"二字互乙。兹依《太炎文録初編》。

時易有二種，與連山、歸藏而四。及漢揚雄，猶得摹略爲之，是亦依則古初，不惑于素。章學誠必以公私相格，是九流悉當燔燒，何獨太玄也？晉書束晳傳，言汲郡人不準盜發魏襄王墓，得易經二篇，與周易上下經同。繇陰陽卦二篇，與周易略同，繇辭則異。卦下經一篇，似說卦而異。易繇陰陽卦者，亦三十八卷之倫。以是知姬姓未亡，玉步未改，而周易已分析爲數種。姚際恒不曉周易有異，乃云魏文侯最好古，魏冢无十翼，明十翼非仲尼作。然則易繇陰陽卦者，顧仲尼所爲三絶韋編，以求寡過者耶？凡說古藝文者，不觀會通，不參始末，專以私意測量，隨情取舍，上者爲章學誠，下者爲姚際恒，疑誤後生多矣！

【黄批】湖北通志卷七十七，蓺文一經部，載周易集解纂疏三十六卷，易筮遺占，李道平撰。道平，德安府安陸縣人，文學有傳。此書刻於道光壬寅，其本海內尠見。光緒八年初，開通志局，安陸縣以刻本申送。經巡撫彭祖賢專摺具奏進呈，並請將道平事蹟宣付史館，立傳其後。督學趙尚輔刻入湖北叢書。

【黄批】湖北通志卷百五十二人物三十文學，李道平傳：

李道平，字遠山，安陸人。嘉慶戊寅舉人。少勵志於學，取漢以下至康乾間諸儒三十七人，奉爲模楷。倡修先儒趙子祠，與生徒講習其中。所學於諸經皆有發明，而尤邃於易。撰周易集解纂疏三十六卷。萃惠棟、張惠言諸家之説，集漢易之大成。易疏外，有易筮遺占，詩三家旨述，讀經讀史性理諸録，安陸文獻攷，有獲齋詩文集等書。道平父少失偶，不再娶，多病，飲膳卧起醫藥之屬，道平皆躬親之，不假手臧獲，三十年如一日。晚官嘉魚教諭，手訂學約，諄諄以躬行。爲務三年，卒官。諸生哭有失聲者。

【黄批】章太炎原經篇云：春秋左氏、易費氏本無奇衺，而北平侯已譜五德，賈侍中亦附會公羊，並宜舍短取長者也。荀、鄭之易，則與引十翼以解經者大異，猶賴王弼匡正其違。

又云：大氐古文家，借今文以成説者[一]，並宜簡汰去之，以復其真。其在今文，易京氏、書大小夏侯、詩轅固生、春秋公羊氏，妖妄之説最多。

又云：傳莫備於周易。

又云：易之十翼，爲傳尚矣。文言、彖、象、繫詞、説卦、序卦、襍卦之倫，體各有異。是故有通論，有駢經，有序録，有略例，周易則然。

又云：以傳比廁經下，萌芽於鄭、王二師。

【黄批】李道平曰：前代名儒既以筮爲小數，又疑記言者多失之誣，遂擯斥之勿復道。夫侈談徵應，固不免或失之誣。要其占筮之辭，必援古法以斷，始足取信於當時。則事雖誣，而法不尚存乎？是亦曷可盡廢也！又曰：夫乾坤之藴廣矣，大矣。徒執枯蓍以求古聖人之宏旨，誠淺之乎測易矣。然崇義理而排象數，必擯龜策于易道之外，是並夫子卜筮尚占之言而廢之，又豈謂之知易也哉！惟善學者一遵乎聖人之軌，勿視爲方術，勿雜以旁門，技進乎道，而占筮之法不至終湮没而無傳也。祺案，此論甚允。

【黄批】章太炎駁皮錫瑞孔子作易議（在太炎文録初編一）：

漢世有言孔子作春秋，未有言孔子作易。皮錫瑞以爲伏羲畫卦，孔子繫詞。繫詞者，謂卦爻下辭也。繫詞傳，則爲弟子所作。案左氏傳所載筮辭，錫瑞將謂古文難信。今姑且以大傳、史記及他書所記爲質。孔子世家曰：孔子晚而喜易，序象、繫、象、説卦、文言。讀易韋編三絶，曰：假吾數年，若是，我於易則彬彬矣。若所云繫者，即是卦爻下辭，象、象當何所指？若以象傳、象傳當之，是自作卦、爻，自以象、象説解。其謬一也。重卦之象，人人能爲之，何必文王？

[一]　“借今文以成説者”，黄批“借”作“取”，“文”下多“家”字。兹依《章太炎全集》本《國故論衡》校。

若專定其名者,羑里之囚七年,所定無過六十四名,何其短拙? 其謬
二也。連山、歸藏,載在春官太卜。錫瑞或不信。桓譚新論曰:連山
藏于蘭臺,歸藏藏于太卜;連山八萬言,歸藏四千三百言。此漢人所
明見,不可誣也。孔子亦云:吾得坤乾。郭璞在晉,猶引歸藏齊母、
鄭母諸經。歸藏當殷已有辭。周易爲周時所用,不爲繫辭,而待魯
國儒者,于六百年後爲之補葺,情事相違。其謬三也。六十四卦,十
五爲重名,四十九爲奇名,其字財七十九。夫百名以上書于策,不及
百名書于方,蓋書契之桓制。七十九名,書之版牘則足矣,安得有韋
編? 縱令在策,其文既寡,其義又少,諷誦其名,數日則了。而遠待
數年之功,繩爛革敝,乃得記識。何聖人之徇齊,而今鈍拙若是? 其
謬四也。論語云:五十以學易。學者,非自習其箸作之名,故當抽讀
他人成語。六十四卦,卜筮者悉能舉之,若舊無卦爻詞,當何所學?
其謬五也。大傳曰:易之興也,其於中古乎? 作易者其有憂患乎?
此言中古,其爲文王則明。今云卦爻之辭作自孔子〔一〕。又云大傳
是弟子作。師徒相接,必不謂之中古。中古已作,必不遠待孔子。若
云重卦稱作,非必繫辭,上遺伏羲經始之功,下棄尼父成書之業,徒取
中流,又無其義。其謬六也。大傳曰:易之興也,其當殷之末世,周之
盛德耶? 其當文王與紂之事耶? 是故其辭危。若文王不繫辭,則大傳
爲妄説。若曰卦名爲辭,名卦者其功微,成書者其功巨。顧不曰易興
定、哀,當素王與七十二君之事,獨綢繆于姬氏舊王,而毀本師之績,是
舉其微而遺其巨,詳其遠而略其近。其謬七也。若以箕子岐山之屬,
非文王所宜言者,鄭眾、馬融嘗以爻辭出周公矣。要之,文王親見箕
子,何不可録其人? 山川羣神,帝王所常祀,寧知殷王無享岐山者?

〔一〕“今云卦爻之辭作自孔子”,黃批“辭”下無“作”字。兹依《章太炎全集》本
　　《太炎文録初編》校補。

必謂文王自擬乎？且易當殷末[一]，故事狀不及周世，徒有高宗、帝乙、箕子而已。若作自孔子者，當有成、康之事，五霸之迹。今近不舉周世，遠不舉虞夏，獨以殷事爲言，違其情勢。其謬八也。文言爲孔子作，世家所明著。若自作爻辭，又自設問以明其意，既非辭賦，何容有此？（公羊傳、穀梁、夏小正、喪服諸傳，皆弟子口問，師口答之。若設難之文，近起漢世，周時惟辭賦有此，未有施諸説經者也。）其謬九也。若曰文言、繫辭二傳，皆有子曰之文[二]，故不得言自著。尋子者，男子之美稱；夫子者，卿大夫之尊號，誠不得自據也。然司馬遷官太史令而自署太史公，褚少孫亦自題褚先生，此則後進相尋，因以自號，非無其比。或言遷書署太史公者，則東方朔爲書之[三]。若然，大傳稱子者，何知非弟子別題？若以兩字有疑[四]，因謂大傳出于門下，可曰史記百三十篇，悉非子長所撰耶？其謬十也。序、彖、象、説卦、文言，皆傳也，卦爻辭則爲經。若繫即卦爻辭者，史記當列文最先，何故退就序、彖之下？文在傳次，而以爲經。其謬十一也。左氏記載筮辭，容爲今文家所不信。太史公世治周易（談受易于楊何，遷亦自云正易傳），于左氏內外傳所録，悉載在世家言。若知爲孔子作者，當辯左氏之非；縱無駁證，猶當刻去其文。今則連篇蕪牒，往往而見，曾無存疑之辭。既以遷書爲據，而云詞由孔子，其謬十二也。傳曰：蓋有不知而作之者，我無是也。謂孔子作易者，太史公所不著，施、孟、梁邱所不言。錫瑞直以己意斷其有無。吾見世之妄人多矣，于皮氏得一焉。

〔一〕"且易當殷末"，黃批"易"作"周"。兹依《太炎文録初編》校。
〔二〕"皆有子曰之文"，黃批"皆"下無"有"字。依《太炎文録初編》校補。
〔三〕"則東方朔爲書之"，黃批"爲"下無"書"字。依《太炎文録初編》校補。
〔四〕"若以兩字有疑"，黃批"字"作"書"。兹依《太炎文録初編》校。

易説評議

易説評議卷十

易説評議卷十一

檢齋讀易提要

檢齋讀易提要

易學羣書平議

校理緣起

自 1979 年始，我有幸承學先師黃壽祺教授，至 1990 年吾師勿歸道山，前後凡十二寒暑，追隨杖履，昕夕聞道，屢獲啓迪善誘。每聽先師講述其早年在北平從業行唐尚節之先生之往事，深羨前輩學者道德文章之崇偉，而心常嚮往之矣。

先生姓尚氏，諱秉和，字節之，晚號滋溪老人。學者稱槐軒先生。河北行唐人。生於清同治九年（1870），卒於公元一九五〇年。享壽八十有一。先生少穎慧，年十八入邑庠，二十三師事桐城吳汝綸，殫精古文經史之學。年三十三成進士。歷任工部、民政部、内務部主事員外郎。又攷取軍機章京，以清政不綱，避不赴職。入民國，仍吏隱於内務部。曾兼任京師大學堂國文教習，又講學奉天萃升書院及北平中國大學國學系。著書數十種，或已刊，或存稿，或散佚。已刊者如《辛壬春秋》、《歷代社會風俗事物攷》、《周易古筮攷》、《焦氏易詁》、《焦氏易林注》等，皆極獲學界稱賞。事迹略見其自撰《滋溪老人傳》。及門弟子梁容若述云："先生久居北平西城三道柵欄，所寓古槐繁茂，濃蔭蔽天，因名著書講學之廳事曰槐軒。槐軒聽講的拜門弟子，前後約百人上下。"又云："先生治學，最初注意詞章。取徑桐城，篤信吳摯甫、曾滌生之説。五十六歲以後，盱衡世變，專精治《易》。"又云："先生長身鶴立，疏髭鬚，健步如飛。三十七年（1948）十月，年已七十九，猶耳目聰明，神智不衰，深夜能作蠅頭細楷。性耿介，淡於榮利，篤於親朋故舊，富於正義感。"又云："先生論史，步趨班馬，而亦瓣香蔚宗。論史法，以爲正確、簡鍊、生動，缺一不可，直書史實，勸懲自見，是非自明。"又云："先生相與講論之友朋，如王樹枬、吳闓生、高閬仙、張鼎彝等，雅尚略同，皆能有公鑒、無姑息，讜論斧削，以比迹古人，力爭上游爲準的。先生虛懷採納，損之又損，用能文省而事賅，扼要而暢達。文章詼奇雋永，引人入勝，吳北江氏謂，殆欲與《左》《史》班范相争衡。"[一]

　　約五年前，我以赴京之便，與尚先生哲曾孫尚林君重敍，蒙以其王大父書稿若干種相餉，謂係"文革"被抄退還者，或仍可供研究之用。我喜不自禁。南歸後，細檢拜閲，見其中有《焦氏易詁》、《焦氏易林注》稿本完帙無損，又有《周易尚氏學》前稿、定稿各一套，亦首尾俱備，皆至爲難得，當時即萌發校理出版之念。又年許，尚林君函告，北京某氏藏尚著《周易古筮攷》刊本一套，書中有吾師黄壽祺教授早年批註語至多，又欣喜不已。後經尚林君努力，及賢友繆希富君襄助，終至購獲此本，而尚氏、黄氏師弟子兩代學者關

<hr>

[一] 以上諸文，皆引自 1962 年臺灣文星書店影印本《辛壬春秋》卷首梁容若先生《前言》。凡所稱述，頗足以補《滋溪老人傳》之未備。

乎古代易筮之學術創獲並具於斯矣，其可珍貴，不待言矣。於是遂毅然擬定校理“尚氏易學存稿”項目，除上述四書稿外，增以昔年先師曾託付之尚氏《易説評議》印稿，凡五種，皆尚氏最具創見而最足以津逮後學之重要易學著述。

校理以尚氏各稿本爲底本[一]，參取諸種原刻本、續補本、後印本及其他有關文獻資料，詳爲勘訂，務使前後一體，條例明晰，卷次貫暢。又以吳承仕先生《檢齋讀易提要》一卷、黄壽祺先生《易學羣書平議》七卷附《易説評議》後，庶便讀者參覽歷代易説提要之精論。共收《周易古筮攷》十卷、《焦氏易詁》十一卷、《焦氏易林注》十六卷、《周易尚氏學》二十卷、《易説評議》十二卷，凡五種六十九卷，統名爲“尚氏易學存稿”。合附編二種八卷，共計七十七卷。

吾友鄭京水、繆希富二君，長年關切我學術事業，於校理“尚氏易學存稿”尤著意焉。每及談敍，時有督策，蓋視我之事業猶二君之事業，世稱諍友，其此之謂歟？兹編之成，吾未嘗不感焉。故謹著之，並志學友之益也。

兹編卷帙繁浩，義恉淵深，以我淺陋之資，欲僅賴一時之力校理之，允難成其功也。故前後襄助諸君多矣，除福建閩江學院黄高憲教授、福建師範大學連鎮標教授撥冗協理外，其他具體參與校勘檢核者尚有從我受學之博士生、碩士生、本科生凡十數人詳各書《校理弁言》所記，均盡心竭力，助我良

〔一〕惟《周易古筮攷》無原稿，以先師黄壽祺教授批校本當之。又《易説評議》亦非手稿，乃以尚氏原訂並手校之打印稿及作者哲嗣尚驤先生補鈔本爲底本。

多。至若福州風雅頌電腦工作室章夏、陳華、連玲玲三者，始終承擔文字編排、内容覆核諸繁務，精謹嚴慎，不憚苦辛，皆所感荷。如是者歷經三載，遂有兹書之成也。

文史界前輩王世襄、史樹青二先生，及書家丁文波學兄，賜題墨簽，特此誌感。

尚氏遺稿，博大精深。今校理雖竣，心仍惴惴不已。《易》稱“未濟終焉”，龔定盦嘗以“心飄渺”擬諭之。世有同好，而將共研尚氏易學精義者，其有以匡我之未逮歟？是所幸盼。

門下晚生張善文
謹識於福建師範大學易學研究所
公元二〇〇四年十二月

滋溪老人傳^[一]

滋溪老人，姓尚氏，名秉和，字節之。世居行唐城西南，滋河北岸之伏流邨。自前明以來，家世無甚貧，亦無甚富。世世耕，亦世世讀。父中憲公，幼有聲於庠序間，乃六應鄉舉而不第，卒以貢生終老。有二子，長式和，字遜臣；次即秉和。乃縱令遊學，曰：是或能成吾志。初肄業邑龍泉書院，從安州魏奉宸先生遊。歲己丑鄉試，遜臣中謄録，分國史館。人言可敍官，時年少氣盛，棄而不顧。繼又赴真定恒陽書院肄業。時桐城吳摯父先生，方主講保定蓮池書院中，以詩古文爲北方倡，心慕之，乃復遊學於保定。遜臣於歷史、地理，及諸家古文，素所服習，尤擅長制藝。既至蓮池，頗爲吳先生所賞拔。乃六應鄉舉，每高薦而不第。最後二科，主司擬中者再，仍不第。後己酉科取中拔貢生^[二]，非所好也，乃絶意進取。祇秉和一人，在外遊學。歲己亥，丁生母張太

〔一〕 此文尚秉和先生自撰，今以《槐軒文集》未刊稿本爲底本，校以中華書局一九八〇年版于省吾序《周易尚氏學》附録（簡稱"于序本"），及作者哲嗣尚驤先生一九七七年三月重鈔本（簡稱"鈔本"）。

〔二〕 "己酉"原作"乙酉"，據鈔本改。

宜人憂，遂屏棄制藝，專致力於詩古文。凡歸、方、姚、梅、曾、張，並吳先生所評點詩古文、諸子、前四史、五代史，或假之於吳先生，或索之同門，日夕迻錄者數年。由是於班、馬、韓、歐，敍事虛實，詳略簡括，微眇之旨，略得於心。而歎晉唐以來史傳，其敍述每與其人之精神不能相稱。後昌黎能之矣，而不作史。歐陽能之矣，而於新唐書，祇作志不作傳。祇新五代史爲一手所成，班馬遺法，賴以復明。外此則陳陳相因，有若簿籍，未嘗不讀之而倦也。光緒壬寅，受知於學使陸伯葵先生，取優貢第四名。是年舉於鄉。翊年癸卯成進士，分工部。光緒三十年，入進士館學習法政。三十一年十二月，巡警部尚書徐公，聞名調入巡警部。三十二年，補主事。翊年升員外郎，以軍機章京記名。宣統二年，丁父憂。三年三月，遇相者劉心齋，曰：吾相天下將大亂。余曰：相人以五官氣色，言動威儀。國事從何相起？曰：吾仍從相人知之。自今年來，無論中外官，吾相之皆當褫職，君亦其一也。若非天下大亂，胡能若是乎？後果如其言。始巡警部設立二年，易名民政部，至是又易名内務部。復浮沉部中者十餘年。自通籍後，處京師，出入於各座師之門。凡王公貴人，及當世宰相，莫不親接其顏色，習見其晉接僚屬、承奉鞏轂之勞，而爲時勢所拘，皆不克行其志，慨然於崇高富貴者如斯。至四五品以下朝士，能酬應奔走，趨附形勢者，即可超遷，否則庸碌不足數也。其煩勞，其情狀，自料非屏驅所能堪。而文學者，吾所素習也，始欲以著述自見矣。然不能枵腹爲，又不能去通都大邑，以與文人學士遠也。東方生云：避世金馬門。揚子雲云：下者禄隱。遂師其意，如訥如愚，不顧譏笑，博升斗以自溷。乃集古文講授談十二卷，凡文章家講求義法、傳授心印之言，靡不輯録，而於敍事之法講論尤詳。蓋文章之道，以記事爲最難，八家之中已不盡能矣。明清兩朝儒者，儘有文名横絶一世，乃一敍事則蹶足不起，且鄰於小説者多矣！則以義法不詳，雅俗之辨未審也。獨歸熙甫、方望溪兩氏，能摧伏外道，力扶雅音，故備録其説，以爲古文者導。自此書出，河北大儒王晉卿先生，桐城姚仲實、姚叔節諸名士，皆叩門來訪，引爲同氣。至辛亥革命，國體變更。私忖此變，爲數千年所未有，蹶然興曰：是吾有事之日也。乃搜集傳記，存録報章，凡百七十餘種，以十年之力，成辛壬春秋四十八卷。繼又思中國歷史，皆詳於朝代興亡，政治得失；文物制度之記載，至於社會風俗之演變，事物風尚之異同，飲食起居之狀況，自三代以迄唐宋，實相不明。一讀古書，每多隔閡。初學固病之，即通人學士，偶有所詢，瞠目不能答者多矣。然一物有一物之歷史，一事有一事之歷史，即細而至於拜跪坐卧，牀榻几席，更衣便旋，亦莫不有其歷史。因即經史百家，及晉唐宋以來小説，凡人所習焉不察，而於事物之歷史有關者，詳細輯録，解説原委，連綴成篇，成歷代社會風俗事物攷四十四卷。時政府已南遷，則授讀於遼東以自給，年已垂垂老矣。老而學易，自古如斯，亦不知其所以然也。欲學易，先明筮。而古筮法皆亡，乃輯周易古筮攷十卷，羅古人筮案，以備研尋。象者，學易之本。而左傳、國語爲最古之易師，乃著左傳國語易象釋一卷。漢人說易，其重象與春秋人同。然象之不知者，浪用卦變或爻辰以當之，初不敢謂其非，心不能無疑也。初在蓮池時，讀焦氏易林而愛之。繼思即一卦爲六十四縣詞，必有所以主其詞者。無如易林所用之象，與漢魏人多不同，故仍不能通其義。久之，閱蒙之節云：三夫共妻，莫適爲雌；子無名氏，翁不可知。知林詞果由象生。又久之，閱剝之巽云：三人同行，一人言北；伯仲欲南，少叔不得；中路分道，爭鬪相賊。巽通震，由是易林言覆象者亦解。又數年，讀大過九五曰：老婦得其士夫。大過上兌，而恍然於易林遇兌即言老婦之本此也。大過九二曰：女妻。女妻，少妻也。九二巽體，又恍然於易林遇巽即言少齊之本此也。他若易林遇艮即言龜，而恍然於頤、損、益之龜之指互艮。遇兌即言月，而恍然於小畜、歸妹、中孚之月之指兌。若此者共百餘象，非易林之異於漢魏人，乃漢魏人之誤解易。尤異者，困之有言不信，以三至上正覆兌相背也；中孚之鶴鳴子和，以二至五正覆震、艮相對也。凡舊解無不誤，亦皆賴易林以通。先天卦象，清儒謂爲宋以前所無，闕之數百年矣，乃易林無不用之。邵子所傳一二三四五六七八之先天卦數，及日月星辰水火石土之八象，清儒尤譏其無理，易林亦無不用之。於是著焦氏易林注十六卷，焦氏易詁十二卷，以正二千年周易之誤解。卦氣者卜筮之資，乃必與時訓相附。初莫明其故，久之知七十二候之詞，皆由卦象而出。如中孚曰：蚯蚓結。上巽爲蟲，故曰蚯蚓。中孚正反巽相對於中，故曰蚯蚓結。於復曰：麋角解。震爲鹿，故曰麋。艮爲角，艮覆在地則角落矣，故曰麋角解。初以爲偶然耳，既求之各卦，無不皆然，且用正象、覆象、半象靡不精切。凡易林所舉失傳之象，如以艮巽爲鴻雁，以兑爲斧爲燕，求之卦氣圖往往而在，於周易所關至鉅。乃著周公時訓卦氣圖易象攷一卷。文王演易，本因二易之辭，而改易舊卦名者，約二十餘卦。其舊名略見於宋李過西谿易説，乃説之不詳。至清黄宗炎、朱彝尊、馬國翰等迭攷之，於某卦當今之某卦略得矣，而皆未詳其義。又二易繇詞，雜見於傳記者，其卦名雖異，其取象則同，可攷見周易之沿革。乃著連山歸藏卦名卦象攷一卷。易理之真解既明，易象之亡者復得，於是由漢魏以迄明清，二千年之誤解，遂盡行暴露。非前人知慧之不及，乃易象失傳之太久也。因之及門諸友環請注易，乃復成易注二十二卷。以其與先儒舊説十七八不同，而又不敢自匿其非也，因名曰周易尚氏學。以二千餘年之舊解，今忽謂其多誤；以一人之是，謂千百人皆非，無乃駭衆？然而易象易理，如此則協，如彼則鑿，一經道破，明白易知。以天下之大，千百年學士之多，果無一人同我者乎？乃復汎覽易説，至數百家之多。果得會稽茹敦和，乾隆進士，著周易大衍。其發明失傳之象，與我同者十有五。如以坎爲矢，震爲鞭，艮爲牀等是也。得歸安卜斌，嘉慶進士，著周易通釋。以巽爲豕，以坤爲魚，以坎爲矢，其取象與我同者三。得安仁盧兆鼇，嘉慶進士，著周易輯義。以乾爲日。以鳴鶴在陰之陰爲山陰。説龍戰于野云：天地之大德曰生，生生之謂易，故天地不交則萬物不通。以戰爲交接。説與余同者三。得黄岡萬裕雲，嘉慶舉人，著周易變通解。謂左氏風行而著於土，山嶽則配天，川壅爲澤，震之離亦離之震。荀爽注家人謂離巽之中有乾坤;同人謂乾舍於離同日而居,坤舍於坎同月而居,皆明言先天卦位。説與余同者六。得宛平李源,道光舉人,著周易函書補義。説西南得朋,乃與類行云:朋即類,類即朋。陰以陽爲朋,復曰朋來无咎,謂陽來也;陰以陽爲類,頤六二曰行失類也,謂往不遇陽也。説天地變化,草木蕃云:蕃者,掩閉。説大過以巽爲女妻,以兑爲老婦。説既濟以離爲東,坎爲西。説與我同者九。得江寧沈紹勳,著周易示兒編[一]。言焦氏易林爲言易者所不解,其學遂絶。苟有深明象數者,一一詮注,可以發無窮之義蘊。乃注易林乾之隨、艮之離二卦,皆原本象數。又謂左傳同復於父敬如君所,及南國蹙射其元王中厥目等辭,皆明言先天卦位。説皆與我同。此六人者,其説易雖不皆善,而各有二三説與余符合。可見真理之在天壤,久而必明。孔子曰:德不孤,必有鄰。豈不然乎! 乃引以自證焉。獨左氏與易林所用正覆象,迄無一人用以解易者,則余説之賴以證明者,不過百分之五六耳。其有待於後者尚多也。汎覽既久,乃成易説評議十二卷。年老健忘,偶有所得,不即書之,轉瞬即逝。力矯其病,成讀易偶得録二卷,讀書偶得録四卷。太玄説易,與易林等重。乃太玄筮法,人與人殊,從無論定,乃著太玄筮法正誤一卷。凡説易之書,約有十種。其立説,其取象[二],十七八與先儒不同。其譽我者,王晉卿先生謂:將二千年來儒者之盲詞囈説,一一駁倒,使西漢易學復明於世,孟子所謂其功不在禹下。陳散原先生謂:此書千古絶

〔一〕按沈氏所著爲《周易示兒録》,有民國二十年(1931)鉛印本。
〔二〕“其”,于序本、鈔本作“與”。

作,今世竟有此人,著此絶無僅有之書,本朝諸儒見此當有愧色。其謗我者,謂鄭、虞舊注爲歷代易家所尊重,今忽謂其多疵,豈有清一代如惠氏父子、張惠言、姚配中諸人之尊崇鄭、虞者之皆誤乎?是則妄誕之甚。然而我所舉之易説、易象,皆周易所固有,我不過舉左傳、易林等書,用以證明,以貢獻於學者之前耳!至於毀之譽之,棄之取之,在其人之功力如何,庸足計乎!此外著查勘明陵記四卷,燕京城垣沿革攷一卷,燕京歷代宮殿攷一卷,灌園餘暇録六卷,槐軒見聞録二卷,客餘隨筆一卷,文集四卷,詩集四卷,槐軒説詩十二卷。二十七年〔一〕,講學蓮池書院〔二〕,爲毛詩説二卷。始吾以易象失傳,故易説多晦。乃瀏覽毛詩新舊各説,其晦黯與易同。惜余年老,不獲終業,只説召南、周南二篇耳。老人資性魯鈍,幼讀書,日不過十餘行。訥於言,見事遲滯。今年七十矣,迴憶生平所歷,如科名,如學問,無不艱苦既久,而後得之。年十八入邑庠,二十一補廩膳生。乃七應鄉舉,始舉於鄉,成進士。時年已三十三,先母張太宜人殁已三年。又外祖育堂公,有知人鑒,見余兄弟文,謂必騰達,吾當見其成。乃鄉舉報捷,先一月而公殁。科第之榮,世俗所重,二老人期望終身,竟不得目覩,以博一笑,此則生平所最痛心者。及通籍爲官,不三年得補主事,又二年遷員外郎,得京察一等,記名軍機章京。軍機章京,即唐宋之中書舍人,據形勢之地,最爲清要。乃將任職,而清室鼎革。其爲學,當少年精力强壯之時,爲制藝所困,不得專致力

〔一〕"二十七年",于序本、鈔本作"二十六年"。
〔二〕"書院"原闕,據于序本、鈔本補。

於詩古文。乃通籍後始專意爲之，而吳先生已歿。乃問法於吳北江、常稷笙、賈佩卿、劉苹西諸同學，凡有所作，無不就正，遂門徑粗通。而易學十種，其伏根在二十年前；其考求遺象而成書，則在二十年後。其念茲在茲之艱苦，有非言語所能形容者。蓋易林既通，以易林注易；而易林未通以前，實以易注易林。嗚呼困已！老人平生足跡所至，昔赴汴應試，值河水大漲〔一〕，得觀黃河威勢。民國三年，奉部檄往熱河，查避暑山莊古物，因得遍觀莊內七十二勝境，及園外八大處之名跡，康熙、乾隆兩帝之墨跡，徜徉於湖山松石之間者約一年。五年，從塔宣撫使爲參贊，遍遊張家口、大同、歸化城諸邊塞。九年，因賑至漢口，登黃鵠磯，覽大江，陟晴川閣，訪琴台。復乘江輪至九江，冒雨登匡廬絕頂。北望大江，如長虹掛天；東眺鄱陽湖，波浪春天。十年，查賑河北，遊蘇門百泉，登嘯臺，訪邵子安樂窠。東至黎陽，陟大伾，尋禹績〔二〕。瞻佛圖澄所刻石佛像，高十丈。撫端木子手植檜。十五年，至蚌埠，駐徐州，登雲龍山，訪東坡遺蹟，拜亞父冢。迴至濟南，泛大明湖，登歷亭，得李北海、杜工部宴處。十八年，赴瀋陽，過碣石、山海關。東望大海，波濤作黑色。平生足跡止此。老人自幼遊佛廟則喜，道院則否，殊不知其所以然。初讀佛經，憒不知落處。後閱五燈會元，達觀禪師云：禪是經綱，經是禪網；提綱正網，了禪見經。乃窮覽禪説。久之，知唐宋以來，禪家大師，道齊諸聖，其寥寥數語，能括盡經教

〔一〕“值”原作“置”，據于序本、鈔本改。

〔二〕“績”，于序本、鈔本作“跡”。

精華。其大自在處，已入吾儒聖境。凡吾儒謗佛者，皆不知佛之實際與吾儒同，且不知吾儒中庸之道與佛無異也。蓋自唐之王維、白居易、裴休，宋之楊億、李遵勖、張九成、李邴、馮楫十數人外，鮮有知此者矣。禪語既會，再讀諸經，立知歸宿。然仍不能解脱也。十四年冬，因時局兀臬不能去懷，偶閱馬祖與百丈觀野鴨因緣，遂脱然放下。因説偈曰：參得江西過去禪，應無所住得真銓。森羅萬象飛飛過，不許些微把眼穿。因廢棄時事，安心著書。後讀僧璨信心銘曰：大道無難，惟嫌揀擇。但莫愛憎，洞然明白。又曰：纔有是非，紛然失心。凡著書不能無揀擇，無是非，於是著述之念亦放下〔一〕。放下再放，回思舊夢，盡是雲煙。歷歷數之，真多事也！

　　男驤謹案〔二〕：右係先君七十歲時所寫自傳。先君生於一八七〇年（同治九年）七月廿七日，殁於一九五〇年四月十日，享年八十一歲。寫此傳時，約為一九三九年，正當華北淪陷時期，憂國心傷，無以自遣，書此述懷，聊作一生總結。然先君事蹟之足可稱述者，當不祇此。即以著述而論，自傳中未經提及者尚多。如諸子古訓考十八種，洞林筮案，郭璞洞林注，易卦雜說，槐軒雜著，易筮卦驗集存，周易導略論，國學概論，雲煙過眼錄，避暑山莊記，河北省通誌兵事篇等二十餘種。或自以為零星小品，無足稱述；或為七十歲後所寫，未及完成。先君自九一八事變，由東北返京後，即在京寓為生徒講易。院內有老槐二株，因名屋曰槐軒。先君於學無

〔一〕“述”，于序本、鈔本作“書”。
〔二〕以下稿本無，兹據鈔本補入。

所不窺,除著述外,對於方術醫藥,無不精通博洽。凡家庭婦孺,以及鄰舍老幼,偶患病症,一經診治,無不手到病除。或勸懸壺以濟世,先君未允。北京中醫學會遂聘爲顧問。又精於鑒賞金石文玩,工於繪事。所繪山水,介乎雲林子久之間。名畫室曰無聲詩室,自號石煙道人。教子驤以畫法,因號驤爲小煙。元配盧氏,早亡,無所出。繼配王氏,生子二,長駿,幼殤;次即驤。女三,長蘭,適行唐傅氏;次桐雲,適長垣焦氏;三女章雲,適束鹿李氏。驤工科大學畢業,歷任重工業部、建築材料工業部工程師。孫灃,輔仁大學畢業,供職北京電業局。孫女慧娟,適北平席氏。曾孫四,曾孫女一,俱幼讀。一九六二年三月,男驤謹記。一九七七年三月,男驤重抄,時年八十二歲。

周 易 古 筮 攷

尚秉和　撰
黃壽祺　批注
張善文　校理

周易古筮攷校理弁言

《周易古筮攷》十卷,尚秉和先生撰。民國十五年(1926)刊本。此書大恉在攷索古代易筮條例,以證《周易》筮法的基本程式及其文化内涵。卷一詳解朱熹《周易本義》所載《筮儀》,及易學史上訟争紛紜的"用九"、"用六"之義;卷二至七輯春秋迄明清傳記所載以辭象爲占而存有本卦之筮案,得一百有六則、一百一十卦,依類排列,其或遣詞怪奧者則章解句釋,以期學者洞明本旨而有所規尋;卷八、九雜攷納甲、六親、世應、干支、五行、飛伏、互卦、金錢卜、八宫卦諸義例;卷十爲作者筮驗輯存,得二十五則。全書重在剖析歷代筮案,於朱熹所定筮法規則間有辨證發明。而闡述乾坤"二用"大義尤見創獲,劉殿臣跋稱"足正漢魏以來注疏家之謬,掃除蒙説,獨標真諦,於經義闡明尤爲有功"。

先師黄壽祺教授字之六,早年遊學北平,嘗受業尚先生門下,備獲關愛教誨。曾協助先生整理《焦氏易詁》十一卷,並奉先生命作序一首。彼時尚先生《周易古筮攷》刊行已久,蓋先師亦曾研習再三。

約三年前,獲尚林君來函,謂北京某醫家後裔藏一套

《周易古筮攷》舊刊本，上有墨書及朱書眉批、旁註、附論，間題"祺案"字樣；書內卷八尚夾黏《卦氣說》長文一篇，署款"甲戌六月二十有四日之六記於燕京"。聞訊欣喜不已，可斷言即先師當年所作之批閱本也。於是電告尚林君，不惜代價，盡力購得。後經賢友繆希富君協助，終告如願。尚林者，尚老先生之賢曾孫也，頗具其王大父學風、品範。今能覓獲此批閱本，厥功不可沒也。

　　先師早年在北平求學及從教前後凡十載有奇，抗戰期間北平淪陷，南旋返閩，一大批書籍、文稿寄存友人處，後皆散佚。《周易古筮攷》批閱本蓋其一也。茲歷六十餘年失而復得，豈不奇哉！幸哉！抑學術承傳之脈緒亦有緣歟？今觀卷內批閱處墨色如新，栩栩然先師之手迹也。攷批語署"甲戌"款，即民國二十三年（1934），其時先師恰二十三歲，爲北平中國大學本科三年級學生，而尚先生已六十五高齡。且先師爲尚先生《焦氏易詁》作序亦正當此年。由此足見先師學殖在青年時代即深厚超拔，無怪乎蒙尚老先生鍾愛有加。

　　茲編校理，以民國十五年（1926）刊《周易古筮攷》爲底本_{省稱"刻本"}重加整釐，逐錄先師批注文於所當之處，並以中括號【】標明"黃批"以別之，庶便讀者參互閱覽。

　　刻本或有偶誤，先師批閱本已作校訂者_{省稱"黃校"}，皆依校改。又或有"黃校"未及者，則據有關文獻僭爲校訂。凡此皆出校記，置於頁下脚注中。

　　刻本卷一至卷七正文未列標題，爲便讀者檢覽，據刻本目録補加標題。目録與正文有出入,則依正文,或補之,或改之,一般不出校。需特別説明者,置於正文頁下脚注中。

　目録中加方括號〔〕者,如卷八納甲説〔附十二辰方位圖〕等,刻本原無,均爲校理者據内文所增附標題。

　刻本間有"無"、"无"、"於"、"于"互用者,據阮刻《周易正義》或有關文獻校訂,文中不再一一出校。

　此書校理過程,賴風雅頌電腦室章夏、陳華、連玲玲之配合尤多。博士生馬新欽協助查尋有關資料,用力甚勤,於校理頗有輔益。先師哲嗣黄高憲師兄雖教務繁冗,猶竭力爲校閲全稿一過,多所匡正,至深感荷。

　尚先生《滋溪老人傳》曾自述云:"老而學《易》,自古如斯,亦不知其所以然也。欲學易,先明筮。而古筮法皆亡,乃輯《周易古筮攷》十卷,羅古人筮案,以備研尋。"據所敍,乃古筮恉趨與易學義藴實不可離也。先生及門劉氏殿臣爲此書作跋,末云:"近今世界各國,學問相流通,而哲學尤重。如我國之易筮,所謂世界極深之哲學。非耶? 而繼述肄習者,寂無聞焉,更何望發揮於嶠外乎? 茲編出,吾知於易學裨益非淺鮮。"斯言良是。即今日研究中國哲學史者,於此蓋亦將有所啓悟而共鳴歟?

門下晚生張善文

謹識於福建師範大學易學研究所

公元二○○四年十二月

周易古筮攷自敍

　　説文：卜，灼龜也；筮，揲蓍也。龜卜之法，自唐以後即不見於記載，蓋亡已久矣。揲蓍之占，春秋太史所掌，雖亦失傳，賴左氏內外傳所紀十餘事，義法粗具，後之人猶得窺見端緒，傳述不絕也。蓋易之用，代有闡明，而其別有三：伏羲以來察象，周用辭而兼重象，至西漢乃推本辭象而益以五行。五行明而筮道乃大備矣。是以漢之焦、京，魏晉之管、郭，唐之李淳風，宋之邵堯夫，其筮法之神奇，有非春秋太史所能望見者。則以春秋太史局於辭象，後之人能兼用五行也。五行之義始箕子，易微露其兆，引而弗申。至漢乃大昌。後儒以其淫也，矯之而過。凡經義略涉五行者，即嗫而忌言，一若言及即爲儒術之累者。豈知天地水火，雷風山澤，陰陽剛柔，乃象傳、象傳之比附推測，周易本文不曾言及，且其迷信又何以異于五行乎？信於彼而疑於此，是何異以五十步誚百步乎？茲惑已！戰亂以來，屛營憂慮，頗思學易。而古人筮案散在百家，毛西河嘗錄之，附說卦中。李剛主爲筮攷，又只十餘事，較西河尤略，欲窺其全要難。乃發憤搜輯，上自春秋，下迄明清傳記所載，凡以辭象占而存有本卦者,槪爲輯録。其只有事驗而本卦遺失者,則以其無益推測,擯弗取焉。凡得筮案百六則,一百十卦,揲蓍之法燦然大備。其或詞義怪奇,深奧難知者,則推求本卦,章解句釋,以期洞明,俾學者有所遵循,而得其涂徑焉。至今日市肆所用明程良玉等筮法,雖號稱占易,實與辭象無關。且專取用爻,用爻不得即不能推斷,可小事不可大事,宜一人不宜國家,能占命不能射覆。垂簾市井,肆應則宜;觀象玩占,兹編不録。民國十五年一月,滋溪老人記。

周易古筮攷卷一

易本用以卜筮。不嫻筮法,九六之義即不知其何來,而繫辭大衍一章尤難索解,春秋傳所謂某卦之某卦亦莫明其故。故學易者宜先明筮法。兹就朱子所傳筮儀用之。至此筮儀爲朱子所定,抑或傳自先儒,朱子未言,則亦不必論也。

【黄批】尚氏近著周易導略論,作筮儀攷云:揲著之法,備載于筮儀。至筮儀爲何人所作,先儒向無攷之者。朱子本義載于篇端,詳爲之註,而不言其本。余攷焦贛易林,即首載此。蓋周以來相傳之法。不得以其法與繫辭合,即謂其出于易繫之後。今觀其所用之器,曰置著于牀,明其時無高几也。不曰木架,而曰木格。攷周禮牛人注:挂肉格。格之名亦最古。又不曰禱,而曰命。攷儀禮少牢饋食禮:筮史受命主人,遂執筮述命。述主人命以命筮也。命字,亦周時名詞。惟盛著之器,儀禮皆曰韇,今改曰櫝。韇者,以皮製爲圓筒。櫝則不必圓也。此後人展轉傳抄之誤,朱子仍之,未加詳攷之耳。又筮儀所謂所餘之策,或一或二或三或四,與虞翻解歸奇于扐注合。此足證筮儀筮法其傳最古,後人動欲改正者,妄也。唯荀、虞則併初變之挂一及左右揲餘于次小指間,併二變之挂一及左右揲餘于中指間,不置牀上,即布卦之一爻。筮儀則挂一于小指，扐左餘于無名指，再扐右餘于中指。一變既畢，則併挂餘置于格上。三變即畢，則挂一爻于版上。爲小異。然所異者，一變所得放下不放下之分耳，法仍同也。

筮儀詳解

擇地潔處爲筮室，南戶，置牀于室中央。蓍五十莖長尺餘，韜以帛囊，納之櫝中，櫝以圓竹筒或木筒爲之，上有蓋，下有臺函之，使不偏仆。置之牀北。設木格于櫝南，居牀二分之北。格以橫木板爲之，高一尺，長竟牀，廣當牀三分之二，中爲兩大刻，相距一尺。大刻之西爲三小刻，相距約五寸。下施橫足。按，刻即槽也，凹也。置香爐一于格南，香合一于爐南，日炷香致敬。將筮，則洒掃拂拭。滌硯一，注水，及筆一、墨一、黃漆板一于爐東。東上，筮者齋，潔衣冠，北面，盥手，焚香致敬。筮者北面，見儀禮。若使人筮，則主人焚香畢，北面立。筮者進，立于牀前，少西南面受命。主人直述所占之事，筮者許諾。主人右還西向立，筮者右還北向立。

兩手捧櫝蓋，置于格南爐北。出蓍于櫝，解囊置于櫝東。合五十策，此所謂大衍之數五十也。薰于爐上。命之曰：假爾泰筮有常，任氏云：古命筮二，主人一，筮史再。此筮史之詞，言假此以質于神也。某今以某事，未知可否，爰質所疑于神之靈。吉凶得失，悔吝憂虞，惟爾有神，尚明告之。

乃以左手取其一策，反于櫝中。此所謂其用四十有九也。存一不用，以存神也。一故神。而以左右手中分之，置格之左右兩大刻。此第一營。所謂分而爲二以象兩儀也。按，營即經營之義。次以左手取左大刻之策執之，而以右手取右大刻之一策，掛之左手小指間。此第二營。所謂掛一以象三才也。**次以右手四揲左手之策。**此第三營。所謂揲之以四，以象四時也。**次歸所餘之策，或一，或二，或三，或四，而扐之左手無名指之間。**此第四營。所謂歸奇于扐以象閏也。**次以右手反過揲之策于左大刻，遂取右大刻之策執之，而以左手四揲之。**此第三營之半。**次歸其所餘之策如前，而扐之左手中指之間。**此第四營之半。所謂再扐，以象再閏者也。一變所餘之策，左一則右必三，左三則右必一，左二則右亦二，左四則右亦四。通掛一之策，不五則九也。或謂右不必再揲，舉左則右可知，但取餘策扐之可已。任啓運曰：如此則有意簡略，且失陰陽交錯之義。心不誠則神不應，萬不可不揲。**次以右手反過揲之策于右大刻，而合左手一掛二扐之策置於格西第一小刻。以東爲上。是爲一變。**此所謂四營而成易。

　　再以兩手取左右大刻之蓍合之。或四十四策，或四十策。**復四營如一變之儀，而置其掛扐之策於格西第二小刻。是爲二變。**二變所餘之策，左一則右必二，左二則右必一，左三則右必四，左四則右必三。通所掛之一，不四則八也。

　　又取左右大刻之蓍合之。或四十策，或三十六策，或三十二策。**復四營如二變之儀，而置其掛扐之策於格西第三小刻。是爲三變。**所餘之策與二變同。

　　三變既畢，乃合三變掛扐之策，而畫其爻於板。此所謂三變而成爻也。合三變掛扐，若共十三策，則三少，而爲老陽，其畫爲重〇。重〇須變陰。若共十七策，則二少一多，而爲少陰，其畫爲拆--。拆--不變。若共二十一策，則二多一少，而爲少陽，其畫爲單—。單—不變。若共二十五策，則三多，而爲老陰，其畫爲交✕。交✕須變陽。此四象也。**故曰三變而成爻。**九變成三爻，謂之內卦。**凡十有八變而成卦。乃考其卦之變而占其事之吉凶。禮畢，韜蓍襲之以囊，入櫝加蓋。斂筆硯**

墨板。再焚香致敬而退。如使人筮，則主人焚香，揖筮者而退。

　　按，一變所餘之策，不五則九。五爲奇，九爲耦。五除掛一爲四，以四約之得一，故爲奇。九除掛一爲八，以四約之得二，故爲耦。

　　二變三變所餘之策，不四則八。不去掛一，四約之，四爲奇，八爲耦。

　　通三變所餘之策，若初五、次四、次四，則全是奇，奇爲陽，三陽爲乾，故曰羣龍。共得十三策。而揲策則爲三十六，四揲之得九而爲老陽。陽老則變爲陰，故聖人于乾卦六爻之後曰用九。言筮者遇老陽之九，須用以變陰，與遇少陽之七不同也，故用之也。曰見羣龍无首吉，言老陽須變陰之義也。此筮儀所以曰遇三少則其畫爲重〇，重〇者，九之標識，而待變陰者也。

　　通三變所餘之策，若初九、次八、次八，則全是耦，耦爲陰，三陰爲坤。共得二十五策。而揲策則爲二十四，四揲得六而爲老陰。陰老則變爲陽，故聖人於坤卦六爻之後曰用六。戒筮者遇六須用以變陽，與遇少陰之八不同也，故用之也。曰利永貞者，言老陰須變陽之義也。此筮儀所以曰遇三多則其畫爲交✕，交✕者，六之標識，而待以變陽者也。

　　通三變所餘之策，若初五、次八、次八，陽在初爲震。或初九、次四、次八，陽在中爲坎。或初九、次八、次四，陽在上爲艮。則一奇二耦，共得二十一。而揲策爲二十八，四揲得七而爲少陽。少陽不變。此筮儀所以曰遇一少二多則其畫爲單━，單━者即不變之陽爻也。

　　通三變所餘之策，若初九、次四、次四，陰在初爲巽。或初五、次八、次四，陰在中爲離。或初五、次四、次八，陰在上爲兌。則一耦二奇，共得十七。而揲策則爲三十二，四揲得八而爲少陰。少陰不變。此筮儀所以曰遇一多二少則其畫爲拆--,拆--者即不變之陰爻也。

用九用六解一〔一〕

易於乾坤二卦之後,獨贅曰用九見羣龍无首吉,曰用六利永貞。何也? 曰:此聖人教人知筮例也,非占辭也。且專就筮時所遇之一爻言,非論六爻之重卦也。何言之? 凡易無論何卦,皆由乾爻坤爻所積而成。而筮時所遇揲數有九六焉,有七八焉。七九皆陽,八六皆陰。何以乾坤二卦之發端,只言九六,不言七八? 因七爲少陽,八爲少陰,少陽、少陰静而無爲。九爲老陽,六爲老陰,老陽、老陰動而有用。以有用故,故以九六代陰陽爻,而不以七八。其曰見羣龍无首,利永貞者,則所以申明九六必變之義。九何以必變? 陽極則亢,亢則凶。若見羣龍无首,則吉也。无首則陰矣。六何以必變? 陰極則消,消則不能固守。若持之以健,而永貞則利也。永貞則陽矣。

【黄批】顧炎武曰:易有七八九六,而爻但繫九六者,舉隅之義也。故發其義於乾坤二卦,曰用九用六,用其變也。亦有用其不變者,春秋傳穆姜遇艮之八,晉語董因得泰之八是也。今以艮言之,六體皆變則名之六,餘爻皆變而二爻獨不變則名之八。是知乾坤亦有用七用八時也。乾爻皆變而初獨不變,曰初七潛龍勿用可也。坤爻皆變而初獨不變,曰初八履霜堅冰至可也。占變者其常,占不

〔一〕“一”字原闕,據刻本目録補。

變者其反也。故聖人繫之九六。祺案，顧氏此論，亦足證尚說之不可易矣。

【黃批】李道平曰：乾鑿度曰，陽動而進，變七之九。陰動而退，變八之六。故九爲陽爻之變，六爲陰爻之變。凡卦皆有九六，獨乾坤二卦言用九、用六者，以乾純陽，坤純陰也。蓋乾惟用九，故能變；坤惟用六，故能化。陽變陰化，以成六十四卦、三百八十四爻，皆此用九用六者爲之也。故於二卦特明其用。又：六陽皆變，故曰用九，其義起於後儒。然春秋傳蔡墨曰，乾之坤曰見羣龍无首吉。是六爻變則爲坤，亦古義也。祺案，李氏前說適與尚氏說相發明，特後說未詳攷耳。

朱子曰：言凡筮得陽爻者，皆用九而不用七；筮得陰爻者，皆用六而不用八。其詁是也。其曰使遇此卦而六爻皆變者，即此辭占之，則非也。用九用六專指三變成一爻言耳。三變而揲餘皆爲奇，或皆爲耦，則揲數爲九爲六，則用以變易也。三變而揲餘爲一奇二耦，則揲數爲七；或二奇一耦，則揲數爲八。七八雖亦爲陽爻、陰爻，則不用以變易也。專就三變成一爻言。於六爻皆變何與哉？設此而爲六爻皆變之占辭，則其餘六十二卦皆當有六爻變之占，而何以皆無？且易於一、二、三、四、五爻變皆未占及，而突及於六爻變之占，於義無取，於例何當哉？此其誤，惟清初任氏啓運知之，而不敢昌言。

任氏論朱子所定六爻皆變占法云：乾坤占二用，是也。餘占之卦之象辭，非也。朱子蓋誤以用九爲變坤，用六爲變乾云云。推任氏之意，應以用九爲變陰，用六爲變陽；以用九用六爲變重卦六爻之乾坤者，誤也。是任氏亦心知用九用六專指三變成一爻言，審矣。而猶模稜其詞，以乾坤占二用爲是，則恐有攻朱子之嫌，而干犯清議也。

　　然其誤並不自朱子始。考左傳，蔡墨論龍云：乾之坤，曰見羣龍无首吉。夫墨非爲人筮也，所言乾之坤即陽變陰，仍指一爻言也。墨于姤、于同人、于大有、夬皆指一爻言，于坤亦指一爻可知。而杜注曰：乾六爻皆變。是其誤自杜預而已然[一]。然預之誤不止此也。於見羣龍无首句，則注曰：用九爻詞。夫用九若爲爻，則卦有七爻矣，古今豈聞有七爻之卦哉？後之人習焉不察，沿傳注之誤，遂誤及易經。且又以杜預古人也，或明知其誤而不敢駁。豈知筮若遇九，則三變之揲餘皆奇。三奇即三陽，則乾之象，所謂重也。重則之坤矣。三變之揲餘皆耦，三耦即三陰，則坤之象，所謂交也。交則之乾矣。周秦人凡明易者，無不明揲扐，故蔡墨言之而不訛。後之人不嫻揲扐，徒知講易。故杜預釋之而易誤，以一爻之乾變坤而認爲六爻，則揲蓍之法不嫻故也。

　　此其義惟唐一行言之最詳。唐一行之言曰：三變皆少，則乾之象也。皆多，則坤之象也。三變而少者一，則震、坎、艮。多者一，則巽、離、兑。故夫七八九六者，因揲數以名陰陽。而陰陽之所以爲老少者，不在乎此，在乎三變之間所含八卦之象也。夫三變之間，既各含卦象，則蔡墨所言之乾之坤，爲一爻之乾之坤，可斷言也。何則？墨非爲人筮故也。

　　―――――――――――

〔一〕“然”原無，疑有脱文，據上下文補。

按,用九即陽變陰,亦可曰乾之坤。因一爻亦有乾爻坤爻之分。設蔡墨爲人筮遇乾之坤,再以羣龍无首爲占辭,則可曰乾六爻皆變矣。今泛論陽變陰之義而曰乾之坤,則乾爻變坤爻也。仍指一爻言。

又,周易本占變。筮得一爻,陽變陰、陰變陽之義,當然爲人説明。而六十四卦皆乾爻坤爻積成,故於乾坤二卦之末發其端。而後儒忽以用九用六爲六爻全變,百思而不得其解。推原其故,皆由蔡墨論龍乾之坤三字誤之,以爲此是用九的解。豈知蔡墨並非爲人筮,只以乾爻變坤爻詁用九耳。

又按,王庭湊筮得乾之坤,只就坤卦推。不推羣龍无首,以其非占詞也。

老少之義,自來無確詁。獨僧一行以謂三變皆奇則乾之象,皆耦則坤之象。乾坤爲父母,故曰老。三變而一奇則震、坎、艮之象,一耦則巽、離、兑之象。震、坎、艮,巽、離、兑,爲男女六子,故曰少。由一行之説,則老少之義,皆由三變所含卦象而來。故知蔡墨所言乾之坤,即三變時所含之乾象變爲坤象也,專指筮時成一爻言也。此義既明,則歷來注疏家恃蔡墨以爲根據,謂用九用六爲六爻全變者,不攻自破矣。

易內所言九六,乃乾爻坤爻之代名,與筮得之九六異。後人以乾皆九,坤皆六,便疑用爲六爻皆變。豈知筮時儘可六爻皆得乾,皆得坤,而無一爻變,以不必得九六耳。

任氏論朱子乾坤占二用云:然則坤盡變何不占乾元亨利貞之四德,而只占利永貞之二德乎?是亦以占二用爲非矣。

用九用六解二

余著前論既畢,復得歐陽公説,皆與余意相發明。自古解用九用六者,蓋莫過歐陽公也。歐陽公明用篇云:乾卦六爻之後,又曰用九者,何謂也? 謂以九而名爻也。乾爻七九,九變而七無爲。易道占變,故以其所占者名爻。不謂六爻皆常九也。曰用九者,釋所以不用七也。及其筮也,七常多而九常少,有無九者焉,此不可以不釋也。坤卦六爻之後,又曰用六者,何也? 謂以六而名爻也。坤爻八六,六變而八無爲。亦以其占者名爻。不謂六爻皆常六也。曰用六者,釋所以不用八也。及其筮也,八常多而六常少,有無六者焉,此不可以不釋也。終又曰:六十四卦陽爻皆七九,陰爻皆六八,於乾坤而見之,則其餘可知也。

【黄批】祺案,朱子亦曾取歐陽公之説,謂發明先儒所未到,最爲有功。特未訂其考占變之詞耳。

允哉! 歐陽子之言也。夫曰以九六名爻,則九六者只乾爻坤爻之代名,非筮得之九六也。乾坤之九六既非筮得,何得謂六爻全變? 又何得謂无首爲占辭? 夫曰及其筮也,七八常多九六常少,有无九六者焉。則用九用六之專指三變成一爻言,尤爲顯著。一爻成而爲七八也,則不變也。一爻成而遇九六也,則用以變也。如是積之而至於六爻,六爻皆七,雖得乾卦而不變一爻;六爻皆八,雖得坤卦亦不變一爻。且或九六與七八各半焉,七八多而九六少,九六少而七八多焉,遇有用則動,遇無用則静。此正聖人發凡明例,示人以筮法,而安得以名爻之九六認爲筮得之九六,謂用九用六爲六爻全變而自亂其例哉?

朱子蓋嘗疑之,而以爲不安,故曰使遇此卦而六爻全變者即此辭占之。夫曰使遇,則非確認用九用六爲六爻全變也,謂設或如此焉耳。其不安之意自在言外。顧猶以見羣龍无首吉、利永貞爲占辭者,則誤會蔡墨之言,而惑於杜注也。豈知无首二語,乃釋用義,而非占辭。任啓運曰:設此而爲占辭,則坤盡變乾,何不占乾元亨利貞之四德?而祇占利永貞之二德乎?其立説可謂至堅,爲歷來注疏家所不能破。且朱子亦既以六爻全變當占之卦象辭教人矣,而獨於乾坤全變則不占之卦而占本卦,攷之於古而不然,揆之於理而不協。學者苟能嫺營撰之法,而詳攷六一之言,屏除千百年來注疏家之蒙説,則其心必有與我同者矣。

按,易經本文盡占辭,只此二節教人筮法。於乾坤二卦發之者,凡卦皆乾爻坤爻積成也。用九用六者,申不用七不用八之義也。羣龍无首吉、利永貞者,又釋九六必變之義也。

蔡墨之乾之坤,即陽變陰也。仍指一爻言,非爲人筮遇六爻全變也。蔡墨不誤也,杜注誤也。杜之誤不祇此,其釋艮之八,先儒尤謂其誤。他注易之處,駁之者亦多也。

後又閲毛西河仲氏易,亦謂後人誤解蔡墨之言。惟毛釋乾之坤三字,仍隔鞋抓癢,不能折後人之口耳。至謂用九用六若另爲爻詞,則天下豈有七爻之卦?頗足補助余非占辭及聖人自亂其例之説。特毛又謂用九用六爲上九上六爻辭,則又忽明忽闇,不能自圓其説耳。

周易古筮攷卷二

静　爻

朱子曰：六爻不動，占本卦彖辭。

　按，古人成例，固以占彖辭爲常。然彖辭往往與我不親，則視其所宜者而推之。斯察象爲貴耳。兹將古人占得六爻全静之推，彙録於左，固不拘一法也。

董因筮重耳反國【黄批】晉語文

　公子重耳反國，董因迎之河，曰：臣筮之，遇泰☷☰之八。韋注：遇泰無動爻。筮爲侯，泰三至五震爲侯。陰爻不動，其數皆八，故得泰之八。與貞屯悔豫皆八義同。曰：是謂天地配享，小往大來。陽下陰升，故曰配享。小喻子圉，大喻文公。陰在外爲小往，陽在内爲大來。今及之矣，必有晉國。

　按，此用彖辭。

　又按，泰之八，韋注不甚明了。宋程迥云：九變六，六變九。非也。九當變八，六當變七。何以言之？董因爲晉文公筮得泰之八，謂初、二、三以九變八，四、五、上不變爲八，故曰泰之八。如程氏之説，則初、

二、三變矣。然史何不曰泰之坤,而曰泰之八?則未變可知也。且如程説,施之於艮之八,貞屯悔豫皆八,則不通也。闕疑可也。

【黄批】祺案,從李道平説,釋泰之八爲泰之坤,則此卦當列于三爻動之首,不當列此。李道平曰:韋注誤,此當是泰䷊之坤䷁。何以明其然也?觀穆姜遇艮之八,向非史出一言以斷曰是謂艮之隨,則五爻變而一爻不變,千古莫能明其義。此筮若如韋注,凡不動之卦有陰爻者皆可名八,獨不思此卦陰陽爻皆有,何以必言少陰八,而不言少陽七乎?推其謬誤,與解貞屯悔豫皆八等。今據象傳觀之,知此筮用八,決爲泰之坤。惟泰之坤則是三陰不動,故曰泰之八。一陰不動,貞屯悔豫皆八。三陰不動,其義一也。且三爻動,占兩卦之卦象辭,仍以不動者爲主。故占者只援泰象,義尤顯然。顧炎武曰,占變者其常,占不變者其反。此正占不變之義也。韋氏可作,其必以余爲知言也夫!

【黄批】祺案,艮之隨可言艮之八,則泰之坤亦可言泰之八,李説是也。尚云謂泰之八爲泰之坤,此詁甚確當。余向以韋注爲不合,得此而益信矣。

秦伯伐晉筮獲晉君【黄批】左傳僖公十五年

秦伯伐晉,卜徒父筮之:吉,涉河,侯車敗。詰之,杜注:秦伯不解,謂敗在己,故詰之。對曰:乃大吉也,三敗必獲晉君。其卦遇蠱䷑,曰千乘三去,三去之餘,獲其雄狐。夫狐蠱,必其君也。注:於周易,利涉大川,往有事也。亦秦勝晉之卦也。今此所言,蓋卜筮書雜辭。以狐蠱爲君,其義欲喻晉惠公。其象未聞。〇顧炎武曰:邵氏云,去猶除也,每除三百三十三,則三除所剩爲一。非獲其君而何? 蠱之貞風也,其悔山也。注:内卦爲貞,外卦爲悔。巽爲風,秦象。艮爲山,晉象。歲云秋矣,我落其實而取其材,所以克也。注:艮爲山,山有木。今歲已秋,風吹落山木之實，則材爲人所取。**實落材亡，不敗何待？三敗及韓，**晉侯車三壞。**果獲晉君。**

　　按，涉河，侯車敗，卜徒父筮辭也。秦伯疑敗在己，故詰之。蠱初至四爲大坎，河也。二至四爲兌，兌毀折；三至五爲震，震爲車，故車毀折而止於濘。艮止故也。更參之以貞悔，知敗在彼而不在我明矣。

　　按，此不用彖辭推。

　　【黃批】祺案，震爲馬，故有乘象。在三爻，故曰三去。去者，兌之象。又案，艮爲狐。以狐喻荒淫之君，詩中尤多。如刺齊襄公，則曰南山崔崔，雄狐綏綏等是也。

晉敗楚鄢陵筮得復【黃批】左傳成十六年

　　成公十六年，晉楚遇於鄢陵，晉侯筮之。史曰：吉，其卦遇復☷☳。曰南國蹙，射其元王，中厥目。國蹙王傷，不敗何待？公從之。及戰，呂錡射其王，中目。楚師敗。

　　按，此亦不用彖辭。

　　杜注曰：復，陽長之卦。陽氣起子，南行推陰，故曰南國蹙也。按，子，正北方，一陽初生，必逐漸增長。陽長則陰消，故曰推，曰蹙。**南國蹙，則離受其咎。**離爲諸侯，正義曰：離爲日，日，君象，故爲諸侯。又爲目。陽氣激南，飛矢之象。

　　何氏訂詁云：貞我悔彼。以震木入坤土，射之義也。

　　【黃批】尚云，乾爲元首，爲君王，離爲目。而陽氣自北射南，乾離同中。此足證先後天乾離同位于南矣。

　　【黃批】汪琬曰，外卦坤爲國，又爲西南方之卦，故曰南國。內震木克外坤土，故曰蹙。

孔子自筮命得賁【黃批】此見呂氏春秋及家語

家語:孔子常自筮。其卦得賁☲☶,愀然有不平之色。子張進曰:師聞卜者得賁卦吉,而夫子之色不平,何也?孔子曰:以其離耶。在周易,山下有火謂之賁,非正色之卦也。夫質也,黑白宜正焉。今得賁,非吾之兆也。吾聞丹漆不文,白玉不雕。何也?質有餘,不受飾也。

　　按,此推卦義。

　　象曰文明以止,言內離明而外艮止也。李剛主曰:孔子之意,蓋欲行道於天下,乃不遇見龍等卦而得賁,則止以詩書傳後,所謂小利有攸往,故不快也。

孔子自筮命得旅【黃批】此見乾鑿度

乾鑿度云:孔子生不知易本。偶筮其命,得旅☲☶。請益於商瞿氏,曰:子有聖知而無位。孔子泣而曰:鳳鳥不來,河無圖至,天之命也。于是始作十翼。

　　按,此占與賁義同。

　　旅象云:小亨〔一〕,柔得中乎外而順乎剛,止而麗乎明。言麗明而止也。有道於身而不能行之象也,故孔子泣也。

魯伐越筮鼎折足

論衡:魯將伐越,筮之,得鼎☲☴折足。子貢占之,以為凶。何則?鼎而折足,行用足,故謂之凶。孔子占之,以為

〔一〕"亨"原誤"享",據阮刻《周易正義》改。

吉。曰:越人水居,行用舟,不用足,故謂之吉。果克之。

　　按,此不知其何以占得此一語。或謂古人凡占得鼎卦,皆有折足之懼。觀下子貢事及李綱事,殆是也。故仍列入静爻中。然則古人得全静卦,或獨取一爻推也。

　　鼎,取新也,有取意。越行不用足,即折足,寓取越意。故孔子以爲吉。

　　【黄批】案,此條見論衡卜筮篇。此文多所删節。

孔子命弟子筮子貢久而不來

　　誠齋雜記:孔子使子貢,久而不來。命弟子占,遇鼎☰。皆言無足不來。顏回掩口而笑,子曰:回也哂,謂賜來乎?對曰:無足者,乘舟而至也。果然。

　　按,此亦不取象辭,專取折足義。以象與我不親也。

　　【黄批】祺案,薛據孔子集語引吕氏春秋,有此占。今本吕氏春秋无之。北堂書鈔一百三十七引韓詩外傳,文略同。

漢明帝筮雨[一]

　　漢永平五年,京師少雨。上向雲臺,自作卦,以周易林占之。遇蹇☰,其疏曰:蟻封穴户,大雨將至。上以問沛獻王輔。輔上書:蹇艮下坎上,艮爲山,坎爲水,山出雲爲雨。蟻,穴居之物。雨將至,故以蟻爲興。

　　按,此專取象。

　　【黄批】尚云,蟻穴居隱伏,其象亦自坎出。

―――――――

〔一〕"明"原作"和",按永平爲明帝年號,事詳《東觀漢記・沛獻王輔傳》,劉輔亦未至和帝而薨,今謹據改。

蜀都尉趙正爲楊儀筮代政

蜀楊儀隨諸葛亮出屯谷口。亮卒,儀領軍,既誅魏延,自以爲當代亮秉政。呼都尉趙正筮之,得家人☲。默然不悦。

按,家人有反身内修,巽順貞静之義。與儀願違,故不悦也。

魏爰邵爲鄧艾筮夢決艾不還

魏鄧艾當伐蜀,夢坐山上而有流水。以問珍虜護軍爰邵。邵曰:按易卦,山上有水蹇☵。蹇繇曰:蹇利西南,不利東北。孔子曰:蹇利西南,往有功也;不利東北,其道窮也。往必克蜀,殆不還乎? 艾憮然不樂。

按,此以彖辭占。

魏管輅爲劉邠射覆射印囊山雞毛

魏管輅善射覆。平原太守劉邠取印囊及山雞毛著器中,使輅筮。輅曰:内外方圓,五色成章;含寶守信,出則有章,此印囊也。高岳巖巖,有鳥朱身;羽翼玄黄,鳴不失晨,此山雞毛也。

按,此全以易象推。今即其辭而推其所得之卦。其印囊之卦,爲地天泰☰。天員而地方,天在内卦,地在外卦,故曰内外方員。坤爲文章、爲黄、爲黑,乾爲赤,而震爲玄黄,故曰五色成章。乾爲寶,坤爲囊,而乾内坤外,故曰函寶。乾爲直,爲信,故曰守信[一]。

[一]"信"字原闕,據前後文意補。

又震爲動,故曰出則有章。夫既爲寶之函矣,而寶上有文有色有信,故決其爲印囊也。

其山雞毛之卦,必爲火山旅☲☶。内艮爲山,故曰高岳巖巖。外爲離,離爲鳥,爲雉,爲朱,故曰有鳥朱身。而艮之倒體爲震,震爲玄黄,又二至四互巽,巽爲翼,爲雞,故曰羽翼玄黄。三至五互兑,兑爲口舌,爲鳴,故曰鳴不失晨。夫既爲能鳴者之毛羽,而卦中有山象、雉象、雞象,故決其爲山雞毛也。

或者謂此卦亦可爲山火賁☶☲。賁上艮,艮爲山,故曰高岳巖巖。下離,離爲雉,爲朱,故曰有鳥朱身。三至五互震,震爲玄黄;二至四互坎,坎爲美脊,合上震形,似鳥展翼,故曰羽翼玄黄。震爲鳴,震旦,故曰鳴不失晨。夫既爲玄黄之羽毛,爲鳴不失晨者之羽毛,則或爲雞毛也。然依於山,則非家禽之羽可知也,故曰山雞毛也。

魏管輅爲諸葛原射覆射燕卵蠭窠蜘蛛

新興太守諸葛原,取燕卵、蠭窠、蜘蛛著器中,使管輅射之。卦成,輅曰:第一物,含氣須變,依乎宇堂;雌雄以形,翅翼舒張。此燕卵也。第二物,家室倒懸,門户衆多;藏精育毒,得秋乃化。此蠭窠也。第三物,觳觫長足[一],吐絲成羅;尋網求食,利在昏夜。此蜘蛛也。舉座驚喜。

按,此亦可依辭求得其所筮之卦。即使起管公明質之,敢言無訛。

按,燕卵之卦,當爲火雷噬嗑☲☳。噬嗑内爲震,震爲雷電,爲氣,爲竹,爲葦。竹葦皆圓空,象卵殼,故曰含氣。而震爲動,故曰須變。

─────────

〔一〕"觳觫"原誤"觳觫",依後文引語改。

二至四互艮，艮爲門庭，而與震體連，故曰依乎宇堂。三至五互坎，外爲離，坎男離女，故曰雌雄以形。而二至五有鳥舒翼狀，而初陽上陽函之，故曰趨翼舒張。夫既推得卵象，又推得羽翼象，則爲鳥卵無疑矣。而依於堂宇之上，則非雞卵、鴉鵲卵，必爲燕卵也。

蠱窠之卦，當爲䷲震。震者，艮之倒也，艮爲門庭，故曰家室倒懸。而二至四又互艮，艮爲門；三至五又互坎，坎爲宮，故曰門戶衆多。又坎爲隱伏而陰精，故曰藏精。坎爲眚，爲病，爲毒，故曰育毒。坎爲水，秋金王生水，故曰至秋乃化。夫卦象既全體爲門戶而倒懸，或尚有其他之窠而中育毒？則非蠱窠不可矣。

至鼃黽之卦，則爲䷵歸妹。上震爲足，震動，故曰轂轆長足。轂轆者，動之貌。而二至四互離，離爲網羅；下爲兌，兌爲口舌，故曰吐絲成羅，故曰尋網求食。而三至五互坎，坎爲夜，爲盜，爲伏，故曰利在昏夜。夫能吐絲而有足，則非蠶。而就網求食，又利昏夜，以卦象推，非鼃黽不可也。

魏管輅爲徐季龍筮本日獵得貍

清河令徐季龍，使人行獵，令管輅筮其所得。輅曰：當獲小獸，復非食禽。雖有爪牙，微而不强；雖有文章，蔚而不明；非虎非雉，其名曰貍。獵人暮歸，果如輅言。

按，此亦以象占。今依其詞推其所筮之卦，以博筮趣。

按，其所得之卦，當爲蒙䷃。蒙上艮，艮爲黔喙之屬，故知其爲獸。而艮爲小，故知所獲爲小獸也。蒙下坎，坎上有半兌象；兌爲口，今口不全，胡能食？故曰非食禽。兌爲爪牙，半兌，故曰微而不强。離爲文章，坎上下只有半離象。且二至四互震，震爲玄黃；三至五互坤，坤爲文，爲黑，故曰蔚而不明。兌爲虎，離爲雉。半兌則非虎，半離則非雉。夫既爲小獸，其文采蔚而不明則非狐_{狐則文采}

彰。且爪牙又微，必爲貍也。又坎爲薄蹄，故曰爪牙微。

以上六射，陳志皆失其本卦，甚爲可惜。今皆依詞推出，以爲學射覆者之導引，非謂必是也。

魏牛輔筮客善惡〔一〕

魏書曰：牛輔恇怯失守，不能自安。見客，先使相者相之，知有反氣與不，又筮知吉凶，然後乃見之。中郎將董越來就輔，輔使筮之。得兌下離上☲☱。筮者曰：火勝金，外謀内之卦也。即時殺越。獻帝記云：筮人常爲越所鞭，故因此報之。

按，此專取象。暌上離下兌。離爲火，兌爲金。火在上，故曰勝。

晉郭璞避難筮所投

郭璞云：余鄉里屢遭危難，寇戎並至，百姓遑遑，莫知所投。時姑涉易義，頗曉分筮，遂尋思貞筮，鉤求攸濟。於是普卜郡内縣道可以逃死之處者，皆遇明夷☷☲。乃投策而嘆曰：嗟乎黔黎，時漂異類。桑梓之邦，其爲魚乎？於是潛命姻妮密交，得數十家，與共流遁。乃到處遇賊，不得安居，符卦象焉。

按，明夷者，滅也。時郡縣淪陷，滅入於虜，故皆遇此卦。

〔一〕“魏牛輔筮客善惡”，按此則蓋錄自《三國志·魏志·董卓傳》裴松之注（又《册府元龜》卷九百十九“總錄部·讐怨”引略同）。惟牛輔爲董卓女婿，卓既敗亡，輔亦爲其部屬所殺，時在東漢之末，尚未入魏。故標題“魏牛輔”，似當更爲“東漢牛輔”。兹謹記以備攷。

晉郭璞避難筮所詣 內有三卦

郭璞云：偕姻族避難昌邑，不靜，復南過潁，由脈頭口渡，去三十里所，傳高賊屯駐，柵斷渡處，以要流人。時數百家，車千乘，不敢前。令余占可決，得泰䷊。欣然語眾曰：羣類避難而得拔茅彙征之卦，且泰者通也，吉又何疑？吾為前驅，從者數十家，至賊界，賊已去。餘皆迴避櫟津，渡為賊劫，悔不取余卦。至淮南安豐縣，諸人緬然懷悲，咸有歸志。令余卦決之。卜住安豐，得既濟䷾。其林曰：小狐迄濟，垂尾累衰；言垂渡而困。初雖偷安，終靡所依。案卦言之，秋吉春悲。卜詣壽春，得否䷋。其林曰：乾坤蔽塞道消散，虎刑挾鬼法凶亂；十一月虎刑在午，為鬼。鬼即賊。亂則何時時建寅火鬼生處，僵尸交林血流漂。火刑與鬼并。此占行者入塗炭。乃至廬江。後壽春果有事，羣凶剽盪。至春三月，諸家留安豐者為賊所得，所謂春悲也。注係洞林原注。

按，此三占皆取象意。否林曰乾坤蔽塞者，言上下不交也。下數語以納甲法推。否，乾宮卦，乾為金，故午火為官鬼。寅木生火，故曰鬼生處。

應	▬ ▬	戊子	（水）	兄弟	
	▬▬▬	戊戌	（土）	官鬼	
	▬ ▬	戊申	（金）	父母	
世	▬▬▬	己亥	（水）	兄弟	
	▬ ▬	己丑	（土）	官鬼	
	▬▬▬	己卯	（木）	子孫[一]	

〔一〕圖中"木、土、水、金、土、水"云云，皆"黃批"語，旨在揭明六爻納支之五行屬性。今以括號標識。下同。

右既濟卦圖。秋吉春悲者,世主亥水,秋金王生水,故吉。春木王生火,水火相煎,故不吉。或曰,二爻五爻土鬼,土生金,故秋吉。至春木生火,火生土鬼,故不吉。

【黃批】既濟,坎宮三世卦。坎,五行水。

應	▅▅▅	壬戌	(土)	父母
	▅▅▅	壬申	(金)	兄弟
	▅▅▅	壬午	(火)	官鬼
世	▅▅ ▅▅	乙卯	(木)	妻才
	▅▅ ▅▅	乙巳	(火)	官鬼
	▅▅ ▅▅	乙未	(土)	父母

右否卦圖。二爻巳刑寅而值鬼,故知建寅之月必亂。又四爻午鬼,十一月占,虎刑值午,至寅月生午鬼,故益知必亂。

【黃批】否,乾宮三世卦。乾,五行屬金。

晉郭璞筮景緒病食兔必瘥

東中郎參軍景緒病,經年不瘥。在丹徒,遣其弟景歧求郭璞卦之。六月癸酉日,得臨☷☱。其林曰:卯與身世并,而扶天醫六月天醫在卯。案卦,病法當食兔乃瘥。弟歸,捕一頭食之,果瘥。

按,此全按納甲法推。臨世在二爻,二爻屬卯,故曰卯與身世并。食兔乃瘥者,天醫在卯故也。六月建未,卯木克未土。

六月癸酉日,卦得臨:

應	▅▅ ▅▅	癸酉	(金)	子孫
	▅▅ ▅▅	癸亥	(水)	妻才
	▅▅ ▅▅	癸丑	(土)	兄弟
	▅▅ ▅▅	丁丑	(土)	兄弟
世	▅▅▅	丁卯	(木)	官鬼
	▅▅▅	丁巳	(火)	父母

按,卯墓於未。食兔乃瘥者,亦破墓出身之義也。

【黄批】臨,坤宮二世卦。坤,五行屬土。

【黄批】漢上易卷末叢説摘録:

朱漢上云,郭璞洞林得豫之小過,曰:五月晦日,羣魚來入,州城寺舍。注以乙未爲魚星,非也。豫艮爲門闕,震爲大塗。六三變九三,互有巽體,巽爲魚。豫五月卦,坤爲晦日。(一爻動。)

又云,兑爲妾,變爲巽。巽爲近市利,則爲倚市門矣。故洞林咸之漸,兑成巽,曰妾成倡。(二爻動。)

又云,郭璞筮升之比,升二三五變也。五變坎,曰和氣氤氲。咸潛鴻,坎下伏離。離爲飛鳥,鵜鴂同象。(三爻動。)

郭璞爲東海世子母病,得明夷之既濟。坤變坎,曰:不宜封國列土以致患,母子不並貴。坤爲國邑,坎折之。坤母坎子,土克水也。又曰:當有牛生一子而兩頭。一子,謂坤變坎。此説卦所謂子母牛也。兩頭者,坎離相應,離中爻有田。(見朱漢上雜説。一爻動。)

朱漢上云,璞得大有☲之泰☷,云:七月中有蛇在屋間出,食雞雛。案離爲飛鳥,變坤玄,中有震。震爲大木者,梁也。已在上爻,故云屋。此大過云本末弱,取棟橈象也。(二爻動。)

朱漢上云,洞林以巽爲大雞,酉爲小雞者,酉巽之九二爻也。以此推之,午爲馬,乾之九四也。丑爲牛,坤之六四也。寅爲虎,艮之上九也。辰爲龍,震之九三也。未爲羊,兑之上六也。

又云,郭璞又筮,遇節☵☱之噬嗑☲☷。曰:簪非簪,釵非釵。此以內卦兑言也。兑爲金,太極斷卦當先自內。又曰:在下頭,斷髭鬢。所謂頭者,坎中之乾也。鬢者,在首下而裔也,柔坎也。(四爻動。)

又云,顧士犀母病,得歸妹。七日亡者,歸妹女之終也。

南齊阮孝緒筮嘉遯

南齊阮孝緒傳：時有善筮者張有道，謂孝緒曰：見子隱迹而心難明，自非攷之龜筮，無以驗也。及布卦，既揲五爻，曰：此將爲咸，應感之法，非嘉遁之兆。孝緒曰：安知後爻不爲上九？果成遯☶卦。此謂肥遯，无不利。象實應德，心迹并也。孝緒曰：雖獲遯卦，而上九爻不發。升遐之道便當高謝許生。

按，此以象推。

北齊吳遵世爲大將軍筮雨

北齊吳遵世，爲大將軍文襄府墨曹參軍。從遊東山，有雲起，恐雨廢射戲。使筮，遇剝☷。李業興占云：艮上地下，剝。艮爲山，山出雲，故知有雨。遵世云：坤爲地，土制水，故知無雨。文襄使崔暹書之，云：遵世若著，賞絹十匹；不著，罰杖十。業興若著无賞，不著罰杖十。業興曰：同是著，何獨無賞？曰：遵世著，會我意，故賞也。須臾雲散，二人各受賞罰。

按，此只以象並五行推。

北齊趙輔和爲世宗筮宅兆

北齊趙輔和明易筮，爲世宗館客。高祖崩于晉陽，葬有日矣。世祖令顯祖親卜宅兆于鄴西北漳水北原，頻卜不吉。又至一所，命吳遵世筮之，遇革☲，遵世等數十人咸云不可用。輔和少年，在衆人之後，進云：革卦於天下人皆凶，唯王家用之大吉。革卦辭云，湯武革命，應天順民。顯祖遂登車，顧云：即以此地爲定。即義平陵也。

按，此用卦辭。

北齊趙輔和爲人筮父疾

有一人父疾，託相知者筮之，遇泰☷☰。筮者云：甚吉，疾當愈。是人喜出。後趙輔和謂筮者曰：泰卦乾下坤上，然則父入土矣，豈得言吉？果以凶聞。

按，此只察象。乾父坤土，故曰入土。

唐李綱筮仕進易代乃顯【黃批】此見春秋占筮書，有註釋

唐李綱，在隋仕宦不進，筮之得鼎☲☴。筮者曰：君當爲卿輔，彖云：大亨以養聖賢。然俟易姓乃如志。雜卦：革，去故也，鼎，取新也。仕不知退，折足爲敗。四爻辭。綱後顯於唐，屢辭相位，稱疾而去。

按，古人凡占得此卦者，皆取折足。不必四爻動方取之。

晉馬重績筮石敬塘爲天子【黃批】此見五代史

後唐馬重績精易筮，世居太原。唐莊宗鎮太原，每用兵征伐，必以問之，所言無不中，拜大理司直。廢帝時，晉高祖以太原拒命。廢帝遣兵圍之，勢甚急。命重績筮之，遇同人☰☲。曰：乾健而離明。健者，君之德也；明者，南面而嚮之，所以治天下也。同人者，人所同也，必有同我者焉。易曰戰乎乾，乾，西北也；又曰相見乎離，離，南方也。其同我

者,自北而南乎? 乾,西北也,戰而勝,其九月十月之交乎? 是歲九月,契丹助晉擊敗唐軍,遂有天下。

按,此稍采象意,乾健離明是也。餘皆以象推。

五代劉龑筮勝楚

五代南漢劉龑四年,楚攻封州,封州兵敗賀江。龑懼甚,筮之,遇大有☲。遂赦境內,改元大有。遣將蘇章,以神弩軍三千救封州。章以兩鐵索沈賀江中,爲鉅輪於岸上,隱以隄。輕舟迎戰,陽敗而奔,楚人逐之。章舉鉅輪挽鐵索鎖楚舟,以强弩夾江射之,盡殺楚人。果符卦象。

按,大有繇云:元亨。彖云:柔得尊位大中,而上下應之,其德剛健而文明,是以元亨。大象云:以遏惡揚善,順天休命。故龑以爲大吉,改元。

又大有內乾,而內互亦爲乾,乾健。外離,離爲戈甲,而外互兌,兌爲毀折。內我外敵,是健在我而甲兵之毀折在敵也,故戰勝也。

晉馬重績筮張從賓反必敗【黃批】此見五代史

晉高祖二年,張從賓反。命重績筮之,遇隨☱。曰:南瞻析木,木不自續。虛而動之,動隨其覆。歲將秋矣,無能爲也。七月而從賓敗,高祖大喜,賜以良馬。

按,此不用象辭。○初至四爲大離,離爲南,故瞻析木之津。震動,兌爲毀折,故曰覆滅。兌爲西方屬秋,而二至四互艮山,三至五互巽風。至秋而木被風搖落,敗之象也,故曰無能爲。○此全以卦體、卦互推。

宋辛棄疾党懷英筮仕何方

宋辛棄疾,歷城人。少師蔡伯堅,與党懷英同學,號辛党。始筮仕,決以蓍。懷英遇坎☵,因留事金。棄疾得離☲,遂決意南歸。

> 按,此只論卦向推。坎北方,故留北。離南方,故南歸。

宋晁以道筮預知客折足

宋晁以道爲明州船場。日日平旦,具衣冠焚香占一卦。一日,有士人訪之。坐間小雨,以道語之曰:某今日占卦得鼎☲,有折足象。然非某也,客至者當之,必驗無疑。君宜戒之。士人辭去,至港口踐滑而仆,脛幾折。療治累月乃愈。

> 按,貞我悔彼,折足爲四爻象,故與我無涉。

宋程迥筮寓僧舍

宋程迥寓餘姚僧舍,筮之遇巽☴。占曰:有風火之恐而不及害。未幾,舍北火發,焚十餘室,至寓舍止,縣取綱維與遺火僧杖之。其占,曰巽爲風,互體離爲火,三至五。兌爲毀折,二至四。變震巽全變爲震爲驚懼。初六爲内卦之主,不與離應,隔二爻。故曰不及害。巽爲寡髮,重巽二僧之象。反對重兌,巽倒爲兌。兌爲決,二僧受杖之象。其奇驗如此。

> 按,此推重、互體,倒體。

宋程迥爲人筮婚姻

　　或筮婚姻，遇小過☳，不知其占。再筮之，仍得小過。程氏迥爲占之曰：小過內卦兼互體爲漸，二至四互風，故爲風山漸。外卦兼互體爲歸妹。二至五互兌，雷澤歸妹。漸之詞曰：女歸吉。歸妹：悅以動，所歸妹也。後果成。

　　按，此以內互與內卦合成一卦，外互與外卦合成一卦，即以兩卦占。爲筮法之變例，古人所未有。然則，筮無定法明矣。

周易古筮攷卷三

動　爻

　　卦有一爻動、二爻動、三爻動，甚至四爻、五爻、六爻全動。吾人遇之，如何推斷乎？茲按古人成例，及朱子所論定以爲法式。然不可泥也。蓋易貴占變，象與辭之通變，及事實之拍合，神之所示，千變萬化，有不可思議者，故不可執也。須就事以取辭，察象而印我，棄疏而用親。

一爻動上

　　朱子曰：一爻變，則以本卦變爻辭占。
　　按，此論其常耳。古人殊不盡取動爻辭，以辭往往與我疏。故棄而不用，用其象之親於我者以推我事。又陳敬仲遇觀之否，取動爻辭矣。又何以兼推互體？可見筮無定法。專察卦象之於我何如，不能執一以推也。茲將古人筮得一爻動故事，彙輯如左。
　　【黃批】胡一桂曰：啓蒙謂一爻變則以本卦變爻詞占。其下引畢萬所筮。以今觀之，未嘗不取之卦。且不特論一爻，兼取貞悔卦體。似可爲占者法也。觀陳宣公筮公子完之生，尤可見矣。

畢萬筮仕於晉【黃批】左傳閔公元年

閔公元年。初，畢萬筮仕於晉，遇屯☳之比☷[一]。辛廖占之曰：吉。屯固比入，吉孰大焉！其必蕃昌。注：屯險難，所以爲堅固；比親密，所以得入。震爲土，屯內卦震變坤。車從馬，震爲車，坤爲馬。足居之，震爲足。兄長之，震爲長男。母覆之，坤爲母。衆歸之，坤爲衆。六體不易，初一爻變，有此六義，不可易也。合而能固，安而能殺，公侯之卦也。比合屯固，坤安震殺，故曰公侯之卦。○孔疏：震之爲殺，傳無明文。晉語云：震，車也，車有威武。昭二十五年傳云：爲刑罰威獄，以類其震曜殺戮。是震爲威武殺戮之意也。公侯之子孫，必復其始。

按，此占專重在內卦，以變在內卦也。不取辭。

【黃批】李道平曰：屯貞體震，有侯象。

卜楚丘筮成季之生【黃批】左傳閔公二年

成季之將生也，桓公使卜楚丘之父卜之。曰：男也，其名曰友，在公之右。間於兩社，爲公室輔。季氏亡，則魯不昌。又筮之，遇大有☲之乾☰。曰：同復于父，敬如君所。注：筮者之辭也。乾爲君父，離變爲乾，故曰同復于父，見敬與君同。○孔疏：離是乾子，還變爲乾，故云同復于父。言其尊與父同也。國人敬之，其敬如君之處所。言其貴與君同也。及生，有文在其手曰友，遂以命之。後季氏大于魯，果與君同。

──────────

〔一〕比象“☷”原作屯象“☳”，據黃校改。

按,此占專重在外卦,以動在外卦也。

任啓運曰:同復于父,敬如君所,所謂後天之離即先天之乾。

【黃批】李道平曰:爻言威如吉。虞翻云:乾稱威。權如季氏,威並君矣。尚云:乾,君也,父也。離變乾,故曰復,曰同。所者,位也。先天乾位南,後天離位亦南,故曰敬如君所。

陳厲公筮公子敬仲生【黃批】左傳莊公二十二年

陳厲公生敬仲,筮之,遇觀䷓之否䷋。曰:是謂觀國之光,利用賓于王。注:此觀六四爻辭。易之爲書,六爻皆有變象,又有互體,聖人隨其義而論之。此其代陳有國乎? 不在此,其在異國。非此其身,在其子孫。光遠,而自他有耀者也。坤,土也,觀內卦。巽,風也,外卦。乾,天也。否外卦。風爲天於土上,山也。巽變乾,故曰風爲天。自二至四互艮,艮爲山。有山之材而照之以天光,於是乎居土上,山則材之所生,上有乾,下有坤,故言居土上,照之以天光。故曰觀國之光。四爲諸侯,變而之乾,有國朝王之象。庭實旅百,奉之以玉帛,天地之美具焉,故曰利用賓于王。艮爲門庭,乾爲金玉〔一〕,坤爲布帛,諸侯朝王陳贄幣之象。旅,陳也。百,言物備。猶有觀焉,故曰其在後乎。因觀文以博占,故言猶有觀。非在己之言,故知在子孫。風行而著於土,故曰其在異國乎。若在異國,必姜姓也。姜,大嶽之後也。山嶽則配天。物莫能兩大,陳衰此其昌乎? 變而象艮,故知當興於大嶽之後。得大嶽之權,則有配天之大功,故知陳必衰。及陳之初亡也,陳桓子始大於齊。其後亡也,成子得政。

按,此取動爻辭,而兼取互體。本卦三至五互艮,之卦二至四互

〔一〕"玉"原作"帛",據黃校改。

艮也。

【黃批】李道平曰：變卦、互體，釋易之準繩，即筮卦之要領。後儒矯而廢之，殊乖古義。

【黃批】李道平曰：張守節謂觀之六四納得辛未，辛爲巽爲長女，未爲羊。羊加女爲姜。此以納甲附會辰象，後人穿鑿，決非古義。然諸術之中，納甲最爲近理，漢魏儒者嘗用以釋易。即朱子亦稱其與先天圖合，則亦不可盡廢矣。

晉獻公筮嫁伯姬於秦【黃批】左傳僖公十五年

初，晉獻公筮嫁伯姬於秦，遇歸妹䷵之睽䷥。上六變來。史蘇占之曰：不吉。其繇曰：士刲羊，亦無衁也。女承筐，亦無貺也〔一〕。歸妹上六爻辭也。衁，血也；貺，賜也。刲羊，士之功；承筐，女之職。上六無應，所求不獲，故下刲無血，上承無實。不吉之象也。離爲中女，震爲長男，故稱士女。西鄰責言，不可償也。將嫁女於西而遇不吉之卦，故知有責讓之言，不可報償。歸妹之睽〔二〕，猶無相也。歸妹，女嫁之卦；睽，乖離之象。故曰無相。相，助也。震之離，亦離之震。二卦變而氣相通。震離皆二卦外卦。爲雷，爲火，爲嬴敗姬。嬴，秦姓，姬，晉姓。震爲雷，離爲火，火動熾而害其母，女嫁反害其家之象，故曰爲嬴敗姬。車說其輹，火焚其旗，不利行師，敗于宗丘。說同脫。輹，車下縛也。丘，猶邑也。震爲車，離爲火，上六爻在震則無應，故車脫輹；在離則失位，故火焚旗。言皆失車火之用也。車敗旗焚，故不利行師。火還害母，故敗不出國，近在宗邑。歸妹睽孤，寇張之弧。此睽上九爻辭也。處睽之極，故曰睽孤。失位孤絕，故遇寇難而有弓矢之警。皆不吉之象。姪其從姑，震爲木，離爲

─────────────

〔一〕"女承筐，亦無貺也"原闕，據黃校補。
〔二〕"之"原作"女"，據黃校改。

火。火從木生，離爲震妹，於火爲姑。謂我姪者，我謂之姑。謂子圉質秦。**六年其逋。逃歸其國，而棄其家。**逋，亡也。謂子圉婦懷嬴。**明年，其死於高梁之墟。**惠公死之明年，文公入，殺懷公於高梁。**後秦穆公伐晉，晉師敗，獲惠公。乃以太子圉爲質，惠公始返國。未幾，子圉棄其妻懷嬴，逃歸。惠公卒，子圉立。秦又納重耳。子圉奔高梁，重耳殺之。**按，此推本卦動爻辭，兼推之卦動爻辭，並推互體之坎。與任啓運説相合。

杜注詳矣，而仍未盡。兹採毛氏、何氏二家解詁列後，二家詁有杜注所未及者。

毛西河曰：十五年，秦伯伐晉，敗晉于韓原，此不利行師、敗于宗丘也。夫離爲戈兵，爲甲胄，此行師者也。以我之震柔變而爲彼之戈兵甲胄，是利在彼不利在我，則我敗矣。且夫震我也，之離客也。我之主震，倒艮山而爲之邱，是主丘也。宗主也。主丘者，韓原，晉地也，而乃變客之離，剛而敗之，獲晉侯。十一月歸晉侯。此歸妹睽孤，寇張之弧也。

毛氏又曰：震之離，亦離之震。高梁者離，一變而離剛已亡[一]。夫離剛之上横者，高梁也。變之震而剛已亡，則變于是死亦於是焉。按，毛氏釋高梁義亦未協。

何氏楷云：兑在西，秦爲西方。震爲言，上六變則曰渝，故曰西鄰責言，不可償也。歸妹於秦，欲得其助；變而爲睽，兩情相違，故曰歸妹之睽，猶無相也。自三至五體坎爲車，雷電交作，車不能行，故爲説其輹象。變離爲火，爻之下體有坎，睽三至五互坎。爲曳，説卦[二]：坎爲輿，爲曳。象旗，離火在上燒之，故爲焚旗象。三

〔一〕“而”下原衍一“而”字，據《西河合集》本《春秋占筮書》删。

〔二〕“説”原作“雜”，據《説卦傳》改。

上敵應言三爻上爻，上體震爲木，三體兌爲金，木與金遇，必爲金所勝。兌居西方，故爲贏敗姬象。震爲兄，兌爲妹。震木變離火，火從木生。以震爲木，則以兌金爲姑矣。木既爲金所尅，則姪無所依，故爲姪從姑象。其與敗於韓原、子圉事一一脗合，春秋筮法之神如此。至曰敗宗丘，死高梁，殆不可曉。

【黄批】李道平曰：震爲長男，離爲中女，故曰離爲震妹。

晉文公筮納周王【黄批】左傳僖公二十五年

晉文公謀納王，筮之，遇大有☰之睽☰。大有三爻變。曰：吉。遇公用享于天子之卦。大有九三爻辭也。三爲三公而得位，變而爲兌，兌爲悦。得位而悦，故能爲所宴享。戰克而王享，吉孰大焉！且是卦也，總言二卦之義，不繫於一爻。天爲澤以當日，天子降心以逆公，不亦可乎？乾爲天，兌爲澤。乾變爲兌而上當離，離爲日，日之在天，垂曜在澤。天子在上説心，在下是降心，逆公之象。大有去睽而復，亦其所也。言去睽卦，還論大有，亦有天子降心之象。乾尊離卑，降尊下卑亦其義也。

按，此推動爻辭，兼推上下卦體。

齊崔杼筮娶棠姜【黄批】左傳襄公二十五年

襄公二十五年。崔杼欲取棠姜，筮之遇困☰之大過☰。困三爻變。史皆曰吉。阿也。示陳文子，文子曰：夫從風，坎變巽。風隕妻〔一〕，不可娶也。且其繇曰：困于石，據于蒺藜，入于其宮，不見其妻，凶。困三爻辭。困于石，往不濟也；據于蒺藜，

〔一〕"妻"字原闕，據黄校補。

所恃傷也；入于其宮[一]，不見其妻，凶，無所歸也。

按，此推變象，兼推本卦動爻辭。坎爲中男，故曰夫。變巽，故曰從風。風隕，固凶；上兌毀折，亦凶也。

【黃批】杜注：風能隕落物者。變而隕落，故曰妻不可娶[二]。李道平曰：兌爲少女，故爲妻。今坎變爲巽，故有風來隕妻之象。陸氏言風能隕妻，由夫既從風，是其義也。

鄭子太叔以復卦筮楚子將死【黃批】左傳襄公二十八年

襄二十八年。鄭子太叔朝楚，楚子欲鄭朝。歸復命，告子展曰：楚子將死矣。不修其德政，而貪昧於諸侯，以逞其欲。周易有之，在復䷗之頤䷚，復上六變。曰：迷復凶。注：復上六爻辭也。復，反也。陰極反陽之卦。上處極位，迷而復反。失道已遠，遠而無應，故凶。○按，上應在三，三亦陰爻，遠而無應也。其楚子之謂乎！欲復其願，而棄其本，謂欲得鄭朝，以復其願，乃棄本而不修德。復歸無所，是謂迷復。失道已遠，又無所歸。能無凶乎？君其往也，送葬而歸。後楚子果死。

按，此亦以動爻辭占。特復之取義，並非筮來，只因楚子欲鄭朝楚，以復其願，因即取復卦爲占。並取復上六變頤，以寓無應之義。古人之於易學，精熟如此，可隨事取占，不必布蓍也。

鄭伯廖以豐卦筮曼滿必敗[三]【黃批】左傳宣六年

宣六年[四]。鄭公子曼滿與王子伯廖語，欲爲卿。伯廖

〔一〕“于”字原闕，據阮刻《左傳正義》補。
〔二〕“娶”原作“妻”，據阮刻《左傳正義》杜注改。
〔三〕“滿”原作“瞞”，據阮刻《左傳正義》改。
〔四〕“六”原作“七”，據阮刻《左傳正義》改。

告人曰：無德而貪。其在周易，豐☲☳之離☲☲，注：豐上六變爲純離也。周易論變，故雖不筮，必以變言其義。豐上六曰：豐其屋，蔀其家，闚其戶，闃其無人，三歲不覿，凶。義取無德而大其屋，不過三歲必滅亡也。弗過之矣。不過三年。間一歲，鄭人殺之。

　　按，此亦即事取義，非筮得之卦，而亦無不驗。蓋易學之發達，無過春秋。

晉知莊子以師卦筮彘子違命出師【黃批】左傳宣十二年

宣十二年。楚伐鄭。晉救鄭及河，聞鄭及楚平。中軍帥荀林父欲還〔一〕。彘子曰：成師以出，聞敵強而退，非夫也。命爲軍帥，而卒以非夫，唯羣子能，我弗爲也。以中軍佐濟。知莊子曰：此師殆哉。周易有之，在師☷☵之臨☷☱，師初六變。曰：師出以律，否臧凶。師初六爻辭。律，法；否，不也。執事順成爲臧，逆爲否。今彘子逆命不順成，故應否臧之凶。衆散爲弱，坎爲衆，今變爲兌，兌柔弱。川壅爲澤。坎爲川，今變爲兌，兌爲澤，是川見壅。有律以如己也，如，從也。法行則人從法，法散則法從人。坎爲法象，今爲衆則散，爲川則壅，是失法之用，從人之象。故曰律否臧，且律竭也。竭，敗也。坎變爲兌，是法敗。○孔疏：竭是水涸之名。坎爲水爲法，水之竭似法之敗，故云竭，敗也。盈而以竭，夭且不整，所以凶也。水遇夭塞，不得整流，則竭涸也〔二〕。不行之謂臨。水變爲澤，乃成臨卦。澤，不行之物。有帥而不從，臨孰甚焉？此之謂矣。譬彘子之違命，亦不

〔一〕“帥”原作“師”，據阮刻《左傳正義》改。
〔二〕“水遇夭塞，不得整流，則竭涸也”，刻本“夭”訛“天”，“涸”誤“故”。依阮刻《左傳正義》杜注校改。

可行。**果遇，必敗**。遇敵。**彘子尸之**，尸，主也。**雖免而歸，必有大咎**。爲明年晉殺先縠傳。**後果如莊子言**。

　　按，此因彘子出師，即以師爲卦，而有取於初爻變臨之辭以推決後事，而無不神驗。與前兩則因事取卦之義正同，神乎技矣！自春秋後，不復有此。

　　又按，說卦[一]：坎爲律。同法。坎變爲兑，兑毀折，應彘子違法也。坤，衆也。注云坎爲衆，不知其本。

魯莊叔筮叔孫穆初生【黄批】左傳昭五年

　　昭五年。初，穆子之生也，莊叔以周易筮之[二]，遇明夷䷣之謙䷎。初爻變。以示卜楚丘。曰：**是將行**，行，出走也。**而歸爲子祀**。奉祭祀。**以讒人入，其名曰牛，卒以餒死。明夷，日也**。離爲日。夷，傷也。曰明傷。**日之數十**，甲至癸。**故有十時，亦當十位。自王以下，其二爲公，其三爲卿**。日中當王，食時當公，平旦爲卿，雞鳴爲士，夜半爲皁，人定爲輿，黄昏爲隸，日入爲僚，晡時爲僕，日昳爲臺。隅中日出，闕不在第。尊王公，曠其位。【黄批】李道平曰：此即天有十日，人有十等之義。**日上其中**，日中盛明，故以當王。**食日爲二**，公位。**旦日爲三**。卿位。**明夷之謙，明而未融，其當旦乎**？融，明也。離在坤下，日在地中之象。又變爲謙，謙道卑退，故曰明而未融。日明未融，故曰其當旦乎。**故曰爲子祀**。莊叔，卿也，卜豹爲卿，故知爲子祀。**日之謙當鳥，故曰明夷于飛**。離爲日，爲鳥。離變爲謙，日光不足，故當鳥。鳥飛行，故曰于飛。初爻辭。**明而未融，故曰垂其翼**。於日爲未融，於鳥爲垂翼。**象日之動，故曰君子于行**。明夷初九，得位有應，君

〔一〕"說卦"，刻本"說"誤"雜"。據阮刻《周易正義》校改。
〔二〕"莊叔"前，刻本衍"穆"字。據阮刻《左傳正義》校改。

子象也。在明傷之世，居謙下之位，故將避難而行。**當三在旦，故曰三日不食。**旦日在三，又非食時，故曰三日不食。**離，火也，艮，山也。離爲火，火焚山，山敗。**離艮合體故。**於人爲言，**艮爲言。○孔疏：說卦云成言乎艮，故艮爲言也。**敗言爲讒，**爲離所焚，故言敗。**故曰有攸往，主人有言。言必讒也。**離變爲艮，故言有所往。往而見燒，故主人有言。言而見敗，故必讒言也。**純離爲牛。**易：離上離下，離，畜牝牛，吉，故言純離爲牛。**世亂讒勝，勝將適離，故曰其名曰牛。**離焚山則離勝，譬世亂則讒勝。山焚則離獨存，故知名牛也。豎牛非牝牛，故不吉。**謙不足，飛不翔；**謙道沖退，故飛不遠翔。**垂不峻，翼不廣，**峻，高也。翼垂下，故不能廣遠。**故曰其爲子後。**不遠翔，故知不遠去。**吾子，亞卿也，抑少不終。**旦日正卿之位。莊叔父子世爲亞卿，位不足以終盡卦體，蓋引而致之。**其後叔孫穆子避僑如之難，及庚宗，遇婦人宿焉。及召歸，立爲卿，庚宗婦人攜其子，獻雉。問所生，曰：能奉雉矣。召見，號曰牛，寵之使爲政，乃以讒殺長子孟，又譖而逐仲。後穆子疾，不食之，死。**

　　按，此取本卦動爻辭，兼取之卦動爻意。曰明夷于飛，曰垂其翼，曰三日不食，明夷初爻辭也。曰謙不足，謙初爻卑以自牧也。

　　艮爲言，不見於經。孔疏引說卦成言乎艮，以此爲艮爲言之證，詁甚不協。此言字，與言陰陽相薄，言萬物之齊潔義同，乃指點之字，非實字。故注疏不可盡信也。仲氏易以兩卦皆互震，震有言，義較勝。取善鳴意。

　　後世如李淳風等，能推得未來姓名，或以爲僞。觀此何足爲奇哉！

毛西河曰：于行，避難而奔也。之謙有終，謙：亨，君子有終[一]。則歸嗣也。夫庚宗之婦，固下離之中女也。離者，別也。而初變爲艮，而少男生焉。彼豎牛者，繼孟仲之嫡，而非庶子，非少男乎？顧變艮而猶本乎離，則將奉離雉，號離牛焉。乃離上爲震，三至五互震。震有言也，變艮而艮亦有震。閽寺之爲言，則讒言也。艮爲閽寺。夫離爲腹，腹下敗則餒矣。謂下一爻變陰。去離日而就鬼門，則餒死矣。

【黄批】汪琬曰：行者，艮爲徑路之詞，所謂于行、有攸往是也。曰歸者，離爲飛禽，艮爲止，止不得行，所謂于飛、垂其翼是也。曰讒者，離火言揚，所謂有言是也。曰以餒死者，離位居三，艮爲兑之反，不見其口則無以食，所謂三日不食是也。

衛孔成子筮立公子元【黄批】左傳昭七年

昭公七年。衛襄公生孟縶，足不良於行。又生子，名之曰元。初，孔成子夢康叔謂己：立元。史朝亦夢，協。故名之也。孔成子以周易筮之：元尚享衛國，主其社稷。命筮辭。遇屯䷂又曰：余尚立縶，尚克嘉之。遇屯䷂之比䷆，屯初九變。以示史朝。史朝曰：元亨，又何疑焉？周易曰：屯，元亨。成子曰：非長之謂乎？言屯之元亨謂年長，非謂名元。對曰：康叔名之，可謂長矣。元者，善之長也。孟非人也，將不列於宗，不可謂長。足跛非全人，不可列爲宗主。且其繇曰：利建侯。繇，卦辭也。嗣吉何建？建非嗣也。嗣子有常位，故無所卜，又無建。今以位不定，卜嗣得吉，則當從吉而建之也。二卦皆云，謂再得屯卦，皆有建侯之文。〇初卦屯象辭

_____

〔一〕“亨，君子有終”，刻本“亨”誤“享”。據阮刻《周易正義》校改。

曰利建侯,次卜屯初九爻辭亦曰利建侯。**子其建之! 康叔命之,二卦告之,筮襲於夢,武王所用也,弗從何爲? 弱足者居。**跛則偏弱,居其家,不能行。屯初九爻辭:盤桓,利居貞。**侯主社稷,臨祭祀,奉民人[一],事鬼神,從會朝,又焉得居?** 言元不可居。**各以所利,不亦可乎?** 孟跛利居,元吉利建。

按,此以動爻辭推,兼推象辭。

李剛主曰:此與畢萬之筮遇卦同,而斷辭不同。各隨其事也,此筮法也。

【黃批】李道平曰:此段據成心以論易象,坿會支離,無庸深辨。鄭松森曰:論易象,多賢哲者借題發揮之處,就其事理而闡之。此段最爲明顯。祺案,鄭見高于李。

魯南蒯筮叛季氏【黃批】左傳昭十二年

昭十二年。**南蒯將叛季氏,枚筮之,**枚,籌也。**遇坤☷☷之比☷☵。**坤六五變。**曰:黃裳,元吉,**坤六五爻辭。**以爲大吉也。示子服惠伯,曰:即欲有事,何如? 惠伯曰:吾嘗學此矣。忠信之事則可,不然必敗。外彊內溫,忠也;和以率貞,信也。故曰:黃裳,元吉。黃,中之色也;裳,下之飾也;元,善之長也。中不忠,不得其色;**言非黃。**下不共,不得其飾;**不爲裳。事不善,不得其極。**失中德。**外內倡和爲忠,**不相違也。**率事以信爲共,**率行也。**供養三德爲善。非此三者弗當。**非忠、信、善,不當此卦。**且夫易不可以占險。將何事也? 且可飾乎?** 問南蒯占此卦將欲舉何事也,欲令從下之飾爲恭。**中美能黃,上美爲元,下美則裳,**

[一]"奉民人",刻本"民人"二字誤倒。據阮刻《左傳正義》校正。

参成可筮。猶有闕也，筮雖吉，未也。有闕謂不参成。後蒯果敗。

　　按，此專取本卦動爻辭。

　　【黃批】杜注：坎險故强，順坤故温。强而能温，所以爲忠。又云：水和而土安。曰和正，信之本也。貞，安也。

　　李道平曰：此即易不爲小人謀之意。

　　杜注：参美成然後可筮。

晉趙鞅筮救鄭伐宋【黃批】左傳哀九年

　　哀九年〔一〕。晉趙鞅謀救鄭伐宋。陽虎以周易筮之，遇泰☷☰之需☵☰。泰六五變。曰：宋方吉，不可與也。言不可與戰。泰六五爻辭曰：帝乙歸妹，以祉元吉。宋，帝乙之後，故吉在宋，不可與戰也。微子啟，帝乙之元子也。宋、鄭，甥舅也。祉，禄也。若帝乙之元子歸妹而有吉禄，我安得吉焉？乃止。吉在彼，則我伐之爲不吉。

　　按，此亦專取本卦動爻辭。

〔一〕“哀九年”，刻本“哀”誤“昭”。據黃校更正。

周易古筮攷卷四

一爻動下

漢武帝筮伐匈奴【黄批】此見漢書

漢武帝伐匈奴。筮之,得大過☰之九五。太卜謂匈奴不久當破,占用何可久也一語。九五爻辭。乃遣貳師伐匈奴。後巫蠱事發,貳師降匈奴。武帝咎卦兆反謬。

按,此亦專推動爻辭。

仲氏易曰:當時既失周史之占,如春秋傳所記;而後儒籠統論理,則又謂占者有德則吉在我,无德則吉在彼。如此則但脩德而已,用五、用二,筮人、太卜,一切可廢。今按春秋傳占法,則象辭觀玩,休咎瞭然。大過爲大坎,而五當重乾之末,進承坤上,龍戰玄黄,正在此際。幸乾、坎二位皆居北方,我以南向北,則我南爲凱,彼北爲敗。所以能破匈奴兵,乘勝追北至范夫人城者,此也。奈身在坎中,尚未出險。而兌爲口舌,又爲毀折,非因令誤,當以間敗。乃咀呪事發,而脫身降矣。兌者,脫也。夫枯楊之華,不入寒地;身爲士夫,敵醜非偶。乃既降單于,則身已爲人所得,而單于又妻之以女,此正匹配反常,一若老婦之得士夫者。亦可謂奇驗矣。

李剛主曰:乾與大坎皆北方,乾爲健,坎爲弓輪,北伐之象。乾爲君居中,爲中國之帝,四陽中實,故北伐而勝。但終之以兌缺,則收局敗耳。

王莽以筮造符命

王莽時造符命,謂張邯筮得同人☲☰九三爻詞。解之云:伏戎于莽者,謂陰起兵以討皇帝,莽也。升于高陵,升者劉伯升,高陵者,高陵侯子翟義也。三歲不興者,言皆敗絶,不得起也。其説雖誣妄,然據詞解斷,猶得古遺法。

按,此全以爻辭推。

漢太史筮梁皇后【黄批】春秋占筮書有註解

後漢梁皇后,大將軍商之女也。永建三年,與姑俱選入掖庭,時年十二。太史筮之,得坤☷☷之比☵☷,坤五爻變。遂以爲貴人。陽嘉元年立爲皇后。

按,坤者,國也,母也,有國母之象。五爻動,黄裳元吉,辭尤協也。

毛西河曰:此卦當時解之者,但曰元吉坤五爻詞、位正中而已比五爻詞。其後進爲后。順帝崩,進爲皇太后。以無子,立他妃子臨朝,即沖帝也。沖帝崩,質帝立,又臨朝。及兄冀弒質帝,然後迎桓帝立之,而于是有兄冀擅權、宦官亂政之禍。今推之,則坤五,后也。之比而變剛,君也,臨朝也,所謂顯比比九五詞者也。三驅者[一],九

────────────

〔一〕 "三驅者",刻本"驅"訛"軀"。據阮刻《周易正義》校改。

五語,立三帝也。失前禽者,九五語。無子也,猶無前禽也[一]。舍逆取順九五語。者,信宦官,殺忠良也。其最可異者,一推自復☳☷,以震初之剛而易比五;一推自剝☶☷,以艮上之剛而易比五。震爲長子爲兄,艮爲門闕爲閽寺,合兄冀與宦官,而皆與九五有參易之跡,因之有弑帝亂政之禍。何推易之神,一至是也!向使漢之太史能不失周史推解之法,則必唾而置之矣。而宋人言易,率以先後天方圓兩圖造占變諸法,而不識周史三易之秘,宜相去益河漢耳。

虞翻爲孫權筮關壯繆首落

孫權聞關羽敗,使虞翻筮之,遇節☵☱之臨☷☱。占曰:不出二日斷頭。節自泰☷☰卦中來。乾爲首,九三之五,凡遷二位,故有是象。

按,此爲第五爻動,故專即五爻推。

節九五有項象。變爲拆[二],項斷矣,故應斷頭。

秦苻堅筮取長安

苻堅未入秦,京兆杜洪竊據長安。苻堅戰勝,猶修牋於洪,並送名馬珍寶,請至長安上尊號。洪曰:幣重言甘,誘我也。乃盡召關中之衆來拒堅。堅筮之,遇泰☷☰之臨☷☱泰三爻變。堅曰:小往大來,吉亨。昔往東而小,今還東而大,吉孰大焉!是時衆星夾河西流,占者以爲百姓還西之象。堅遂進軍,略定三輔,引兵至長安。洪奔司竹,堅入而

〔一〕"猶無前禽也",刻本"禽"誤"星"。據阮刻《周易正義》校改。
〔二〕"變爲拆——",刻本"——"誤"—"。據黃校更正。

都之。

　　按，小往大來，泰彖辭也。不取動爻辭。然動爻九三无平不陂，无往不復，亦與事相應也。

晉郭璞爲仍叔寶筮傷寒疾

　　義興郡丞仍叔寶，得傷寒疾，積日危困。令郭璞卦之，得遯☲之姤☴。其林曰：卦象出墓氣家囚，艮爲乾墓世主丑，故卜時五月，申金在囚。變身見絕鬼潛遊。身在丙午，夏入辛亥在五月。爻墓衝刑鬼煞愁，主戌爲鬼墓，而初六爲戌刑，刑在占故言衝刑。蓋五月白虎在卯，又與月煞并也。卜病得此歸蒿丘。誰能救之坤上牛，以卜爻見丑爲牛，丑爲子能扶身，克鬼之厭虎煞，上令伏不動。若以子色吉之尤。巽主辛丑，丑爲白虎金色，復徵，以和，解鬼及虎煞，皆相制也。案林即令求白牛，而廬江荒僻卒索不得。即日有大牛從西南來詣，途中仍留一宿，主人乃知，過將去。去之後復尋，挽斷綱來臨叔寶，叔寶驚愕起，病得愈也。此即救禦潛應，感而遂通。上注皆郭璞洞林原注。而傳鈔日久，不能無訛。遯世主午而云主丑，疑訛。餘亦多不協。

　　按，此以納甲法推。

　　變身見絕者，言二爻世值午鬼，變爲之卦之身亥。火絕於亥，亥又尅火，況午又與鬼臨，其凶甚矣。化回頭尅，最爲大凶。而初爻身值辰，復爲上爻戌所衝。夫戌既爲午火墓，而又衝身之辰，鬼爻迭見，占病遇此，其凶益甚矣，故曰歸蒿邱。然遇丑牛能救者，以土能制水，使不尅世，而生應爻休囚之申金申金休囚見原注故也。又月煞在申，土能生之，故得救。

　　五月筮得：

應	▬▬	壬戌	（土）	父母	▬▬	壬戌	（土）	父母

位	爻	干支	五行	六親	位	爻	干支	五行	六親
應	▬▬	壬戌	（土）	父母		▬▬	壬戌	（土）	父母
	▬▬	壬申	（金）	兄弟		▬▬	壬申	（金）	兄弟
	▬▬	壬午	（火）	官鬼	應	▬▬	壬午	（火）	官鬼
	▬▬	丙申	（金）	兄弟	身	▬▬	辛酉	（金）	兄弟
世	▬　▬	丙午	（火）	官鬼	世	▬▬	辛亥	（水）	子孫
身	▬　▬	丙辰	（土）	父母		▬　▬	辛丑	（土）	父母
		遯					姤		

【黄批】遯，乾官二世卦。乾於五行爲金。姤，乾官一世卦。

晉郭璞爲宏泰筮藻盤鳴

揚州從事宏泰，言家時坐有衆客，曰：家適有祥，試爲卦。郭璞爲卜，遇豫☷☳之解☵☳。豫二爻動。其林曰：有釜之象无火形，不見離也。變見夜光連月精，坎爲月。潛龍在中不游行。言蟠者。案卦卜之藻盤鳴，金妖所憑無咎慶。藻盤非鳴，或有鳴者，其家至今無他。宏泰乃大駭，云：前夜月出，鹽盤忽鳴，中有盤龍象也。

按，此純以象推，去易尚不遠。釜象者，豫卦形也。變見夜光連月精者〔一〕，言坤變爲坎。連月者，解三至五又互一坎也。潛龍在中不游行者，言豫九四潛龍在陰之中不動也〔二〕。藻盤鳴者，震象盤，震善鳴。知爲藻者，以解坎水在內也。

晉干寶爲弦超筮神女

晉弦超爲神女所降，論者以爲神仙，或以爲鬼魅。著作郎干寶以周易筮之，遇頤☶☳之益☴☳，以示同僚。郭璞曰：頤，貞吉，正以養身。雷動山下，氣性惟心。變而之益，延壽永

〔一〕"變見夜光連月精者"，刻本"月"誤"夜"。據前後引文改。
〔二〕"言豫九四潛龍在陰之中不動也"，刻本"九四"二字倒。依上下文意改。

年。龍乘御風,乃升於天。此仙人之卦也。

按,此亦專以象推。正以養身者,頤象意也。龍乘御風者,震為龍,巽為風也。

晉郭璞避難筮詣河北吉凶

郭璞洞林云:余偕姻友避難,欲從蒲坂之河北。時草賊劉石又招集羣賊為掠害,勢不能過。同行皆欲假道取便,未審所之,令吾決去留。卦遇同人䷌之革䷰,其林曰:朱雀西北,白虎東起。原注:離為朱雀,兌為白虎。言火能銷金之義。姦猾衒璧,敵人束手。原注:兌為口,乾為玉。玉在口中,故曰衒璧。占行得此,是謂無咎。余初為占,尚未能取定。衆不見從,卻退猗氏而賊遂至。余獨約十餘家,從焦丘間徑至河北,輕步極險,不通車乘。然依卦行之,卒未遇賊。其留猗氏者,後皆覆沒,靡有遺育。

按,此不以爻辭推。○其原注全訛作正文。蓋璞自為注,傳抄久而錯亂也。茲特更正,並加原注二字以存其真。○乾兌皆屬金,而下皆離火,故曰火銷金。乾化兌,故曰玉在口。

晉郭璞筮許邁升仙

晉許邁,字叔元。少恬靜,不慕仕進。未弱冠,嘗造郭璞,璞為之筮。遇泰䷊之上六爻發,謂曰:君元吉自天,宜學升遐之道。

按,此亦不用辭。

乾鑿度以上爻為宗廟爻。此爻發,有升遐之象。謂邁宜學飛升導引之術而仙去也。

晉郭璞筮東海世子母病

　東海世子母病，郭璞爲筮，得明夷䷣之既濟䷾。曰：不宜封國。坤爲國，坎折之。

　　按，此亦以象推，不用辭，且只就外卦推。坤變坎，坤爲衆、爲土、爲國，坎險折。

晉關朗筮晉百年大運

　關氏易傳：同州刺史王彥問於關子曰：夫治亂損益，各以數至，苟推其道，百世可知。彥不佞，願假先生之筮，一以決之。關子曰：占算幽微，至誠一慮，多則有惑。請命筮卦，以百年爲斷。既而，揲蓍布卦，得夬䷪之革䷰。夬二爻動。捨蓍而歎曰：當今大運，不過二再傳爾。從今甲申，二十四年戊申，天下當大亂。而禍始宮掖，有蕃臣柄政，世伏其强。若用之以道，則桓文之業也；如不以道，臣主俱屠地也。彥曰：其人安出？子曰：參代之墟，有異氣焉。若出，其在并之郊乎？彥曰：此人不振，蒼生何屬？子曰：當有二雄舉，而中原分。彥曰：各能成乎？子曰：我隙彼動，能無成乎？若無大賢扶之，恐皆不能成名。彥曰：請刻其歲。子曰：始於甲寅，卒於庚子，天之數也。彥曰：何國先亡？子曰：不戰德而詐權，則舊者先亡。彥曰：其後何如？子曰：辛丑之歲，當有恭儉之主起布衣而并六合。彥曰：其東南乎？子曰：必在西北。夫平大亂，未可以文治，必須以武定。且北，用武之國也。且東南之俗，其弊也剽；西北之俗，其興也勃。況東南，

中國之舊主也。中國之廢久矣。天之所廢，孰能興之！彥
曰：東南之歲可刻乎？子曰：東南不出，運歷三百，大賢大聖
不可卒遇，能終其運，所幸多矣。且辛丑之歲，明王當興。
定天下者，不出九載。己酉江東其危乎？彥曰：明王既興，
其道若何？子曰：設斯人有始有卒，五帝三王之化復矣。若
無三五之道，則必終之以驕，加之以亢，晚節末路，有桀紂之
主出焉，天下復亂。夫先王之道墜地久矣，改張易調，其興
實難。苛化虐政，其窮必酷。故曰大兵之後必有凶年，積亂
之後必有雄主，理當然也。彥曰：先王之道竟亡乎？子曰：
何謂能亡也？夫明主久曠，必有達者興焉。而能興其典禮，
此三才五常所由繫也。孔子曰文不在茲乎？此王道不能亡
也。彥曰：請推其數。子曰：乾坤之策，陰陽之數，推而行之
不過三百六十六，引而申之不過三百八十四。終則有始，天
之道也。噫！郎聞之，先聖與卦象相契。自魏以降，天下無
真主。故黃初元年庚子至今八十四載，更八十二年丙午，三
百六十六矣，當有達者生焉。更十八年甲子，當有王者合
焉。用之則王道振，不用則洙泗之教修矣。彥曰：其人安
出？子曰：唐晉之郊乎？昔殷後不王，而仲尼生周；周後不
王，斯人生晉。生周者，周公之餘烈也。生晉者，陶唐之遺
風乎？天地之數，宜契自然。彥曰：此後何如？子曰：始於
甲申，止於甲子，正百年矣。過此，未之或知也。

　　按，此亦以納甲法推。或疑其妄。豈知近代如箸黃金策之胡
宏，著易冒之程良玉，著增刪卜易之野鶴，皆能以一卦定人平生之
吉凶，而推得數十年之事。況深明易筮如關朗，刻百年之事，有何
不能？特未詳著其事與卦相應之理，後人閱之，但見其神奇耳。而

不知晦明否塞皆由卦象之五行推得，事甚平易也。

按，朗布卦之年爲晉惠帝永寧元年，其曰當今大運不過二再傳，寓懷帝、愍帝而西晉亡也。曰從今甲申，二十四年戊申，天下當大亂者，言自永寧辛酉，二十四年至東晉太寧二年甲申，又二十四年至永和四年戊申，天下大亂也。曰蕃臣柄政者，寓桓溫也。曰臣主俱屠者，寓桓氏篡晉，桓氏滅而晉亦隨亡也。曰二雄舉而中原分者，寓劉裕與北魏也。曰始於甲寅，卒於庚子者，寓劉宋始盛之年，及楊堅爲隋王之年也。堅既爲隋王，天下將統一，而南北之局終，故曰卒也。曰辛丑之歲，當有恭儉之主并六合者，攷楊堅篡周之歲爲周大象辛丑，三年由是滅陳而一統也。隋起西北，故曰必在西北。其曰辛丑之歲明王當興，不出九載定天下者，應楊堅辛丑篡周；又九年爲開皇九年己酉滅陳也，故曰己酉江東其危也。曰晚節末路，有桀紂之主者，應煬帝也。其曰丙午三百六十六者，言自黃初元年至陳後主四年丙午，足三百六十六年。其曰達者生，不知所指。觀下曰不用則洙泗之敎修矣，言大人在下也。疑應文仲子王通，凡房、杜皆通弟子。其曰更十八年甲子，當有王者合焉者，自陳後主四年丙午，又十八年至隋文帝仁壽四年甲子，而唐太宗生也。

北齊吴遵世筮孝武帝爲帝

北齊吴遵世少學易，精卜筮。魏孝武帝之將即位，使之筮，遇否☷之萃☷。否上九變。曰：先否後喜。帝曰：喜在何時？遵世曰：剛決柔，則春末夏初也。又筮遇明夷☷之賁☷。曰：初登于天，當作天子；後入于地，不得久也。後皆如其言。

按，此皆以動爻辭推。〇先否後喜，否上九爻辭也。乾健，故曰剛；變爲兌，兌悅，故曰柔。初登于天，後入于地，明夷上六爻辭也。象曰:初登于天,照四國也。故曰作天子。後入于地,失則也。故曰不得久。

北齊清河王岳母筮高祖赤光知爲帝

北齊清河王岳,太祖從父弟也,家於洛陽。高祖每奉使入洛,必止於岳舍。岳母山氏嘗夜見高祖室中有光,密往覘之,乃無燈。即移高祖於別室,如前所見。怪其神異,詣卜者筮之,遇乾☰之大有☲。占曰:吉。易稱飛龍在天,大人造也。飛龍,九五大人之卦,貴不可言。山氏歸報高祖。後高祖起兵信都,山氏聞之大喜,謂岳曰:赤光之瑞,今當驗矣。汝可間行從之,共圖大計。岳遂往信都,高祖見之大悅。

按,此亦以爻辭占。乾九五動,九五爻辭飛龍在天,故曰貴不可言。

北齊顏惡頭爲人筮父死【黃批】此見北史

北齊顏惡頭善易筮。有人以三月十三日詣惡頭,求卜。遇兌☱之履☲。惡頭占曰:君卜父,父已亡。當上天聞哭聲,忽復蘇而有言。其人曰:父臥疾三年矣。昨日雞鳴時氣盡,舉家大哭。父忽驚瘥,云:我死,有三尺人來迎,欲升天,聞哭聲,遂墮地。惡頭曰:更三日,當永去。果如言。人問其故,惡頭曰:兌上天下土,是今日庚辛。當作申,字訛也。本宮火,當作金,謂兌宮。故知卜父。今三月土入墓,又見宗廟爻發,發,動也。故知死。變見生氣,土生于申。故知蘇。兌爲口,主音聲,故知哭。兌變爲乾,乾,天也,故升天。兌爲言,故父言,故知有言。未化入戌爲土,兌上六主未,化乾爲履卦,履上九主戌。三月土墓，戌又是本宮鬼墓，火爲本宮金鬼，而墓於戌，入墓則不生土。未後三日至戌，故知三日復死。土恃火生，值戌火入墓則不能生土。土爲世，故知必死。

按，此全以納甲法取卦中所藏干支及筮時時日推，而兼取卦象。

納甲法兌初爻主巳，二爻主卯，三爻主丑，四爻主亥，五爻主酉，上爻主未。未爲世，故全以土推。世應説詳後。土生金，卜日金，本宮金，故知卜父。金爲土子。土生于申，旺于子，墓于辰。三月屬辰，故曰土入墓。上爻爲宗廟爻，人死神入宗廟，二者皆死徵，故曰知死。然值申日，土遇生氣，故知又蘇。

未化入戌者，兌上爻主未，履上爻主戌，故曰未化戌。戌仍是土，值三月，仍須入墓，生而復死之一因。況戌又爲火鬼之墓，生而復死之二因。又況自本日申歷三日復遇戌。復死之三因。重重鬼墓，故知復死。

兌上天下土者，兌變乾，故曰上天；兌上爻主未，故曰下土。土於六親當父母。

辰月申日占：

世	▌▌	丁未	（土）	父母		▌	壬戌	（土）	父母
	▌	丁酉	（金）	兄弟	世	▌	壬申	（金）	兄弟
	▌	丁亥	（水）	子孫		▌	壬午	（火）	官鬼
應	▌▌	丁丑	（土）	父母		▌▌	丁丑	（土）	父母
	▌	丁卯	（木）	妻財	應	▌	丁卯	（木）	妻財
	▌	丁巳	（火）	官鬼		▌	丁巳	（火）	官鬼
		兌					履		

【黄批】兌爲金，純卦。履，艮宮五世卦。艮五行屬土。但推生克，以遇卦本宮爲主。故不用之卦本宮。

隋煬帝筮江都寺【黃批】此見占法

　　隋煬帝來江都,筮易,遇離☲之賁☲。四爻變。乃以離宮爲寺,名曰山火,取卦象也。後改曰山光。在揚州北十五里,地名灣頭。其辭曰:突如其來如,焚如,死如,棄如。離四爻辭。王觀賦詩曰:不須談賁卦,興廢古今同。

　　　　按,此取動爻辭。

唐路宴筮遇刺客【黃批】此見五代史

　　唐明宗時,路宴夜適廁,有盜伏焉。宴心動,取燭照之。盜即告宴:請勿驚。某稟命有自,察公正直,不敢動劍。匿劍而去。由是晝夜驚懼,以備不虞。召董賀筮,遇夬☱,二爻用事。曰:察象徵辭,大有害公之心。然難已過。但守其中正,請釋憂心。晏亦終無患。

　　　　按,此亦以爻辭占。夬二爻云:惕號,莫夜有戎,勿恤。故曰難已過也。

唐葫蘆生筮劉闢必被戮

　　唐劉闢初登第,詣卜者葫蘆生,筮得一卦以定官祿。葫蘆生雙瞽,卜成,謂闢曰:自此二十年,祿在西南,不得善終。闢留束素與之。其後脫褐,從韋令公於西川,官至御史大夫,爲行軍司馬。既二十年,韋病薨,使闢入奏,請益東川,詔未允。闢乃微服單騎,復詣葫蘆生筮之。揲蓍成卦,謂闢曰：吾二十年前曾卜得无妄〔一〕☳☰之隨☱☳，今復得此卦，非曩昔賢乎？闞即依阿唯諾。葫蘆生曰：若審，其人禍將至矣。闞不甚信。乃歸蜀，果叛。憲宗皇帝擒之，戮於藁街。

按，此似以卦辭、爻辭意占。正則元亨利貞；非正則有眚，不利有攸往。卦辭意也。行有眚，无攸利。爻辭意也。故卜者戒其勿往，云禍將至也。

乾爲金玉，震爲車，有車載金玉之象，故曰禄。變爲兑，兑西方；一至四互大離，離南方，故曰禄在西南也。乃乾變爲兑，兑爲毀折，故曰不得善終。又隨自否來，有首落象，與戮於藁街相應也。二十年者，无妄世在四爻，古人以一爻值五年。過此則入兑，毀折至矣，故曰禍將至。

唐朱邯爲董元範筮愈母奇病

唐朱邯，豫章人，精周易，得京、管遺法。建中初，遊楚賣卜。楚青山董元範母患奇病，至夜即發。邯爲筮之，得解☵☳之上六。曰：君今日戾，且衫服於道側，伺有執弓挾矢而過者，君向求之。時邑人李楚寳喜獵，其時果至。元範邀之至家，設酒饌留宿。是夜月明如畫，楚寳出户徘徊，見一大鳥飛集舍上，引喙啄屋，即聞堂内叫痛苦聲。楚寳引弓射之，兩發皆中，其鳥飛去，痛聲亦止。明日與元範四索，于敗屋中得碓桯古址〔二〕，兩箭著其上，皆有血光。遂取焚之，母患果平。

〔一〕“无妄”，刻本“无”作“無”。據阮刻《周易正義》校改。
〔二〕“于敗屋中得碓桯古址”，刻本“桯”作“挭”。疑爲“桯”之形訛字。按，“碓桯”，支碓木架。南唐李建勛《田家》詩有“雞飛上碓桯”句。

按,此用動爻辭占。

解上六云:公用射隼于高墉之上,獲之,无不利。故邯令伺執弓挾矢者治之。

宋平江入解者預筮徽欽北狩【黄批】此見仲氏易

宋政和末,平江入解者筮之,得噬嗑䷔之二爻。曰:離爲戈兵,艮爲門闕;又艮東北之卦,而介乎南離,必東北敵人南寇犯闕,且將不利乎君矣。鼻者,君祖也。後徽宗果北狩,如所占。

按,此只以象推。二至四互艮,故曰艮爲門闕,曰東北。三至五互坎險,故曰不利。離爲日,君象,與坎連,故曰不利乎君。荀九家:艮爲鼻。而內卦爲震,是我有震驚之象。

宋王子獻筮得洪帥【黄批】此見朱子語類

宋王子獻占遇夬䷪九二。占者曰:必夜有驚恐,後有兵權。未幾,果夜遇寇。旋得洪帥。

按,此以爻辭推。

九二云:莫夜有戎,勿恤。故遇寇而无害。後有兵權者,乾、兌於五行皆屬金,金主兵,故得兵權。

明胡黼袁杞山筮失金杯

明胡黼善筮,多奇中。與同邑袁杞山遊金陵,寓神樂觀。提點姚一山偶失金杯,酷責其徒。二人憐之,占得剝䷖之頤䷚初爻變。曰:金在土中,未亡也。汝第從居西南隅,掘下五寸,則得矣。如其言,果得杯。

按,此以象推。

剝上艮,艮有覆杯象。下坤,坤土,而艮爲止,故知杯止於地中也。又坤位西南,故曰向西南隅掘之。九宮坤數五,故掘五寸。

又掘得五寸者,言坤變震,震有杯象。而變在初爻爲頤,頤二至四〔一〕、三至五皆互坤。而自頤六五往下數,當坤爻之第五位。故知五寸也。

明胡粼筮賜名及殿焚

胡粼初名浚,既與袁杞山爲姚一山卜得杯,一山感之。至永樂八年,一山薦二人於上。袁稱病不行。胡至京,卜無不驗,賜今名,授欽天監刻漏博士。上新作殿,命之卜。布算訖,跪曰:某月某日午時當燬。上怒,囚之以待。至期,倩獄卒覘視,返報曰:午過矣,無火。胡服毒。至午時正三刻,殿果焚。上急召,胡死矣。甚惜之,賜馳驛歸葬。初,召命之初下也,袁杞山爲粼卜之,得乾☰之五爻。袁曰:五爲君,升陽在四,子命又午也,其有錫命之慶乎?粼曰:吾直壬午,壬爲水,而午者,子之衝也。果賜名,必不離水。袁曰:非徒然也。四爲淵,乾九四或躍在淵。又值升陽,而五居淵上,淵而大者乎?以草莽之臣踐五位,終非吉兆。五爲火,丁者,壬之合也,遇火則危矣!後聞賜名粼,袁大笑曰:驗矣,死不遠矣。果因殿焚而卒。

按,此亦以爻辭推,而兼用五行。後人動以古人能推得後來人姓名爲妄,苦不知其理耳。觀此,何妄之有哉!

〔一〕"頤二至四",刻本"四"誤"三"。據上下文意校改。

明仝寅爲石亨筮英宗還期【黃批】見易隱

明仝寅，安邑人。生十二歲而瞽。乃從師學京房術，爲人占禍福多奇中。父清遊大同，攜之行。塞上石亨爲參將，酷信之，每事咨焉。英宗北狩，遣使問還期。筮得乾☰之初。寅曰：大吉。四爲初之應，初潛四躍。明年歲在午，其干庚。午，躍候也，庚，更新也。龍歲一躍，秋潛秋躍，明年仲秋駕必復。但縣勿用，應在淵，還而復，必失位。然象龍也，數九也，四近五，躍近飛。龍在丑，丑曰赤奮若。復在午，午色赤，午奮於丑，若順也，天順之也。其於丁，象大明也，位於南方，火也。寅其生，午其王，壬其合也。至歲丁丑，月寅日午，合於壬，帝其復辟乎？已而悉驗。

按，此占得一爻，竟以全卦推。任啓運所謂，占雖不及飛躍，而飛躍有必至也。

英宗返國，在景泰元年庚午八月，所謂庚午仲秋駕必復也。又八年，歲丁丑正月復辟，所謂午奮於丑、丁象大明也。尤奇者，英宗復辟，改元天順，亦能預言。其數之神，真不讓京、管乎！

明胡宏筮太守陸皋遇馮劉得禍

寧波胡宏，善易筮。天順間，太守陸皋邀至官舍。翌日，爲皋筮，得豐☳☲之明夷☷☲。斷曰：逢劉則滯，遇馮則止。頃之，同知劉文顯至，與皋大忤，屢欲攘臂奮擊。明年，海道副使馮靖，劾皋倉糧不給軍餉，謫戍廣西。其神驗類如此。著筮書曰黃金策。

按，此亦以爻辭推。

豐三爻云三不動：豐其沛。豐沛者，劉氏所生之地也，故曰逢
劉。曰日中見沬。日中者，午也，午馬；見沬者，馬旁之兩點也，馮
也，故曰遇馮。曰折其右肱凶，故知遇劉、馮不吉，且與攘臂奮擊
應也。

此筮初觀，不知劉、馮所自來，歎爲神奇。及一經解釋，悉本易
辭，仍平易也。

明王奇筮刑部逸囚

台州王奇，善易筮。成化中，刑部逸重囚，主者請奇筮
之。遇恒☷☴之大過☱☴。恒五爻變。奇曰：五爲囹圄，賊入矣，其
焉逃之？計其獲日與時，皆不爽。

按，此不以動爻辭推。賊入者，內卦巽入故也。

明張崙筮太監畢真謀逆

仁和張崙，五歲喪明，十三受易。遂善卜筮，有奇驗。
凡搢紳道杭者必訪焉。宸濠搆逆，浙鎮守太監畢真謀內應，
人情洶洶。方伯何天衢稽疑於崙，筮得解☵☳之象。崙斂櫝
賀曰：無虞也。渠魁將授首矣，何內應之有？不旬日，江西
捷音至。武宗南巡，將及浙，有司急斂諸供。方伯徐公蕃命
筮焉，得同人☰☲之離☲☲。徐曰：同人親也，應南面，急當祗
迎。崙曰：不然。卦體屬乾，西北其位也，茲應反矣。乾先天
位南入，後天返西北，應武宗南來將返西北。君，至尊也，豈夫人可同？
且爻曰：先號咷後笑，兆之也。其在純乾之日乎？後悉如其
言。宋人以易林卜金主亮入寇，得解云滅身，與此可參斷。

按，此以象占，兼用辭。解象云動而免乎險，故曰無虞。將授

首者,解自升來,五爲囹圄;九三之四,一陽孤進,將變坎而入獄矣。
又象爲甲坼,故曰授首。

明御史張崙筮巡撫保定【黃批】此見仲氏易

明正德間,都御史張崙奉敕巡撫保定,兼提督紫荆諸
關。筮之,得屯䷂之六三。曰:行無虞官,何以即鹿? 吾入
林而已。屯六三:即鹿无虞,惟入于林中。時提學李夢陽在座,曰:
不然。三關,古鉅鹿地也,急即之。无虞者,不疑也。惟入
林中,恐爲彬所中耳。後武宗西狩,江彬索璧、馬、婦女,不
應。駕臨三關,迎駕軍不至,罷職。

按,此專以動爻辭推。

明冢宰魏驥筮土木之變【黃批】此見聽松齋襍記

明土木之變,南冢宰魏驥集同官上監國疏。會錢塘客
陸時至善易,請筮之,得恒䷟之解䷧。恒三爻變。驥曰:帝出
之,不恒而承之羞,固也。恒三爻辭。乃變而負乘,寇將復至,
如之何? 解三爻辭? 客曰:既已負帝乘矣,再至何害? 所慮者
貞之則吝,徒守反咎耳。貞吝亦解三爻辭。驥曰:善。乃易疏
去。次日客過,驥曰:昨筮无大咎乎? 曰:大吉。曰:何謂
也? 曰:夫恒爲大坎,上下陰中陽,故曰大坎。而正當坎中,所以
陷也。然而恒互爲乾,二至四。以一乾而巍然居三乾之間,若
無往而不爲君者。乃一變爲解,則已解矣。且解之辭曰:象
辭。利西南。西南者,所狩地也;其來復,則還復也。夫恒者
久也,日月得天而久照。恒象辭。今解之互體則正當兩坎互
離之間,坎月離日,非日月幽而復明乎? 大明,吾國號,非返

國乎？祇解有兩坎兩離，而上離未全，尚有待耳。後寇果再至，以戰得勝，英宗返國，如所占。

按，此用兩卦辭，兼用兩卦互體。

清毛西河筮出亡

毛西河少年出亡，筮之，遇節☵之需☴。_{節三爻變。}節者，止也；需者，有待也。節與需皆坎險在前。然節三爻當互震，_{二至四互震。}之柔而變爲乾剛。震則動，動而得剛可以出險，經云剛健而不陷是也。_{需彖辭。}顧亦惟剛健，故不陷。否則需矣，致寇至矣。_{需九三爻辭。}乃急行，而躡者果至。因匿海陵，越一月，曰可出險矣。經曰利涉大川，_{需彖辭。}大川，淮也。因過淮主山陽令朱君所，朱君集名士歌讌。先生念需象有飲食宴樂語，_{大象語。}憬然會吾幸已出險，且宴樂矣。過此失位，_{需六爻語意。}于是舍之去。

李剛主曰：按遇卦之卦皆有水火既濟之象，_{節二至五互大離，需三至五互離。}是險可濟也。兌缺變乾，其身甚健，文明在體，_{節三爻在大離中，需三爻在互離初。}則後之舉博學宏辭，與高年著述傳世，皆見焉。

按，此偏重之卦，象、彖、爻辭並推。與朱子說相反。

清紀曉嵐筮鄉舉

紀曉嵐先生幼時鄉舉，其師爲筮，得困☱之六三。師曰：不吉。先生曰：不然。困六三云：困于石，據于蒺藜，入于其宮，不見其妻，凶。見吾尚未娶，何妻之可見？不見其妻者，莫之與偶也，恐中解元耳。困于石者，或第二名姓名有石字或石旁也。榜發，果第一。亞元則石姓也。第三名姓米，米字形象蒺藜。其神驗如此。

按，此專以動爻辭占。

周易古筮攷卷五

二爻動

朱子曰：兩爻變，則以本卦二變爻辭占，仍以上爻爲主。經傳無明文，以例推之，當如此。

按，二爻動，經無明文，傳記則數見也。朱子未詳攷耳。其占法亦不如朱子所言也。

【黃批】胡一桂曰：案陳搏爲宋太祖占，亦旁及諸爻與卦體。

晉郭璞爲王導筮國事安危

郭璞洞林云：歲在甲子正月中，丞相揚州令余卦安危，諸事如何。遇咸䷞之井䷯。二爻四爻變。璞曰：案卦東北郡縣有以武名者，當出銅鐸六枚，一枚有龍虎象，異祥。兌爲金，咸外卦兌。金有口舌，兌爲口舌。來達號令者，銅鐸也。山陵神氣出，此則丞相創以令天下。見在丑地，丑，東北方。則金墓也。起之以卦爲推立之，應晉陵武進縣也。又當犬與豬交者，井卦世在五爻，五爻主戌。應在二爻，二爻主亥。戌狗亥豬，又居世應，有相交象。狗變入居中，鬼與相連，其事審也。井五爻戌當坎卦之中，坎象爲豕;下四爻申金於井六親值官鬼,同在外卦中,故曰相連。狗居坎中畫,與犬豕交事相應,下又與鬼連,故曰其事審,言不詭也。**戌亥世應,土勝水**,戌土亥水。**二物相交,象吾和合爲一體。此丞相雄有江東也。民當以水妖相驚。歲在水位**,甲子,子屬水。**水爻復變成坎**,咸九四主亥,變井六四爲坎,故曰水爻復成坎。**當出大水之象。以此知其靈應。巽木成言**,古有以艮爲言者。咸内卦艮變爲巽,井内卦巽亦可變爲艮,故曰巽木成言。**果又妖生。**艮爲果蓏,而二爻主午鬼,故曰妖生。**二月變爲鬼**,戌土所克,果無他。**水乃金子**,金生水,故對金爲子。**來扶其母**,咸世在三爻申金,金本生水。而下二爻動,午火變亥水。上四爻動,亥水變成坎。重重水動,故曰來扶。**是亦丞相將興之象也。西南郡縣有陽名者,井水當自沸。卦變入井内**,即午變亥,亥變坎,皆井水,故曰卦變入井。**丙午變而犯升陽,故知井湧也。**咸二爻午火變井二爻亥水,水自火來,故曰升陽,故知井湧。**於分野應在歷陽。虎來入州城市。兌者,虎出山而入門闕**。艮爲虎爲門闕,而上爲兌。兌者,虎張口入門闕之象。**正月戌爲天煞**,寅木尅戌土。**即刺史宅。虎屬寅,與月**正月寅**并而來,此大人將興之應。**雲從龍,風從虎。又豹變虎變亦大人君子之應。**東方當有蠨鼠爲災,食稻稼。有離體**,井三至五互離。眼相連之象。艮爲鼠,又煞陰在子,子亦鼠,此子似指井上爻。**而歲子來寅卯,故知東方有災。其年晉陵郡武進縣民陳龍,果於田中得銅鐸六枚。言六者,用坎數也。**後天卦配河圖,坎數六。**銅者,咸本家**即本宮**兌故也。口有龍虎文,又得者名龍,益審。陳土性,金之用**,土生金。**進者乃生金也。丹徒縣流民趙子康家,有狗與吳人豬相交。其年六月天連雨,百姓相驚。妖言云:當有十丈水。翕然駭動。其明年丑歲六月十五己未日未時,歷**

陽縣井水沸湧,經日乃止。陰陽相感,各以其類,亦金水之應也。六月,虎來州城,浴井中。秋,吳諸郡皆有鼩鼠爲災。鼠爲子,子水,鼩亦水物,皆金之子。而晉主遂登祚也。此論一歲異事,略舉一卦之意。惟不得_{言未占得也}臘中行刑有血逆之變。將推之不精,亦自无徵,不登於卦乎?死者,晉陵令淳于伯也。又狗變入居中者,艮爲狗變巽,又值官鬼,故曰鬼與相連。義亦通。

　　按,此以納甲推,兼用互體。其可解者分注於下,其不能解而字句或有錯誤者仍之也。仲氏易曰:銅鐸之出以貞,咸也。井之沸以悔,井也。咸內爲艮,艮,東北之卦也。其名武者,以上兌在右,武位也。_{兌在西方。}其出鐸者,兌爲金,與互乾金合,而乾數六,_{九宮西北六數。}故得六鐸。然且互乾爲天,互巽爲命,此天命也,故曰此受命之符也。若井,則二四互兌,三五互離,離兌爲西南;郡縣而南爲陽方,故宜有陽名。乃以下巽與互兌爲金木之交,上坎與互離爲水火之際,木間金得火而上承以水,此非薪在釜下得火而水乃沸乎?且四正相躔〔一〕,乾麗坤域,非受命而何?

　　按,毛西河只引晉書所記,似未見洞林原文。六鐸等義,本文皆自釋之。如毛釋,金屬之器多矣,何以知其必出鐸?又釋武義尤穿鑿。然解水沸義亦精,惟陽義仍未愜。故備錄之,以資參攷。

　　甲子年寅月占:

咸					井			
應	▬▬	丁未	(土)	父母		▬▬	戊子	(水)	父母
	▬▬	丁酉	(金)	兄弟	世	▬▬	戊戌	(土)	妻財
	▬▬▬	丁亥	(水)	子孫		▬▬	戊申	(金)	官鬼
世	▬▬▬	丙申	(金)	兄弟		▬▬▬	辛酉	(金)	官鬼
	▬▬	丙午	(火)	官鬼	應	▬▬▬	辛亥	(水)	父母
	▬▬	丙辰	(土)	父母		▬▬	辛丑	(土)	妻財

〔一〕"且四正相躔",刻本"且"訛"丑"。據西河合集本《仲氏易》校改。

【黃批】咸,兌宮三世卦。兌於五行屬金。井,震宮五世卦。震於五行屬木。

晉郭璞避亂筮詣陽泉

郭璞與戚朋避難至淮南安豐,卜住不吉。卜詣松滋,卜詣合肥,皆不吉。卜詣陽泉,得小過䷽之坤䷁。其林曰:小過之坤卦不奇,雖有旺氣變陽離。原注:卜時立春,其氣變入坤,中氣廢。初見勾陳被牽羈,暫過則可羈不宜。將見劫追事幾危,賴有龍德終無疵。原注:十二月龍德在艮,凡有月德終無患。於是諸計不可,伴人悉散,乃獨往陽泉。而留安豐、松滋、合肥者,皆不得全。未幾,陽泉亦有事,登時惶慮,復往廬江。所謂暫過則可,羈不宜也。小過世主午火,立春入寅月。寅木生午火,故曰有旺氣。

按,此以納甲法就筮時月日推。月丑日戊,故初爻值勾陳,四爻世臨玄武。勾陳主羈累,故曰被牽羈。玄武主盜賊,故曰將見劫追。

	▬▬	庚戌	(土)	父母	世	▬▬	癸酉	(金)	兄弟
	▬▬	庚申	(金)	兄弟		▬▬	癸亥	(水)	子孫
世	▬▬▬	庚午	(火)	官鬼		▬▬	癸丑	(土)	父母
	▬▬▬	丙申	(金)	兄弟	應	▬▬	乙卯	(木)	妻財
	▬▬	丙午	(火)	官鬼		▬▬	乙巳	(火)	官鬼
應	▬▬	丙辰	(土)	父母		▬▬	乙未	(土)	父母
	小過					坤			

【黃批】玄武,北方星名。尚云:青龍、白虎、朱雀、玄武、勾陳、螣蛇,是謂六神。詳見納甲。

【黃批】小過,兌宮遊魂卦。兌於五行屬金。坤爲八純卦之一,故其世在上六。坤於五行屬土。但生尅以遇卦本宮爲主,不用之卦本宮。

晉郭璞爲顧士羣筮母病

顧士羣筮母病,得歸妹☳☱之隨☳☱。郭景純謂秋必亡。蓋母子主仁,木也。卦內兌變震,外震變兌,木皆克於金,兌金震木,金克木。生氣盡矣。後果死。

按,震木變兌金,是木往被克也。兌金變震木,是金往克木也。至秋而金王,木益衰矣,故曰至秋必亡。

按,此專以五行推。

晉郭璞爲顧球筮姊病

晉揚州別駕顧球姊生十年便病,至年五十餘,令郭璞筮。得大過☰☴之升☴☴。其辭曰:大過卦者義不嘉,冢墓枯楊無英華。振動遊魂見龍車,身被重累嬰妖邪。法由斬祀殺靈蛇,非己之咎先人瑕。案卦論之可奈何?球乃迹訪其家事,先世曾伐大樹得大蛇,殺之,女便病。病後有羣鳥數千迴翔屋上,人皆怪之,不知何故。有縣農行過舍邊,仰視,見龍牽車,五色晄爛,其大非常,有頃遂滅。

按,此亦以納甲推,兼易義。冢墓枯楊無英華者,言世亥變爲丑,丑爲亥墓,土尅水,無水何能生本宮之木?故曰枯楊無英華。振動遊魂見龍車者,言世居遊魂之位,從震卦變至五爻,又從五爻退後變至四爻,則上卦仍爲震,故曰振動遊魂。又震爲龍爲車,故曰見龍車。身被重累嬰妖邪者,言身未變,升西鬼,而未土生西金,故鬼不去身也。法由斬祀殺靈蛇者,言世值亥,亥衝巳,巳爲蛇,故決其曾斬蛇。但龍車係已往卦象,故又決其先人所爲,而曰非己之咎也。

身	䷄	丁未	（土）	妻財					癸酉	（金）	官鬼
		丁酉	（金）	官鬼	變				癸亥	（水）	父母
世		丁亥	（水）	父母	變				癸丑	（土）	妻財
		辛酉	（金）	官鬼					辛酉	（金）	官鬼
		辛亥	（水）	父母					辛亥	（水）	父母
應		辛丑	（土）	妻財					辛丑	（土）	妻財
	大過								升		

【黃批】大過，震宮遊魂卦。震於五行屬木。升，震宮四世卦。

齊文宣筮位

齊文宣筮位，得乾☰之離☲。宋景業曰：乾，君也，天也。變得離，五月受命也。

按，此亦不以辭推。

唐崔羣筮寇亂

唐相國崔羣之鎮徐，嘗以焦氏易林自筮，遇乾☰之大畜☶。其繇曰：典册法書，藏在蘭臺。雖遭亂潰，獨不遇災。及經王智興之變，果除祕書監。大畜疑大過之誤。大過繇辭云：棟橈，利有攸往，亨。與辭相應。若大畜則無涉也。

按，繇辭皆與易辭無涉。

五代劉龑筮國祚長短

五代南漢劉氏傳〔一〕：初，劉龑時，嘗召司天監周傑筮之，遇復☷之豐☳。龑問曰：享年幾何？傑曰：凡二卦皆土

〔一〕　“五代南漢劉氏傳”，按“劉氏”即劉陟，改名龑，後又改龔。詳《舊五代史》本傳。

爲應，土之數五，二五十也。上下各五，將五百五十五乎？及劉錄之亡，果五十五年。蓋傑舉成數以避一時之害爾。

　　按，此亦以納甲法推。

　　納甲法復世在初爻屬子，應在四爻屬丑；豐世在五爻屬申，應在二爻亦屬丑。丑爲土，故曰二卦皆土爲應。土於九宮數五，合上下共三五也。

	--	癸酉	（金）	子孫	--	庚戌	（土）兄弟
	--	癸亥	（水）	妻財	世　--	庚申	（金）子孫
應	--	癸丑	（土）	兄弟	一	庚午	（火）父母
	--	庚辰	（土）	兄弟	--	己亥	（水）妻財
	一	庚寅	（木）	官鬼	應　--	己丑	（土）兄弟
世	一	庚子	（水）	妻財	一	己卯	（木）官鬼
	復				豐		

　　【黄批】復，坤宮一世卦。坤於五行爲土。豐，爲坎宮五世卦。坎于五行屬水。但五行生尅不用之卦之本宮，而以遇卦之本宮爲主。

宋崔相公筮脱虎口

　　易林紀驗云：宣和末，長慶崔相公任福州日〔一〕，其時晏清無事，思此聖書，虔誠自卜，得大過☱☴卦。云：典册法書，藏在蘭臺。雖遭亂潰，獨不遇災。之遯☰☴卦，辭曰：坐席未温，憂來扣門。踰牆北走，兵來我後，脱於虎口。其時卜後十日，州亂，崔相公踰牆而出。家族不損，無事歸京。乃知此書賢人所製，初雖難會，後無不中。

　　按，大過繇辭云：棟橈，利有攸往，亨。故易林曰不遇災云云。遯繇辭云：遯，亨，小利貞。故易林曰踰牆北走、脱於虎口云云。

〔一〕“長慶崔相公任福州日”，按《廣漢魏叢書》本及《學津討源》本《焦氏易林‧易林紀驗》，“福”字皆在“崔”字前，似可從。

宋人筮金主亮入寇當死

紹興末,金主亮入寇。時有人以焦贛易林筮,遇解☷☵之大壯☳☰。其辭曰:驕胡火形,造惡作凶。無所能成,遂自滅身。其親切應驗如此,雖天綱、淳風不能過也。開闢以來,惟亮可以當之。延壽著書,何以知後世有亮也? 解自恒變來,乾中爻斷,有斷首象。張喬卜宸濠云:將授首。意同。

按,解彖云險以動,大壯彖云剛以動。震動坎險,故曰險以動。震動乾剛,故曰剛以動。震爲雷爲電爲火,而解又互火形;而解內卦坎,三至五互坎,重重險象。而變爲大壯之互兌,兌毀折,故曰無所能成,遂自滅身。

【黃批】元史李孟傳:仁宗將入定難,筮之,遇乾三五皆九。占曰:是謂乾之暌。乾剛也,暌外也。以剛處外,乃定內也。君子乾乾,行事也。飛龍在天,上治也。輿曳牛掣,其人天且劓,內兌廢也〔一〕。厥宗噬膚,往必濟也。大君外至,明相麗也。乾而不乾,事乃暌也。剛用善斷,無惑疑也。

清李剛主筮南行

李剛主曰:丁丑之歲,郭子堅招予南行。子固且爲余謀南中置側室生子。因筮之,遇大畜☶☰之中孚☴☱。當時亦意爲吉卦。然未知占法,未了然也。後學易,擬爲繇曰:是謂不家食吉,利涉大川也。大畜繇辭。兌之口舌,二至四互兌。食于宮闕,艮爲宮闕。故曰不家食。乘木而風順,以行澤上,巽爲

〔一〕"內兌廢也",黃批"廢"下脫"也"字。據四部叢刊本《元史》校補。

木,爲風,兑爲澤。故曰利涉大川。_{中孚彖辭。}以此南往,有孚而吉焉。且是往也,所畜至大。老陽變動,遂之少女,_{乾變兑,兑,少女。}是置下妻乎?其屬爲豕,_{辭有豚魚包魚者,置妻也。}長男生芽;我震而進,主艮而止。男之生也,遂以寅歲。

按,此全以辭占,而不必動爻。

周易古筮攷卷六

三爻動

朱子曰：三爻變則占本卦及之卦彖辭。以本卦爲貞，之卦爲悔。

按，晉文公筮得貞屯☳☵悔豫☳☷，取兩卦彖辭曰利建侯，與朱子啓蒙説合。而又兼取卦體，則不執於一也。此外，皆與朱子説不甚合。蓋筮法不能執一，執一則扞格不通。變而通之，神而明之，存乎其人。

【黃批】胡一桂曰：案啓蒙但云占本卦、之卦彖詞。然以晉侯屯豫之占，則並占卦體可見。

晉重耳筮得國【黃批】晉語文

晉重耳筮得國。曰：尚有晉國。注：命筮之詞也。得貞屯☳☵悔豫☳☷，皆八也。注：震在屯爲貞，在豫爲悔。八謂震兩陰爻在貞在悔皆不動，故曰皆八。謂爻無爲也。筮史占之，皆曰不吉。閉而不通，爻無爲也。震爲動，動遇坎，坎爲險阻。閉塞不通，無所爲也。司空季子曰：吉。是在周易，皆利建侯。屯初九曰利建侯，豫大象曰利建侯行師。【黃批】李道平曰：此注悉謬。韋氏止知內卦爲貞，外卦爲悔。不知遇卦亦爲貞，之卦亦爲悔。今遇屯䷂之豫䷏，故曰貞屯悔豫也。九老陽，六老陰，皆主變。七少陽，八少陰，皆不變。今初九、六四、九五皆變，變者老陽、老陰。惟二、三、上不變，三皆陰爻。陰爻不變者，少陰也，少陰用八，故曰皆八。韋注利建侯誤，見末案中。李道平易筮遺占亦駁之。**不有晉國，以輔王室，安能建侯？我命筮曰：尚有晉國。筮告我曰：利建侯。得國之務也，吉孰大焉！震，車也**，易坤爲大車，震爲雷。今云車者，車亦動，聲象雷，其爲小車也。○案，左傳辛廖曰震爲土，車從馬。是亦以震爲車。蓋震之卦象類車，且車亦發動之物，與震爲動義合也。【黃批】李道平曰：左、國皆以震爲車，今說卦無此象，知其逸失者多矣。漢魏言象，多與説卦不合，去古未遠，必睹遺文，或經師別有口授，未可盡廢也。**坎，水也，坤，土也。屯，厚也，豫，樂也。車班內外，順以訓之**，車，震也，班，徧也。徧外内，謂屯之内有震，豫之外亦有震。坤，順也，豫内爲坤，屯二至四亦爲坤。**泉原以資之**，資，財也。屯三至五、豫二至四皆有艮象。屯上坎，豫三至五亦坎。艮山坎水，水在山爲泉原，流而不竭。【黃批】李道平曰：資當訓藉。即孟子資之深之資。**土厚而樂其實。不有晉國，何以當之？**屯、豫皆有坤象，重坤故厚。豫爲樂。**震，雷也，車也。坎，勞也，水也〔一〕，衆也。**易以坤爲衆，坎爲水。水亦衆之類。**主雷與車**，内爲主也。**而尚水與衆。**坎象皆在上，故上水與衆。**車有震武**，震，威也。**車聲軒隆〔二〕**，象

〔一〕"勞也，水也"，刻本"勞也"下脱"水也"二字。據黃校及四部叢刊本《國語》校補。

〔二〕"車聲軒隆"，刻本"聲"下無"軒"字。據黃校補入。按，四部叢刊本《國語》韋注亦無"軒"字。然有之於義較勝，似黃校別有所據，今從之。

有威武。**衆順文也**。坤爲衆，爲順〔一〕，爲文。象有文德，爲衆所歸也。
【黄批】李道平曰：衆順文也，此句皆主坤象言。疑上文衆也上脱坤
字。**文武具，厚之至也，故曰屯**。屯，厚也。**其繇曰：元亨利貞，
勿用有攸往，利建侯**。繇，卦辭也。亨，通也。貞，正也。攸，所也。往，
之也。小人勿用有所之，君子則利建侯行師。【黄批】虞氏曰：震爲侯。初
剛難拔，故利建侯。**主震雷，長也，故曰元**。内爲主。震爲長男，爲
雷，雷爲諸侯，故曰元。元者，善之長。**衆而順，嘉也，故曰亨。内有震
雷，故曰利貞**。屯内有震。賈侍中云：震以動之，利也。侯以正國，貞也。利，
義之和也。貞，事之幹也。**車上水下，必伯**。車，震也，坎，水也。車動而上
威也，水動而下順也，故知必伯。**小事不濟，壅也，故曰勿用有攸往**。
壅，震動而遇坎。坎爲險阻，故曰勿用有攸往。**一夫之行也**，一夫，一人也。
震一索得男。**衆順而有武威，故曰利建侯。坤，母也，震，長男
也。母老子强，故曰豫。其繇曰：行師。居樂出威之謂也**。居
樂，母在内也。出威，震在外也。居樂故利建侯，出威故利行師。**是二者得國
之卦也**。

　　按，此用兩卦繇辭，兼推兩卦互體。○元亨利貞，勿用有攸往，
利建侯，屯繇辭也。利建侯行師，豫繇辭也。而韋注於屯引初九之
利建侯，不合也。沙隨筮法云：晉文筮貞屯悔豫，初、四、五三爻動，
初九無位而得民，重耳在外之象。至豫則九四爲衆陰所宗，震爲諸
侯，坤爲國土，重耳得國之象。辭曰朋盍簪，簪整髮以裝首，率諸侯
以宗周之象。象辭利行師，一戰而霸之象。

　　【黄批】李道平曰：三爻變雖兼占兩，仍以貞卦爲主。故釋屯
詳而釋豫略也。

〔一〕"爲順"，刻本"順"誤"土"。據黄校及四部叢刊本《國語》韋注校改。

【黃批】沙隨程氏曰：初與四、五凡三爻變。其不變者二、三、上，在屯爲八，在豫亦八。

晉筮悼公歸國【黃批】周語文

晉孫談之子周適周，事單襄公，有賢德。注：周，晉悼公之名也。其父談，晉襄公之孫。襄公有疾[一]，召頃公而告之曰：必善晉周。其行也文。天地所祚，將得晉國。且吾聞成公之歸也，成公，晉文公之庶子，初居周。趙穿弑靈公迎於周而立之，名黑臀。晉筮之，遇乾☰之否☶。曰：配而不終，君三出焉。乾初九、九二、九三變而之否也。乾，天也，君也，故曰配。配先君也。不終，子孫不終爲君也。乾下變而爲坤。坤，地也，臣也。天地不交曰否。變有臣象。三爻，故三世而終。上有乾，乾，天子也。五體不變，周天子國也。三爻有三變，故君三出於周也。一既往矣，後之不知，其次必此。一謂成公已往爲晉君。後之不知，不知最後者在誰也。其次必此，次成公而往者，必周子也。且吾聞成公之生也，其母夢神曰：使有晉國，三而畀驩之孫。驩，晉襄公名也。今周子正襄公孫也，而令德孝恭，非此其誰？且其夢曰：必驩之孫，實有晉國。其卦曰：必三取君於是[二]。其德又足以君，三襲合也焉。必當之矣。頃公許諾。及厲公之亂，周子果入爲君，是爲悼公。

按，此以象推，不用辭。

乾，天也，君也。坤，土也，國也。内乾變坤，則是天命之有國也，亦君而之國也。而三變則三次也。配而不終者，謂坤與乾配，

〔一〕"襄公有疾"，刻本"襄"作"單"。據四部叢刊本《國語》校改。

〔二〕"必三取君於是"，刻本"是"字，四部叢刊本《國語》作"周"。蓋此節引，於原文略有改易。

至三而止。韋注謂配爲配先君，疑非。而三爲諸侯，五爲天子。周天子國不動如故上乾不變，而侯之往有國指坤者，咸出自九五之下，是出自周也。而三出者，因乾初爻變、二爻變、三爻變，故決其三出也。

簡言之，乾變坤是君而之國也。而上九五之乾如故，是君而之國者，皆出自周天子國之下也。而乾德陽，陽爲君。周易於乾每爻以龍爲喻，是一爻變即一君出之國，而取自周。二爻、三爻變亦然也。

不終者，謂變不及九五之乾。韋注謂爲子孫不終爲君，義無取。

吳孫皓筮國運

吳孫皓之將亡也，筮得同人☲☰之頤☶☳。占者曰不吉，後果亡國。蓋内日没於震，離爲日，震東方。吳在東，内離變震，故曰日没於震。外天折於山，乾變爲艮。君道亡矣。且象君出郊野而求口食，唧璧兆也。頤有口食象。

按，此專以卦變推吉凶。

晉郭璞爲殷祐筮怪獸【黄批】此見晉書

晉渡江後，宣城太守殷祐以郭璞爲參軍。會有物如牛，足卑類象〔一〕，大力而遲行，到城下，祐將伏取之。命璞作卦，遇遯☰☶之蠱☶☴。其辭曰：艮體連乾，其物壯巨。山潛之畜，匪兕匪虎。身與鬼并，精見二午。法當爲禽，兩翼不許。遂被一創，還其本塾。按卦名之，是爲驢鼠。卜竟，伏者以戟刺之，深尺餘，遂去不見。郡綱紀上祠，巫云廟神不悦，

〔一〕“足卑類象”，刻本“類”作“顔”。疑爲形訛字。據四部叢刊本《晉書》校改。

曰：此郊亭驢山君鼠也，偶詣荊山，暫來過我，何容觸之？

按，此以卦象推，兼用納甲。毛西河、李剛主不知納甲法，多誤解也。

按，乾，天也，健也，艮體連之，故知壯巨。以艮當所卜物者，世在艮二爻故也。遯世在二爻午，應在五爻申。艮爲山，止也，潛也，故曰山潛之畜。匪兒匪虎者，因遯世在二爻，二爻值午，午爲馬，故曰匪兒虎。

身與鬼并者，世爲身，世爻值午，午火克本宮乾金爲鬼，故曰身與鬼并。而上四爻仍值午爲鬼，故又曰精見二午，而知此物爲鬼物爲精魅也。法當爲禽者，艮止有禽獲象；艮化巽，巽爲雞，雞，禽也。兩翼不許者，遯二至四互巽，巽爲雞，是一翼也；蠱下體又巽，是又一翼也。而巽爲風爲動，艮在二卦皆與相連，有順風而逝之象，故禽之不得也。

遂被一創者，因遯艮二爻世午化爲亥，亥水克午火，故知被一創。還其本塾者，艮爲門庭，一變而居上，有躍出之象。又遯五爻申變子，四爻午變戌，皆來生艮爻，故決其逃還也。

按卦名之，是爲驢鼠者，因乾爲馬，艮爲鼠。可云馬鼠而云驢鼠者，因乾變艮，馬爲鼠；馬爲鼠，馬斯小矣，小則驢矣，故曰驢鼠。

又驢鼠者，遯世爻午馬化亥豬，四爻午馬化戌狗。馬而豬、狗，則不馬矣。然不失馬體，則小於馬而驢矣。鼠者，因應爻申化子，子爲鼠。世爲驢，應爲鼠，故曰驢鼠也。

毛西河曰：遯下艮上乾，故曰連乾。爲兒虎，蠱二陽間之，故曰非。此解勉強。乾鑿度以艮爲鬼冥門，貞悔兩見，故曰與鬼并。此解錯誤，身、并二字皆無着。離五月卦建午，蠱三至上爲大離，是倍午也。解二午義尤穿鑿。離爲雉，巽爲雞，故爲禽。遯四陽，傷其一爲一創，然只傷乾一畫。解被創尤無理。而艮山如故，蠱上之山可還遯之本塾。

按,毛解無一可取者,特録而駁之,俾後學勿爲所惑。

李剛主曰:按遯下體爲山,二至四互體爲巽,伏於山上,山潛之畜也。爲禽而兩翼不許者,遯之巽雞,蠱之離雉,其身之外當爲翼,而俱艮止,是無翼也。不許者,不許物被禽也。有翼無翼何涉?乾爲馬,艮爲鼠,今變卦艮鼠依然,而乾馬初爻變爲陰小,則似鼺矣。今爲一體,可名爲鼺鼠。

應	▅▅	壬戌	(土)	父母		▅▅	丙寅	(木)	妻財

（以下为占卦排盘）

応　━━　壬戌　（土）　父母　　　　　━━　丙寅　（木）　妻財
　　━━　壬申　（金）　兄弟　　變　　▅ ▅　丙子　（水）　子孫
　　━━　壬午　（火）　官鬼　　變　　▅ ▅　丙戌　（土）　父母
　　━━　丙申　（金）　兄弟　　　　　━━　辛酉　（金）　兄弟
世　▅ ▅　丙午　（火）　官鬼　　變　　━━　辛亥　（水）　子孫
　　▅ ▅　丙辰　（土）　父母　　　　　▅ ▅　辛丑　（土）　父母
　　　遯　　　　　　　　　　　　　　　　蠱

【黄批】遯,乾宫二世卦。乾於五行屬金。蠱,巽宫歸魂卦。巽於五行屬木。但之卦之生尅仍以遇卦本宫爲主,不用之卦之本宫。故此卦本宫爲金。

晉郭璞爲元帝筮徵瑞【黄批】此見晉書

晉元帝爲晉王時,太歲在寅,將即祚。使郭璞占國家徵瑞之事,得豫䷏之睽䷥[一]。曰:會稽當出鐘,以告成功,王者功成作樂。會稽,晉王初所封國。又會稽山,靈祥之所興也。上有銘勒。坤爲文章,與天子爻并,故知晉王受命之事準此。應在民間井池中得之。鐘出於民間井中者,以象晉王出家而王也。金以水爲子,二卦三至五皆互坎。子相扶而生。此即家之祥徵事也由應,所謂先王作樂崇德,殷薦之上帝也。豫大象辭。其後歲在執徐,帝即位,會稽郡剡縣陳青井中

〔一〕“得豫䷏之睽䷥”,刻本豫象“䷏”誤作震象“䷲”。據黄校更正。

得一鐘，長七寸四分，口徑四寸半。上有古文十八字，人莫能識[一]。

按，此取互體，兼用象辭。

帝出乎震，震變離，離爲日，君象，故知王者受命興起也。而斷其出鐘者，因雷出地豫，有作樂之意。樂聲與雷聲近者惟鼓鐘。鼓皮質，鐘金質，而地變爲兌，兌金，故知出鐘。

鐘出在民間井池中者，因二卦皆互坎水。鐘出地，象辭雷出地。地而有水，非池中即井中，故知其出井池中。若河中海中，則於出地之義不合。知上有銘勒者，因說卦坤爲文[二]，景純亦自釋之矣。

知出在會稽者，晉王初封會稽。今爲帝，然則會稽者，帝所自出也，震也。鐘既爲皇帝受命之應，則亦必出於會稽，景純亦自釋之，特辭太略。彼毛西河以東南郡縣當會稽，失之遠矣。

毛西河曰：此事第有案驗，而無占斷，似乎狡獪。按古今筮案，惟郭景純每有自釋其義，尚不失春秋時占驗古義。前此如管輅，皆有事驗而不言筮法，乃狡獪耳。此案景純仍自釋其義，惟恐人不明，何狡獪之有？而毛氏謂狡獪者，蓋未見洞林原文，故恨罵之。景純有知，不呼冤乎？○毛氏所引只數語，蓋從晉書得此筮案，而歎其不說明。豈知景純原書不如此也。然以易推之，則瞭若指掌，非畸事也。豫上震下坤，震爲龍，爲首出之子，而下連坤土，此豫而出地之象也。悔爲睽，上離下兌，嚮明而治，而金以宣之，體離互亦離，此重明重光，中興之象也。震爲鳴爲聲，故先王以作樂崇德。而合睽之

[一]　此上一節文字，録自郭璞《洞林》。又見《晉書》本傳。惟《洞林》詳，《晉書》略。然《洞林》屬入注解，《晉書》則簡明條暢。今據四部叢刊本《晉書》迻録以備覽：“及帝爲晉王，又使璞筮，遇豫之睽。璞曰：會稽當出鍾，以告成功。上有勒銘。應在人家井泥中得之。繇辭所謂先王以作樂崇德，殷薦之上帝者也。及帝即位，太興初，會稽剡縣人果於井中得一鍾，長七寸二分，口徑四寸半。上有古文奇書十八字，云會稽嶽命。餘字時人莫識之。”
[二]　“因說卦坤爲文”，刻本“説”誤“雜”。據阮刻《周易正義》校改。

兌金，以升于睽之離火，是坐明堂向南離，而考擊鐘鏞以作樂之象也。按毛氏解鐘字太泛。祇兩卦皆有坎水以陷之，則尚在陷中，未經出土。而豫坎互坤，則當在水土之間。此解與井何涉？況豫之震爲東方，睽之離爲南方，會稽者，東南郡也。東南郡豈止會稽？豫又互艮，萬物之所成終者也，非告成功乎？若曰鐘勒有銘有古文，則睽離爲文，兌爲言。以文爲言，非勒銘乎？銘義，洞林原釋甚切當。毛氏未見，解遂浮泛。

唐文德皇后筮丈馬

　　唐太宗文德皇后初嫁世民，歸寧。舅高士廉妾見天馬二丈立后舍外，懼，占之，遇坤☷☷之泰☰☷。占者曰：坤順承天，載物無疆。馬，地類。之泰，是天地交而萬物通也，又以輔相天地之宜。繇協歸妹，言當其歸寧。婦人事也。女處尊位，履中而居順，后妃象也。

　　按，此以卦意及互體推。

　　坤卦利牝馬之貞，故曰馬地類。繇協歸妹者，言泰三至五互震，二至四互兌，雷澤歸妹，又適當其歸寧也。

周易古筮攷卷七

四爻動

朱子曰:四爻變則以之卦二不變爻占,以下爻爲主。經傳無明文,以例推之,當如此。

按,四爻動之占,傳記亦有。朱子謂無明文者,未詳攷也。特晉郭璞、魏趙輔和等占法皆與朱子之例異耳。故後人頗非朱說。

晉郭璞爲桓茂倫筮嫂病殯兔必愈

晉丞相掾桓茂倫嫂病困,慮不能濟。令郭璞卦,得賁䷕之豫䷏。其林曰:時陰在初卦失度,殺陰爲刑鬼入墓。建未之月難得度,消息卦爻爲扶助。馮馬之師乃寡嫗,自然奇救宜殯兔。子若恤之得守故。卜時四月,降陰在初而見陽爻,此爲失度。四月殺陰在申,申爲木鬼與殺陰幷,又身爲卯變入乙未,未是木墓,馬午爲火,馮亦馬。申是殺陰,以火性消之。巽爲寡婦,兔屬卯,殯兔謂破墓出身。茂倫歸,求得兔,令嫂食之,便心痛不可忍,於是病愈。

按,此純以納甲推,不用辭。

占時在四月,四月爲巳月,巳刑申,【黃批】刑,克也。故郭自注云四月殺陰在申。占辭言馮馬,馮疑是寡嫂姓也。鬼入墓、建未之月難得度者,因賁卦按納甲法世在初爻值卯鬼,本宮艮土,卯木克土,故爲鬼。變爲豫卦初爻未,未爲木墓,木長於亥,王於卯,墓於未,絶在申。故曰鬼入墓。六月建未,世身既爲卯木,至未月身入墓矣,不死而何?故曰難得度也。

食兔得愈者,兔爲木,克未土,故曰破墓。【黃批】兔爲卯,故爲木。

	▬ 丙寅	(木)	官鬼	變	▬▬ 庚戌	(土)	兄弟	
	▬▬ 丙子	(水)	妻財		▬▬ 庚申	(金)	子孫	
應	▬▬ 丙戌	(土)	兄弟	變	▬ 庚午	(火)	父母	
	▬ 己亥	(水)	妻財	變	▬▬ 乙卯	(木)	官鬼	
	▬▬ 己丑	(土)	兄弟		▬▬ 乙巳	(火)	父母	
世	▬ 己卯	(木)	官鬼	變	▬▬ 乙未	(土)	兄弟	
	賁				豫			

【黃批】艮宮乙世卦賁。艮爲土。豫,震宮一世卦。震爲木。但用遇卦本宮推生尅,不用之卦之本宮也。

北魏趙輔和爲人筮父疾【黃批】此見北史

北魏趙輔和善易筮。有人父疾,託輔和筮,遇乾☰之晉☲。慰諭令去。後告人云:乾之遊魂,乾爲天爲父。父變爲魂而升於天,能無死乎?後如其言。

按,此以八宮卦名占〔一〕。

乾之遊魂者,因晉爲乾宮第七卦,第七卦爲遊魂卦。第八卦名歸魂卦。凡占卦遇遊魂、歸魂者,不吉。

〔一〕"此以八宮卦名占",刻本"八"訛"人"。據上下文意校改。

乾卦變到第五爻爲山地剝☷☰,爲乾宮第六卦。其乾卦上爻不能變,其第七卦須從山地剝退後,四爻變爲陽爻,是爲晉卦。晉係退後再變而成,故曰遊魂。

唐王諸筮入解【黃批】此見唐人定命錄

唐天寶十四年,王諸入解,筮遇乾☰☰之觀☴☷。謂已及賓王,觀四爻利用賓于王。而大人未見。言變至四爻,不及五爻利見大人也。遂遇祿山變而返。

按,此以卦辭推,而與朱子說尤異。

元張留孫筮得賢相

元張留孫待詔尚方,因論黃老治道貴清靜,聖人在宥天下之旨,深契主衷。及上將以完澤爲丞相,命留孫筮之。得同人☰☲之豫☳☷。曰:同人柔得位而進乎乾,言二爻陰與九五陽應,故下言君臣合。君臣之合也。豫利建侯,命相之事也。何吉如之?願陛下勿疑。及拜完澤,天下果以爲賢。

按,此全以象辭占,與朱子說亦異。

乾健離明,文明以健,故知爲賢相。況之卦又有建侯之利乎?

五爻動

朱子曰:以之卦不變爻占。任啓運曰:以不變爻占。

按,如朱子之說,則舍本卦不用。如任氏之說,則本卦、之卦並重,只取其靜者耳。而按之古人筮案,皆不盡然。朱子未詳攷,只引左傳艮之隨爲例，謂當以隨不變爻係小子、失丈夫爲占，以成其說。豈知即穆姜言觀之，仍以繇辭爲占耳。

穆姜筮往東宮【黄批】左傳襄九年

襄公九年。穆姜薨於東宮〔一〕。始往而筮之，遇艮☶☶之八。杜注：周禮，太卜掌三易，連山、歸藏皆以七八爲占，故言遇艮之八。史曰：是謂艮之隨☱☶。惟艮二爻不變。注云：史疑遇八爲不利，故更以周易占變爻，得隨卦而論之。而姜亦指周易以折之也。【黄批】朱子曰：是謂艮之隨，蓋五爻皆變，惟二得易，故不變。顧炎武曰：二體獨變，則名之六。餘爻皆變，而二爻獨不變，則名之八。隨其出也，君必速出。姜曰：亡。是於周易曰，隨，元亨利貞，无咎。彖辭。元，體之長也。亨，嘉之會也。利，義之和也。貞，事之幹也。體仁足以長人，嘉會足以合禮〔二〕，利物足以和義，貞固足以幹事。然固不可誣也，是以雖隨无咎。【黄批】杜注：言不誣四德，乃遇隨无咎。明無四德者，則爲淫而相隨，非吉事。今我婦人，而與於亂。固在下位而有不仁，不可謂元。不靖國家，不可謂亨。作而害身，不可謂利。棄位而姣，不可謂貞。有四德者，隨而無咎。我皆無之〔三〕，豈隨也哉？我則取惡，能無咎乎？必死於此〔四〕，弗得出矣。

李剛主曰：艮，止也。爻皆變，二不變。五君也，二小君也。艮爲門闕，小君止於是而不變，薨於東宮之象也。故史以爲不利，而

〔一〕"穆姜薨於東宮"，刻本"薨"訛"夢"。據阮刻《左傳正義》校改。
〔二〕"嘉會足以合禮"，刻本"會"誤"德"。據阮刻《左傳正義》校改。
〔三〕"我皆無之"，刻本"皆"誤"則"。據阮刻《左傳正義》校改。
〔四〕"必死於此"，刻本"死於"誤"取于"。據阮刻《左傳正義》校改。

別用周易變占得隨，以欺穆姜耳。穆姜謂隨必元亨利貞，无咎；否則有咎。固正解也。

按，此筮獨二爻静。任啓運曰：衆爻動而此爻獨静，則必有所以静之故。劉禹錫曰宜從少占也。朱子曰此筮應以係小子，失丈夫爲占。二爻辭。而觀之本文，亦殊不然也。

晉張軌筮據河西

晉時張軌爲散騎常侍，征西軍司馬。軌以時方多難，陰圖據河西。筮之，遇泰☷☰之觀☴☷。惟泰四爻不變。乃投策喜曰：霸者兆也。於是求爲涼州。

按，此似以觀四爻是謂觀國之光，利用賓于王爲推，故云霸者之兆。與劉禹錫、朱子等說合。惟遇泰下乾，乾爲首爲君；上坤，坤爲土爲地，是得土地爲一方君主之象，故曰霸。較取四爻辭義更勝，又似與朱子等說不合也。

晉郭璞避難筮行焦丘吉凶

郭璞與族戚避難至猗氏，賊遽至，諸人遑窘。從猗氏至河北有一間徑名焦丘，可避賊，惟不通車，只可步行，極險難過。遂自筮之如何，得隨☳☱之升☴☷。其林曰：虎在山石，馬過其左。兑虎震馬，互艮山石。駮爲功曹，猾爲主者。駮猾能伏虎。某云：惜不注駮猾象。垂耳而潛，不敢來下。兑虎去不能見。爰升虛邑，升九三爻辭。遂釋某云：疑字誤。魏野。隨時制行，卦義也。升，賊不來，小象升虛邑，無疑也。知無寇。然當時河北之魏亦荒敗,便以林義示行人,説欲從此道之意[一],咸失色喪氣,無有讚者。或云林殆悞,不可輕信。璞知衆人阻貳,乃獨約十餘家,涉此徑詣河北。後賊果攻猗氏,合城覆没無遺育。之河北者得全。

　　按,此以卦象及卦辭占,皆與前法不合。

　　原注皆混入正文,殆璞自注傳鈔久混淆。兹特將原注分列句下。而洞林原本又有小字注,不知爲誰,故加某云以别之。

　　虎在山石者,隨上兑爲虎,二至四互艮,艮爲山爲石,而兑虎恰在山上也。馬過其左者,震爲馬,在隨下卦,故曰過其左。駮猾二句不能解。垂耳而潛者,言變升,二至四互兑在卦中,故曰潛,曰不下。升九三象云:升虚邑,无所疑也。故決賊不來,無寇警也。況隨、升卦辭皆元亨無咎也。

梁武帝筮同泰寺災

　　梁大同中,同泰寺災。帝召太史令虞履筮之,遇坤☷之履☰。曰:無害。其繇云:西南得朋,東北喪朋,安貞吉。坤繇辭。文言云:東北喪朋,乃終有慶。帝曰:斯魔也。酉應見卯,金來尅木。卯爲陰賊,鬼而帶賊,非魔而何?

　　按,此虞履以繇辭占,而不用之卦,與前法異。而武帝又以納甲推,謂爲魔也。

　　按納甲法,坤世在上六值酉,應在六三值卯,故曰酉應見卯,謂卯爲世酉應也。酉金卯木，故曰金尅木。

卯爲陰賊者，坤宫土屬陰，卯木尅土，故爲陰賊。賊者，害也。又卯在坤宫，於六親值鬼，故曰鬼而帶賊。

世	▌▌	癸酉	（金）	子孫	變	▌▌	壬戌	（土）	兄弟
	▌▌	癸亥	（水）	妻財	變	▌▌	壬申	（金）	子孫
	▌▌	癸丑	（土）	兄弟	變	▌▌	壬午	（火）	父母
應	▌▌	乙卯	（木）	官鬼		▌▌	丁丑	（土）	兄弟
	▌▌	乙巳	（火）	父母	變	▌▌	丁卯	（木）	官鬼
	▌▌	乙未	（土）	兄弟	變	▌	丁巳	（火）	父母[一]
	坤					履			

【黄批】坤屬土，爲純卦，故世在上六。履，艮宫五世卦。艮於五行屬土。

梁武帝與闓公射鼠【黄批】此見隋梁四公記

梁天監中，有蜀闓、黤杰、敩䴡、仉肾四公謁武帝。帝見之甚悦，因命沈隱侯約作覆，將與百僚共射之。時太史適獲一鼠，約匣而緘之以獻。帝筮之，遇蹇☷☶之噬嗑☲☳。帝占成。羣臣受命獻卦者八人，有命待成俱出。帝占置諸青蒲，申命闓公撲蓍。對曰：聖人布卦，依象辨物，何取異之？請從帝命。言不必另占，即帝所得之卦而推之。

【黄批】蜀闓，梁四公子名，見梁四公傳。黤，奴侯切，音糯。兔子也。或作毧，又或作矙。黤，又從無販切，音萬。姓也。黤杰，梁四公子名。仉肾，梁四公名。仉，音掌，孟子母姓。肾，音起。肥腸也。敩，神蜀切，音贖。姓也。䴡，他官切，音湍。黄黑色也。又黄色也。敩䴡，梁四公名。敩，亦作敨，音頤。䴡，亦作端。

時八月庚子日巳時，闓公舉帝卦撰占置於青蒲而退。即

[一] 坤卦上六及履卦九五“子孫”原作“父母”，據黄校改。

帝卦撰成占辭而退。讀帝占曰：先蹇後噬嗑，是其時。內艮外坎，是其象。坎爲盜，其鼠也。艮象不祇爲鼠，因坎爲盜，鼠性盜，故決其爲鼠。居蹇之時，動而見噬嗑，其拘繫矣。噬嗑六爻四无咎，一利艱貞，非盜之事。上九荷校滅耳凶，是因盜獲戾，必死鼠也。羣臣蹈舞，呼萬歲。帝自矜其中，頗有喜色。次讀八臣占辭，皆無中者。末啓闓公占，曰：時日王相，必生鼠矣。八月酉金而日子。子水，子鼠，金生水，故曰王相，曰生鼠。且陰陽晦而入文明，言坎變爲火。從静止而之震動，言下艮變爲震，艮止。失其性必就擒矣。言鼠陰性，變相皆陽，故曰失其性。金盛之月，八月金盛。制之必金。子爲鼠，辰與艮合體。辰者，時也。時子屬鼠，艮亦爲鼠，故曰合體。坎爲盜，又爲隱伏。隱伏爲盜，是必生鼠也。能爲盜必生。金數於四，其鼠必四。八月爲金，按後天卦配河圖象，四九爲金，居兌。又以先天卦配洛書，兌數亦四。兌數四，故知鼠爲四也。離爲文明，南方之卦。日中則昃，況陰類乎？晉之繇曰：死如棄如，按死如棄如，爲離卦四爻辭。晉初爻辭爲晉如摧如。而闓公以死如棄如屬之晉卦者，偶誤耳。其義相同也。又晉九四云：晉如鼫鼠，貞厲。是晉與鼠有關也。實其事也。日斂必死。既見生鼠，百僚失色。而尤闓公曰：占辭有四，言四鼠也。今者唯一，何也？公曰：請剖之。帝性不好殺，自恨不中。至日昃鼠且死矣，因令剖之，果姙三子。

　　按，此以卦象辭占，然與朱子等所言之法仍異也。特爲詳注，以期易解。

　　按鼠終死，帝占亦皆中也。如以帝爲不全中，則射者只射目前；目前只一鼠，闓亦不全中也。

　　按此筮有李恕谷與毛西河問答，所推雖不當，然用心則勤，錄以備參攷。

李問：此種瑣屑，似兩晉以後管輅、郭璞諸筮法，不知與推易之法及春秋太史諸占筮同異若何？且兩卦正互順逆，皆無兊象，而曰金盛，曰數四，某未解焉。

毛答：此即推易法，與春秋太史占筮並無不合。特其説有未當者。既曰坎艮，則不俟推測而即知爲鼠。何則？夫子明曰：坎爲豕，艮爲狗，爲鼠。則未有狗、豕而可入匣者。此不必以隱盜顯拘，從卦象求也。況既變噬嗑，則更與黔喙之屬有明證者乎？且鼠必不死，梁武、闓公各有誤者。舍塞而之噬嗑，則塞足雖不行，而噬口尚能嚙，不死也。去坎陷艮止，而就燥與動，則燥出瀆閟，動可決行，又不死也。且艮爲鬼冥門，死象也，今乃變爲震之反生，又不死也。艮爲鼠，今之卦二至四仍有艮，又不死也。若云日中則艮，他物畏日艮，鼠不畏日艮。至如逮晚鼠死，則在射後矣。射只當前，與後何涉？此當時傅會也。至若金盛數四之説，春秋太史無有以時氣占者，更屬荒唐。本卦之卦並無一兊，兊四之數于何見之？子所言固不謬耳。按，西河、恕谷所引，乃雜記割裂不全之四公記，並未見原文。原文載明，時八月庚子日巳時，故曰時日王相，故曰數四。今未見原文，推其説而不得，遂目之爲荒唐。闓公荒唐乎？抑西河荒唐乎？賴世人研易者少，無從發其覆耳。

又問：艮爲鼠，夫子之言也。然夫子于離亦言爲蠃、爲蚌、爲龜、爲蟹、爲鼈。今噬嗑有離，何以不曰此龜、蠃屬乎？，塞亦互離，何必之卦？

答：善哉問也。但占物之法以遇卦爲主，遇卦有物則不必更占之卦。龜與蠃，究之卦物也。然物可兼占，惜當時君臣見不及此，無有以龜、鼠作兼占者。既占爲鼠，即當云坎爲水爲濕，而艮爲山爲門闕，是必有水中之物去隱濕而登艮山，可以藏諸室獻諸闕者。得非龜乎？況之卦之離顯有龜名，則此中是龜亦容有之。特吾謂必是鼠不是龜者，坎爲盜，龜不盜也。噬嗑能嚙物，龜不嚙物也。震爲動爲躁決，龜能動不能躁決也。則鼠長耳。使春秋太史而占物,當必如是。

				變			
	戊子	（水）	子孫	變	己巳	（火）	官鬼
	戊戌	（土）	父母	變	己未	（土）	父母
世	戊申	（金）	兄弟	變	己酉	（金）	兄弟
	丙申	（金）	兄弟		庚辰	（土）	父母
	丙午	（火）	官鬼		庚寅	（木）	妻財
應	丙辰	（土）	父母	變	庚子	（水）	子孫
	蹇				噬嗑		

按,蹇卦世主申,而當酉月子日,故曰時日旺相。彼毛西河於納甲全無所知,而參攷又陋。然動敢謾罵,頗有三家村學究無往而不聖人氣象。

【黃批】蹇,兌宮四世卦。兌五行屬金。噬嗑,巽宮五世卦。巽於五行屬木。但用遇卦本官,不用之卦本官。

六爻動

朱子曰:乾坤占二用,餘占之卦之彖辭。

任啓運曰:乾坤占二用,是也。餘占之卦之彖辭,非也。蓋朱子誤以用九爲變坤,用六爲變乾耳。然則坤盡變,何不占乾元亨利貞之四德? 而止占利永貞之二德乎? 則以全卦占事之久近始終,可知也。

按,如任氏之說,乾坤占二用亦非耳。何是之有? 其見羣龍无首吉、利永貞之非占辭,說已詳用九用六解中,茲不復贅。

又按,用九用六若爲占辭,則乾坤二卦有七爻矣,毛西河仲氏易曾辨之。

唐王庭湊筮爲節度使【黃批】此筮見唐耳目記

唐長慶中,成德兵變,殺節度使田宏正,而擁立部將王庭湊。初，庭湊微時，鄞有道士爲卜，得乾☰之坤☷。曰：坤，土也，地也。大位當臨而旂節不遠，兼有土地山河之力。復問壽幾何，子孫幾何。曰：公三十年後當有二王。已而庭湊立十三年[一]。蓋廈文也。景崇、鎔皆王。

　　按，此全以之卦推。而原本乾坤不占二用也[二]，二用非占辭也。乾世在上爻。古法以一爻值五年，故三十年。乾爲君，重乾，故二王。

宋筮金主亮入寇首落地

　　宋時，金主亮入寇。筮得蠱☶之隨☳。占者曰：我有震威，本卦爲貞故稱我。蠱三至五互震。而外當毀折，之卦爲悔故曰外。隨上兑，兑爲毀折。敵敗之象也。內我外敵。且兩互爲漸，隨三至五互巽，二至四互艮，合之爲風山漸。漸之辭曰夫征不復。其何能返？且艮上變柔，蠱艮上九變隨兑上六。巽初變剛，蠱內巽初六變隨內震初九，故曰剛。隨自否☶來，頭落地矣。否上九與初六易位爲隨。乾爲首，乾爻自上落下，故曰首落地。後亮兵果敗，被殺。

　　按，此純以卦變卦象推，本卦之卦並重。與任氏說合。

筮林補遺

吴尚廣筮孫皓庚子年青蓋入洛

　　吴陸抗既平步闡，孫皓意張大。令尚廣筮并天下，遇同

────────────

〔一〕"已而庭湊立十三年"，刻本"庭"作"廷"。依前文引校改。
〔二〕"而原本乾坤不占二用也"，刻本"坤"作"卦"。兹據前後文意校改。

人☲☳之頤☶☳。曰：吉，庚子青蓋當入洛陽。皓由是不修德政，有窺上國之心。及皓之降，歲正庚子。

案，此與孫皓前筮見卷六當爲一事，紀載不同耳。尚廣蓋避禍不敢正言，謬謂爲吉。而又不欲没其實，故刻入洛之歲。豈知實被俘入洛也。其刻庚子者，同人内卦離，離爲火爲午，頤又爲大離；至子年衝而兼尅，故知必滅。

梁鄧元起筮入蜀知不還

梁鄧元起初爲益州刺史，及巴東，聞蜀亂，使蔣光濟筮之，遇蹇☵☶。喟然歎曰：吾豈鄧艾而及此乎？後果如筮，不能還也。

蹇利西南，不利東北。蜀，西南也，故往利。還則東北矣，故不利。

後魏高祖筮南征遇革而止

後魏書：高祖欲南討，詔太常卿王諶筮之。遇革☱☲，曰：此湯武革命之卦也。羣臣莫敢言。任城王澄曰：革者，更也。將欲應天順人，革君臣之命，湯武得之而吉。陛下帝有天下，重光累葉。今日卜征，可云伐叛，不得云革命，未可爲吉也。高祖厲色叱之，後悟乃止。

按，此純以卦義推。

後周梁孝元射盒中金玉琥珀指環又筮使至

後周梁孝元精伎術。南平嗣王恪，嘗以銅盒盛金、玉、琥珀指環，請孝元射覆。卦遇姤☰☴之履☰☱卦。曰：上既爲天,其體則圓。指環之象,金玉在焉。寅爻帶牛,寅則爲虎。琥珀生光,在盒中央。盒中之物,凡有三種。案卦而談,或輕或重。恪於是神服。

又以壬申日寅時筮南軍何時有信,遇剝䷖之艮䷳。孝元曰:使還,已在門外。遣之往,果如所言。賓客驚其妙而問之。孝元曰:艮爲門,時在寅,與日辰并,故知之耳。按,申子辰驛馬在寅,占時恰遇寅,剝上六又寅,故知驛馬到門。

按,前卦姤上乾,乾爲天,天體圓,又爲金玉,故有環象。定爲指環者,小盒不能盛臂環也,是決其有金環、玉環矣。然姤互三乾,又巽數三,故知圓象之物有三種,金玉得二種。餘一種因姤本宮乾二爻主寅,姤初爻則爲丑,變履三爻亦主丑,丑牛,故曰寅爻帶牛。寅爲虎,居丑土中。夫虎之生於土中者,必琥珀也。況履二至四互離,離爲光,琥珀有光。是餘一種之圓物必爲琥珀無疑矣。是以卦象兼納甲推也。

其第二占,剝上艮,艮爲門,上爻主寅值妻財。妻財者,役使之神,而艮爲門,是役使者已到門矣。況剝三爻亦值妻財,變爲艮值申,恰與日并,故益知使已到門也。亦以卦象兼納甲推也。

金樓子孟秋筮雨

金樓子云:孟秋之月,亢旱。乃端策拂蓍,遇復䷗不動。既而言曰:庚子爻爲世,於金七月建申,申子辰又三五合,必在此月五日庚子。果得甘雨。

按,復世在初爻庚子,子水,水長生於申,王於子,墓於辰。七月建申,申子辰合成水局,是子水甚王,值子日尤王矣,故雨。三五合者,蓋復下卦三爻辰土,上卦五爻亥水,亦地上有水之象也。

又十七日筮雨

　　金樓子又於十七日筮雨,遇坎☵之比☵[一]。曰:坎者,水也,子爻爲世,其在今夜三更乎? 地上有水,稱之爲比,其必有甘雨乎? 至夜果雨。

　　按,坎世在上爻子,卦既爲水,世又值子水,至夜三更子時水益王矣。況比又爲地上有水之象,故決其有雨。

又爲桃文烈筮雨[二]

　　又桃文烈謂金樓子曰:此二十一日將雨,其在虞淵之時。余乃筮之,遇謙☷之小過☶。曰:坤艮之象,皆在土宮。非值無雨,乃應開霽。既而星如玉李,月上金波,果晴。

　　按,坤艮皆爲土,土尅水,故知無雨。

又射人名

　　又有人名裹襞紙中[三],請金樓子射之。得鼎☲卦。曰:鼎卦上離爲日,下巽爲木。日下安木,杲字也。此是典籤裴重歡疏潘杲名與? 余射之,他驗皆如此也。

　　按,此以卦象及卦所屬五行推。

―――――――――

〔一〕“遇坎☵之比☵”,刻本比卦象“☵”無。依上下文意校補。

〔二〕“又爲桃文烈筮雨”,按“桃”字,《金樓子》諸本皆作“姚”,似當從之。兹蓋依《太平御覽》卷七百二十八引作“桃”。正文倣此。

〔三〕“又有人名裹襞紙中”,刻本“裹”作“裏”。疑形訛。兹依《百子全書》本《金樓子》校改。

五明道士筮王庭湊否泰[一]

唐耳目記云：長慶之代，鄴中有五明道士者，不知何許人[二]，善陰陽歷數，尤攻卜筮。成德軍節度田弘正誅求不息，民衆怨咨。時王庭湊爲部將，遣使於鄴。既至，忽有微恙，因詣五明先生卜否泰。卦成，而三錢並舞，良久方定，而六位俱重。道士曰：此卦純乾變純坤。坤，土也，地也。大夫將來秉旄不遠，兼有土地山河之分。事將集矣，曷速歸乎？庭湊掩耳而走。是夜復得異夢，即辭歸。未及旬，兵變，殺弘正，推庭湊爲主。朝廷遣裴度討之，趙人拒命。二年，會文皇立，詔加節制，子尚主。在位十三年，卒贈太師。凡五世六主二王，一百零一年而滅。初，庭湊既立，迎五明於府，從容問曰：將來禄壽，請更推之。五明曰：三十年。十三之倒也。後裔有二王。此卦已見前。此較詳。

黃賀筮劉幹功名

唐昭宗時，有黃賀者，鞏洛人。避亂遊趙，家於常山，以卜筮爲業。時趙王鎔幼，燕軍寇北郊，王方選將拒之。有勇士陳立、劉幹投刺軍門，願以五百人嘗寇，王壯而許之。即夜大捷，燕人駭退。立戰歿，幹唱凱而旋。王悦，賜馬數匹、金帛稱是。俄爲閹人所譖，曰：此皆陳立之功。王母何夫人

〔一〕此則至"又爲段誨筮喪馬"凡五則，刻本目録皆未列目。兹依内文補擬。
〔二〕"不知何許人"，刻本"何"作"河"。蓋形訛。兹依《太平廣記·五明道士》引校改。

聞之，曰：身死爲君，未若全身爲國。即賜錦衣銀帶，加錢二十萬，擢爲中堅尉。初，幹詣賀，卜卦成。謂幹曰：是卦也，火水未濟，終有立也。九二之動，曳輪貞吉。以正救難，往有功也。變而之晉，明出地中。奮發光揚，恩澤相接。子今行也，利用禦戎，大獲慶捷。王當有車馬之賜。其間小釁，不足憂之。

　　按，上卦爲未濟之晉。二爻動，即以二爻詞斷，兼用之卦詞意。遇卦之卦鎔而爲一，與左傳占法略同，而不用納甲。又按，納甲，子孫爲寶爻，寶爻發，固宜多得賣賜。

又爲張師筮病

　　贊皇縣尉張師，臥病經年，日覺危殆。請賀卜之，得无妄。曰：无妄之疾，勿藥有喜。請停理療，五日必大瘳也。師果應期而愈。

　　按，上筮獨取五爻詞，或五爻發也。然筮得鼎卦者，四爻不發，亦嘗取折足象。筮固無定法也。

又爲張師筮夢

　　又數十年，張師夢白鳥飛翔，墮於雲際。既覺，恍惚不樂。召賀卜之。卦成，賀慘然曰：朝來寢息，不有夢乎？必若有夢，其飛禽之象乎？且雷震山上，鳥墜雲間。聲迹兩銷，不可復見。願加寶愛，樂天委命可也。師竟不起。

　　按，雷在山上，小過。飛鳥遺之音，不宜上宜下，大吉。而賀不以吉斷者，時與位不同也。

又爲段誨筮喪馬

又藁城鎮將段誨,夜宿郵亭,馬斷繮而逸,數日不知所適。使人詣肆而筮之。賀曰:據卦,睽也。初九動者,應有亡失之事,無乃喪馬乎?勿逐自復,必有繋而送之者。迴未及舍,已有邊鄙惡少牽而還之。時人謂賀爲易聖。

按睽初九,喪馬,勿逐自復,見惡人无咎。句句驗,甚奇〔一〕。

徐世芬筮李闖不登極〔二〕

遇變紀略云:李闖不允登極,徐世芬筮遇坤之剥。曰坤臣道,宜其不急爲君。戰血,兵宜不解。象東北喪朋,時則吳三桂請大兵入山海關也。

隋王通父筮通生

隋王通生時,其父隆筮之,遇坤之師。大父安康獻公曰:是子必能通天下之志。因名曰通,坎爲通也。

梁虛州筮張鷟驚恐

開元中,道士梁虛州爲張鷟筮,遇觀之渙。主驚恐。後風行水上,事即散。

〔一〕"按睽初九"至"甚奇",刻本作:"按,邊鄙惡少,應見惡人无咎。"兹據補刻單行本《筮林補遺》校改。
〔二〕此則至卷七終,凡二十一則,原刊本無。嗣見於作者補刻單行本《筮林補遺》中,蓋皆後來續輯者。兹據以整理,庶補足之。

黃山人筮葉助得子

夷堅志：葉助無子，使黃山人筮，得賁。曰：今日辰土，土加賁爲墳。君生子，必有悼亡之感。果生男，數歲而晁夫人卒。此參用日辰、卦名占法。

按，此係偶中，恐難以爲法。

黃山人筮葉少蘊得二女

夷堅志：黃山人爲葉少蘊筮，得晉。曰：坤、離二陰，晉字文兩口，卦辭三接。主三年孿生二女。

按，此亦是偶中。筮本無定法也。

陳摶筮宋享國長短

國朝類要云：宋太祖即位庚申。太祖元年十一月甲子，召陳摶筮享國長短[一]，得離之明夷。曰：得國中原，得南方火盛之卦，非吉兆也。問壽幾何？子年月日，終於火日下。開寶九年丙子十月，太祖崩。陛下子孫盡矣。問誰敢爲之？摶指離九三及明夷九三曰：此人爲之，必在西北，爲陛下之親。九三爲亥鬼，克世爻巳兄。亥西北，光義封晉亦西北。後百九歲，南方有妖氣指王安石，用之必多事。問宋之子孫若何？甲申歲有金女者出，丁當爲己字酉金爲妻財，子孫生之，其禍滋甚。四爻己酉金爲妻財，變癸丑，子孫回頭生之，財王則生亥鬼，故其禍滋甚。又六年，通於中國。又六年丙午螣蛇，宋其危乎！靖康元年丙午，徽、欽被虜。

────────────

〔一〕“召陳摶筮享國長短”，補刻本“摶”訛“搏”。依前後文意校改。下做此。

明兩作乎！焚死棄如。二君實受其禍。問遂亡乎？曰：火德猶盛。必有興於東北，終於東南，近君者實竊其位。丁巳歲其危乎！癸巳歲滅我者其衰乎！是年金亡。庚申宋祚其衰矣。宋庚申開國，至南宋理宗景定元年，五週庚申，正三百年。是時元伐宋，賈似道用事，故曰危。自辛酉至庚申，已三百年。又指爐中餘木木數三曰：其能過此乎？江永引作明夷之離，非。

晉郭璞筮柳道明夢

郭璞洞林：臨淮太守柳道明占，晉之剥卦。晉係遊魂，遊魂主夢，凶。世己酉，屬金，元係本宮壬午火世伏壬午火，伏乾家丈夫。第四爻變剥丙戌土是火鬼墓，己酉身安在丈夫墓上而不見丈夫。壬戌土鬼墓金，己巳火鬼，而有墓主出。所以夢嫁也者，去尋丈夫也。問之果然。便教令取井底泥泥竈，欲常應。道明如法日中塗之，至黃昏，火凡十起竈室兩間而止。其婦果亡。

　　按，壬戌土為伏乾上爻，己巳晉上爻。然壬戌雖為火鬼墓而伏，己巳為飛，飛生伏，是鬼已出墓也。故曰主出。

晉郭璞筮婦女凶亡

郭璞洞林：荀子驥澤家五月占，否之小過。詩云：否之小過大不良，世爻乙卯克昇陽，人命不利當逢喪。酉月不見戌所傷，二者之名為何當。婦女胎反見華蓋，沈不見水身在旁。其後至九月，澤妹名沈，又有弟婦名節華，姓董，因產得病，兒娘各死。自後累試，凡動克身爻，到月皆有哭泣死亡之凶。如巳、午爻爲昇受克,即應在四、五月。

按五月昇陽在上,否世在三爲乙卯木,克上爻壬戌土,故曰世爻乙卯克昇陽。八月酉衝卯,故不凶。戌九月,故傷在戌。世爲乙卯與前卦己酉世同,皆陰,故知爲婦女。變小過,震爲胎;世變艮,艮爲反震,是胎反也,故曰婦女胎反。小過互兌爲華,艮爲蓋,故曰華蓋。子水伏初爻,在卦之極下,又爲飛爻所克,故曰沈不見水。又世爻居坤土,變又艮土,亦不見水也。○按昇陽以節氣爲準。冬至昇陽在初爻,大寒在二爻,雨水在三爻,春分在四爻,穀雨在五爻,小滿在上爻。昇陽遇陽爻方吉,陰爻則否。如卷四袁杞山爲胡氏薦占,曰得乾之五爻,曰五爲君,升陽在四,子命又午也,其有錫命之慶乎?是其占必在春分後也。若昇陰則從夏至起初爻,按中氣以次上推。

晉郭璞筮趙某小兒墮井中死

郭璞洞林:趙某占得節之坎。云:坎宮火世家卜精,居人子立財爻併。此非庶鬼即家生,身年十二桃根名。猴孫青龍共相攪,若其不戒俱溺沈。若坎爲水宮,丁巳火爲財,在初爻不旺。變爲戊寅木,木爲子孫。木出水下,怪異爲名。七月陰殺在寅,寅刑巳,巳刑申,申刑寅。七月怪爻在戊申,爲猴孫。初爻爲巳火,月鬼合寅,爲一寅刑帶殺陰。戊寅木,子孫在水底下。後問之,果然。趙某有子庶生,名桃根,年十二歲,七月七日與羣兒戲,見大蛇遶猴孫,衆兒驚走。惟桃根驗,跌墮中而死。水變三刑帶殺之驗有如此。

按,節爲坎宮一世卦,初爻丁巳,故曰坎宮火世。巳爲財,巳變戊寅子孫,故曰居人子立財爻併。兌爲妾,變寅木子孫,故知子爲庶出。坎卦數六,兌卦數二,二六一十二,震爲子爲年,故知子年十二。震爲桃,乃子孫在互震之下,是桃根也,故曰桃根名。應爻申猴,世巳蛇,世應相上下,故曰猴孫青龍共相攫。子孫在水下,故懼溺沈。蓋申、寅、巳爲三刑,三刑齊見,故凶如此。

趙朔筮獲逸豚

洞林:趙朔善占卦氣,客有卜田者,得履之四。朔曰,子歸有逸豚。已而果然。

　　履之四,則乾變巽,成中孚。巽爲豕,姤羸豕孚蹢躅是也。中孚下兌上巽,巽豕出澤中,故曰逸豚。王輯作履之巽,亦通。

晉郭璞爲顧士犀筮母病

洞林:顧士犀母病,得歸妹。七日亡者,歸妹女之終也。

　　此見漢上易。疑與第五卷顧士羣筮母病爲一事。但彼曰歸妹之隨,此只曰歸妹。又七日亡及女之終占辭,前皆無之。又似另一事。

晉郭璞射鑷

北堂書鈔引洞林卷:縣令施安,置鑷,令璞射之,遇節之噬嗑。曰:非簪非釵,常在領下。鬢髮飾物,是有兩歧。

　　按,太平御覽引作:此是鑷,是有兩歧。而漢上易引云:簪非簪,釵非釵。此以內卦兌言也,兌爲金。大抵斷卦,當先自內。又曰:在下頭,斷髭鬚。所謂頭者,坎中之乾也。須者,在首下而裔也。朱氏經義攷,以三字句者與下不叶。按釵與須非不叶,朱氏誤也。節下兌,兌張口兩歧,而兌爲金,是其物爲兩歧之金屬。而上坎爲首,互艮爲須,須在首下。兩歧之金物,又在須下,故知爲鑷也。

晉郭璞筮殷鴻喬田作

洞林:殷鴻喬令吾作卦,得大壯之夬。語之曰:慎勿與許姓者共事田作也,必鬭相傷。殷還宣城,遂與許姓共田。田熟,有所爭,此人舉杖欲撞之。喬退思中間之戒,辭謝,僅乃得免。

按,大壯上震,四爻午爲世,而震爲言。言、午皆并於世爻,故知爲許姓。震爲耕作,爲禾稼,故曰田作。而震言與乾言相背,故有所爭。爭則鬭,而震言變爲兌,兌毀折,故相傷。

晉郭璞筮慎曜伯婦病

洞林云:揚州從事慎曜伯婦病,因經日發作,有時如聞物往來者,其兄周彥武令吾作卦,得蹇。身在戊戌,與坎鬼并卦中。當有從東北田家市黑狗,畜之以代之,任患死,當有無幾時狗便死。復更養如前,凡三過養,輒皆吐血而死。婦亦病差。

按,下卦艮東北,蹇彖云利西南不利東北。而艮爲狗,故於東北市狗,以代其不利。艮爲黔,故用黑狗。艮爲田爲家,故於田家市黑狗。坎爲鬼,爲血。惟蹇卦身在三,而曰身在戊戌。戊戌者五爻,則不解其故。

晉郭璞筮柳林祖妻病鼠瘻

洞林:鄉里人柳林祖妻病鼠瘻,積年不差,及困垂命,令

兒來從吾乞卜。占得頤之復。按卦應得人家奴姓石者而治
之,當獲灸鼠而愈也。林祖兒歸,有一賤家奴姓石,自言由
來能治此病。且灸其三處而止,婦尋差。有一老鼠色蒼黃,
逕就其前,噞噞然伏而不動。呼犬嚙殺之,鼠頭有灸處三。
病便差。

　　按頤,艮爲石,爲姓名,爲獲,爲手,故知得石姓者治之。艮爲
僮僕,故知爲奴。而艮爲鼠,爲節,是鼠瘻也。乃艮山化爲平地,是
鼠瘻已平復也。艮止,故爲獲。艮火,故曰灸。

晉郭璞筮宏景則姊病

　　洞林:寧遠參軍宏景則,其姊適吳,病四十餘年,暫來
歸,在其家。令吾卦之,得明夷之小過。然病每欲動時,輒
有烏來鳴,即便發作。按卦中,當得獨蹄猪畜之。後婦人如
欲眠,見一丈夫衣盡黑,婦人語其來前,言有所畏,遂泣而
去。病始小間。吾與殷侯共論此事,曰:烏,日禽,猪,月畜,
水火相忌,自然之數,故取元陰之伏物,用消太陽之飛精。
日中三脚,故以獨足者當之。

　　按,明夷下離,離爲烏;互震爲鳴,坤爲病,故烏鳴病即作。而
坎爲豕爲月,月者,太陰之精。坎隱坎,故曰取元陰之伏物。離爲
日,故曰太陽。水克火,故用消太陽之飛精。小過,亦坎也。

晉郭璞占魚入州城寺舍

　　洞林:平度州刺史請占,得豫之小過。曰:五月晦日,羣
魚原注:乙未爲魚。來入州城寺舍。至時,果有魚飛集廨門屋瓦
上。

朱震云：以乙未爲魚，非也。豫，艮爲門闕，震爲大塗。六三變九三，互有巽體，巽爲魚。豫五月卦，坤爲晦日。按原注以乙未爲魚，坤納乙未，謂坤爲魚也。易林每以坤爲魚。朱震不知此象，謂小過互巽爲魚。豈知原注乃郭璞自注，不誤也。坤爲魚，坤衆，故曰羣魚。之卦互巽爲入。六三坤變互巽，故知魚入。而艮爲城，爲門闕，故知魚入州城寺舍。

晉郭璞占友人妾爲倡

洞林：爲友人占，得咸之漸，兌成巽。曰妾爲倡。

朱震云：兌爲妾，變成巽，巽爲近市利，則倚市門矣。故妾爲倡。

晉郭璞占和氣潛鴻

洞林：郭璞筮得升之比，升二、三、五變也。五變坎，曰和氣氤氳，感潛鴻。

朱震云，坎上伏離，離爲飛鳥，鵝鳧同象。按，坎爲和。比互艮爲鴻，升巽亦爲鴻，坎巽皆有伏象，故曰潛鴻。朱以伏離爲鴻，非也。漸即以艮、巽爲鴻。蓋艮爲黔喙、爲鷹隼，巽爲鸛，故皆爲鴻。

晉郭璞筮蛇食雞雛

洞林：璞筮得大有之泰。云七月中有蛇在屋間，出食雞雛。

朱震云：離爲飛鳥，變坤，互中有震，震爲大木者梁也。巳在上爻，故云屋。此大過云本末弱，取棟橈象也。按朱釋，皆穿鑿之說也。大有四爻酉，酉雞。上爻巳，巳蛇。而四、上皆動，動則巳火克酉金，而酉雞正當兌口，故云蛇食雞。兌爲少，故知食雞雛。離變坤，坤或有屋象。惟七月義不詳，或以五爻伏申乎？

孔子筮商瞿五子

中備云：魯人商瞿使向齊國，瞿年四十，今後使行遠路，恐絕無子。夫子正月與瞿母筮，告曰：後有五丈夫子。子貢曰：何以知？子曰：卦遇大畜，艮之二世。九二甲寅木爲世，六五景子水爲應。世生外，象生象，來爻生互。內象艮別子，應有五子，一子短命。顏回云：何以知之？內象是本子，一艮變爲二醜，三陽爻五，於是五子，一子短命。何以知短命？他以故也。

此筮見史記正義。唐諱丙，故曰景子。水以下都不能解。世生外，或指世應相生。象生象，或指上艮土生下乾金。來爻生互，或指鼎九四來初納子，子水生上互震木乎？三爻伏丙申，內象或指此？丙申爲子孫，而飛象爲辰，辰數五，飛生伏，故應有五子。三陽爻五，疑即謂三爻甲辰數五也。乃初爻甲子水，爲應爻丙戌土所尅，是子丑寅卯辰五子之中已尅其一也，故曰一子短命，曰他以。凡易言他者，皆謂應爻。勉强揣測，恐無一當，仍俟知者。

周易古筮攷卷八

納甲攷

納甲説〔附十二辰方位圖〕

前引占驗故事，其用納甲法者如不解，可照此法排列，納入卦中，自瞭然矣。

納甲者，將干支排納於六爻中，而以干支所屬之五行，及筮時時日，視其生尅，以斷吉凶也。其法始於漢京房，原本於孔門，至晉郭璞多用之。不明此法，前所引古人占驗故事有不能盡解者，故略述明之。其法乾起於子，隔一位順推至戌而止。坤起於未，隔一位逆推至酉而止。即乾一爻子，二爻寅，三爻辰，四爻午，五爻申，上爻戌。坤一爻未，二爻巳，三爻卯，四爻丑，五爻亥，上爻酉是也。而屬於乾卦之陽三子，坎起寅，艮起辰，震仍起子，皆順推。坤卦之陰三子，兌起巳，離起卯，巽起丑，皆逆推。今將十二辰方位圖列左，裝卦時可按圖排列。如在外卦，按序推排。

巳	午	未	申
辰			酉
卯			戌
寅	丑	子	亥

【黃批】尚氏近著周易導略論,有納甲攷一文,坿載於此。

納甲攷黃梨洲曰:納甲以六十甲子言,故納辰亦謂納甲。

西漢易得孔子眞傳者三家,施、孟、梁邱是也。其受授皆甚分明,不幸皆亡。其納甲與否,不得而知。納甲之術可攷見者,莫詳於京氏。今京易亦亡,獨傳其易傳三卷。後人攷其易傳,因得其八宮、世應、納甲之數,飛伏、游魂、歸魂、六親之說,似納甲之術爲京房所專有。後儒以其違春秋卜筮之術,遂謂非易之正傳,嗤爲小道。然有前京房、後京房。今所傳易傳,爲前爲後,無能辨者。後人徒以劉向較易,唯後京房不祖田何、楊叔、丁將軍,目爲異黨,遂以易傳三卷屬之後京房耳。豈知異黨之故,傳並未明言,安知其即後京房?若前京房,則梁丘賀之師也。賀子臨,專行京房法,是前京房亦自有筮法也,安知其不納甲?此論前人向不及之,至以納甲爲易外道。豈知三家嫡系不納甲,班書無明文。後京房納甲,亦無明文。若今之易傳爲前京房,則施、孟、梁邱易之傳自孔子,固納甲也。且納甲之術,非聖人洞達天人之際者不能爲。京氏述之耳,安能創裁?創則聖矣。且鄭康成非學京易者也,而亦納辰,有爻辰圖,安知非三家之法?又後京房之師焦延壽易,託之孟喜,必其法有與孟喜同者。若渺不相涉,胡能假託?後人攷求孟氏易亦用卦氣,用卦氣則不能不納甲。故吾疑三家嫡系易,亦或納甲也。惟其納甲學之不易,故易

亡耳。至劉向目焦、京易爲異黨，斷不因納甲。何言之？漢人張
口即説五行、甲子，何至以甲子説陰陽之易而目爲異黨？若以其
説長於災異，則同時易學大家高相，出於丁將軍，嫡系也，亦專説
陰陽災異。高不爲異黨，胡焦、京獨異乎？今其學皆亡，劉向之
言無從索解。惟不因納甲，可斷言也。

六親

各爻既將地支排好，次排六親。六親者，父母、兄弟、妻
財、子孫、官鬼是也。其法視各卦所值地支之五行，與遇卦
本宫之五行相生尅而定名。其地支生本宫者爲父母，與本
宫同性者爲兄弟，尅本宫者爲官鬼，本宫生者爲子孫，本宫
尅者爲妻財。如火天大有爲乾宫卦，屬金。一爻值子水，金
生水爲子孫。二爻值寅木，金尅木爲妻財。三爻值辰土，土
生金爲父母。四爻值酉金，同性爲兄弟。五爻值未土，仍爲
父母。上爻值巳火，火尅金爲官鬼也。全視所納之地支之
五行與本宫生尅定名也。他卦同此也。

世應

世應者，卦中之主，所恃以推吉凶者也。略如貞悔。世
爲我，應爲彼。然世應究值何爻，仍原本於遇卦之本宫。如
本宫爲乾☰，乾初爻動變天風姤☴，因姤卦自乾初爻變來，
故姤世即在初爻。乾二爻再變爲天山遯☶，因遯卦自乾二
爻變來，故遯世即在二爻〔一〕。乾三爻再變爲天地否☷，故

〔一〕“故遯世即在二爻”，刻本“遯”誤“姤”。據上下文意校改。

否世即在三爻。乾四爻再變爲風地觀☷，故觀世即在四爻。乾五爻再變爲山地剝☷，故剝世即在五爻。上爻不能變變即出宮，由剝卦五爻退後將四爻仍變爲陽，是爲乾宮之第七卦火地晉☷。因其退後變來，故卜筮家名曰遊魂卦，其世亦在四爻與觀卦同。再由晉卦四爻退後，將下三爻全變，是爲乾宮之第八卦火天大有☰。因大有内卦仍變爲乾，故卜筮家名之曰歸魂卦，其世又退在三爻。八宮同此。世位既定，隔二爻即爲應爻也。

　　或曰：乾、坎、艮、震、巽、離、坤、兌八宮本卦，世在何爻？曰：世在上爻。乾鑿度以上爻爲宗廟爻，言八卦皆可自初爻以至五爻變成各卦，惟上爻不能變，隱然爲一宮之宗祖也。

尋世爻捷法

　　凡遇卦不得世爻所在，即不能斷。而尋世爻之法，須按卦象分宮次序歌尋之。如乾爲天，世在上爻〔一〕。首卦倣此。其第二卦天風姤，世在初爻。因乾初爻變，説見前。第三卦遯，世在二爻。第四卦否，世在三爻。五卦觀，世在四爻。六卦剝，世在五爻。七卦晉，世退在四爻。八卦大有，世退在三爻。其次序歌須能背誦純熟，得卦時即知此卦次某宮第幾，世爻不難即得。否則，有書亦可。倘無書可繙，又不能背誦分宮卦歌，則世爻不得，即無從推卦。余以年老多忘，屢有此困。兒子驤進言，卦既從八卦某卦變來，可仍將遇卦從初

〔一〕"世在上爻"，刻本"世"下無"在"字。據上下文意校補。

爻往回變,變至上下卦相同,即本宫卦也。變至某爻得本宫,某爻即世爻也。如法試之,而困難盡解。

世身

古納甲法,世應之外尚有身。至於明,以世爲身,廢而不用,祇用世應。然古有此法,不可不知也。兹將古人安身訣録後。

子午持世身居初,丑未持世身居二,寅申持世身居三,卯酉持世身居四,辰戌持世身居五,已亥持世身居六。

納甲

納甲者,將甲乙丙丁十天干納入卦中也。前所納者,只十二地支也。然則干支如何排納乎?即凡遇乾卦,在内三爻皆屬甲,在外三爻皆屬壬。坤卦,在内三爻皆屬乙,在外三爻皆屬癸。乾三子,坎内外皆爲戊,艮内外皆爲丙,震内外皆爲庚。坤三子,巽内外皆爲辛,離内外皆爲己,兌内外皆爲丁。如乾内卦地支爲子、寅、辰,即甲子、甲寅、甲辰;外卦爲午、申、戌,即壬午、壬申、壬戌是也。他卦同此也。

但古時雖天干與地支同排,實只重地支。至明代,筮者竟以天干無用,祇納子而不納甲矣。惟卜日用天干,備推旬空。所以今之卜人,詢以納甲之義,幾不知其何謂。然其源甚遠,漢京房即言用辰不用日也。

【黄批】京氏六爻納甲納辰圖 用黄梨洲

乾宮金
壬 ——— 戌
壬 ——— 申
壬 ——— 午
甲 ——— 辰
甲 ——— 寅
甲 ——— 子

坎宮水
戊 — — 子
戊 ——— 戌
戊 — — 申
戊 — — 午
戊 ——— 辰
戊 — — 寅

艮宮土
丙 ——— 寅
丙 — — 子
丙 — — 戌
丙 ——— 申
丙 — — 午
丙 — — 辰

震宮木
庚 — — 戌
庚 — — 申
庚 ——— 午
庚 — — 辰
庚 — — 寅
庚 ——— 子

坤宮土
癸 — — 酉
癸 — — 亥
癸 — — 丑
乙 — — 卯
乙 — — 巳
乙 — — 未

兌宮金
丁 — — 未
丁 ——— 酉
丁 ——— 亥
丁 — — 丑
丁 ——— 卯
丁 ——— 巳

離宮火
己 ——— 巳
己 — — 未
己 ——— 酉
己 ——— 亥
己 — — 丑
己 ——— 卯

巽宮木
辛 ——— 卯
辛 ——— 巳
辛 — — 未
辛 ——— 酉
辛 ——— 亥
辛 — — 丑

五行生尅

金生水，水生木，木生火，火生土，土生金。〇金尅木，木尅土，土尅水，水尅火，火尅金。

【黄批】朱漢上云：五行，乾兌金，坤艮土，震巽木。唯坎水、離火不二，中不可以二故也。天積氣而爲金者，以位言也。兌位西，乾位西北。自東言之，震木生離火，離火生坤土，坤土生兌、乾金，兌、乾金生坎水。艮，止也，土也，萬物之終始也。

【黃批】卦氣圖

朱漢上曰：右李溉卦氣圖，其說源于易緯。在是類謀曰[1]：冬至日在坎，春分日在震，夏至日在離，秋分日在兌。四正之卦，卦有六爻，爻主一氣。餘六十卦，卦主六日七分八十分之七。歲十二月，三百六十五日四分日之一，六十而一周。（孔穎達易疏，解七日來復云：易稽覽圖，卦氣起中孚，故離坎震兌，各主一方。其餘六十卦，卦有六爻，別主一日，凡主三百六十日。餘有五日四分日之一。每日分爲八十分，五日分爲四百分。日之一又分爲二十分。是四百二十分。六十卦分之，六七四十二，卦別各得七分。每卦得六七分也。司馬溫公曰：冬至卦氣起於中孚，次復，次屯，次謙，次睽，凡一卦御六日二百四十分日之二十一，五日合三十日二百四十分日之二百五。棋案，二百五當係一百五之誤。此冬至距大寒之數也。故入冬至凡七日，而復之氣應也。）在易通卦驗曰：冬至四十五日，以次周天三百六十五日，復當[2]。故卦，乾西北也，主立冬。坎北方也，主冬至。艮東北也，主立春。震東方也，主春分。巽東南也，主立夏。離南方也，主夏至。坤西南也，主立秋。兌西方也，主秋分。鄭康成曰：春三月候卦氣者，泰也，大壯也，夬也，皆九三、上六。（坎九五、上六泰，震初九、六二大壯，震六三夬。）夏三月候卦氣者，乾也，姤也，遯也，皆九三、上九[3]。（震九四、六五乾[4]，震上六、離初九姤，離六二、九三遯[5]。）秋三月候卦氣者，否也，觀也，剝也，皆六三、上九。（離九四、六五否，離上九、兌初九觀，兌九二、六三剝。）冬三月候卦氣者，坤也，復也，臨也，皆六三、上六。（兌九四、九五坤，兌上六、坎初六復，坎九二、六三臨。）又曰：冬至坎始用事，而主六氣，初六爻也。小寒於坎直九二。大寒於坎直六三。立春於坎直六四。雨水於坎直九五。驚蟄於坎直上六。春分於震直初九。清明於震直六二。穀雨於震直六三。立夏於震直九四。小滿於震直六五。芒種於震直上六。夏至於離直初九。小暑於離直六二。大暑於離直九三。立秋於離直九四。處暑於離直六五。白露於離直上九。秋分於兌直初九。寒露於兌直九二。霜降於兌直六三。立冬於兌直九四。小雪於兌直九五。大雪於兌直上六。先儒舊有此圖，故康成論乾坤屯蒙否泰六卦之貞，曰餘不見，爲圖者備列之。所謂備列之者，謂此備列四正六十卦也。李鼎祚論剝盡隔坤[6]，後來成震，七日來復之義曰：先儒已論，雖各指日月；（先儒褚氏、莊氏云：五月一陰生，至十一月一陽生，凡七月。而云七日者，欲見陽長須速，故變月言日也。）後學尋討，猶未測其端倪。略陳梗概，以俟來哲。王昭素難孔穎達六日七分，謂坤卦之盡，復卦陽來。則十月節終，一陽便來，不得冬至之日。據其節終，尚去冬至一十五日。二家之學，蓋未見此圖，是以其論紛然。鼎祚闕疑，請俟來哲。昭素已臆斷之矣！鼎祚於此其優乎？

乾鑿度曰：曆以三百六十五日四分日之一爲一歲。易三百六十析，當朞之日，此律曆數也。五歲再閏，故扐而後掛，以應律曆之數。鄭康成曰：曆以記時，律以候氣。氣率十五日一轉[7]，與曆相應，則三百六十，粗爲終也。曆之數有餘者四分之一，差不齊，故閏定四時成歲，令相應也。（蘇洵曰：震離坎兌，各守其方。而六十卦之分，散於三百六十日。聖人不以五日四分之一者，害其爲易，而以七分者加焉。此非有所法乎日月星辰之度，天地五行之數也。以爲上之不可以八，而下之不可以六。故以七分者加之。使又易者，亦不爲死用於閏而已矣。）皇甫泌曰：天地之數三百有六十，所以當朞。凡歲三百六十有四[8]，日不竟爻者，餘則歸閏爻以存虛。虛所以待甲癸之變。甲癸者，舉十之終始也。胡旦亦曰：卦之爻則實數也，歲之日則虛數也。歲月不盡之日，則加算焉。六日七分實數也，三百六十五日有餘焉。故算而爲閏。）二十四氣七十二候，見於周公之時訓。呂不韋取以爲月令焉。其上則見於夏小正。夏小正者，夏後氏之書，孔子得之於杞者也。夏建寅，故其書始於正月。周建子，而授民時、巡狩、承享，皆用夏正，故其書始於立春。夏小正具十二月而無中氣，有候應而無日數。至於時訓，乃五日爲候，三候爲氣，六十日爲節。二書詳略雖異，其大要則同。豈時訓因夏小正爲加詳歟？左氏傳曰：先王之正時也，履端於始，舉正於中，歸餘於終。中謂中氣也。漢詔曰：昔者黃帝合而不死，名察庶驗。定清濁，起五部，建氣物分數。氣謂二十四氣也。則中氣其來尚矣。仲尼贊易時已有時訓，觀七月一篇，則有取於時訓可知。易通卦驗，易家傳先師之言，所記氣候，比之時訓晚者二十有四，早者三。當以時訓爲定。故子雲太玄二十四氣，關子明論七十二候，皆以時訓。甲戌六月二十有四日之六記於燕京。

〔說明〕此圖與右說並批於《周易古筮攷》內。圖中二十四節氣位序，各依圖說調整劃一。又"坎"冬"鶡鳥不鳴"、"荔挺生"、"麋角解"，原稿"鶡"作"鵑"，"生"作"出"，"麋"作"鹿"；"震"春"雷乃發聲"，"雷下脫"乃"字；"離"夏"蟋蟀居壁"，"壁"作"室"；"兌"秋"玄鳥歸"，"玄"作"乙"。凡此，皆據朱震《漢上易傳》及惠棟《易漢學》校訂。

〔1〕"在是類謀曰"，原批稿"是類"二字誤倒。據漢學堂叢書本《易緯八種》校改。
〔2〕"復當"，武英殿聚珍本《易緯通卦驗》此下尚有："卦之氣，進則先時，退則後時，皆八卦之效也。"
〔3〕"皆九三、上九"，原批稿"上九"誤"上六"。據所列卦氣圖校改。
〔4〕"震九四、六五乾"，原批稿"六"誤"九"。據所列卦氣圖校改。
〔5〕"離六二、九三遯"，原批稿"二"誤"三"。據所列卦氣圖校改。
〔6〕"李鼎祚論剝盡隔坤"，原批稿"盡"作"晝"。據津逮秘書本《周易集解》校改。
〔7〕"氣率十五日一轉"，原批稿"率十五"三字作"章六十"。據武英殿聚珍本《易緯乾鑿度》鄭注校改。
〔8〕"凡歲三百六十有四"，原批稿"六"作"五"。謹據上下文意校改。

天干五行

東方甲乙木。南方丙丁火。西方庚辛金。北方壬癸水。中央戊己土。

【黃批】甲、丙、戊、庚、壬爲陽干。乙、丁、己、辛、癸爲陰干。

地支五行

子水，鼠。丑土，牛。寅木，虎。卯木，兔。辰土，龍。巳火，蛇。午火，馬。未土，羊。申金，猴。酉金，雞。戌土，狗。亥水，豬。

【黃批】子、寅、辰、午、申、戌爲陽支，丑、卯、巳、未、酉、亥爲陰支。

五行生旺墓絕

金長生在巳，旺在酉，墓地丑，絕在寅。

木長生在亥，旺在卯，墓在未，絕在申。

水土長生在申、午，旺在子、戌，墓在辰、寅，絕在巳。

火長生在寅，旺在午，墓在戌，絕在亥。

按，古人長用者，凡土皆爲金墓，不專在丑也。

【黃批】朱漢上曰：占法以八卦絕鄉爲墓。金生巳，故乾兌墓在艮。木生亥，故震巽墓在申。水生申，故坎墓在巽。火生寅，故離墓在乾。土生申，故坤艮墓在巽。此合河圖洛書而言之也。

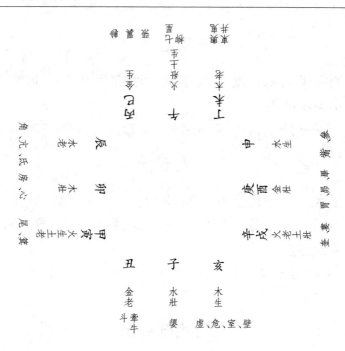

【黃批】壽祺謹案，五行生壯死之說，首見於淮南天文訓。其所載與此多異。茲錄其圖與說於後，以資考證。

【黃批】淮南天文訓云，凡日，甲剛乙柔，丙剛丁柔，以至於亥。木生於亥，壯於卯，死於未，三辰皆木也。火生於寅，壯於午，死於戌，三辰皆火也。土生於午，壯於戌，死於寅，三辰皆土也。金生於巳，壯於酉，死於丑，三辰皆金也。水生於申，壯於子，死於辰，三辰皆水也。故五勝生一，壯五終九。五九四十五，故神四十五日而一徙。以三應五，故八徙而歲終。甲戌四月初二日六庵記。

地支衝刑合

子午衝，丑未衝，寅申衝，卯酉衝，辰戌衝，巳亥衝。

寅刑巳，巳刑申，子卯相刑，丑戌相刑，未辰相刑。

子丑合，午未合，寅亥合，卯戌合，辰酉合，申巳合。

納甲術古今用法之異同

納甲始於西漢。其用以卜筮之見於載記者，三國時管輅。陳志雖不詳其本卦，然觀其所言，蓋用納甲法爲多。至晉郭璞所著洞林，不惟詳其筮法，並自注釋其筮義。與只有事驗，不詳筮法，徒炫騁神怪者不同。津逮後學，斯爲甚矣。攷其所用，納甲爲多，然兼取卦象卦辭，且其推法不專在動爻。至明，納甲大家程良玉，即著易冒者。得若上張星元祕傳，凡占一準于用爻。如老奴占幼主，必用父母爻。少主占衰僕，必用妻財爻。詞訟憑官後世應。壽命憑用後父母。科目先文，廷試先官。辨空破絕散之真僞，明飛伏互變之輕重。若晉外伏艮內伏乾，己酉世爻以丙戌爲飛伏。需外伏兌內伏坤，戊申世爻以丁亥爲飛伏。蓋參之枯匏老人之説。一時占驗，遂爲星元家所未及。由是與周易辭象乖矣，推測之途狹矣。占既與辭象離，沿至今日，雖市井略識字者，亦皆能之。而搢紳遂鄙之，以爲不足道。豈知納甲之深奧者，搢紳雖白首不能窮其術。而管、郭且恃以參天地，窮鬼神，胡可易視之哉？

茲編所錄占驗故事，原以周易辭象爲主，而間及納甲。故略述納甲法，以期能解前錄筮案。若其詳細，自有專書。

六神

六神者，青龍、朱雀、勾陳、螣蛇、白虎、玄武也。其用法以日起。如甲乙日初爻起青龍，以次上排，六爻至玄武。丙丁日起朱雀，至六爻反青龍。戊日初爻起勾陳，六爻反朱雀。己日起螣蛇，至勾陳。庚辛起白虎，至螣蛇。壬癸起玄武，至白虎。

然攷之郭璞，於六親只見用鬼，於六神只見用白虎，他皆不常用。似白虎最重也。

攷之諸書，大致以青龍爲吉，白虎爲凶。占疾病，螣蛇主死。白虎主喪。玄武主盜賊。朱雀主是非口舌。又青龍屬木，朱雀屬火，勾陳屬土，螣蛇屬土，白虎屬金，玄武屬水。故其吉凶，亦視所遇之生尅以定。然攷之諸書，六神只爲附合之神。用爻吉，雖遇虎不凶；用爻衰，雖遇龍不吉。不能專主也。

飛伏

後世納甲之法，既以用爻爲占；有時用神不上卦，即不能推測，則有飛伏之法。伏者，伏神也。例如占財當以財爻爲用神，而遇天風姤，姤卦無妻財，則尋本宮乾二爻寅木之妻財爲本卦伏神，本卦二爻亥水爲飛神。水生木，謂之飛來生伏，便作吉推也。餘皆可類推。

年上起月

甲己起丙寅，乙庚起戊寅，丙辛起庚寅，丁壬起壬寅，戊癸起甲寅。

如甲年或己年五月，即正月起丙寅。順數，五月庚午。

日上起時

甲己起甲子,乙庚起丙子,丙辛起戊子,丁壬起庚子,戊癸起壬子。

如甲日或己日當卯時,即子時起甲子。順輪,卯時是丁卯也。

卦身

世爲陽爻,則自十一月起,向初爻數之,至世爻止。如乾卦世在上爻,從初爻十一月數至世爲四月,則卦身在巳。可用以與筮時月日定吉凶也。

世爲陰爻,則自五月起,向初爻數之,至世爻止。如否卦世在三爻,從初爻五月數至世爲七月,則卦身在申。可用以與筮時月日定吉凶也。

周易古筮攷卷九

占易雜述

卦象攷[一]

占周易者以辭爲先。然辭往往與我不親,則察象爲最要矣。象者,易之本。文、孔以前之辭俱亡,不可得見。今存者只周易。然周易之辭,無一非察象得來,乃文王、孔子所以示學者以學易之端緒,非謂其包蘊盡於是也。故夫學筮者,於各卦義象,須將古昔儒先以次所發明而推演者薈萃之,記錄之,然後能應用而不窮。

乾,健也。坤,順也。震,動也。巽,入也。坎,陷也。離,麗也。艮,止也。兌,説也。

【黃批】朱漢上曰:歸藏之乾,有乾大赤。乾爲天,爲君,爲父。又爲辟,爲卿,爲馬,爲禾,爲血卦。

乾爲天,首,圜,君,父,金,玉,寒,冰,大赤,良馬,老馬,

―――――――――――――――――――――

〔一〕"卦象攷",刻本標題"象"後無"攷"字。兹依卷首目録校補。

瘠馬,駁馬,木果,龍,直,衣,言與震重。

【黃批】九家易,有乾爲天河之象。乾位西北,時爲十月,故有寒冰象。赤爲盛陽之色。辟卦乾四月,盛陽。以上二節,孔穎達、崔憬說。宋衷云:天有五行之色,故爲駁馬。尚云:果生生不已,凡木果皆圓,故乾象之。宋衷曰:乾動作不解,天亦轉運。孔云:乾尊而在上,故爲首。孔云:乾象天行健,故爲馬。

坎爲水,豕,耳,溝瀆,隱伏,矯輮,弓輪,加憂,心病,耳痛,血卦,赤,美脊馬,亟心馬〔一〕,下首馬,薄蹄馬,曳馬,爲通〔二〕,月,盜,堅心木,宮,棟,叢棘,狐,蒺藜,桎梏,險,棺槨,管輅語。志,法,律,酒,夜,中男,多眚車,衆。見左傳注。

【黃批】坎爲豕,污辱卑下也,九家易說。孔疏:坎北方,主聽,故爲耳。又云:水無所不通,故爲溝瀆。虞氏曰:陽藏陰中,故爲隱伏。宋衷曰:曲者更直爲矯,直者更曲爲柔。水流有曲直,故爲矯柔。虞云:兩陰失心爲多眚,故加憂。尚云:坎,陷也。陽陷陰中,猶心居身中而病也。孔云:坎,勞卦也,又主聽,聽勞則耳痛。又云:人之血,猶地之水。血,赤色也。宋衷曰:陽在陰中,馬脊之象也。崔憬曰:內陽剛動,故爲亟心。荀爽曰:亟,極也,中也。尚云:下首馬,薄蹄馬,曳馬,三象皆狀馬之勞。虞氏曰:可矯揉,故爲弓輪。坎爲月,月在於庚爲弓,在甲象輪。孔疏:弓者,激矢如水。激者,射也。輪者,運行如水也。虞云:水性流通。又云:月爲水之精。又云:水流潛竊,故爲盜也。又云:陽剛在中,故堅多心。尚云:多眚,車之勞。

艮爲山,狗,或作拘,非。手,徑路,小石,門闕,閽寺,指,

〔一〕“亟心馬”,刻本“亟”作“中”。據黃校更正。
〔二〕“爲通”,刻本無。據黃校補入。

鼠,黔喙之屬,堅多節木,鼻,虎,狐,背,皮,尾,宗廟,小子,
僮僕,城,狼,鬼冥門,言,見左傳杜注。少男,果蓏。

　　【黃批】宋衷云:二陰在下,一陽在上。陰爲土,陽爲木。土積
　　於下,木生於上,山之象也。九家易曰:艮止,故爲狗。主守禦。孔
　　云:手能止物,艮止,故爲手。陸績云:艮,剛卦之小者,故爲小石。
　　尚云:艮止,凡石必止。又云:徑路,象卦形。又云:門闕,亦象卦
　　形。孔云:木實爲果,草實爲蓏,皆山之所生。宋衷曰:闇人主門,
　　寺人主巷。艮爲止,此職皆掌禁止者也。李氏集解:有爲拘之象。
　　拘,止也。虞翻曰:艮手多節,故爲指。尚云:止物不動,亦指之象。
　　李道平曰:鼠,晝伏夜出,陰物也。艮二陰伏於下,見陽則止,是晝
　　伏夜出之象也,故爲鼠。馬融曰:黔喙,肉食之獸,謂豺狼之屬。
　　黔,黑也。陽玄在前也。虞曰:陽剛在外,故多節。

　　震爲雷,龍,與乾重。足,玄黃,專,又作專,靜也。大塗,決躁,
蒼筤竹,萑葦,善鳴馬,馵【黃批】音注。足馬,作足馬,的顙〔一〕,
反生稼,健,與乾重。蕃鮮,玉,與乾重。鵠,鼓,侯,主,兄,夫,
言,行,樂,出,作,麋鹿,喜笑,車,木,諸侯,長男。

　　【黃批】龍,李氏集解作駹。蒼色也,震東方色。虞云:天玄,地黃。
　　震,乾坤之交,故爲玄黃。王肅云:專,花之通名。孔疏:春氣至,則
　　草木專而生。又云:萬物所自出,故爲大塗。又云:剛動,故決躁。
　　崔云:蒼筤,青也。孔疏:竹春生時之色。尚云:竹與萑葦,皆取中
　　空。孔疏:反生稼,取其始生戴甲而出也。孔疏:震動,故爲足,爲
　　龍。孔疏:雷聲遠聞,故爲善鳴馬。虞氏曰:馬白後左足爲馵。震
　　爲左,爲足。孔疏:草木始生,蕃育而鮮明,故蕃鮮。

　　巽爲風,【黃批】入也。雞,股,木,與震重,蓋皆取五行。長女,

──────────

〔一〕"作足馬,的顙",此五字刻本原脱。據黃校補入。

繩直,工,白,長,高,進退,不果,臭,或作嗅。寡【黃批】宣。髪人,廣顙人,白眼人,近利市三倍,躁卦,楊,鸛,妻,處,隨,魚,號,包,杞,白茅。

【黃批】李道平曰:巽下開,似股。孔云:取其號令齊物,如繩直也。尚云:風能變化萬物,猶工能製造物品也,故曰工。又云:凡色見風皆退白。孔疏:風行而遠,故長。木生而上,故高。荀爽曰:風行无常,故進退。又曰:風行或西或東,故不果。孔疏:躁人之眼色多白也。尚云:初二有半離,故多白眼。尚云:市者,利之藪,而巽爲入,故利三倍。又,市者,交易之所,流通之地,與風相類也。孔疏:巽爲順,股順從於足,故巽爲股。虞氏曰:臭,氣也,因風而傳。虞氏曰:爲白,故宣髪。宣,明也。尚云:二陽在上,故稱廣顙。又云:躁者急也,急莫急於風。九家易,雞時至而鳴,與風相應,故爲雞。

離爲火,雉,目,日,君,從日得象。電,中女,甲冑,戈兵,大腹人,乾卦,乾音干,取乾燥義。鱉,蟹,蠃,蚌,龜,科上槁木,牝牛,飛鳥,隼,鶴,矢,黃牛,文明,畫,斧,鳥,諸侯。上二象皆左傳。

【黃批】崔憬氏曰:卦陽在外,取火之外照也。孔疏:日,火精。電,火類。又云:離爲文明,雉有文章,故爲雉。又云:離,南方,主視,故爲目。虞云:外剛,故爲甲冑。孔疏:剛在外以自捍,故爲戈兵。尚云:大腹,取中虛。虞云:鱉蟹蠃蚌龜五者,皆取其剛外柔內。孔疏:科,空也。科上槁木,言木中空,則上必枯槁也。尚云:此正與堅多心相反。

坤爲地,母,腹,牛,布,釜,吝嗇,均,子母牛,大輿,衆,文,柄〔一〕,黑地,帛,裳,黃,牝,方,邑,臣,民,土,國,順,師,馬,見左注。兕虎。

　　【黃批】九家易有坤爲海水之象。杭辛齋云:布,有衣被天下之功。孔疏:取其化生成熟,故爲釜也。杭云:陰性斂藏,故爲吝嗇。孔疏:地道平均。又云:取其多蕃育而順之,故爲子母牛。又云:地能載物〔二〕,故爲大輿。又云:萬物相雜,故爲文。孔疏:坤能包藏含育,故爲腹。任重,故爲牛。杭云:坤方而直,故有柄象。崔憬云:萬物依之爲本,故爲柄。又云:十月極陰,故爲黑地。

　　兌爲澤,口,羊,少女,巫,口舌,毀折,附決,剛鹵地,妾,爲羔〔三〕,輔頰,妹,孔穴,刑人,小,虎,郭璞每以兌爲虎。言,柝,馬重績以兌爲柝。雞,管輅云:雞者,兌之畜。喪車。管輅語。

　　【黃批】尚云:澤,卦象。孔云:兌爲說,口所以說言也。又云:兌爲說,羊者,馴從之獸。李道平云:兌金,故爲毀折。孔云:兌,西方之卦。又,兌主秋也。取秋物成熟,棗桿之屬則毀折,果蓏之屬則附決。孔云:取水澤所停則鹹鹵也。虞曰:三少女,位賤,故爲妾。又云:羔,女使,皆取位賤。

　　以上諸象,皆筮易之最要,而複者頗多。如乾爲言,艮、震、兌皆爲言,自以震、兌義爲長。乾、震皆爲龍,艮、兌皆爲虎,坎、艮皆爲狐,坤、震皆爲車,義似兼勝。乾、坤、坎、震皆有馬,其專屬者則爲乾,餘皆取馬之動作。至坎、坤皆爲衆,則坤義勝。乾、震皆爲玉,則乾義勝。乾、震皆爲健,亦乾義勝。遇卦取象,須擇其親于我且爲古人所常用者用以推測,

〔一〕"柄",刻本誤"炳"。據黃校更正。
〔二〕"地能載物",黃批"能"下脫"載"字。據阮刻《周易正義》校補。
〔三〕"爲羔",此二字刻本原脫。據黃校補入。

庶幾必驗。余屢試不爽。若夫卦象與所筮疏，則不可悖理強推以冀其驗也。茲將最要而古人習用者擇出，以備用時有所遵循。

乾爲天、君、父、金、玉、馬、龍、健。凡易辭多取剛健義，而原本于天。

坎爲盜、險、陷、隱伏、月、中男。凡易辭取義皆用坎險、坎陷，而原本于水。

艮爲止、門庭、少男、虎、鼠、鼻。凡易辭多取艮止及門庭義，而原本于山。

震爲動、龍、長男、言、車、馬、鐘、鼓、足。凡易辭多取震動義，而原本于雷。

巽爲順、長女、雞、長、寡髮、入。凡易辭多取順入義，而原本于風。

離爲日、文明、君、電、兵甲、目、雉、中女。凡易辭多取文明義，而原本于火。

坤爲母、土、腹、文、牛、布帛、大輿、衆、順、臣、民、馬、國。凡易辭多取坤順安貞之義，而原本于地。

兌爲口舌、少女、言、毀折、羊、説。凡易辭多取兌説義，而原本于澤。占者以毀折、口舌二義爲最驗。

右所舉卦象，凡熟於易辭，及常研覽古人筮案者，某卦宜取某象，遇之自有主張，而不至靡所適從。又筮時可隨便取象，不泥古人。如郭璞以震爲藻盤，以兌爲虎。袁杞山以震爲杯，以艮爲覆杯。皆遇物取象，爲易所無，而亦無不中也。

八卦與九宮相配

〔附後天卦配河圖數、後天卦配洛書數、先天卦配洛書數〕

按古人筮案，往往能推得物數。如郭璞筮得銅鐸六枚，自注云用坎數也。是即以卦配九宮推也。惟是八卦有先後天，今將古人所習用之後天配河洛數列後。

一六爲水，居北，當坎位。三八爲木，居東，當震、巽位。二七爲火，居南，當離位。四九爲金，居西，當兌、乾位。五十爲土，居中，當坤、艮，而偏王于丑未之交。

右後天卦配河圖數。

離南數九，坎北數一，震東數三，兌西數七，乾西北數六，巽東南數四，坤西南數二，艮東北數八，中央五。

右後天卦配洛書數。

然古人間有用先天者，茲將先天卦配洛書數附錄于後。其配河圖數用者少，暫缺焉。

乾南九、坤北一、離東三，坎西七，震東北八，巽西南二，艮西北六，兌東南四。

漢人十二辟卦

毛西河云：十二辟卦，十二月卦也。自復至夬而爲乾，自姤而剝而爲坤。凡十二卦配十二月，每一卦爲一月之主。辟者，君也，主也。謂主十二月也。

復䷗，一陽建子，十一月。臨䷒，二陽建丑，十二月。泰䷊，三陽建寅，一月。大壯䷡，四陽建卯，二月。夬䷪，五陽建辰,三月。乾☰,六陽建巳,四月。而陽數已終,所謂陽絕于巳也。

姤☴,一陰建午,五月。遯☶,二陰建未,六月。否☳,三陰建申,七月。觀☴,四陰建酉,八月。剝☶,五陰建戌,九月。坤☷,六陰建亥,十月。而陰數已終,所謂陰絕于亥也。

按,臨主十二月。而易臨卦卦辭云:至于八月有凶。毛西河謂:觀主八月,而臨卦亦云八月者,臨觀同體,只正倒之分耳。

【黃批】十二月辟卦圖:

八卦五行

乾、兌金。震、巽木。坤、艮土。離火。坎水。

八卦方位〔先天後天説〕

先天卦:乾南,坤北。離東,坎西。震東北,巽西南。艮西北,兌東南。

　　先天卦凡相對者,皆相交。不惟八卦交,即圓圖之六十四卦,亦無一爻不交。以相對爲體者也。

　　【黄批】先天方位圖:

　　後天卦:離南,坎北。震東,兌西。艮東北,坤西南。乾西北,巽東南。

　　後天卦凡相次者,皆相生。離火生坤土,坤土生兌乾金,兌乾金生坎水。水潤艮土,而生震巽之木。木生火。以相生爲用者也。

　　【黄批】後天方位圖:

後儒講漢易者，否認先天方位。謂後天方位易有明文，先天無明文。然天地定位，若如後天一在西北，一在西南，位如何定？山澤通氣，一在正西，一在東北，氣如何通？雷風相薄，一在正東，一在東南，面不相對，如何相薄？任講漢易者之百方斡旋，總不能自圓其說。則何必守此門戶，以自形其短也哉？後儒謂易言先天者，只天地定位十六語。余謂繫辭之首云：天尊地卑，乾坤定矣；卑高以陳，貴賤位矣。若如後天方位，尊卑何分？又說卦[一]，由動萬物者莫疾乎雷，撓萬物者莫疾乎風起[二]，至兌爲澤、爲妾、爲羊止，皆以天地、雷風、水火、山澤相次對舉。爲文皆暗指先天方位，立言與後天絕不相涉也。彼謂無先天方位者，以易未明言爲護符。豈知易之所未明言者多矣，彼何以敢據以解經？如毛西河之解臨卦八月有凶，云臨觀同體，十二辟卦觀當八月，故臨亦可

〔一〕"又說卦"，刻本"說卦"誤"繫辭下傳"。據阮刻《周易正義》校改。
〔二〕"撓萬物者莫疾乎風起"，刻本"莫"訛"萬"。據阮刻《周易正義》校改。

作八月。此豈易之所明言哉？獨於先天方位執以爲辭？且先天方位，按其所排次序，亦明甚矣。乾坤既言尊卑，當然南北。古人尚右，故次列西北之艮，又次列東北之震，又次列西方之坎，而相對相交之卦隨之，又何必明言哉？其明言後天者，因後天方位非八卦本體，恐人不解，故明示人也。

又左傳成季之生，筮遇離之乾，曰同復於父。是明明以後天之離位，爲先天之乾位，故曰復。魏管輅曰：輅不解古之聖人，何以處乾位於西北，坤位於西南。夫乾坤者，天地之象。然天地至大，爲神明君父，覆載萬物，生長無首，何以安處二位，與六卦同列？乾之象，象曰：大哉乾元，萬物資始，乃統天。夫統者，屬也，尊莫大焉，何由有別位也云云。夫既曰無別位，則其位於南也審矣，是以後天背理矣。又易除帝出乎震數語言後天外，餘乾坤皆對舉，皆演先天。其最顯著者，爲男女構精一語。構者，交也。乾坤若不相對，即不相交，何構之有哉？

先天主靜，後天主動。先天主體，後天主用。以理揆之，有先天即有後天，非至文王始改八卦方位而有後天也。亦猶有八卦即有六十四卦，非至文王而始重爲六十四卦。不信八卦有方位，則可；信後天不信先天，是猶知二五而不知一十也。

然筮易之用，則多就後天方位推，而每多驗。以後天入用位也。

互體

互體者,即所得之卦二至四互某卦,三至五又互某卦也。自春秋時筮人已用之,爲筮易者唯一之要術也。

倒體

先天四正之卦,乾坤離坎,正倒視之皆不變。四隅皆變,然究爲一體,故筮者亦常以倒體推。如程沙隨倒巽爲兑,知二僧受杖。袁杞山倒震爲艮,知杯在土中是也。事皆見前。

論時日〔一〕

易臨卦,至于八月有凶。復,七日來復。蠱,先甲三日,後甲三日。巽,先庚後庚。

左傳於蠱卦曰:歲云秋矣。闓公射鼠,當八月子日,云時日王相。馬重績謂乾爲九、十月之卦。皆時日之義也。若納甲法,時日尤重。

易先甲三日後甲三日解

易先甲三日,後甲三日。巽九五先庚三日,後庚三日。自來無確詁。雖以毛西河之善穿鑿,亦解之不協。夫易言庚、甲,非用以紀年月也。既不用以紀年月,舍五行生尅胡能釋其義哉?余此書專演卜筮,非以解經。然瀏覽所及,獨於此四語歎古今無能通其義。其晦茫否塞,與用九用六相

〔一〕"論時日",刻本"時"上無"論"字。依卷首目録校增。

同。故亦略述其義焉。

蠱☶上艮下巽，下互大坎，上互大離。艮，土也，巽，木也，坎，水也，離，火也。先甲三日者，辛、壬、癸也。辛、壬、癸者，水也，即內互大坎也。而內卦巽木以水生之，所以救蠱之壞，即所以幹蠱也。後甲三日者，乙、丙、丁也。乙、丙、丁者，火也，即外互大離也。而外卦艮土以火生之，亦所以救蠱之敝，即所以幹蠱也。

夫蠱者，壞也，敝也，將終之象也。今內卦巽木當大坎水，水生巽木。故文王察其象而繫之曰先甲三日，即辛金生壬癸水，水生巽木也。外卦艮土當大離火，火生艮土。故文王又察其象而繫之曰後甲三日，即乙木生丙丁火，火生艮土也。夫內卦外卦既皆得生，故象曰終則有始。言亂之終，治之始也。故初爻至五爻，不曰幹蠱，即曰裕蠱也。

【黃批】蠱，先甲三日，後甲三日，終則有始[一]，天行也。姚配中曰：乾為甲。先甲三日，謂泰初之上，上之初，成蠱。初既上升，則二三亦以次升，成否三爻，故三日。後甲三日，謂否上之初，初之上，成隨。上降，則四五亦以次降，成泰。終則又始，天行也。

先庚三日後庚三日解

巽☴，順也，柔也，於五行，木也。先庚三日者，丁、戊、己也。丁火、戊己土。巽木生火，火生土，乃君子得位，以美利利天下之義。所謂君子以經綸也。後庚三日者，辛、壬、癸也。辛金，壬癸水。水生巽木，乃君子得位，宜尚賢能，容

[一]"終則有始"，黃批"則有"作"而有"。據阮刻《周易正義》校改。

納善類以自助之義。所謂君子以反身修德，求外來之益也。

而獨於九五發之者，九五剛健中正，君子得位之象。既得位，當大有爲，發於事業。而丁火戊己土者，乃巽木之以次所生者也，故聖人引以爲喻。既得位，則同聲相應，同氣相求[一]，宜引賢以自助。而辛金壬癸水者，則以次生巽木者也，故聖人復引以爲喻焉。

【黃批】巽，先庚三日，後庚三日，吉。姚配中曰：庚，更也。先更三日，謂下三爻化成益也。後庚三日，謂上三爻化成恒。雷風恒，相與益物，故吉。

論八

左傳艮之八，國語泰之八、貞屯悔豫皆八，杜預、韋昭注皆不能自圓其說。杜注艮之八云：連山、歸藏以七八占，故曰艮之八。然何無言七者？賴史曰是謂艮之隨，方知五爻皆變，惟六二不變耳。於是後人謂八指六二陰爻言。如是說也，是連山、歸藏不占變，故不曰艮之隨，而曰艮之八。凡言八者，皆用歸、連占也。然何以公子重耳既占得屯，又變爲豫，是明明用周易占變矣，而何以亦曰八也？是杜氏之說不可信也。且皆八，皆字殊費解。韋昭云：震兩陰爻在貞在悔皆不變，故曰皆八。推是說也，艮之隨，艮六二陰爻在貞在悔亦皆不變，史何不曰貞艮悔隨皆八乎？且屯之豫，屯上六亦不變也，亦八也，胡獨於屯六二、六三之不變而謂爲八乎？是韋注亦自相牴牾也，不可信也。韋注於泰之八云：泰

[一]"同氣相求"，刻本"同"誤"相"。據黃校更正。

無動爻,筮爲侯,泰三至五震爲侯,陰爻不動,其數皆八。夫泰既不動,則内卦三陽爻皆七也。數爻當自初起,史何不曰泰之七,而必曰泰之八乎?是亦不協也。

又韋必以震之二陰爻不動爲八,其他陰爻雖不動不謂八也,與杜注截然不同。蓋此等筮法,其亡已久。而左氏内外傳所紀又止此三起,後人無以會其通,故無從索解耳。

【黄批】按論八之義,杜預、韋昭之注皆謬誤。惟清初顧亭林及道光間李道平易筮遺占中發明最爲透切,可謂獨發前人之蔽。其說見前艮之八、泰之八、屯豫皆八等筮之眉批中,兹不贅。尚氏此論,殆未見二家之書也。

金錢代蓍

揲蓍爲占,其法太繁,有不能用於倉卒之時者,故古人以金錢代之。蓋自京、郭而已然矣。其法用錢三枚,以字爲陰、背爲陽。搖之遇三枚皆爲背,則爲老陽,所得爲重,即揲蓍所得之三少也,九也。三枚皆爲字,則爲老陰,所得爲交,即揲蓍所遇之三多也,六也。三枚而兩字一背,則爲少陽,所得爲單,即揲蓍所遇之二多一少也,七也。三枚而兩背一字,則爲少陰,所得爲拆[一],即揲蓍所遇之二少一多也,八也。以其與揲蓍法合,故用之而亦驗。然揲蓍四營皆有所取象,而錢則不能。筮者若非處不得已之時,總以揲蓍爲愈也。

〔一〕"所得爲拆",刻本"拆"下衍一"一"字。據前後文意校删。

八卦分宮次序

乾宮：乾☰爲天，天風姤☴，天山遯☶，天地否☷，風地觀☷，山地剝☷，火地晉☷，火天大有☰。

坎宮：坎☵爲水，水澤節☱，水雷屯☳，水火既濟☲，澤火革☲，雷火豐☲，地火明夷☲，地水師☵。

艮宮：艮☶爲山，山火賁☲，山天大畜☰，山澤損☱，火澤睽☱，天澤履☱，風澤中孚☱，風山漸☶。

震宮：震☳爲雷，雷地豫☷，雷水解☵，雷風恒☴，地風升☴，水風井☴，澤風大過☴，澤雷隨☳。

巽宮：巽☴爲風，風天小畜☰，風火家人☲，風雷益☳，天雷无妄☳，火雷噬嗑☳，山雷頤☳，山風蠱☴。

離宮：離☲爲火，火山旅☶，火風鼎☴，火水未濟☵，山水蒙☵，風水渙☵，天水訟☵，天火同人☲。

坤宮：坤☷爲地，地雷復☳，地澤臨☱，地天泰☰，雷天大壯☰，澤天夬☰，水天需☰，水地比☷。

兌宮：兌☱爲澤，澤水困☵，澤地萃☷，澤山咸☶，水山蹇☶，地山謙☶，雷山小過☶，雷澤歸妹☱。

凡第二卦由本卦初爻變成，第三卦由本卦二爻變成，第四卦由本卦三爻變成，第五卦由本卦四爻變成，第六卦由本卦五爻變成，第七卦由變成之五爻退後將四爻復變回，第八卦則仍退後將內卦全變。知此，則知納甲法世爻所在，及游魂、歸魂等名義矣。

周易古筮攷卷十

筮驗輯存

筮直奉開戰與否

乙丑七月初七日夜,友人常朗齋過訪。談及時局,云直奉謠傳將開戰,然時起時滅,令余卦其如何。余即布卦,遇地澤臨☷☱變水風井☵☴。斷曰:坤彖震<small>臨二至四互震</small>起,兌爲毀折。風激浪湧,<small>井象。</small>凶始八月。<small>臨彖,八月有凶。</small>朗齋云:北方有戰事否? 曰:坤變爲坎,坤西南方,坎北方,必始於西南而延及於北。且按卦象論之,北方戰禍必甚於南方。井二至四互兌,三至五互離,而皆與坎連,有無處非甲兵非毀折之象。朗齋云:止於何時? 曰:坤西南,位申酉。而變坎,坎北方,位子丑。其起於酉月,終於丑月乎?

及八月至中秋,戰謠又息,謂卦不驗矣。不意至陰曆二十五日,江浙戰事忽起,奉軍退出蘇皖。戰事之由,起於西南,吳佩孚之爲聯軍總司令也。及至陰曆十月中旬,奉軍郭松齡忽然倒戈。又數日,直督李景林忽然與馮宣戰。於是津浦路、京津路,北方戰事遂烈。及至十一月馮軍入津,郭松齡入奉亦敗。至十二月,戰事遂暫停止。卦象無一不與事寔相應。雖曰人事,若有天定焉。

筮段政府命運

乙丑九月初五日,在署,爲同人占段政府命運。遇地山謙䷎變艮䷳。曰:坤,母也,國也,衆也。謙外卦坤。艮,止也,終也。內卦艮。衆而止一國之母,有終止之象。且遇卦、之卦皆爲艮,是凡屬於執政者皆從此終止也。又艮,止也,潛也,伏也。衆而止,必皆隱去也。又艮爲東北,位當寅,其命運之終止必寅日也。又遇卦、之卦二至四皆互坎,恐有危險也。又三至五互震,震爲車,必車行遇險而受震驚也。及至陰歷十月十一日,曾毓雋被捕,執政府閣員星散避匿,命運遂終。而是日正爲甲寅。後學生圍執政第甚險,徐樹錚車行遇險,皆驗。

筮直派奉派勝負[一]

乙丑九月十七日午後,在部中,同人請卦直奉最後勝負。時徐州大戰尚未分勝敗。余爲布卦,得坤䷁之蒙䷃。斷曰:坤爲土,爲柄,爲衆,而位西南。是西南有得政柄,得衆心之象。又坤繇辭云:西南得朋,東北喪朋。最後奉張必失援勢孤。又蒙之反對曰蹇䷦。蹇繇辭亦利西南,不利東

〔一〕“筮直派奉派勝負”,刻本“負”作“敗”。茲依卷首目録校改。

北。是奉張之不利決矣。又蒙上艮下坎,艮爲止爲終,坎爲險爲陷;而艮位東北,坎爲内卦,是東北之危險伏在内而不盡在外也。而蒙二至四互震,必有時爆發於内也。時張作霖雄兵全在北方,馮軍力避其鋒,莫與爲敵。不料至十月初十日,郭松齡倒戈反張作霖,半月餘遂鼓行出關,定錦州,據新民屯,奉張勢力滅去八九,則艮止坎險之應也。又西南得朋,<small>吳佩孚本以討張爲名,郭反張則吳得朋張喪朋,馮討張亦然。</small>東北喪朋之驗也。惟彖云:東北喪朋,乃終有慶。最後奉張或乃獲勝,未可知也。尤奇者,坤二爻動,二爻辭云:直方大,不習无不利。詞意巧合。上六動,上六爻辭云:龍戰于野,其血玄黃。以數月之事,南方北方之變亂成敗、幽微曲折盡見於二卦之中。非易之神,焉能如此哉!　<small>後郭果敗,張果勝。</small>

筮北京安危

十月初三日,時奉軍壓迫京師,馮軍北退,京城市民慌惑。余至署,友人言簡齋、葉希文等請余卦京城安危。余即布卦,得坤☷。賀曰:安貞吉。諸友咸喜,而心疑爲安慰之辭。不數日,馮奉妥協,奉軍撤退。又數日,而郭軍反戈,去都益遠。京城安謐如恒。人始服卦果驗也。

筮姪樞等歸娶

十月初二日,姪樞及姪孫濤原訂十月二十一日歸娶,而有兵事,懼路不通。然又不能廢學早歸,擬至十五、六等日歸。遂爲卦之。遇歸妹☱之臨卦☷,四爻動。爻辭云:歸妹愆期,遲歸有時。乍觀之,似不得歸也。然卦變臨,臨者,到也。四爻辭云:至臨,无咎[一]。又似能歸也。疑不能決。及至十三日,火車忽阻,以爲必不能歸。及至十八日,火車又通,竟得歸娶。乃悟爻詞云愆期者,愆原定歸期,不過稍遲耳,究有時歸也。況之卦爻辭,臨无咎也。當時以詞太顯著,未及察象。後觀歸妹之象,外震內兌,震爲長男,兌爲少女,男外女內,必娶之象。因是益知察象愈於取辭矣。

筮鹿司令前途

十月十一日,在警衛司令部爲鹿太翁樸儒先生筮鹿瑞伯司令前途。遇同人☰☲之豐☳☲。曰:同人上乾,乾爲首。下離,離爲日。二者皆有君象,是應司令將爲一方首領之象。又乾健離明,光照天下,必將嚮明而治,發越光明而大有爲也。

又乾變爲震。震,威也,起也。有振威奮起之象,必得大權。未幾,果兼任京師警察總監及市政督辦,京師大權集於一身。又未幾,帥兵南克天津,耀武克敵,與卦象悉符焉。惟卦得伏吟,爲小疵耳。

又按納甲法占,時爲亥月甲寅日,三爻亥水爲世爻,而官星持世。所謂世臨月建值官星,官爻可謂旺極。況亥又與日建寅合,五爻動,申金來生世官;上爻復動,戌土來生申金。節節相生,世官之旺,爲卜筮所罕覯,許亥日超遷。後果於亥日兼總監,寅日兼督辦。仍應在月日,亦可謂奇矣。

[一] "至臨,无咎","刻本"至"誤"來"。據阮刻《周易正義》校改。

爲鹿司令筮取天津期[一]

十月三十日,余往警衞司令部訪鹿太翁,閒談。時馮軍攻北倉,正不利。瑞伯司令聞余至,令余卦之,遇風天小畜☴。余拱手賀曰:必得天津矣。何言之? 小畜上巽,巽入,巽順;下乾,乾剛,乾健。而貞我悔彼,以我之剛健臨敵之巽順,必勝之矣。又乾西北也,巽東南也,以方位言,亦當之矣。又乾金也,巽木也,以我之金有不克敵之木者乎? 而巽數八,乾數九,天津之入,其在下月初八、初九兩日乎? 然二至四互兑,兑爲毁折;三至五互離,離爲甲兵,彼我之戈甲毁折亦甚矣。此察象斷也。

又按納甲,筮時爲亥月癸酉日,世在初爻值子水。既臨王月,而酉日生之,世尤王。所慮者,應爻未土尅世。應爻爲敵,賴上爻卯木暗動尅未,敵無力也。又明日即入子月,世爻子水愈得力。以日計之,子月初七日屬辰,應爻未土即入墓;初八日巳,未土絶矣。入津之日,必巳日也。

瑞伯聞之甚喜,次日即赴敵。果於七日下北倉,初八日晚入津。所刻之日皆驗,則以卦象兼納甲推之益也。

爲張子銘筮子在前敵安否

十一月初六日己卯夜,張子銘袖蓍來訪。云子鉞從戰北倉,久無音信,請筮安否。子銘即盥手撲蓍,遇豐☳☲之復

䷶。曰：豐內離，離爲甲兵；外震，震爲長子。震健，是世兄處甲兵之中而貞健也，可無憂矣。又震變坤，尤爲長子安貞之顯證。又復者，陰盛之極，陽氣回轉，尤爲吉利。又子孫爻值卯，子月生之而臨日建，三爻亥水動亦來生子孫，變卦又爲六合而無一疵，尤保無虞。果不久有信至也。

筮馮督辦下野

子月己卯日，友人閒談，云馮軍若勝直，馮或移督直隸，令余卦之。得震䷲。余曰：震者，動也，起也。而二至四互艮，艮，止也，終也。三至五互坎，坎，陷也，北方也。馮若督直，不應動而北也，且不應有止象也。又艮與坎皆有隱象，意者其退隱乎？而卦又爲震動，非退隱也。又卦爲六衝，與止象相應。或者其竟起而入山，艮爲山。拋棄一切乎？

及天津下後又數日，馮竟有下野之電。僉以爲必不能。余曰：恐爲事實，著先告矣。未幾，各方挽勸無效，果下野，督辦職務終止，應互艮。赴歐遊歷。應震動。乃行至平地泉寒不能行，暫止其處，應坎陷。一切職務皆蟬蛻，部下已無一存。應六衝。與卦象符焉。

當馮初有信下野時，即再卦其確否，得无妄䷘之屯䷂〔一〕，復爲六衝卦。且二至四又互艮，之卦又有坎，與原卦略同。乃益信數之有定矣。

〔一〕 "得无妄䷘之屯䷂"，刻本"无"作"無"。依阮刻《周易正義》卦名例改。

筮于總長就職

十一月二十四日，内務部總長于右任訂是日到任，乃候至日晡未到。同曹言簡齋等令余卦之，得離☲。曰：離者，去也。二至四互巽，巽進退不果；三至五互兑，兑爲決。而巽爲内互，兑爲外互，是其初進退不果，最後則決不就職也。未幾，改訂二十六日。余曰：恐仍不來。果至二十六日又未到，且函内閣他覓人。蓋卦象既顯著其事之曲折，而納甲又爲六衝，故敢斷言也。

筮姊病

余姊今年七十一歲。十一月壬寅二十九日得家信，云新病危甚，已不飲食，不語言矣。余憂甚，即布卦，得大壯☳。曰：乾健震動，不日即行動矣。又卦爲六衝，新病逢衝即愈。辰土兄爻爲用神，辰巳空，凡病逢空亦愈，必不礙也。又數日，果有信至，已愈。

射洋火柴

新年多暇，輒與兒童爲射覆之戲。澄孫覆火柴一莖，令射。遇雷火豐☳☲之震☳。曰：内含火質，內卦離。上與木連。二至四互巽。劃而動之，則爆發焉。震爲動爲爆。光明閃耀，如雷如電，離爲光明，震爲雷。是曰火柴。其象如見。夫火既與木連，而巽又爲直、爲長、爲白，是非洋火莖不可。而其用在震，尤非洋火不可也。

射爐餘紙煙

　　小兒等覆紙煙頭令射，得兌☱之坤☷。曰：是物也，身有兩口，兌爲口，重兌。而外有囊，坤爲囊。口內銜火，二至四互離。煆則出光，兌毀折，離爲光。首之破矣，兌上缺。棄於地上。按卦揣之，非洋火匣即煙捲紙囊。揭視，果紙煙頭。兼射洋火盒者，盒有兩口，亦有囊，口內亦有火，無一不與殘餘煙捲相同。或善筮如管、郭能分之，初學則不能也。

筮雪

　　正月初五夜，有雲生，占得雨否。得坎☵之小畜☴。曰：坎爲水，定有雨矣。而乾爲玉、爲冰、爲寒，巽爲白，是雨而變雪也。日爲丙子，坎世亦值子，至夜半子時水旺極矣，必雨雪也。但卦變小畜，陰氣甚微弱，雪不大耳。至天曉，果屋瓦皆白，雪厚不盈寸。未幾，晴。

射琺瑯圓徽章

　　得天地否☶之火山旅☶。曰：其形圓，乾爲圓。其質堅。乾爲堅。金石和攪，乾金艮石。文字模鑄。坤爲文。又曾經火煉，乾變離。文采爛斑，離爲文彩。團團一片。望之儼然，尊卑以見。天尊地卑。夫其物既爲圓，有石質，有文字，爲火煆成，似爲土製之圓象棋子。而又有金，有尊卑，則非徽章不可矣。

射帶筒小顯微鏡

樞姪覆帶筒小顯微鏡。射得中孚䷼之姤䷫。初射以中孚有盒象，而内含大離，疑是洋火匣。繼思遇卦、之卦皆有金象，洋火匣無金質。復卦之，得山風蠱䷑之地風升䷭。遇卦仍與中孚無異，中孚巽兌互艮震，蠱艮巽互震兌，仍是原體，乃知卦不我欺也。尤異者，初占之卦似覆盌，再占之卦似仰盂，象尤顯著。遂爲之繇曰：形凹如澤，<small>兌象。</small>而體則圓。<small>乾爲圓。</small>金石製成，<small>兌金，互艮石。</small>空其中間。<small>中孚象。</small>中間蘊光，<small>互大離爲光。</small>如日之芒。<small>離爲日。</small>覆之則金杯，<small>姤象。</small>仰之則盂象。<small>升象。</small>夫只圓象而中間有光，尚可爲帶柄之顯微鏡。而有杯象，則必帶筒之顯微鏡也。

射皮印囊

小兒等覆皮印囊令射，得觀䷓之頤䷚。曰：地爲囊，而頤有大腹象。<small>頤爲大離，離爲大腹。</small>内孕文章，<small>坤爲文。</small>而體則方。<small>坤爲方。</small>且震爲萑葦爲蒼筤，亦有殼狀。是必印囊，小印内裝。夜臨睡作覆，倉卒難決，至次日始射成。小兒等不知卦理，謂曾偷視。吾自演易理耳，豈與爾等賭勝負哉。其可笑有如此者。

射小方印

澧孫手握小方印，印有布囊，裝下半有文處。射之，得明夷䷣之臨䷒。曰：坤爲布帛，爲囊，而在外。内卦爲離，離文章。而卦遇明夷，是文章滅没於内，爲囊所障蔽也。且坤爲方，兩卦皆互震，震爲玉，而下澤承之。是一方玉印，下承以囊之象也。之卦象。啓掌，果然。是雖小道，然布卦時必專精覃思，雜念皆失，庶幾得卦，無不冥符。及其推也，必先自信我所布之卦皆從精誠感來，萬不能訛。然後罄神凝慮，即象玩占。物體即得，定名爲難，掉以輕心，垂成敗焉。余如此者屢矣。獨此射思不逾時，竟爾得之。私自念言，其有寸進乎？

又射殘紙煙

得泰䷊。曰：坤爲囊，乾爲衣，爲圓。而二至四互兌，兌爲口，爲毀折。三至五互震，震爲雷火，爲氣，爲震動。是此物爲圓筒無疑；而雷火爆發於口内，則物遭毀折矣，殆已然之爆竹筒也。啓視，仍殘餘煙捲頭。其爲囊、爲衣、爲圓，及火爆發於口内而遭毀折，無一不符。無如兩物太相類，遂致混淆。甚矣！定名之難。然管輅射覆亦以梳爲枇，此等處雖古之善筮者，蓋亦無如何也。

射琉璃印色盒

得火水未濟䷿。曰：圓如日，離爲日。白似月。坎爲月。外見光明，離爲光明，在外卦。内孕赤血。坎爲赤爲血，在内卦。網羅重重，離爲網羅，重離故云。矯輮造作。坎爲矯輮。是殆玻璃印色盒子也。啓覆，果然。

射包煙捲錫紙球

　　得雷水解☳☵之大壯☳☰。曰：明如水，圓似月。互離爲明，坎爲水月。其質金，乾爲金。其形薄。坎爲薄。閃電光，震爲雷。文明發。離爲文明。其仍爲圓洋鐵片耶？啓覆，乃包煙錫紙，揉爲球。所射雖皆中，然有賸義。坎爲矯輮，重坎有將錫紙揉爲球之象。又卦爲解，上爲震，震所以載物，有從煙包解下之象。輕易推之，遂而不着。將啓覆，兒童大譁，以爲無金質，是紙，相去遠矣。豈知錫紙仍是金，雖揉爲球，原象固甚薄也。細思之，占辭仍中，特定名差耳。

射紙煙筒内洋鐵片[一]

　　得火山旅☲☶之火澤睽☲☱。曰：光溢如日，上離爲日。形凹而圓。三至五互兌澤，日圓象。兌金爲質，生本於山。兌從艮變來。錘打極薄，兌爲毀折，兩卦皆互坎，坎爲薄。身輕如葉，而文章爛焉，離爲文。是爲洋鐵片。揭視，果然。但疊至七八片之多，乃悟之卦重離，未察爲疏耳。然上有文字，連帶射着，則又出意外也。

射囊中銅幣數

　　得中孚☴☱之家人☴☲。曰：兌爲九，之卦離亦爲九。用洛書數。而兌爲金，離爲圓，是金圓有九枚。而巽數八，合之共十

―――――――――――――――――――――――――――

〔一〕“射紙煙筒内洋鐵片”，刻本標題“射”下無“紙”字，“煙”下多“捲”字，“内”下多“之”字。依卷首目録校改。

七也。數之，大銅幣八枚，小者一枚，恰九枚。而大者一枚爲二文，八枚爲十六，合小幣一枚，共十七，與卦象巧合焉。

射橘皮

姪孫澄覆橘皮，請射。得同人☲之无妄☲。曰：是物也，其身甚圓，大腹皤然。<small>天爲圓，離爲大腹。</small>而乾爲衣爲皮，震爲殼爲鳴。其空其中，搖則發聲者乎？<small>震爲鳴。</small>殆小皮鼓也。揭視，乃橘皮。圓身、大腹、皮殼、空中皆著，惟鳴不著。繼思乾爲木果爲衣，震爲竹爲葦，皆與皮殼相應。而互艮又爲果蓏[一]，震又爲黃，是橘皮之象顯然。不澄心罄思，則不能射至盡頭處。不至盡頭，則物有遁形。其難有如此者。

射畫圖規矩

孫澧覆規矩令射，得困☵之漸☴。察兩卦皆有巽，知其物形長，或爲木質。而遇卦又有兌金。不能決。復卦之，得同人☲之无妄☲。兩卦皆有乾金，乃定其物爲金質。而占曰：金質長肩，<small>巽爲長。</small>其首則圓。<small>乾爲首爲圓。</small>下分兩股，<small>巽爲股，艮爲指。</small>其末則尖。<small>坎爲棘。</small>文章富麗，<small>四卦皆有離，離爲文爲麗，</small>光輝爛焉。射至此，曰必是訂書之黃銅釘，圓首而下分兩股者。答曰：所射皆是，然非釘也。乃令勿啓覆。再察卦內尚有水象，復曰：口內銜水，<small>本卦外兌內坎。</small>曳則湧泉。<small>坎爲曳。</small>足之所履，其跡多圓。<small>震爲足，乾、離皆圓象。</small>必作圖之規矩也。

〔一〕“而互艮又爲果蓏”，刻本“蓏”訛“窳”。據阮刻《周易正義》之《說卦傳》“艮爲果蓏”校改。

後四語若能一氣射成，則去古人不遠矣。惜乎其在天機微洩之後也。

射瑪瑙水勺

余几上有小圓瑪瑙水盛，其酌水勺亦瑪瑙製，形甚怪奇。小兒等欲以窘余，潛覆令射。得困☵☱之節☱☵。果只射得其物有光，且居於盒口之內。至其形其質，皆未射著。啓覆思之，勺形變曲，下端似舌而略凹，上端有首而不圓，似鳥首非鳥首，卦實難以形容。乃舍其形而言其用。初學不知其狡獪，遂難全著。然卦由至誠筮來，無不奇合。遇卦外兑內坎，兑有壺象，坎者水；而卦名爲困，示此勺永困處澤水之中也。之卦外水內兑，而卦名爲節，示此物能酌水於壺外而不能多用之，有節也。全示勺之用也。後與友人張子銘語及，子銘云：是固然矣。然瑪瑙勺似水精，且居壺內者半，壺外者半。坎爲水精，爲彎曲。困坎居內，是水精勺處於壺內也。節坎居外，是水精勺露於壺外也。且兩卦互離，有光明之物也。義亦精當。

跋

　　揲蓍爲占,源本易理,固矣。而決斷推測古人筮案,尤貴精研。猶學文者之先誦古文,習繪者之先讀古畫也。顧數千年來,筮案如林,竟無專書薈萃其全,以資攷覽。偶有之,如太平御覽所輯,又苦無注釋,難以索解,且甚缺略。至清初李剛主所爲筮攷,有注釋矣,仍寥落無幾事,學者病焉。吾師滋溪老人,以古文專家精游藝餘事,偶爲人筮,無不奇中。暇輒搜録古人筮案,自春秋以迄明清,凡以易筮而存有本卦者,靡弗抄録,並詳加注釋,俾幽深奧衍之筮辭豁然洞解。其閒如郭璞之占龍車,占怪獸,占犬豕交,胡宏之筮陸阜遇馮劉得禍,千百年來從無人能解其義。先生按卦冥思窮索,一一剖解。及既釋明,然後歎古人所炫爲神奇者,仍無一不本於易理,甚平易也。蓋非郭、胡之神於筮不能爲此占,亦非先生之邃於易不能爲此注解。尤奇者,魏管輅之射印囊、山雞毛、燕卵、蠡窠、蜘蛛,陳志皆失其本卦,至使古今最有名之射覆術竟不傳。先生能即筮辭推得本卦,絲毫不爽,其有功於筮術尤大。至謂用九、用六爲聖人之明筮例,而非占辭,且專指三變成一爻言,非六爻全變;其謂六爻全變者，乃左傳杜注之誤也，尤足正漢魏以來注疏家之謬，掃除蒙說，獨標真諦，於經義闡明尤爲有功。洵晚近之奇著，筮史之大成已。近今世界各國，學問相流通，而哲學尤重。如我國之易筮，所謂世界極深之哲學。非耶？而繼述肄習者，寂無聞焉，更何望發揮於嶠外乎？茲編出，吾知於易學裨益良非淺鮮。殿臣等既慫恩付梓，及既竣事，爰誌數語，以告治易者。受業劉殿臣謹識。

易 説 評 議

尚秉和　撰

張善文　校理

易説評議校理弁言

　　《易説評議》十二卷，尚秉和先生撰。此書彙集作者積年所撰評論歷代易學著述之文而成。全書依循清代《四庫全書總目》先例，凡讀一書訖，即撰具提要一篇，先述其書名、卷數、版本、作者事略，次及全書內容，最後論其是非得失，爲重點所在，故名曰"評議"。

　　民國十六年(1927)底，柯紹忞任總裁之"北京人文科學研究所"成立，曾以日本退還之部分庚子賠款爲費用，倡議先行纂修《續修四庫全書總目提要》。此後，1931年至1945年間，斯役正式施行，先後凡有七十一位知名學者參與撰寫提要稿，尚先生亦與焉，且爲"經部易類"主要撰稿者之一。兹編所收，多爲彼時之作。

　　是書校理，以民國間"續修四庫提要館"打印稿_{經作者手訂}並附批校語爲底本_{簡稱"印稿"}，增入作者哲嗣尚驤先生據手稿補鈔若干篇_{簡稱"補鈔本"}。印稿、補鈔本曾合訂一帙，後經作者弟子黃壽祺教授校閱，間有案語附焉。今凡尚、黃所批所校之語，以其可資參考，一一錄列頁下注中。

　　中華書局 1993 年印行《續修四庫全書總目提要》排印本簡稱"排印本"，即以民國間"續修提要館"打印稿彙編而成。其中"經部易類"收入尚氏文稿大部分，今亦取資參校。凡重要異同處皆出校語。

　　先師黃壽祺教授當年從學尚先生，於《易》攻研唯深，頗獲先生賞拔，並隨先生爲"續修提要館"撰稿。先師所撰文稿，有自署名者，又有代先生作而署尚先生名者，極見昔時師弟間魚水交融之學術情誼。惟尚老曾囑曰，日後各編文集，此類代署名之文皆宜歸返黃著據先師生前所告。今閱尚氏手訂《易說評議》印稿旁批，有云："内恐有黃之六〔一〕所作者，日久不能別，容去信要其目録。"先師後輯成《易學羣書平議》七卷，尚先生即爲撰序一首，激賞有加詳後附黃著。

　　今所見《易說評議》印稿、補鈔本凡二百一十二篇，核以排印本，其收入者二百零五篇〔二〕，未收者七篇〔三〕。然排印本所收有二篇署"班書閣"名〔四〕，審其文，當屬班氏撰而誤羼入尚氏印稿中，似宜從删。依此清理，尚氏所撰提要稿實存二百一十篇。凡此情實，於有關各篇頁下皆注明之。

　　此書印稿、補鈔本原無目録，亦未分卷。今讀尚氏《滋

〔一〕先師字之六，號六庵。

〔二〕此數已扣除署尚氏名而已歸返黃著者。又排印本有一篇《萬遠堂易蔡》提要未署名，實爲尚著，已計入（詳該篇注）。

〔三〕此七篇爲《費氏易林一卷》（卷二）、《周易象攷一卷》、《湘薌漫録四卷》、《遜齋易義通攷六卷》（卷五）、《周易研幾一卷》（卷七）、《易隱八卷》（卷十一）、《易萌氣樞無卷數》（卷十二）。

〔四〕此二篇爲《易經註三卷》（卷三）、《三墳書一卷》（卷十二）。

溪老人傳》云:"汎覽易説,至數百家之多","既久,乃成《易説評議》十二卷"。始知其原擬書名及卷數。因據此,大略按印稿原訂本各篇序次,僭釐爲十二卷:卷一白文之屬,卷二唐以前易説,卷三宋元明易説,卷四至十清人易説,卷十一近現代人易説,卷十二緯書之屬。此固非作者擬目之原貌,但期能近之而不妄也。

此書校理既畢,復取同時參與《續修提要》撰稿之吳承仕先生《檢齋讀易提要》一卷、黃壽祺先生《易學羣書平議》七卷附於後。惟欲如此,蓋有説焉。吳先生者,與尚氏同執教於北平中國大學_{任國文系主任},又同爲先師黃壽祺教授早年恩師,其學術本源皆近之;而先師既受學尚、吳門下,爲二老入室高弟,所治易學尤承尚氏脈緒,故並附其易學提要於後,以便讀者合而參覽。

此書底本間有"無""无"、"於""于"互用者,均據阮刻《周易正義》校改,文中不再一一出校。

是編校理過程,福建師範大學易學研究所連鎮標教授曾細爲點勘一過,湯生太祥、李生艷華協理焉,所爲實多。福州風雅頌電腦工作室章夏、陳華、連玲玲又多番覆核,助益匪尠。吳生章燕查對篇數,亦頗詳密。謹志於兹。

尚氏於手訂《易説評議》印稿中,自批云:"此皆我易學最精之論,無一篇不可存。"_{詳卷二《九家周易集注》提要頁下校注}又尚驤先生曾整理作者手録舊稿百餘篇,謂:"先君自注云,共一百六十七篇,篇篇皆論列精審,於易道所關至大。如能印行,使學《易》者皆得指南,豈不快哉!"_{據尚驤先生 1964 年 12 月與黃壽祺教}

^{授書後附《槐軒手稿目錄》}今茲書之成，雖校理偶疏恐仍未能盡免，然作者宿願可庶幾歟？惟知者賜察焉。

　　　　　　　　　　　　　　門下晚生張善文
　　　　　　　　　　　謹識於福建師範大學易學研究所
　　　　　　　　　　　　　公元二〇〇四年十二月

易説評議卷一

周易不分卷_{宋巾箱本}

　　右周易，乃宋刊巾箱本九經之一。祇有正文，無注，亦無音義。凡貞、恒、桓等字，皆缺末筆，知爲南渡後本矣。凡二十二葉，每半葉二十行，每行二十七字。字細若游絲，行橫豎如界畫，而結體寬裕，點畫分明，若綽乎有餘者，故目錄家多珍之。其篇次悉依王輔嗣，惟無有卷數，其字則悉依孔穎達。世謂孔穎達本即王輔嗣本，非也。孔祇篇次依輔嗣，故王注往往與經文不相應。如地勢坤，王注作地勢順。如頤六五拂經，王注作拂頤，孔疏則仍作拂經。知孔本非王本也。此本正文，無一字不與孔本同。蓋宋人最重王注，故經文悉依之；程傳及朱子本義，無一字不與之同，而不知其爲孔本，非王氏之舊矣。故此本剞劂雖工，徒供板本家之摩挲賞玩，於經生求學，無多裨益也，存之而已。

周易三卷九經白文本

九經白文，無錫秦氏巾箱本。内周易三卷，衹有正文，無注。題錫山秦鐄訂正。首列孔穎達正義序，次程傳序，次朱子本義序[一]，次上下篇義，及朱子啓蒙先後天等九圖。分上經爲一卷，下經爲一卷，繫辭、説卦、序卦、雜卦爲一卷。每半葉十三行，行二十四字。上有橫闌，附注字音。字結體端整森秀，視南宋巾箱本半葉二十行者固不逮，然亦其亞矣。鐄蓋專宗義理者，而以掃象之王弼爲主；後能推大王學者則孔穎達也，故以其正義序冠於篇首，以示程傳、本義，淵源之所自。自元明以來，學者承南宋之餘風，以程傳、本義爲學易之正宗，而於周易大本大源，象數之所在，反忽忘之。乃漢儒所言易象易理，不知可也；左氏内外傳，春秋人説易者，無一字不根於象，凡學者皆誦習之矣，亦茫然不知其所謂，殊可異也！然則鐄之所爲，又何怪乎？惟宋本白文無一訛字，此本則不然。略爲校閲，如坤文言則不疑其所行也，疑訛凝；後天卦位圖震作坤；師卦下坎作巽；隨卦下震作坤；小過九四，象曰弗遇過之，位不當也，位不訛仁石；豐上六闚其户闃其无人，及象辭，闚皆訛闔；歸妹大象君子以永終知敝，永訛未；若再重校，其訛誤恐尚不衹此。夫白文經而訛字甚多，尚何貴乎？盧抱經云：九經小字本，吾見南宋本已不如北宋本，錫山秦氏本又不如南宋本，今之翻秦本又不及

_____

[一] "本"原作"正"，據尚校改。

焉。而未言其有譌字。易有譌，其餘八經必皆同也。莫友
芝云：秦板以附小學者爲真。兹書上有音義，不知莫氏所謂
小學即此否。莫氏又云秦本十四行，此本十三行，與莫氏所
校不符。然若爲翻本，則必依原式，方可亂真；且字畫挺秀
有力，似非贗本。疑莫氏或誤作十四行也。

易説評議卷二

周易韓氏傳二卷玉函山房輯本

周易韓氏傳二卷,馬國翰輯,載玉函山房中。韓氏者,漢韓嬰。嬰,燕人,官至常山太傅,事蹟見漢書儒林傳。嬰以詩著名於漢初,與齊、魯二家,並立於學官,而亦精於易。本傳云,亦以易授人,推易義而爲之傳。故漢書藝文志易十三家,有韓氏二篇,注云名嬰,此即韓氏易傳也。後儒謂韓氏易傳,漢志不著錄者,非也。而王儉七志引劉向七略云:易傳子夏韓氏嬰也。據是則子夏爲韓嬰之字[一],向恐人不知,誤以爲卜商,故云子夏韓氏嬰。設爲卜子夏之書,向能曰韓氏嬰乎?文理甚明,無待三復。然則子夏確爲韓嬰之字。孫坦周易析蘊,以爲杜子夏鄴;趙汝楳周易輯聞、徐幾易輯,以爲鄧子夏彭祖者,皆妄也。蓋劉向所云易傳子夏,即荀勗中經簿、阮孝緒七錄及隋唐志所錄子夏傳,同一書也。班固及荀勗,蓋不知嬰字子夏,故漢志從其實,曰韓氏

二篇,注曰名嬰,而不著子夏之名以惑後學。荀勗疑丁寬所
作,張璠疑馯臂子弓所作,皆不以爲卜子夏所作,蓋與班氏
意同,而不知韓嬰即字子夏,七略有明文。乃馬國翰既知七
略所云,又謂子夏傳爲嬰之所修[一],與丁寬同,卜易之贊于
丁、韓,猶卜詩之闡于毛、鄭也,可謂憑虛臆測,不符事實矣。
故其所輯,仍與所輯子夏傳同,惟篇末多蓋寬饒傳中所引韓
氏易傳,五帝官天下八語。韓氏易傳,即子夏傳,漢志祇云
韓氏二篇,不云傳也。如以爲韓氏二篇,非子夏傳,則此韓
氏易傳可又爲一書乎?必不然矣。乃輯子夏傳者,皆不列
入,可異也。又月幾望,子夏傳作近望。晁氏云,古文讀近
爲既,此當作既。既望者,十六日。十六日旦巽,月退辛,小
畜互兑,兑爲月,上巽,正既望也。故孟、荀皆作既。孫堂及
黃奭於此條下,皆引晁説,謂近當作既。馬輯無之。又中孚
六三得敵,子夏傳曰:三與四爲敵,三陰四亦陰,陰遇陰則相
敵而不相友,頤六二所謂失類也。此於全易所關甚大,孫堂
及黃奭所輯皆遺之。此輯及之,而不能申明其義,則爲益亦
尠矣。又所輯皆子夏傳,則不宜名曰周易韓氏傳。即名韓
氏,應用漢志舊名;或本蓋寬饒傳,曰韓氏易傳也。

周易施氏章句一卷玉函山房本

　　周易施氏章句一卷,歷城馬國翰所輯,載玉函山房叢書
中。按漢書儒林傳,施讎字長卿,沛人,與孟喜、梁丘賀,同

〔一〕"又"字原闕,據尚校補。

受易於田王孫,所謂施、孟、梁丘三家易也。永嘉亂後,梁、施二家皆亡,故李鼎祚集解,無録其説;陸德明釋文偶引之,皆作三家,不能確指。馬氏或據五經異義,或據蔡邕石經,輯其佚説,仍云三家。故如蒙卦童蒙求我,利用禦寇,无妄,得臣無家,莧陸夬夬,得其齊斧,聖人以此先心,嘉德足以合禮,遯世無悶諸條,竟皆與梁丘義同。況所謂無字,皆據漢碑用易之辭,漢碑從俗作無耳。馬氏遽定爲施義,殊未必然也。其爲施氏所獨有者,祇艮升及鼎折足二條。其以允爲艽,訓艽爲進,與許氏説文引易同,較諸家訓允爲信者過之遠矣。故夫古注雖一字亦可珍也。

周易梁丘氏章句一卷玉函山房本

周易梁丘氏章句一卷,歷城馬國翰所輯,載玉函山房中。按漢書儒林傳,梁丘賀,字長翁,瑯邪諸人。與孟喜、施讎同受易於田王孫,得田何嫡傳。西漢所謂施、孟、梁丘三家易也。晉永嘉亂後,施、梁丘二家皆亡,獨孟喜尚存,故集解、釋文,有時引之。施、梁二家,集解無一録;釋文偶引之,但作三家,不能指爲誰也。故輯易注者,如孫堂、黃奭之流,搜羅廣博,於施、梁二家獨付缺如,誠以其不能輯也。馬氏勉輯之,或據許慎五經異義[一],或據漢碑,或據石經,共得十七條。除童蒙來求我等九條,與施義相同,不能確指外,餘多據王莽傳及蔡邕碑文,强定爲梁丘易,皆不可信。歎馬

氏好古之篤，用心之勤，而所獲之少也。故辨明之。

京房易章句一卷漢學堂叢書本

　　京房易章句一卷，清甘泉黃奭輯，列漢學堂叢書中。其所輯九家易、王肅易，曾著錄。京房，字君明，頓邱人。元帝時仕爲東郡太守，受易於梁人焦延壽。延壽易傳自孟喜，喜事田王孫，獨得陰陽災變嫡傳，爲施讎、梁丘所不及。故焦、京亦深於陰陽災變。觀漢志有孟氏京房十一篇，又有孟氏京房六十六篇，知京之學同於孟喜。其白生、翟牧，不肯京易爲孟氏者，乃自高聲價，嫉妒之私。世輒以梁丘賀師亦名京房，疑漢志所錄或爲前京房者，誤也。賀之易尚不傳，何有於其師哉？阮孝緒七錄，有京房章句十卷，隋唐志同，今皆佚。歷城馬國翰輯之，除幾世卦外，得三十九條；平湖孫堂輯得八十條；後黃奭復輯之，增七條，共八十七條。今觀其注，如復朋來无咎，朋來作崩來。山覆曰崩，剝窮上反下，謂艮山下覆爲震也。覆象人知之。至象覆易即於覆取義繫辭，如困之有言不信，以正覆兌也；震之婚媾有言，以正覆震也；泰城復于隍，以三至上艮覆爲震也；頤之慎言語節飲食，以正覆震相對也；中孚之鶴鳴子和，或鼓或罷，或泣或歌，以正覆艮震也，凡如此等易辭，漢魏人説之，無不誤者。獨其師焦延壽知之。易林屯之蒙云：山崩谷絶。蒙二至四艮覆，故曰山崩。又蹇之屯云：作室山根，人以爲安，一夕崩顛。屯初至四亦復體，艮覆爲震，故曰崩顛。然則朋讀爲崩，自其師已如此。又京氏以无妄爲大旱之卦，萬物皆死，无所復望。蓋无妄亢陽在上，艮火在下，巽爲草莽，爲禾稼，而巽爲枯，爲隕落，故曰萬物皆死。自巽枯、巽隕落及艮火之象失傳，故虞翻不知京氏之所謂，詈爲俗儒。豈知易林復之无妄云：踦牛傷暑，不能成畝；草萊不闢，年歲無有。又无妄之革云：枯旱三年，草萊不生。皆以无妄爲大旱。故京氏承其師説，蓋與之同。昔劉向目京氏爲異黨，蓋焦京所用之象，劉向非易家〔一〕，已不能知；至用覆象，如朋讀爲崩之類，尤爲駭怪。而不知其象其義，無一字不本於經〔二〕。自經義不明，後之人不於經求其象，昧厥本原，第見焦、京所言，不與衆同也，目爲異黨，何足怪乎〔三〕？觀焦氏易林，自漢迄清，無一人知林辭用象盡本於經，即可知其故矣。且劉向本非易家，班氏不知其言之謬〔四〕，動採其説，以爲定評，斯亦過矣。他若豫四時不忒，忒讀爲貸；朵頤作揣頤；震爲黿足作朱足，異讀尤多，足徵古義。固不僅无妄能存失傳之象，以覆艮爲山崩能存全易用覆象之妙旨也。

易飛候一卷 漢魏遺書鈔本

漢京房撰。房事蹟具漢書本傳。清金谿王謨輯，載漢

〔一〕“劉向非易家”原作“在西漢儒者”，依印稿眉批改。
〔二〕“一”原作“二”，據尚校改。
〔三〕“自經義不明”至“何足怪乎”，眉批云：“透切著明。”
〔四〕“班氏不知其言之謬”，眉批云：“班氏尤不知易。”

魏遺書鈔中。其他輯者有說郛本，有青照堂叢書本。以說郛爲最略，以王輯爲最詳，共六十七條。候者，候災祥。飛候者，蓋見何祥，即候何事，隨兆而占，應機而斷，事無一定，故曰飛候。大致與五行志所載京房易傳同，故其事多有同者。如云鼠舞於庭，厥咎誅死，與五行志載燕有黃鼠銜其尾，舞王宮，房京易傳曰，誅不原情，厥妖鼠舞門，後燕王旦果誅死，其事相同。他如暴風折木，天雨粟，及候雲氣各條，義亦多同。故後漢五行志注，多採其說以爲證。後隋志亦間採之。即京房所上封事，謂日薄無光，天有蒙氣，以爲宦官錮蔽君德所致。又翼奉傳所謂平昌侯三來見臣，皆以正日加邪時。孟康曰：謂乙丑之日丑爲正，日加未而來，丑未相衝，故爲邪時。蓋皆飛候之學。此等學術，蓋肇於黃帝，盛於周秦，大昌於漢。漢魏以後，能者少，故其書亦無人葆惜。至唐宋儒者以正誼自矜，以夫子不語怪爲口實，以占驗飛候爲外道，尤賤視此等。虛憍之氣，中於士林，日盛一日，於是古學術遂日就澌滅，古書因以俱亡。至清儒始稍稍知寶守矣，而書佚已久，艱難補綴，仍無大益，徒望古浩歎而已。

費氏易一卷<small>玉函山房本</small>

　　費氏易一卷，歷城馬國翰所輯，載玉函山房中。攷漢書，費直字長翁，東萊人也。治易爲郎，至單父令。長於卦筮，亡章句，徒以彖象繫辭十篇文言解說上下經。費易既亡章句，故李氏集解，無有費說。陸氏釋文云某字古文作某字,亦未言費氏。徒以劉向云:以中古文易校三家,或脫去无咎悔亡,惟費氏經與古文同。夫曰與古文同,明費氏非古文也;同者,言其字之多寡同於中古文,無脫缺也。其校尚書,亦專重脫簡,豈謂其字皆從古文乎?如費易字皆古文,凡東漢馬融、荀爽、鄭玄皆習費易者,胡爲其讀不盡同?且不盡用古文乎[一]?今馬氏悉依釋文,及晁氏古易所列古字,悉以屬之費氏,其不當可知矣。然喜其將全易古文,輯錄無遺,如坤古文作《《,凝古文作疑,恤作血,墉作庸,砍作介,趾作止,場作易,狩作守,箕作其之類,共百三則,彙萃成篇,檢查甚易。故過而存之,以便後學焉。

費氏易林一卷<small>玉函山房本</small>

費氏易林一卷,歷城馬國翰所輯,載玉函山房中。費氏者,費直。隋志有費直易林二卷,注梁五卷。唐志有費直周易林二卷。今佚不存。夫所謂林者,皆占驗之書,焦氏易林、崔篆易林、管輅易林、郭璞洞林等。其可攷見者,或作爲占辭,以爲揲蓍者遇某卦之某卦,藉其辭以斷吉凶,如焦氏易林是也;或錄筮案,以紀其占驗之事實,如郭璞洞林是也。費氏易林,當然不出此二例。凡今焦氏易林,下注又作某某辭者,按焦氏萬不能爲一卦作二林辭,其附注者,皆隋唐學者將他林附注焦林下,以備參攷。在當時必有標識,傳鈔日久,遂莫辨矣。其附注者,即費易林或崔易林之辭也。乃馬

〔一〕"夫曰與古文同"至"且不盡用古文乎",眉批云:"明確可喜。"

氏不詳此例，以焦氏易林篇首費直序當之。此序自宋人以來，即疑其僞。況其序曰，王莽時，建信天水焦延壽撰。延壽爲京房師，年當長于京房。房死於元帝時，年已四十，而以延壽爲王莽時人，語已不倫；況追溯曰王莽時，其序作於王莽後可知，豈費直到東漢猶存乎？乃國翰不以爲妄，竟以此序當易林，可謂渺不相涉矣。其餘震主庚子午六語，雖見於禮記月令正義所引，詳其語意，乃説明六子納甲之法。震於曰納庚，於震辰納子午[一]。必易林篇首義例之語，示人以占筮之本。凡唐宋人只稱易林者，皆焦氏易林也。今亡之耳。乃馬氏以焦林無此語，强輯入費林中，尤不可信，惑亂後學，故詳辨之。

周易分野一卷玉函山房本

周易分野一卷，漢費直撰，歷城馬國翰輯，載玉函山房輯佚叢書中。馬氏云：案羅泌路史，費直易十二篇，以易卦配地域。今其書佚。唯晉書天文志引其十二次所起度數，稱費直周易分野。唐開元占經亦引之，稱名同。茲據輯録，姑依晉志所引題作分野。至其配卦之例，莫可稽考。云云。按十二辟卦，與十二辰十二次皆相應。路史所云十二篇，必以十二辟爲主，再由十二辟與地域相配，而地域皆與十二次相配。今觀費直所云，壽星起軫七度，至氐十度則夬辟也，以卦氣圖攷之，其域在辰方，其宿爲角亢，其卦起豫之四爻，

歷訟蠱革夬,至旅之三爻,據漢書地理志,其分野爲韓;其云
大火起氐十一度,至尾八度則大壯辟也,其域在卯,其宿爲
心房氐,其卦起需之四爻,歷隨晉解大壯,至豫三爻,其分野
爲宋;其云析木起尾九度,至南斗九度,則泰辟也,其域在
寅,其宿爲箕尾,其卦起小過四爻,歷蒙益漸泰,訖需三爻,
其分野爲燕;其云星紀起斗十度,至須女六度,則臨辟也,其
域在丑,其宿爲牛斗,其卦起屯四爻,歷謙睽升臨,訖小過三
爻,其分野爲吳、粵;其云元枵起女六度,至危十三度,則復辟
也,其域在子,其宿爲危虛女,其卦起未濟之四爻,歷蹇頤中孚
復,訖屯三爻,其分野爲齊;其云諏訾起危十四度,至奎一度,
則坤辟也,其域爲亥,其宿爲壁室,其卦起艮四爻,歷既濟噬嗑
大過坤,至未濟三爻,其分野爲衞;其云降婁起奎二度,至胃三
度,則剝辟也,其域在戌,其宿爲婁奎,其卦起歸妹四爻,歷无
妄明夷困剝,至艮三爻,其分野爲魯;其云大梁起婁十度,至畢
八度,則觀辟也,其域爲酉,其宿爲畢昴胃,其卦起巽四爻,歷
萃大畜賁觀,至歸妹三爻〔一〕,其分野爲趙;其云實沈起畢九
度,至東井十一度,則否辟也,其域爲申,其宿爲參觜,其卦
起恒四爻,歷節同人損否,訖巽三爻〔二〕,其分野爲晉;其云
鶉首起井十二度,至柳四度,則遯辟也,其域爲未,其宿爲鬼
井,其卦起鼎四爻,歷豐渙履遯,訖恒三爻,其分野爲秦;其
云鶉火起柳五度,至張十二度,則姤辟也,其域在未,其宿爲
張柳,其卦起大有四爻,歷家人井咸姤,訖鼎三爻,其分野爲

〔一〕"至"字原闕,據前後文意補。
〔二〕"三"原作"四",依上下文意改。

周;其云鶉尾起張十三度,至軫六度,則乾辟也,其域在巳,其宿爲軫翼,其卦爲起旅四爻,歷師比小畜乾,訖大有三爻,其分野爲楚。馬氏未詳攷耳。二十八宿分野,在地理志;十二辟與十二次相配,六十卦依十二辟卦相配,皆在卦氣圖。費氏之法,雖未窺其全,其配卦之例,固莫能外此也。然不有馬氏之輯,則卦氣圖祇言某次配某宿耳,其起訖度數,莫得而詳,其功亦大矣。

周易古五子傳一卷玉函山房本

　　周易古五子傳一卷,無撰人名氏,歷城馬國翰輯,載玉函山房輯佚叢書中。馬氏云:劉向別錄云,所校讐中古五子書,除複重定著十八篇,分六十四卦著之。辰自甲子至壬子,凡五子。漢志亦十八篇,注,自甲子至壬子,說易陰陽。隋志不著錄。書佚已久。攷漢書律曆志引傳有日有六甲,辰有五子之語。下又引易九戹曰,初入元百六,陽九。孟康注云易傳也。按漢書藝文志,古五子十八篇。即劉向別錄,亦祇稱古五子書,均無五子傳之稱。馬氏據律曆志引傳有日有六甲,辰有五子之語,謂傳爲五子易傳;又據律曆志引易九戹,孟康注易傳也之語,即定爲古五子傳,殊屬無據。又按藝文志易類,有易傳周氏二篇,下注云,字王孫。是孟康所謂易傳,爲周王孫之易傳,而非古五子。又律曆志所引傳曰天六地五,數之常也;汎言爲傳,恐爲古傳記之語,不惟於古五子無涉,並於易無涉矣。馬氏強謂爲古五子傳,庸有當乎？又觀馬氏所引各語，皆陰陽災變之學。周王孫與丁將軍，同受易於田何，後丁將軍又從周王孫受古義。古義者，言非孔氏十翼，即陰陽災變也。高相專明陰陽災變，自言出于丁將軍，其證也。然則馬氏所引易傳，皆周王孫之易傳，周王孫固深於陰陽災變之學者也。馬氏所云周易五子傳，誤也。又律曆志所云日有六甲，辰有五子，孟康云六甲之中，惟甲寅無子。甲寅無子者，以日數至癸而終，子丑虛，故曰無子。此語爲後儒所莫解，故説明之。

馬融易傳 二十一家易注本、玉函山房本、漢學堂叢書本

馬融易傳，平湖孫堂輯者，名馬融周易傳，載二十一家易注中。歷城馬國翰所輯者，名周易馬氏傳，載玉函山房中。甘泉黃奭所輯者，名馬融易傳，載漢學堂叢書中。馬輯分爲三卷，孫、黃所輯皆作一卷，然較馬輯略詳。融字季長，扶風茂陵人，官至南郡太守，爲東漢中葉時大經師，盧植、鄭玄，皆其弟子。凡詩、書、三禮、三傳、孝經、論語及易，皆有注。鄭玄三禮注，蓋即受之於融。其易注，釋文序錄載有十卷，今皆佚無傳。孫、馬等所輯，皆以集解、釋文、孔氏正義三書爲主。荀悦漢紀謂融著易解，頗生異説。今觀其説，如謂卦辭文王，爻辭周公。按文王演易，西漢儒者皆言之，未有言周公演易者。融蓋以明夷六五箕子之明夷、升六四王用亨于岐山、既濟東西鄰，及左傳韓宣子聘魯，觀易象與魯春秋，曰吾乃知周公之德及周之所以王爲説。豈知明夷六

五箕子之明夷，易林以箕子爲孩子，孩子謂紂，與書微子我舊云孩子同也論衡作孩子。孩子謂紂，與五位恰合。故象傳推及于文王、箕子。今謂武王觀兵後，箕子始被囚，爲文王所不及見。夫箕子不用於紂久矣，豈至殷將滅始明夷乎？其誤一也。凡易稱帝稱王侯，皆因卦象，而不必有所指；即有所指，王亦謂殷王。紂能囚文王，獨不能亨于岐山乎？況王用亨于岐山，正文王冀王西來，以見服事於殷之意；今謂文王不合自稱王，其於易理疏漏已極。其誤二也。既濟之東西鄰，乃因離東坎西，謂二陰不如五陽也。今謂東鄰爲紂，周公之時，胡從與紂爲鄰乎？其誤三也。韓宣子知周公之德，乃由觀魯春秋知之；知周之所以王，乃由觀易象知之。蓋文王之憂勤惕勵，備見於易象之中，故知周之王業，全基於文王。豈謂周之所以王，由于周公，周公曾演易乎？其誤四也。明夷六五之箕子，在西漢從無詁作紂臣者，至融始以爲紂之諸父，亦知其不安，而曰箕子演疇，德可以王，故以當五。豈知爻辭若爲箕子，象傳能引爻辭爲説乎？尤爲謬妄。荀悅所謂異説者，殆即指此。至於小畜六四，血去惕出，讀血爲恤，云恤憂也；豫六二介于石，讀介爲扴，云觸小石聲；蠱初六有子考无咎，讀有子考絶句。金文孝、考嘗通用，有子考，即有子孝也。凡如此類，雖甚精審，然病其少，無關大義，故備論之。

周易鄭氏注三卷道光刊本

清張惠言輯。惠言字皋文，江蘇武進人。嘉慶四年進士，改庶吉士，散館授編修，七年卒。曾著虞氏易，周易鄭荀義，復輯鄭氏注三卷。按鄭氏注初輯者爲王應麟，作三卷，刊於玉海中；至明胡孝轅附刻於李氏集解後；後姚叔祥增補二十五條，刊於津逮祕書中；清惠棟復加審正，刻於雅雨堂叢書中，其王輯下皆不著其所本，惠棟於每條下注之；至惠言又即惠氏本，參以歸安丁小疋後定本，盧抱經、孫頤谷、臧在東各校本，復爲上中下三卷。蓋每輯而加詳，至惠言而審正益精備，視前者愈詳焉。書內之善者，如惠氏好改經，雅雨堂李氏集解經惠氏審定，擅改經文不可勝數，後儒頗罪其亂經，乃輯鄭注注文，爲惠氏增改者尤多，初學不知，幾疑經文注文原即如是，最淆亂耳目，惠言於惠氏改字，皆爲指出。如謙字惠皆改作嗛，逸皆改作佚，遯皆改作遜，互卦之互皆改作牙。賁卦注艮止于上坎險于下，作坎險止于下，擅加止字，致于卦象不協。需于沚注，沙接水者。沚者，據釋文；沙者，詩正義引作沙也。乃惠於注文沙接水者，既改沙爲沚；於經文需于沚，亦改沚爲沚。按說文沚下云：譚長說沙或從少。少，子結切，然則沙或作沚，義同。正義引作沙，即從作沙可矣，何必定作沚以立異乎？又離六二注，慎成其業故吉矣，惠改作慎成其業則吉也。九四突如，惠並改作㷋，段玉裁謂其亂經。晉如碩鼠，注既引詩，且明釋爲大鼠，是鄭不作甾甚明,乃惠於經文並改作甾,尤爲謬誤。他若於解卦注呼皮曰甲,改呼爲嘽。夬卦注故謂之决,改决爲夬。困注離氣赤又朱,朱深云赤,惠改又作爲,改云爲曰。致義皆背戾,失鄭注本義,就一己私説。書内遇此,並爲指出,以正惠氏之妄,則此書之功也。

荀爽周易注一卷_{漢魏二十一家易注本}

荀爽周易注一卷,乾隆間平湖舉人孫堂輯[一]。大都採自李氏集解、陸氏釋文二書,與玉函山房馬國翰輯略同。惟馬輯多大有明辨晰也一條,採自漢上易,此輯無之;此多蒙上九擊蒙一條[二],採自晁以道古易,馬輯無之。又屯象,此本從釋文作君子以經綸,馬輯從孔正義作經綸。異同如此而已。又馬輯以上經爲一卷,下經爲一卷,繫辭以下爲一卷,共三卷。此輯雖作一卷,亦裒然成帙。除虞注外,蓋莫多於是矣。爽字慈明,潁川潁陰人,官至司空。荀悦稱叔父故司空爽著易傳,據爻象承應、陰陽變化之義,以十篇之文解説經義,由是兗豫之言易者,咸傳荀氏學。今其書雖佚,賴李氏集解、陸氏釋文,所採獨多,彙而成帙,仍斐然可觀。其注之最要者,如坤龍戰于野云:消息之位,坤行至亥,下有伏乾,陰陽相和。荀九家云:乾坤合居,故言天地之雜。夫曰和曰合,則所謂戰者乃交接,非戰争。知侯果謂窮陰薄陽

〔一〕“舉人”原作“諸生”,據尚校改。
〔二〕“擊”原作“繫”,據尚校改。

故戰,干寶謂君德窮至于攻戰者非。凡月幾望,幾皆作既。知荀以兑爲月,以巽爲十六日也。中孚六三得敵云:三四俱陰,故稱敵也。易同性者爲敵,艮傳云上下敵應不相與是也。此實全易之大綱,凡陰陽爻之吉凶,以此義求之,無或有爽。又大過以初六巽爲女妻[一],以上六兑爲老婦,明經用象,不盡與説卦同,與焦氏易林合若符契。乃虞注晋爲俗説[二],最妄。又注同人云:乾舍于離,相與同居。注陰陽之易配日月云:謂乾舍于離,配日而居;坤舍于坎,配月而居。是乾南坤北之先天象,荀爽獨知,與九家同。讀明夷六五之箕子爲荄滋,蓋真知灼見。此箕子與象傳之箕子,絕對不同。乃此類要義,與全易所關至鉅。在當時既無能識其旨而申引之,自宋迄清,更鮮有通其説者。於是荀氏之微言大義,遂淹没不彰,而誤解百出矣。故此二本之所輯,雖爲集解、釋文所多有,而不能不重視。況其多,自足成書,與他家之衹得十數條,或三五條,而不能成卷者,迥不侔乎?然二本之中,以孫輯爲尤善。蓋荀氏易,異同之字甚多,後儒多莫能詳其義。獨孫本於通借之字,盡能援引經傳,疏證通明。如謙之捊多益寡,賁六四賁如波如,剥滅貞凶,離六五出涕池若,睽九二其牛觢,姤胞有魚,萃君子以慮戎器,震九四震隊泥,漸婦乘不育,豐六二雖均无咎,涣六四匪弟所思[三],繫辭言天下之至賾不可亞也,六爻之義易以功,雜卦大有終也之類,雖奇文怪字,無不疏解

〔一〕“又”字原闕,據尚校補。
〔二〕“乃虞注晋爲俗説”原作“知虞注”,據尚校改。
〔三〕“四”原作“三”,據《漢魏二十一家易注》本《荀爽周易注》改。

明朗,一望而知。若此者,不惟有功於荀氏,其津逮後學,實甚大也,故獨録而傳之。

九家周易集注一卷_{漢學堂叢書本}〔一〕

九家周易集注一卷,平湖舉人孫堂曾輯之〔二〕,得一百四十六條,載漢魏二十一家易注中。後甘泉舉人黃奭復輯之,增七條,共一百五十三條。除荀、虞外,古注存者,是爲最多。隋唐志皆云十卷,且皆稱荀爽九家集解。陸德明釋文敘録云:不知何人所集,稱荀爽者,以爲主故也。其敘有荀爽、京房、馬融、鄭玄、宋衷、虞翻、陸績、姚信、翟子元九人。夫既不知何人所集,胡以名之曰荀九家?荀亦九家之一耳,胡得云爲主?釋文之言,不可信也。陳振孫書録解題云:九家者,漢淮南王所聘明易者九人,而荀爽嘗爲之集解。以九家爲西漢易師,以集解爲荀爽所輯。依陳氏之言,則名與實符矣。此雖不知陳氏之所本,然以九家注證之,其言頗可信。三十一象最爲重要,釋文所列九人,誰敢冒然加入説卦之中?即加入,亦必説明其義,而何以皆無?則九家注之古可見矣。一也。坤上六其血玄黃,九家云玄黃天地之雜,言乾坤合居。又爲其兼于陽也,九家曰陰陽合居,故曰兼陽。夫曰乾坤合居,曰陰陽合居,九家皆未明言義本消息。荀爽則採其説以解龍戰于野云:消息之位,坤在于亥,下有

〔一〕本篇眉批云:"論極精。"
〔二〕"舉人"原作"諸生",據尚骧校改。

伏乾。荀蓋恐人不知合居之故用消息卦，故曰消息之位，則用九家説而加以説明。又九家注同人曰：乾舍于離，同而爲日。荀爽採其説，亦曰：乾舍于離，相與同居。因而注陰陽之義配日月云：乾舍于離，配日而居；坤舍于坎，配月而居。是因九家乾南之説，而又推及坤北。則九家注之古，爲荀所宗，顯而易見。二也。又乾河、坤水、艮虎，及乾南、乾日之象，祇焦氏易林知之，東漢人無知者。九家注蠱利涉大川云：泰乾天有河，坤地有水，二爻升降，出入乾坤，大川也。是以乾坤爲水，獨與易林同。説頤虎視眈眈云〔一〕：艮有虎象。又説同人以乾爲南爲日，亦與易林同。則九家確爲西漢易師。三也。説泰上六城復于隍云：國政崩也。山覆曰崩，以泰三至上艮山覆也。説重門云：豫艮爲門，從外示之上亦艮，重門之象也。覆象東漢人知之，至象覆易即於覆象取義，除易林外，無知此者，九家獨知之。復朋來无咎，京房作崩來，兹與之同，疑京義所本。四也。説泰君子道長，小人道消云：陽息而升，陰消而降。陽稱息者，起復成巽；陰言消者，起姤終乾。説姤天地相遇云：謂乾起子，運行至四月，六爻成乾，巽位在巳，故言乾成于巽；既成則轉舍于離，坤從離出，與乾相遇，故言天地遇。乃後人謂乾成於巽，係釋荀注。豈知九家於泰傳，早曰乾起復成巽。成巽乃候卦例語〔二〕，故九家述之，豈解荀注乎？蓋消息卦爲易之本，而九家實首發其端，荀氏蓋略知之，而不能竟其義。觀其注龍戰于野云下有伏乾，弗明詁

〔一〕"眈眈"原作"耽耽"。據漢學堂本《九家易集注》校改。
〔二〕"候"原作"侯"，據上下文意改。

戰義,是于九家合居之旨,未盡悉也。夫曰合居,則戰之爲交接明甚。乃荀爽不知,仍讀兼陽爲嗛陽。則其注之古,爲易家所不能盡喻。五也。他若説原始反終,知死生之説云:陰陽合,物之始;陰陽離,物之終。合則生,離則死。義深語奧。説剡木爲舟,掞木爲楫,重門擊柝各章[一],無不本於易象,細切入微。昔管輅謂何晏易美而多僞[二],由其説攷之,凡王弼以來野文家説,固無不有此病[三]。其言象若虞翻,可謂密矣,然象不識則用爻變[四],義不知則用卦變,乍觀似密,實按皆非,則僞而亂矣。獨九家樸實説理,原本易象[五],無虛僞之美談,無卦變之惡習,猶不失春秋古法。又統觀九家注前後,純一不雜[六],其口吻皆若一人,似非萃衆説而成者[七],此難爲不知者道也。故夫陳氏之言[八],較爲可信[九]。故詳論之,以見漢注之精,莫過於是也[十]。

〔一〕 "柝"原作"析"。據漢學堂本《九家易集注》校改。
〔二〕 自"管輅謂何晏"至下文"較爲可信"原闕,據印稿頁左尚氏墨書補。天頭批語云:"此處不全,真可惜。"蓋印稿曾經修潤,遂有闕遺,故云"可惜",尚氏蓋據原底稿補入。
〔三〕 "固"字,墨書原闕,據排印本補。
〔四〕 "變",墨書原作"辨",據排印本改。
〔五〕 "樸實説理,原本易象",墨書原作"原本易象,樸實説理",據排印本改。
〔六〕 "純一不雜",墨書原闕,據排印本補。
〔七〕 "而成"二字,墨書原闕,據排印本補。
〔八〕 "夫"字,墨書原闕,據排印本補。
〔九〕 "信"下,墨書原有"云"字,據排印本删。
〔十〕 "故詳論之"至"莫過於是也",印稿及墨書并闕,據排印本補。

陸績易述一卷 漢學堂叢書本

隋書經籍志:陸績易注十五卷。吳志:績字公紀,吳郡吳人,官至鬱林太守,加偏將軍,注易釋玄,皆傳於世。其原書久佚。隋志祇言易注,釋文序錄則云陸績周易述十三卷。由是後之輯陸注者,皆以周易述爲名。其始輯者爲明姚士麟。士麟,海鹽人,字叔祥,博覽羣書,各爲攷據。其所輯周易述一卷,載鹽邑志林。朱彝尊經義攷謂係抄撮陸氏釋文、李氏集解二書爲之。四庫已著錄,謂凡百五十條。後歷城馬國翰復輯之,得一百零四條,載玉函山房中。又嘉慶間,平湖舉人孫堂[一],字步升,復就姚本補輯之,得二百零五條,較姚本增四分之一,載漢魏二十一家易注中。阮元盛稱其博洽,爲序弁其首。至道光間,甘泉舉人黃奭,字右原,復輯之。較孫輯增先心一條,歸妹女之終也下增補遺六條,共增七條。餘盡與孫本同。載漢學堂叢書中。聖人以此洗心條,云釋文說陸作先,此似可疑。釋文正文洗心下,明云京、荀、虞、董、張、蜀才作先,石經同,並不及陸。況陸注云:受蓍龜之報應,決而藏之於心也。決者,絕也,釋洗心之義也。若作先,虞翻等皆以乾爲先,於決義似不合也。大抵陸注之最要者,莫過於巽爲風注云:風,土氣也。巽,坤之所生,故爲風。由陸說,則坤本爲風。易林訟之剝云:烈風雨雪。大壯之剝云:乘風駕雨。皆以剝下坤爲風。文言云:雲從龍,

---

〔一〕“舉人”原作“諸生”,據尚驤校改。

風從虎。即謂坤從乾陰從陽也。此象知者甚鮮，故風從虎句，詁者無不誤。獨易林與陸注闇合，其有裨於經學甚大。至卷末黃所增六條，雖非甚要，然較各家所輯，此爲最多，故録而存之。

蔡氏易説一卷 玉函山房本

蔡氏易説一卷，漢蔡景君撰，歷城馬國翰輯，載玉函山房輯佚叢書中。景君爲名爲字，及爵里均未詳，祇虞翻注稱彭城蔡景君説。由是證景君漢人，在翻前，故及引其説。馬國翰云：漢書藝文志，有蔡公易傳二篇，注蔡公衛人，事周王孫。意景君即蔡公。殆衛人而官彭城，虞氏稱其官號，如南郡之稱馬融，長沙之稱賈誼歟？按馬説皆臆測，難以爲信。今觀其説謙云：剥上來之三。爲虞氏所引。虞氏解經，專恃爻變、卦變。豈知爻在外即曰往，在内即曰來，故泰曰小往大來，否曰大往小來。如必内卦之爻，來自外卦某爻，則訟曰剛來而得中，謂九二也，九二果自外卦何爻來乎？不可通矣。餘若漢上易所引天地定位，山澤通氣，雷風相薄，水火不相射云：六子皆以乾坤相易而成。夫乾坤者陰陽，陰陽相遇則相交，乾坤初爻交成震巽，上爻交成山澤，中爻交成水火，文言所謂各從其類也。乃不曰交而曰易，於相索之義謂何矣？至於某卦自某卦來，皆誤讀象傳而强爲之説。後儒駁之者多矣，兹不具論。

孫輯虞翻周易注十卷漢魏二十一家易注本

　　虞翻周易注十卷,平湖舉人孫堂所輯[一],載漢魏二十一家易注中。堂字步升,其所輯荀氏易已著録,疏證博洽,爲阮元所稱。虞翻字仲翔,吳會稽餘姚人。初爲孫策功曹,孫權時爲騎都尉,數犯顏諫,權不能堪。又數有酒失。徙交州十餘年卒。事具吳志本傳。凡周易、論語、國語、老子、參同契,皆有注。其易注,隋唐志作九卷,釋文作十卷,今皆亡。賴李氏集解,采録獨多。張惠言曾輯之,以爲虞氏義九卷,成一家言。堂仍以集解爲本,輔以釋文、漢上易等書所引,仍爲十卷。凡漢魏人易注存者,莫多於是矣。翻奏上獻帝易注云:家世傳孟氏易。前人通講,雖有秘説,於經疏闊。臣祖父鳳,先考故日南太守歆,世傳其業,爲之最密。潁川荀諝,號爲知易,乃解西南得朋,東北喪朋,顛倒返逆,了不可知。馬融復不及諝。若北海鄭玄,南陽宋衷,雖各立注,皆未得其門。頗高自稱許。今按其注,以攷其言。孟喜易於陰陽災變,獨得其傳,爲施、梁所未及。而焦延壽親問易於孟喜,凡易林所用之象,如坤爲水、爲風、爲疾病,兑爲月、爲華、爲老婦,艮爲鶴、爲牛、爲鳥、爲夫,坎爲夫、爲矢,及以正反兑、正反震爲有言,與易極有關之象,何以虞氏皆不知?世傳孟易之言,寧足信乎? 易象至東漢多失傳,象失故易多

〔一〕“舉人”原作“諸生”,據尚驤校改。

不能解。先儒遇此，闕疑不解，易説疏闊，職是之由。翻則
反是，於象之不知者，則强命某爻變以就其象。如利涉大
川，易本以坤爲大川，陽遇陰則通，故曰利涉。乃虞翻不知
坤水象，必以坎爲大川，坎陷坎險，胡能利涉？然如需、訟、
謙卦有坎，猶可强以此爲説。他若蠱、頤、大畜、益，卦無坎
象，則强命某爻變成坎，以當大川。否則用卦變。如頤以艮
爲龜，翻不知艮堅在外亦爲龜，則謂頤從晉來，晉離爲龜。
中孚以震爲鶴，翻不知震鶴象，則謂中孚從訟來，訟互離爲
鶴。夫一卦可變爲六十四卦，於象所不知，語所不解者，若
盡以卦變當之，尚何求而不得？尤異者，虞令某爻變以之正
爲説也。乃家人漸三爻本正，而亦命之變，使之不正。又大
過因不知巽爲少女、兑爲老婦象，令初應五，二應上，以便其
私。惡例一開，羣視爲方便，於是自唐迄清，治易者雖號稱
復古，如李鼎祚、朱震、晁以道、毛大可、惠士奇、惠棟、張惠
言、姚配中、俞樾等人，無不用之，而焦循尤甚。於是易象易
理之混雜虛僞，其害遂過於王弼之掃象矣。以上所舉[一]，
特見存虞注中千百之一二。以焦氏用象攷之，十六七皆强
不知以爲知，不强命某爻變，不曰某卦從某卦來，不能解也。
試觀其注，除此二例，尚能自立乎？翻自謂其法密於前人，
愈密愈亂耳。又虞氏於全易之朋字、類字，皆失詁。頤六二
象曰行失類，復象曰朋來无咎，以陰陽相遇爲朋爲類也。乃
虞以陽遇陽、陰遇陰當之。陽遇陽、陰遇陰，艮象傳所謂敵

〔一〕　“以上所舉”至下文“故夫”，尚驤眉批云：“另一本刪。”且刪後於“虞氏譏”
　　　上增一“又”字。

應,中孚六三所謂得敵也。不朋不類也,而皆不知。故夫虞氏譏馬、荀解西南得朋東北喪朋,及大過二五爻之不當。夫馬、荀誠不當,然尚未至引參同契納甲之法,以兌丁解得朋;破應予定例,以二應上、初應五之敢於妄言如此也。蓋易學之晦,厥有二因:一虞翻不知説卦之象略引其端,又不知經之取象與説卦常相反,不知而不闕疑,盡恃爻變卦變以爲解,後之人以其便利無所不通,遂相率祖述之[一],而易象失真;一王弼掃象,以空虛説易,唐宋人以其易也,學遂風行。有此二因,人遂不知易爲何物矣。今録之者,一則因其注古,古訓尚存;一則因其注多,恐學者不知其謬妄而惑之,故詳爲論辨焉。

周易何氏解一卷玉函山房本

　　周易何氏解一卷,歷城馬國翰所輯,載玉函山房中。何氏者,魏何晏。崇虛無,尚清談,官至尚書。王弼之顯達,及其易注之見重,何晏之力爲多。人皆咎王弼掃象,破春秋人古法,不知其專以附何晏。管輅稱何晏注易,美而多僞。此雖六代人通病,晏實爲首倡。晏注論語,名曰集解,故馬氏仍名之曰周易何氏解。共得四則,皆無精義。而説風雷益云:六子之中,皆有益物;獨取風雷者,取其最長可久之義也。按六子之中,水火不能須臾離,山澤萬古不易,豈獨風雷乎? 管輅所謂僞者,此亦可窺見一斑矣。不足重也。

〔一〕“後之人”至“祖述之”,尚驤批云:“另一本删。”

周易統略一卷_{玉函山房本}

周易統略一卷,歷城馬國翰所輯,載玉函山房輯佚叢書中。晉鄒湛撰[一]。湛字潤甫,南陽新野人,仕魏爲太學博士,晉太康中至少府,事具晉書本傳。隋經籍志:周易統略五卷,晉鄒湛撰。新舊唐書作三卷。今佚。祇釋文引二則:拔茅茹,訓茹爲牽引,用王弼説。與虞翻之訓茹爲根,同一誤解。而謂箕子之明夷,荀爽讀箕爲荄,子爲滋,漫衍無經。此誠以其昏昏,謐人昭昭者。荄滋之讀,原於趙賓,受之孟喜,爽用其説耳。且六五之箕子,若爲紂臣,象傳絕無引爻辭釋經之例。且何以象傳之箕子,無一人異讀乎?是祖述王弼而又下之,弼尚讀爲其茲也。由是以觀,則湛之説易,概可知矣,宜其佚也。

周易洞林一卷[二]_{漢魏遺書鈔本、玉函山房本、説郛本}

晉郭璞著。璞字景純,河東聞喜人[三],精於卜筮,仕至尚書郎。事蹟具晉書本傳。常撰前後筮驗六十餘事,名爲洞林。隋書經籍志原爲三卷,玉海云:崇文總目止存一卷,

---

〔一〕“晉”上原有“統略”二字,據尚校删。
〔二〕“一卷”二字原闕,疑偶遺之,茲依例校補。後間有類此者,皆依例補之,不出校。
〔三〕“聞”原作“開”,據《晉書》本傳改。

載二十二事。是其書至元已不全。説郛所輯祇數條。胡氏翼傳常引之,與説郛又不相同。後歷城馬國翰輯之,得有卦之占十九條,餘二十條皆有占驗而本卦不存,載玉函山房輯佚叢書中。王謨亦輯之,得有卦之占十四條,餘十六條亦失其本卦,載漢魏遺書鈔中。此三本以馬輯爲最善。王輯有卦之條,而皆失其事實,閲之不解其爲何事而占;其失去本卦者,又祇有占辭,而不得其所取易象,最爲無用。三國志管輅傳及裴注所舉筮事,可謂詳矣,而本卦無一存,令學易者不得絲毫不益。王輯殆與之同。先儒皆以胡一桂啓蒙翼傳常引洞林,謂元時是書尚未亡。然胡氏所引,是否在二十二條之内,不得而知,未足爲證。後閲明人所著斷易大全,引洞林四條,皆存本卦,皆爲馬輯、王輯之所無。其夢嫁一條,馬、王所輯雖有,然不得其本卦,故亦無占辭。及郭所自爲解説,大全則皆有之。由是證洞林至明尚未必果亡也。倘得好事者,即馬、王所輯,及漢上易所録,合斷易大全所引,而彙萃之,其有卦驗之占,殆足三十條,可得原書之半。不惟學占驗者有大益,於易象易理,均有補助。以坤水、坤魚失傳之象,及以大壯之夬爲爭訟,璞獨知之,可藉以解易也。其餘失去本卦者,有無不足重也。

易象妙于見形論一卷玉函山房本

易象妙于見形論一卷,晉孫盛撰。盛字安國,太原中都人。爲桓溫參軍,從入關,平洛,以功封吳昌縣侯,出補長州太守，累遷祕書監，加給事中。事蹟詳晉書本傳。盛著述宏富，今三國志注所引晉陽秋、魏氏春秋，藻采華贍，評議平直，皆盛筆也。一時名流，無與爲抗。嘗著易象妙于見形論，簡文帝使殷浩難之，終不能屈。今其書已佚，歷城馬國翰從世說新語注，輯其遺說，并孔穎達正義序中所引之說，並爲一卷，載玉函山房輯佚叢書中。今觀其論云：聖人知觀氣不足以達變，故表圓應於蓍龜；圓應不可爲法要，故寄妙迹於六爻。其所言實與聖人畫卦之原本相合。又云：六爻周流，惟化所適。故雖一畫而吉凶並彰，微一則失之矣；擬器託象，而慶咎交著，繫器則失之矣。夫六爻周流，惟變所適，即周流六虛，變動不居之義也。易之道貞夫一，故微一則失之；易之象原以類萬物之情，故繫器亦失之。繫器者滯於象也，滯於象則知坎爲水爲月，坤水兌月之象而不知矣。繫於器則知坤爲大輿、離爲甲胄，震爲車、艮爲甲胄而不知矣。漢魏諸儒之病，胥在此也。所惜者以説經之言，不爲莊論，而出以俏語；習尚清談，而雜以玄旨，有傷大雅耳。至正義所言，重卦之人孫盛以爲夏禹，純爲臆説，毫無根據。孔氏已駁之，兹不具論。

周易繫辭桓氏注一卷玉函山房本

　　周易繫辭桓氏注，晉桓玄撰，歷城馬國翰輯，載玉函山房輯佚叢書中。玄字敬道，譙國龍亢人，桓溫之子。後篡晉，僭號楚，僭登皇帝位。事蹟見晉書本傳。隋書經籍志有周易繫辭二卷,晉桓玄撰。唐書藝文志云三卷。其書久佚。
陸德明採注繫辭者十人,引有桓玄三節。按桓玄在當時,與
諸名士摛葩競藻,裁答牋賀,往往爲劉義慶世說新語及梁劉
孝標世說新語注所稱。義慶、孝標皆距桓玄甚近,是其人雖
僭竊不足稱,然其所憑藉者高,其所交遊皆一時俊彥,故其
文學,實有足稱,如二劉之所述。今觀其注,如說八卦相盪,
訓盪爲動。按巽震相往來,即震動爲巽,巽動爲震;震盪巽
爲恒,巽盪震爲益;八卦相盪,則六十四卦成,而其功皆在於
動。較馬融之訓爲除,韓康伯之訓爲推,則善矣。又議之而
後言,作儀之而後言。按釋名云,儀者宜也。又前漢外戚
傳:皆心儀霍將軍女。注:儀即擬。心儀即儀之也,語即本
此。若作議不惟義淺,解亦不適。此雖鄭、姚等所同,然亦
足見其所從之善。至何以守位曰人,以人爲仁,此雖與王
肅、卞伯玉、明僧紹等同,然下文曰何以聚人曰財,若作聚
仁,則不成語。獨此條未爲得之。

周易張氏義一卷_{玉函山房本}

　　周易張氏議一卷,歷城馬國翰所輯,載玉函山房輯佚叢
書中。張氏名軌,字士彥,安定烏氏人。漢常山王張耳十七
世孫,涼州刺史。五胡亂華,軌常率兵勤王。事具晉書,及
崔鴻十六國春秋。張璠集解,有張軌易義,列二十二家中。
而隋唐志均不著錄,蓋其亡已久。惟陸氏釋文引旅卦得其
資斧云:張軌云齊斧蓋黃鉞斧也。以資作齊,尚與王弼異

耳。馬國翰云：考蔡邕太尉橋公碑云，亦用齊斧。又黃鉞銘云，齊斧罔設。是張氏黃鉞之義，與蔡邕同，甚爲得解，惜太尠耳。

周易繫辭荀氏注一卷玉函山房輯佚叢書本

　　周易繫辭荀氏注一卷，宋荀柔之撰，歷城馬國翰輯。柔之，宋書無傳，亦不見於南史，並其字亦佚。陸德明釋文敍錄載注繫辭者十人，有荀柔之，云潁川潁陰人，宋奉朝請。册府元龜云：荀柔之注周易繫辭，並爲易音。馬國翰云：釋文列爲易音者三人，王肅，李軌，徐邈，不言柔之，未知册府元龜所據。而隋書經籍志、唐書藝文志，並有柔之繫辭注二卷。今佚。馬氏據釋文引其三節。如繫辭議之而後動，作儀之而後動，與鄭玄、姚信、桓玄讀同。按詩大雅我儀圖之，毛傳訓爲度。又前書外戚傳：皆心儀霍將軍女。注：心儀即心擬。又釋名：儀，宜也。得事宜也。詩小雅由儀笙詩，傳：由儀，萬物之生，各得其宜也。是儀又有宜義。儀之而後動者，蓋幾經審度，得其事宜，然後動無悔吝。較正義本作議之而後動者，義實深長，後儒皆喜稱述。惟下文云擬議以成其變化，擬議二字，皆承上文而來；若作擬儀，似微不合。則亦不能無少疑也。至於通乎晝夜之道而知，讀知爲智，義亦較優。訓扐爲別，扐，馬云指間也，此最得解。虞翻以揲餘爲扐，掛一爲奇，及此訓皆不當。然祇此三則，他無所見，欲以此定其注之良否亦難也。

劉瓛乾坤義一卷漢學堂叢書本

劉瓛乾坤義一卷,甘泉黄奭輯,列漢學堂叢書中。先是平湖孫堂輯之,列二十一家易注中,名劉氏周易義疏。歷城馬國翰輯之,列玉函山房輯佚叢書中,亦統名周易劉氏義疏。至黄輯始分名爲劉瓛乾坤義、劉瓛繫辭義疏二種。按劉瓛字子珪,沛國人,南齊時徵步兵校尉,不拜。謚貞簡先生。事蹟見南齊書本傳。馬國翰云:七録言作繫辭義疏,不詳卷數。隋志有周易乾坤義一卷,梁有周易四德例一卷,又別有周易繫辭義疏二卷。唐志並同,惟乾坤義亦稱義疏。今其書並亡。按周易乾坤義,集解及正義序所引乾坤二卦之説,雖未標其書名,蓋即乾坤義之佚文也。其陸德明釋文、唐釋元應一切經音義及李善文選注所引,皆繫辭義疏之佚文也。今觀其注,如説彖云:彖者斷也,斷一卦之才也。按繫辭云:彖者,材也。材、財、裁古通用,即裁度也。兹訓爲斷,與材義同。説文言云:依文而言其理,故曰文言。則望文生義,浮泛不切。説鼓之以雷霆云:霆,電也。震爲雷,離爲電。按京氏云:霆者,雷之餘氣。蓋雷起於震之初,陽止於艮之上,故曰震之餘氣。虞翻云雷震霆艮,此最得解,與京氏合。蓋雷則自下而上,霆則自上下擊。鼓之以雷霆,謂震艮相反覆;潤之以風雨,謂巽兑相反覆。後儒據陸佃埤雅、玉篇及穀梁,訓霆爲電爲離象,而不知於易不合。易以艮爲霆,與震相反覆,若離則與震不反覆也。劉氏誤也。其餘各注,亦深切者少,循常者多。輯之以備一家,以存古注可也。

周易沈氏要略一卷玉函山房本

周易沈氏要略一卷,歷城馬國翰所輯,載玉函山房輯佚叢書中。按南齊書,沈驎士,字雲禎,吳興武康人。徵聘皆不就,史稱其高尚。其所注易、禮、書、老子要略數十卷。故馬輯其說,以要略爲名。集解録其注潛龍勿用云:稱龍者,假象也。天地之氣有升降,君子之道有行藏。龍能飛能潛,故借龍比君子之德。初九既尚潛伏,故言勿用。說頗精賅,能補崔憬、馬融、干寶、荀爽諸家之所未備。而集解即取之,可見李氏採輯之精。然祇此一條,他無所取。得毋其說多華而不實,以王弼爲宗主者歟? 不然,李氏不能遺美若是之多也。

周易繫辭明氏注一卷玉函山房輯佚叢書本

周易繫辭明氏注一卷,南齊明僧紹撰,歷城馬國翰輯。僧紹字承烈,平原人。明經有儒術,宋元嘉中再舉秀才,辟鎮北府功曹,並不就。隱嶗山,聚徒立學。齊高帝爲太傅,辟記室參軍,不至。時其弟慶符爲青州,僧紹乏糧,隨慶符之鬱洲。齊建元元年,徵爲正員郎,仍稱疾不就。高帝甚以爲恨。竟隱逝以終。其易注,隋唐志皆不注録。陸德明釋文敍錄,載注繫辭者十人,有僧紹而不言其卷數,亦不及其注語,只攷文字之異同而已。如通乎晝夜之道而知,知音智。與荀爽、荀柔之讀同,似較韓康伯讀知者勝。易有聖人之道四焉,聖人作君子。此僧紹一人之讀,他無與同者。然作君子,義雖可通,似不如聖人之切。以制器尚象等事,皆聖人垂創之法。至何以守位曰人,人讀爲仁,古人仁可通用,故王肅、卞伯玉、桓玄皆作仁。然上文曰聖人之大寶曰位,下文曰何以聚人曰財,則位人財三字蟬聯爲文。以仁守位,義雖較長;以財聚仁,則仁非矣。而治漢易者,翕然從之,於上下文理,頗生謬沴。若上文作仁,下文又曰聚人,則又失三字蟬聯之義[一],使上下文不能相應,敢斷言其非也。後惠棟所刊李氏集解,公然改作仁,李道平纂疏竟從之,不有詳辨,且以爲定本矣。故備論之,以解後世之惑。

周易大義一卷玉函山房本

　　周易大義一卷,梁武帝撰,歷城馬國翰所輯,載玉函山房輯佚叢書中。攷隋志,周易大義二十一卷,梁武帝著。唐志作二十卷。今亡。馬氏輯得七條,皆無特殊之義。獨以文言爲文王所制,與衆說不同,識出諸家之上。蓋乾坤卦爻辭皆文王所制,故曰文言。言文王之意如此耳,與彖曰、象曰同例。自王充、馬融創文王制卦辭,周公作爻辭之說,後儒如陸績等皆惑之。於是劉瓛謂文言乃依文而言其理。姚

〔一〕"聯"原作"脫",據上下文意改。

信謂乾坤爲門户,説乾坤,六十二卦皆放焉,孔正義從之。豈知劉説已浮泛;姚説訖於文義無關,等於不説。是皆惑於周公作爻辭之妄測,故不敢謂文爲文王。獨武帝知其不然,定爲文王,可謂卓然不惑者與? 帝姓蕭名衍,受齊禪即皇帝位。事具梁書及南史。

褚氏易注一卷漢學堂叢書本

褚氏易注一卷,甘泉舉人黄奭輯,載漢學堂叢書中。先是歷城馬國翰曾輯之,載玉函山房叢書中,共十五條,名曰褚氏講疏。仍隋唐志舊名,蓋爲博士時所講述也。隋唐志皆作十六卷。黄輯較馬輯多三條,名曰褚氏易注。而疏證字義,則詳於馬氏。褚氏名仲都,吴郡錢塘人,梁天監中爲五經博士。見梁書孝行褚脩傳,脩其子也。今觀其注,如説蒙六五象辭順以巽云:順者心不違,巽者外迹相卑下也。最爲明審,爲正義所宗。又以蠱爲損壞,最與象合。蠱下巽,易林每以巽爲腐爲爛。雜卦云:剥,爛也。爛始於巽也。今風止山下,風止則氣不通,氣不通則敗壞。諸家皆從序卦,訓蠱爲事。然伏曼容引尚書大傳云:五帝之蠱事。若必依序卦,則爲五帝之事事矣,尚可通乎[一]? 今褚氏以蠱爲惑,惑故敗壞。敗壞之義,創於褚氏,前此未有也。至若説乾九二利見大人,云利見九五之大人;八月有凶,云自建寅至建酉;訓豶豕之牙,爲除其牙,義皆不當。黄氏謂以蠱爲敗壞

〔一〕“然伏曼容”至“尚可通乎”,原眉批云:“駁議最精。”

諸條,皆申述王義。然則仲都或以王弼爲主者歟?

周易姚氏注一卷玉函山房本

　　周易姚氏注一卷,歷城馬國翰所輯,載玉函山房輯佚叢書中。姚氏,據隋志名姚規,其易注共七卷,而不詳其何代人。然經籍志次姚規於伏曼容、朱異之下,殆亦齊梁間人。今佚,馬氏所輯祇得一條。其注大有元亨云:互體有兌,兌在秋也;乾則施生,澤則流潤,離則長茂,秋則收成,大富有也。語語説象,且不廢互。左氏所紀春秋人説易,正如是耳,是最古之法也。以六代人之浮華,崇尚空虛,尊信王注,能探原易象,語不離宗如規者,殆六代人所僅見也。由是以推其餘,其能刊落輔嗣之野文,推求左氏之逸象無疑也。不知李氏所採,胡爲祇此一條,則不得其故矣。

周易崔氏注一卷玉函山房本

　　周易崔氏注一卷,歷城馬國翰所輯,載玉函山房輯佚叢書中。崔氏者崔覲,隋書經籍志云,周易十三卷,崔覲注。得其名矣,而不詳其時代里居。殆亦齊梁間人。馬國翰疑即北史儒林傳内之崔瑾,瑾、覲同音,傳寫各異。然集解明作覲,似亦非也。馬輯得二則。其説文言純粹精也句,曰:不雜曰純,不變曰粹。剖晰明審,與褚仲都之解順以巽云,順者心不違,巽者外迹相卑下也,皆能破經師昆侖之病,發前人所未發。惜太少，不知果何如耳。至孔穎達正義序所引説周易一則，皆仍襲舊説，無新義，不足貴也。

周易傅氏注一卷玉函山房本

周易傅氏注一卷，歷城馬國翰所輯，載玉函山房輯佚叢書中。按隋書經籍志，有周易十三卷，傅氏撰。唐書藝文志有傅氏十四卷，啓蒙翼傳亦云十四卷，皆言傅氏不知何代人。馬國翰云：隋志在盧氏上，唐志在何胤、盧氏下，殆亦齊梁間人。其注今佚。陸德明釋文引三節，音訓皆與今易異。如泰卦拔茅茹以其彙，傅云彙古偉字〔一〕，美也；賁古斑字，文章貌；萃一握爲笑，一握作一渥。按萃下坤爲水，九家及荀爽皆知是象。傅氏或亦知之，故取象於渥，未可知也。總觀其説，似不鈔襲前人，能獨立爲義者。惟太少，不得知其究竟耳。

周易周氏義疏一卷漢學堂叢書本

周易周氏義疏一卷，陳周弘正易注也〔二〕。弘正字思行，汝南安成人，官至尚書右僕射。事具陳書本傳。其易説，本傳云講疏十六卷；隋志卷數同，而講疏作義疏。陸德明釋文敍錄云：近代梁褚仲都、陳周弘正，並爲易義，並知

〔一〕“傅”原作“傳”，據尚校改。
〔二〕“弘”原作“宏”，據排印本改。下文同。

名。蓋亦梁陳間大師也。今全佚。歷城馬國翰輯得十六
條。後甘泉黃奭復輯之,增四條,共二十條。今觀其注,見
於釋文者四,餘大半皆從孔氏正義搜得。正義不標其名,祇
稱周氏,蓋以時代近,人人皆知也。大抵梁陳之間說易者,
皆染王弼餘風,義尚空虛,辭多浮誕,魏管輅所謂美而多偽
也。故弘正之說,李氏集解無一採錄。如以易爲不易變易;
以先甲爲用辛,取自新之義;後甲爲用丁,取丁寧之義,皆襲
舊說。否則敷演空理,無一及象數者。故正義偶取之也。
然如序卦正義云,周氏就序卦以六門往攝,以乾坤否泰爲天
道門,以訟師比爲人事門。夫上經以乾坤坎離爲首尾,中以
否泰爲樞紐,是天道也;下經始咸恒,終既未濟,中以損益爲
樞紐,是人事也。弘正所言,淺而未當。且所謂往攝者,甚
不類儒家語,直異端耳。正義取此,識陋甚矣。乃馬、黃等
猶復窮搜其說,所謂嗜古之過者。非乎?

周易玄義一卷 玉函山房本

　　周易玄義一卷,唐李淳風撰,歷城馬國翰輯,載玉函山
房輯佚叢書中。淳風岐州雍人,博涉羣書,尤明天文歷算陰
陽之學,官至太史令。事蹟具舊唐書本傳。其所著周易玄
義,唐宋史志皆不載,惟鄭樵通志藝文略著錄三卷。今佚。
祇八卦六位圖,爲火珠林所引,馬氏從而錄之。今觀其圖,
如乾於日則下卦納甲,上卦納壬;於辰則初爻納甲子,四爻
納壬午。云甲爲陽日之始,壬爲陽日之終;子爲陽辰之始,

午爲陽辰之終；初爻在子，四爻在午；乾主陽，內子爲始，外午爲終。按消息卦，乾起於子，成於巳，至午而革，故曰午爲陽辰之終。乾文言於九四云乾道乃革，即謂四貞午。午五月，夏至一陰生，陽始消，故曰革。茲曰午爲陽辰之終，與文言同也。又坤於日下卦納乙，上卦納癸；於辰則初爻納乙未，四爻納癸丑。云乙爲陰始，癸爲陰終；丑爲陰辰之始，未爲陰辰之終；坤初爻在未，四爻在丑；坤主陰，故內主未而外主丑也。按乾順行，坤逆行，故以四爻丑爲陰辰之始，初爻未爲陰辰之終。其序則未巳卯丑亥酉也，自右而左也。乾鑿度云：天道左旋，地道右遷，故乾貞於十一月子，左行陽時六；坤貞於六月未，右行陰時六。此其義昔人已言之，後儒不察，輒謂納甲爲焦、京所創者，非也。他若震於日納庚，巽納辛。辰所納則與父母同，以震爲長子，巽爲長女故也。又甲乙與庚辛，東西相對也。艮於日納丙，兌納丁。辰則艮始於丙辰，終於丙寅；兌始於丁巳〔一〕，終於丁未。坎於日納戊，離納己。辰則坎始於戊寅，終於戊子；離始於己卯，終於己巳。凡陽卦皆左旋，陰卦皆右遷，與乾鑿度古法仍同，與京房易傳積算法皆合。淳風在唐代以數術名，猶漢之焦、京，魏晉之管、郭。今觀此圖及其易説，於八卦精奧，卜筮本根，洞明詳悉。雖未窺其全書，亦可得其爲學之大概矣。

〔一〕“兌”字原闕，據上下文意補。

周易新論傳疏一卷玉函山房本

周易新論傳疏一卷,唐陰宏道著,歷城馬國翰輯,載玉函山房中。宏道,新舊唐書皆無傳。祇新唐書藝文志云:陰宏道周易新傳疏十卷。注:顥子,臨渙令。宏或作洪。崇文總目云:洪道世其父顥之業,雜采子夏、孟喜等十八家之説,參訂其長,合七十二篇,於易有助云。而鄭樵通志藝文略亦載是書,則作宏道,與新唐同。馬氏云晁説之易詁訓傳及引其説,而晁易亦不傳。元董真卿周易會通載吕東萊古易音訓,多用晁氏,尚存宏道佚説二則。玩其體例,與陸德明釋文略似。今觀其説,謂朋合簪之簪與撍同,埤蒼云撍疾也。按釋文:簪,子夏傳作簪,疾也,鄭云速也,埤蒼同,京作撍,蜀才依京,義從鄭。是子夏、鄭玄皆作簪,義則疾速,亦同;京作撍,蓋未釋其義,故蜀才依京而義從鄭。後儒輒謂周代無簪名,謂作撍爲得,議侯果作簪之非。今得陰氏所引埤蒼證之,撍與簪音義并同,後儒因不知其義,而妄有是非者皆誤也。又姤繫于金柅,柅字九家及虞翻皆昆侖釋之,不詳爲何物。今陰氏引蒼頡篇云:柅作檷。與説文同。説文云:檷,絡絲趺。趺,後儒仍不知爲何物。陰氏云:絡絲之器,今關西謂之絡絮,梁益之間謂之絲登,其下柎即柅也。按絡絲器,燕趙之間謂之絡車,其下有横木,以防倚趺,即説文之絡絲趺,即陰氏所謂其下柎。繫于金柅者,即以絲絡於金柅之上也。巽爲絲繩,故曰繫;乾金,故曰金柅。金柅即絡車。

絡，縛也。以絲縛金柅，即止於金柅之上而不動矣。易不欲陰動消陽，故以爲喻。千秋晦義，得陰氏之説，一旦而明，其功豈不偉哉！馬氏云：陰氏所引倉頡、坤蒼，皆小學高品，爲後人所罕見；殘膏賸馥，亦足資人沾丐。豈不然哉？故表而出之。

周易新義一卷玉函山房本

　　周易新義一卷，唐徐郎撰，歷城馬國翰輯，載玉函山房輯佚叢書中。徐郎字里皆佚。其周易新義，新舊唐書藝文志亦均不著録，其書蓋佚已久。惟唐會要記太和元年六月，直講徐郎上周易新義三卷。按太和元年爲文宗元年，韓愈此時爲吏部侍郎，然則徐郎與韓愈同時，故其書孔正義、陸釋文、李集解皆不及採録。惟宋吕祖謙古易音訓及晁氏引之。馬氏所輯，本之二家者爲多，間及於房審權周易義海。今觀其書，皆辨證文句脱誤，及經字多寡。且坤卦履霜陰始凝也，無堅冰二字；賁天文也，上脱剛柔交錯四字；習坎上缺坎字；井象改邑不改井，下脱无喪无得，往來井井二句；震象出可以守宗廟社稷，出上脱不喪七鬯四字。皆與郭京舉正同。然則徐氏自言爲新義，恐亦未必然也。馬氏云：書名新義，未知於古有據否？姑依採録，以見易學之一變。夫徐郎所言，其當否尚難遽定；即使果當，於易義有何關？胡變之有哉？太重視矣。

呂子易説無卷數道光年刊本

　　呂子易説，無卷數。首列河洛等圖，共三十一圖解，次列上經三十卦説，次下經三十四卦説，次繫辭説。按呂子名巖，字洞賓，唐進士。下第後，入山學道不返，俗所稱呂祖者也。據篇首曾燠序云：惜虞山石室，書出太晩，前輩皆未之見，而近時人得書者，惧列道藏及呂祖全書中，予謹摘出，刊佈專行。又書尾許承宣跋云：易説藏於虞山之玉松，已久歷年所，今庚戌冬，廣陵浄虚同人，乃梓而行之。是易説原有刊板，藏虞山石室中，見者甚少，至嘉慶時，曾燠重刊之。燠字賓谷，江西南城人。世傳駢體文鈔，燠所選也。此本許跋稱庚戌冬，按道光三十年爲庚戌，則又後於曾刊矣。今觀其説，如云伏羲之圖，八卦方位也，外此而橫圖也、圓圖也，則皆邵子之圖也；又三十六宮圖，將邵子天根月窟詩全首録出。豈呂子預知百餘年後，宋有邵子其人？邵子而必作天根月窟詩乎？其僞託可立辨也。又觀其詁易之處，空虛浮泛，無一實際。蓋義理之流弊，至斯而極，已不知易爲何物矣。此經學之蠧也，故辨明之。

壽山堂易説無卷數咸豐刊本

　　壽山堂易説，即呂子易説，其篇目已詳呂子易説中。惟此本首列呂子自敍，及許承宣序，而曾燠序則無之。又書尾

有長白崇芳跋云：同治丙寅，寓濟南趵突泉道院中，見樓下
庋板片甚多，問主者，乃前任東阿縣知縣汪君南金，寄存呂
子易説之板。因補其缺，與濟南府太守蕭君質齋等，共醵金
若干，印刷多部，以廣其傳。並云：原板藏虞山玉松，兵燹
後，有無不可知，而續刊之汪君已謝世。按同治丙寅，爲同
治五年，此本殆即其年所印，而汪君刊板之時爲咸豐無疑。
是呂子易説，初刊於虞山，再刊於曾燠，再刊於許承宣，至汪
刊已四板。蓋世之信奉呂子者多，故極力廣其傳，以企福
利。至經説之如何，皆懵然莫明也。惟自曾刊，即名呂子易
説，兹名曰壽山堂易説。壽山堂之名，許承宣序即言之，而
未詳其故。抑壽山爲呂子所居之處歟？至其易説，已詳呂
子易説提要中。

易説評議卷三

童子問三卷歐陽文忠全集本

宋歐陽修著,修事蹟具宋史本傳。其第一卷、第二卷,說六十四卦卦辭及象象傳大義。其說用九用六云:明不用七八也。乾爻七,九則變;坤爻八,六則變。物極則反,數窮則變,天道之常。按用九用六,乃文王以筮例示人,此其義先儒無知者。獨歐公以用爲變,發前人所未發,有功於易道甚大。惟歐於易象,既一概不知,於易理所入尤淺,故其說多空泛不切,且於易辭妄生疑惑。如天行健君子以自強不息,而疑其有闕文。屯卦辭曰勿用有攸往,而象曰動乎險中、象曰君子以經綸,謂二者皆往之事,與卦義相反。斯皆觀象太疏,不知辭由象繫之過。至謂文言、繫辭出於諸家,昔之人雜取以釋經,非一人之言,更非聖人之作,故文言以元亨利貞爲四德,後又曰乾元者始而亨者也,利貞者性情也,則又非四德;繫辭前後,文重義複者尤多,繁衍叢脞,非孔子之文章,孔子之文章,其言愈簡,其義愈深,不如是繁也，亦發前人所未發。惟其詳説，則每多不協。如云初九潛龍勿用，聖人於其象曰陽在下也，豈不曰其文已顯，其義已足乎？而爲文言者，則曰龍德而隱者也，又曰陽氣潛藏，與象辭相反。夫小象曰陽在下，文言曰隱、曰潛藏，惟陽在下，故隱藏，並未相反。乃歐謂陽在下，爲其文已顯，於易理殊背。又謂以元亨利貞爲四德，乃穆姜之言，爲左氏所記，以是證文言非孔子作。按穆姜述四德既已曰然故不可誣也，謂此古易説可信也，然則此爲古易説，穆姜述之，文言覆述之，有何可疑？必謂此八語見於左氏，文言再見，即爲抄襲左氏，有是理乎？又云河出圖，洛出書，聖人則之，是謂八卦爲天所授也，乃何以下文言仰觀俯察，近取身，遠取物，以作八卦，反捨天所授者而不言乎？按河圖洛書，究爲何物，無能知者。既不知其形狀，烏從知其怪妄？況所謂則之者，乃則其義，非圖書即八卦也。則其義以畫卦，與仰觀俯察同耳。今於圖書形狀尚不能知，而謂則之者爲怪妄，亦太疏矣。末又謂説卦、雜卦，爲筮人之書。夫説卦言象，象者易之本，故韓宣子至魯，不曰見周易，而曰見易象也。象學至宋，久已失傳，故見説卦言象，專爲筮人設也，此直不知易爲何物。若雜卦與筮人，更何與哉？況筮人律以周公多材多藝、夫子多能之旨，未爲下也。乃程子鄙視管輅、郭璞，歐陽賤視筮人，虛憍之氣，中於社會。故自宋以後，學術日低落，職是之由。

蘇氏易解八卷明萬曆甲午刊本

宋蘇軾撰，前提要已著録。惟前提要名曰東坡易傳。宋志亦名易傳，其津逮本、學津本皆作易傳。東坡或有作毘陵者，皆不名蘇氏易解。又自宋志及各書皆作九卷，上繫爲第七卷，下繫爲第八卷，説、序、雜爲第九卷。兹本則以説、序、雜並入第八卷中，而删去説卦之名，俾與下繫連，若説卦即爲下繫文者，頗屬不合。攷刊此本者，爲潁川陳所蘊。所蘊字子有，進士，爲南京吏部文選清吏司郎中。兹書之刊，正官南京時，故書首署南京吏部刊，書末校刊姓氏皆吏部中員司。又書首有陳所蘊序，於易傳、易解異名之故，及他本作九卷兹作八卷、以説卦與下繫連文之故，序内皆未之言。陳所據之本，原即名易解而八卷歟？抑所蘊等刊時，故削去説卦之名，以與下繫合，將九卷並入八卷歟？則不得而知也。至蘇傳前提要已詳，兹不復贅。

易學一卷通志堂本康熙刊

宋王湜著。湜同州人。納蘭成德云文獻通攷載其名，又述晁氏之論，稱湜爲同州人，而不言生於何世。然攷書中語曰：予生平喜易，晚得邵康節易學，喜不自禁，晝夜覃思，未嘗暫舍。約略在南渡前。今按其自序曰：康節先生遺書，或得於家之草藁，或得於外之傳聞。是其時康節書尚未刊行。又曰：自希夷先生陳公而下，如穆伯長李挺之，以至劉長民鉤隱圖之類，兼而思之，罔或遺佚。夫劉牧在仁宗時，傳其學者有范諤昌、黃黎獻、徐康，皆祖述其説，而湜所稱至劉牧而止，則湜爲北宋人無疑。湜蓋專門發明邵學者，首論太極兩儀四象八卦，而皆以先天爲主。次論邵子六十四卦方圓圖，而謂西北陰多，東南陽多。次論八卦數，謂一二三四以在陽位故左旋而東，五六七八以在陰位故右轉而西，各起於南而終於北，此則是取八卦以制數，故起於一而極於八。按邵子一二三四、五六七八之先天卦數[一]，後儒不知其故，以爲邵子所自造，而疑之者多矣。豈知干支尚有數，如乙二、庚七、兑十，爲漢人注易所常用，況八卦有天然之次序，即有天然之數。觀焦氏易林，遇兑即言二，遇震即言四，凡此八數，無不用之。可見此數，傳之自古，非邵子所創作，與其日月星辰、水火土石之八象同也。茲劉氏獨揭之曰此八卦數，豈惟有功於邵學，並有功於後學實大。乃清儒議之不已者，徒以其書傳流甚少，不知其爲八卦數也。次論揲蓍之法，陰陽進退之故，大衍數與曆數之關係無絲毫差別，非深明數理者，不能道也。至篇末所録皇極經世節要法，似太簡略，於後學殊無裨益。又謂伏羲易無語言文字，亦無卦名，則攷古太疏，爲宋人之通病也。

〔一〕"五六七八"原作"六七八九"，據上下文意改。

周易傳義音訓八卷 光緒刊本

篇首題曰光緒己丑十月户部公刊於江南書局；末有浦城祝鳳喈咸豐六年跋，謂欲觀宋儒易學之大全，莫如將程傳、本義合刻，而附以吕祖謙之音訓及啟蒙而刊行之。是此書在咸豐時曾經刊刻，必太平亂後，其板不存，至光緒己丑户部復刊之。然至今此本亦不多見也。其程傳本義，前書已著録。自明清以來，國家功令，尊尚程朱，故前提要絶不議其是非。兹略爲平議，以補前書之不足。毛大可極力攻本義，謂其解説籠統，失詁經體。豈知朱子常自謂本義簡略，以義理程傳既備故也。蓋宋時程傳家讀户誦，故本義中往往言程傳備矣，而不再詳。及其後以本義爲宗，程傳少讀者，於是本義遂有渾括不明之病。至程子不言象，本義亦不言；程子誤解，本義往往從之，少正者，此則本義之病。然朱子晚年，云易出門便是象；又云程子謂明辭則象數在其中，吾以爲先見象數，方説得理，不然事無實證，虛理易差；又云易別是一箇道理，某枉費多年功夫。是朱子晚年，深知程子之説本末顛倒，而自悔其盲從。後世不察，反以本人極不滿意之書爲宗主，是定此功令者之失致，於朱子何尤？至程傳之誤解甚多，略舉數則，以概其餘。如黄裳元吉云：黄裳既元吉，則居尊爲天下大凶；五尊位也，在他卦六居五，或爲柔順，或爲文明，在坤則居尊位，臣居尊則爲羿、莽，婦居尊則爲女媧氏、武氏，故有黄裳之戒。按三代以前，並無以黄色

爲君服之規定。經明曰元吉,而曰大凶;且坤六五爲女主,
則凡六居五者,皆女主也,然他卦胡以不大凶?古姓女者多
矣,又何以知女媧氏爲女主?是直不知爻詞之義,故敢反經
若是。又以見金夫爲多金之夫。按蒙三應上,上艮爲金爲
夫,言三急於應上也,金夫之象全在應。不知其象,焉能明
其辭?又需雖不當位,未大失也。言三往上,上降居三,雖
不當位,未爲大失,荀注甚明。乃以陰不宜居上爲不當位,
是於易之常例有違。又益象木道乃行,木謂舟,舟震象。渙
曰乘木有功,中孚曰乘木舟虛,皆有震,皆以木爲舟。木道
乃行,謂舟楫之利大行也。乃改爲益道乃行,是於常詁尚不
悉,而敢於自是。又喪羊於易,謂和易以待之。解而拇,謂
初爲拇。按震爲足爲趾,九四震,故曰拇;解而拇,謂四遇陰
通行無阻也。豈解散初陰之應予乎?蓋程子於象絕不知,
而自謂余所明者辭。豈知辭由象繫,不知象,焉能明辭?徒
以抱尊君抑臣之大旨,扶陽滅陰之正誼,即自是如此,似屬
不宜。宋馮時行謂伊川舍畫求易,故其誤十猶六五,仍遜言
耳。豈祇六五哉?呂氏音訓,一本釋文,無他援引,然能使
鄉曲之儒,知易文異同若是之多,甚有益也。

同患淺言不分卷無夢園全集本

明陳仁錫著。仁錫字明卿,長洲人。天啓進士,官編
修,掌誥勅。後以不肯撰魏璫鐵券文落職。崇禎初復官,遷
南京國子監祭酒。卒謚文莊。書名同患者,據其自序:病中

枕上,漫著此書,洗心之至,而同憂患。憂患至而神武,利用
出入,民咸用之。一日不易,方寸皆死心也;一念能易,宙宇
皆活人也。故曰同患。書内祇就乾六爻及彖傳、大小象、乾
文言,敷陳其義,他卦皆不及。其論之精當者,如曰乾元亨
利貞,有全指爲天道者非也,有全指爲人道者亦非也,易固
合天地人而統言之也。大人與天地合德,元亨利貞,無一息
之停,猶春夏秋冬,無一刻之間斷,故天行健,人則自强不
息。又説乾九二云:不居君位而有君德,乾在此君在此,豈
有在天在田之分? 故二五皆曰大人。又説乾道乃革云:天
地革而四時成,乾道變化,不革不能變,即不能化。説頗善
於舊解。其説之謬誤者,如説不易乎世云:變易身子,便是
變易宙宇;躬自厚而薄責於人,這世是易不得的。要知聖人
在洗心退藏處易,不向世途易,一易而乾體亡矣。又説潛龍
勿用下也云:人謂龍性難馴,祇是不肯下。豈知既謂之龍,
未有不下者,不下而何以在淵? 又説見龍在田時舍也云:時
舍我,我不舍時,大做功夫方得。則詁皆錯誤。又通篇皆語
録體,凡所演義理,皆與經無涉,而强附以經義。末又謂後
儒解易,往往以時位對言,不知繫辭云卑高以陳,貴賤位矣,
又曰列貴賤者存乎位,不言時也。按變通者趨時者也,君子
藏器於身,待時而動,皆繫辭語,胡不言時? 又彖象傳言時
尤多。舉此以例其餘,便知其易學之疏矣。

券易苞十二卷豫章叢書本

　　明章世純撰。世純臨川人,字大力。天啓舉人,崇禎中官柳州知府,甲申鼎革,憂憤死。春秋緯云:河以通乾出天苞,洛以流坤吐地符。天苞謂河圖,地符謂洛書。兹曰易苞,蓋仍春秋緯之義。券者,蓋謂易義盡在河圖之中,而不誣也。故卷一、卷二、卷三皆演說河圖之理,卷四則演說洛書,卷五則演揲蓍,命爲上集;卷六、七謂易卦本於河圖,卷八謂蓍法本於河圖,卷九謂天文本於河圖,卷十、卷十一更謂金丹本於河圖,卷十二更謂律呂本於河圖,命爲下集。其說之精當者,謂易卦本於河圖,而尤合於泰否二卦之理。河圖一三,陽道長也,君子爲君,小人爲民;二四,陰道長也,小人爲君,君子爲民。内陽外柔,君子道也;内陰外陽,小人道也。君子泰之人,小人否之人。天主地,陽賓陰,故曰泰。泰則生,反之則否而死。按河圖一三陽居内,六八陰居外,陽息而萬物生,正泰卦也;二四陰居内,七九陽居外,陰息而萬物死,正否卦也。説頗精實。他若揲蓍篇,説大衍之數五十云:河圖之數,五居其中,一二三四六七八九,四面環向,皆有宗五之象。一五爲五,二五爲十,三五一十五,四五二十,五五二十五,六五三十,七五三十五,八五四十,九五四十五,十五五十,而蓍數立。説尤新穎。至於以天文本於河圖,謂五十爲中宫,三八爲東方木星,二七爲南方火星,四九爲西方金星,一六爲北方水星。夫河圖之一二三四五,即東西南北中,即金木水火土。以此敷衍,無乎不合。故夫謂天文、金丹、律吕,皆原於河圖,雖可强説,義實浮泛,似皆無足取,且非易理。又卷五與卷八,皆演揲蓍與河圖之關係,命名雖不同,義理則複。總觀全書,詞重義贅及不純之語甚多,當分别觀之。

王育易説一卷 婁東叢書本

　　易説一卷,明王育著,載婁東叢書中。王育字莊溪,太倉人。精小學,有説文引詩辨證等書。其易説,祇解釋六十四卦卦義字義,而不及於經文及象象傳。大抵説卦義皆就舊説敷衍,故空泛者多,精實者少。説字義則頗有可取者。如説乾云:乾從乙,倝聲,乙屈也;天不滿西北,故從乙。按易无妄无字,爲各書所无。説文:无,奇字,王育説天屈西北爲无。誠以无天字末筆屈也。乾亦天也,説頗與漢王育相合。而育不引,殆以同名乎? 乙曲之訓,出京房易傳。又説需:本古文濡字;雨能潤物,故序傳物稺不可不養也,故受之以需,需者飲食之道。故需當以濡養爲義,不當以待爲義。又説夬云:夬古玦字;玦體中斷,卦五奇在下,一耦在上,象玦之形,故曰夬。又説中孚云:孚卵也,卦體中四畫有卵形。以上諸説,皆新穎可喜。惜其不諳易象,不能完成其説。夫夬下乾爲圜爲玉,上兑爲缺;玉圜而上缺,正玦形也。乃以五奇一耦當之,疏已。然能獨立爲説,不爲故訓所拘,不爲義理所縛,在明代象學大亡,野文極盛之時,能刊落浮辭若此者，亦少也。

萬遠堂易蔡無卷數明崇禎刊本

　　明諸生蔡鼎著。無卷數。以上經爲上篇，下經爲下篇；又以上繫爲上篇下繫爲下篇；次則説卦，序、雜二篇，皆無注釋。鼎字無能，福建泉州府人〔一〕。倜儻奇俠，曾佐孫高陽軍幕，著績榆關。崇禎末，國愈亂，屢上書政府，訖不能用。晚遂注易，名曰易蔡，猶詩之有毛、韓，書之有歐陽、夏侯也。其於易卦上必顔曰羲，卦辭上曰文，爻辭上曰周，象象傳上曰孔，意謂易乃羲文周孔，四聖所作。夫周公作爻辭，古傳記曾無一言，乃自漢王充、馬融以來，即有此惧説，原不足怪。獨其説易，以程朱爲宗，末附以己意，錯惧甚多。如説玄黄天地之雜云：處陰陽兩争之時，尊卑未分，貴賤未定，是天地之雜也；然君子小人，名不可淆，故結之曰天玄而地黄。以八比扣題之伎倆，用以解經，則直不知經義爲何物。又以知進退存亡而不失其正，即六爻旁通情之旨；以龍戰爲戰争，戰而傷，傷而血。全書謬妄如此者，十蓋六七也。蓋明代學者，皆以程傳、本義爲正宗，敷衍義理；及其末流，浮僞虛妄，直於易無涉，而自謂於世道人心有裨也，可不哀哉！

〔一〕"泉州府"原作"閩"，據尚驤校改。

清風易注四卷光緒十八年刊本

　　清風易注四卷,明諸生魏閥撰。閥字明閥,漢陽人。崇
禎甲申後,棄諸生服,隱於湖濱,足不入城市。康熙初,巡撫
張朝珍卑禮聘之,不赴。後許以黃冠相見,爲築大易閣於清
風橋。學者稱清風先生。所著有元代鑑統、焦氏易林解、清
風易注及詩文。都散佚,惟清風易注尚存。至光緒十八年,
邑人劉崇彬等,始集資刊之。今觀其注,不惟置象數不言,
並普通易例,亦皆不詳,似皆高頭講章,八比制藝之語。如
說天德不可爲首云:其受病全在爲字,人爲資才所使,是爲
九所用,不能用九。則皆八比咬文嚼字之陋習。說亢龍有
悔云:悔當作災悔,作悔悟者非,觀文言可見。夫悔作悔悟,
除高頭講章或有此解說,餘無有也,何須深辨? 說純粹精旁
通情云:微言之曰精,顯言之曰情;情是精之理,不可直指,
故曰旁通。是於易之普通名詞,尚不能解;而情是精之理,
語尤陋俗。說乾道乃革云:乾道指曆數言,曆數至此,乃可
革而不疑耳。於傳旨全非。又說蒙四獨遠實云:實謂九二
陽,人皆近之,四獨遠而不親,故謂曰獨。非鄙之,乃振之。
實字不兼上九亦可。按獨遠實,謂三得陽爲應,五亦得陽爲
應,獨四無應,故曰獨遠實。今謂實指二不指上,則獨字何
來? 是於應予常例,尚不嫺熟。書內如此者,十而八九,盡
鄉里冬烘習制義者之常談,於漢魏古注,概未之覩。不知後
人之重之者,以其人清高可敬,遂並重其書,不忍湮没歟?

抑明易者鮮，竟不知歟？甚矣易學之晦也。

元圖大衍一卷續説郛本

明馬一龍撰。一龍事具明史李標傳下附傳。史雖不言其著是書，意即其人也。其書首言太極者，元氣未破之象，有名而無狀，惟元氣之胞，可以象之；而元氣之胞，若氣球然。剖混淪之象，陽動而伸爲奇；斷所伸之奇，陰靜而虛爲耦。夫兩象天地也，天者乾父，地者坤母，父母交而萬物生。乾初交坤生震，震爲長子；乾二交坤生坎，坎爲中子；乾三交坤生艮，艮爲季子。坤初和乾生巽，巽爲長女；坤二和乾生離，離爲中女；坤三和乾生兑，兑爲少女。於是雷風山澤水火之質成，而震巽坎離艮兑之象備。按其所言，仍太極生兩儀之理。惟所謂斷所伸之奇而爲耦，則太執於卦畫之形。夫奇耦者陰陽之代名，混沌既分，陰陽自判，輕清者天，重濁者地，豈有物將奇形抉斷，使爲耦乎？則太求深奧，而不足於理也。至乾坤生六子，仍説卦一索再索三索之義，亦無新義之闡發。末又謂圖書未出，數在奇耦；奇耦既具，數在圖書。夫大傳云：河出圖，洛出書，聖人則之。是謂伏羲則圖書以畫卦也，可見圖書在畫卦之先。今卦尚未畫，何有奇耦之形，而曰數在奇耦乎？是皆外鶩奧眇之辭，内無湛實之理以爲之主，故詞雖美而義則不足也。

易説評議卷四

孔易七卷_{康熙刊本}

清孫承澤著。承澤字耳北，號退谷，北平人。明崇禎進士，官給事中，入清仕至吏部左侍郎。著有庚子銷夏記、尚書集解、孔易等書。孔易者，言學易者求解於三聖，不如求解於孔子。孔子於易，固無一字不解也。十翼中以大象解羲之畫，以象傳解文之象，以小象解周之爻，孔子之易與三聖靡一不合也。於是專注孔易，不注經文。今觀其書，首列大象於卦畫之下，次卦辭及象傳，次爻辭及小象。而大小象皆刪去象曰，象傳亦刪去象曰各標記，誰復知其何名？尤異者乾坤二卦，於文言之釋卦辭者，則列於象傳之次，而刪去文言曰三字，致象傳與文言混同無別。其文言之解爻辭者，則列於小象之次，致文言與小象無別。不惟割裂文言使不成文，並十翼篇名皆茫然莫辨。又以大象列卦首，謂大象專釋卦畫，尤不合。是其體例之謬也。至於訓詁，蓋以義理爲宗，而疏於易理，故每多歧誤。如文言見龍在田，時舍也，以舍爲居,時舍者非常居。泰九三小象無往不復,天地際也,際者末,言乾卦坤卦至上而窮,窮則必復;乃孫謂際爲陰陽之界限。泰初言志在外,否初言志在君,在外在君皆謂四,初四相應予也;乃空泛釋之,謂聖人於君臣之辨甚嚴。頤六二行失類也,陰陽遇方爲類,失類謂陰遇陰;乃謂二與上非其類。蹇六四來連,連亦難也,謂上下皆坎也;乃謂連三以期共濟。書内若此者,不可勝數。否則以義理爲敷衍,雖極要之字亦不明釋,蹈宋儒空滑之病,不足貴也。

周易本義引蒙十二卷_{康熙刊本}

周易本義引蒙十二卷,清貢生姚章撰。章字青崖,山東濰縣人。據劉演序及自序,書梓於康熙乙亥。自序云:自幼學易,以朱子本義爲正宗,然本義之妙,未能盡悉。後得蔡虛齋蒙引讀之,始悉本義象占之説,無不自卦畫中來。乃以蒙引爲主,並採輯衆家,爲書十二卷。今觀其注,如解品物流行云:品物得雲雨,形形色色如水之流而不息。以流形爲形容辭。説先迷後得主利云:務本以濬利之源,節流以宏利之流,則財可致而用不窮。以主利連文,且以利爲財貨。説武人爲于大君志剛云:志剛則好自用。以志剛爲剛暴,不知其爲承陽。他若説訟六三或從王事无成云:陰柔質弱,苟或出而從王事,亦無有成功。則襲朱子之悮解,以成爲成敗。若是者尤多,皆無覺察。蓋自明初學者,以胡廣之周易大全爲正宗,而大全以程朱爲主體,不知象數爲何物。而鄉曲之士，見聞孤陋，幾不知程傳本義大全以外，尚有其他易解。虛僞支離，無足怪也。

易註十二卷_{乾隆刊本}

　　易註十二卷，清崔致遠著〔一〕。致遠字靜君，山西曲沃人。康熙丙戌進士，吏科掌印給事中。平生好易學。據其自序，此易注爲之凡二十年，中間七易稿乃成。爲之不可謂不久。又云：從來不知易者，皆坐於不知象。朱子謂象失傳，夫説卦傳即八卦之象。全易之中，何辭非象？何象失傳？觀其言，似於易象有深切之研求者。乃觀其全書，於易象疏闊已極。凡利涉大川，皆以爲涉險；頤損益之龜象，皆不能知。不惟不能求失傳之象，並漢儒已言之象，皆不能致。至其詮疏之謬誤者，如説復之反復其道云：陽消忽反，反其常理，而復其道。以反常詁反字。説鼎九二之我仇有疾云：初之否疾，能汙其實，我之仇也。以初爲二仇。説震上六之婚媾有言云：鄰爲同類姻黨，必有戒言，可守不去也。以婚媾爲姻黨，以有言爲戒言。説剥卦云：雜卦傳剥爛也，爛乃欄字之訛，欄者一陽横於上，故六五取象於宫。尤穿鑿無理。説乾四或躍在淵云：九四在上體之下，如龍躍起，或將進而上於天乎？抑仍退而歸於淵乎？以躍淵爲退歸於淵，於經義全背。説中孚六三得敵云：六三不正有應，得其

〔一〕“清”原作“曲沃”。據尚骥校改。

匹敵。以得敵爲得匹耦，尤背經義。蓋觀其弁言，及其條例，崔氏於易不惟不見漢注，並孔穎達之正義亦未及讀，似專以朱子本義啓蒙，及胡廣之周易大全爲宗者。如云卦變之説，始於朱子，則不知虞翻之早用卦變。又云連山歸藏，相傳爲夏商之易，則不知孔正義之論列已詳。又云是編序次，悉依漢本。夫象象連經，據魏志高貴鄉公傳，實始於康成。以前費直，祇以十翼解易耳，仍經自經傳自傳，費直外他更無有也。而概言漢本，則失攷也。然則其易註之無足觀，蓋有由矣。

周易圖説述四卷康熙刊本

清王弘撰著。弘撰字無畏，一號山史，華陰人。監生，康熙中舉博學鴻辭，以病辭不赴。工書能文，精金石之學，居華山下。著有華山志、砥齋集、周易圖説述。汪琬稱其文馳騁今古，悉有依據，非苟作者。其易説凡四卷。其第一卷首言易之本義，云乾鑿度所謂簡易、不易、變易三説，其簡易、不易，皆於易無當。祕書云日月爲易，日月變易者也，故易特取變易之義。若有取於不易，豈尚以易爲名乎？今按史記大宛傳：天子發書易。謂發書筮也。又武帝輪臺詔：易之，卦得大過。易之，筮之也。然則易字本詁爲卜筮；簡易、不易、變易，皆易後來之用，非易之本詁。王氏必以變易爲是，簡易、不易爲非，似仍未得。次論河圖，伏羲既則以畫卦，而未必即今所傳之河圖。今之河圖，疑爲後人所作，特其數有妙理,故以當之。按今所傳之河圖數,見於墨子,見於月令及大戴禮,而太玄與鄭注生數成數,言之尤詳,但皆未舉其名。然墨子在春秋時已言之,王氏疑爲後人所作,亦不然也。又謂聖人既明言則河圖洛書以畫卦,畫卦者伏羲,則洛書不得爲大禹時物。洪範言天乃錫禹洪範九疇,不言洛之龜,與大傳言聖人仰觀俯察、近取遠取以畫卦,不言河之馬同。按王氏此言,可謂善疑。特又謂天一地二節文,即河圖;参伍以變,即言洛書。不能畫一其説。又所繪河圖,必使象馬旋文,洛書必使象龜坼文,尤迂拘可笑。其第二卷則爲邵子所傳伏羲先天八卦圖,及六十四卦方圓各圖,而加以説明。又將六十四卦大圓圖,自初爻至上爻析爲六圖。其初爻西方全陰,東方全陽,則子午以西爲陰儀,以東爲陽儀。其第二爻自卯酉線以南爲陽,以北爲陰。合初爻而四象成。由是而八而六十四,其神妙皆顯。而先天一二三四、五六七八之數,絲毫不紊。然則是圖是否爲伏羲不敢言,然非聖於易者不能爲也,則斯圖以顯之也。雖來矣鮮圖之於先,然來氏所圖頗破碎,不若斯圖之明白顯著,真邵氏之功臣也〔一〕。其第三卷則太極圖、卦氣圖,及邵子元會運世之圖,純述舊説。第四卷純論卦變及卦變圖,皆宗述舊説,無甚闡發。

〔一〕“雖來矣鮮圖之於先”至“真邵氏之功臣也”,印稿無。據尚校補。

大易象數鈎深圖三卷康熙刊本

　　清納蘭成德原著,張文炳重訂。文炳字明德,山西絳縣人。康熙進士,官安徽泗州知州。據其自序:是書得諸成大人五經講義中,檢出付梓,以廣其傳。末更付以來氏易説。其上卷共四十圖,中卷五十圖,下卷約四十餘圖,共一百三十餘圖。有有説者,有無説者。文炳或加按語,以申其義。其河洛等圖,蓋雜取宋劉牧者居多,於數之原理,頗能鈎深闡幽。然有不當者。如天地數圖,其天數一三五七九,七爲五圈外加二圈,合爲七;九爲五圈外加四圈,合爲九。明數至五而窮,五加二爲七,加四爲九。六七八九,仍一二三四,特以五爲樞紐耳,甚當也。乃於地數二四六八十,皆平列黑點;於五加一爲六,加三爲八,加五爲十之意不顯,則前後不一律也。至其詁經之圖,有不必圖者,如乾坤策數圖,於乾卦每爻下注三十六,坤卦每爻下注二十四,以見乾策二百一十六,坤策一百四十四之數。此童穉皆可算。又如八卦取象圖,以乾首、坤腹、乾馬、坤牛等象,分列八卦之下,以見近取諸身,遠取諸物之義。則皆不必圖也。有非圖可見者,如觀國之光圖、震動心迹圖、遯象圖、歸妹君娣之袂圖,此焉能以圖顯?强爲造作,後學益惑。有圖而誤者,如无妄中孚圖,以无妄爲信。夫兩漢之人,皆以无妄爲无望,以爲凶卦。至三國虞翻,始以爲信。然象曰不利有攸往,象傳明曰天命不祐,世豈有忠信之人不利有攸往,而天不右者?是誤解也。至卷末所附來知德易説,按來氏易在明代已風行,並非罕見,殊無重輕。總之此書,除於易數有取外,於象皆不切無關,且有誤者。名曰象數鈎深,不副其實。

碩松堂讀易記十六卷 乾隆刊本

清邱仰文撰。仰文字襄周,號省齋。雍正進士,山東滋陽人,官四川定遠縣知縣。有省齋自存草,及讀易記。其説易以宋人義理爲主,故極力推崇程傳。謂自漢費直,獨以名理傳易,爲馬、鄭之粉本。又曰王弼主持名理,不知前有馬、鄭,而擴清之。按費直無章句,以十翼解易,十翼不祇説理也,安見其獨以名理傳易? 馬、鄭皆言象,而鄭主爻辰,以星宿解易,又安見其本於費直? 直既爲馬、鄭粉本,是馬、鄭亦説理也;而又爲王弼所擴清,似馬、鄭又不治費易。其議論莫能折中如是。又云王弼去互,朱子發用互。夫互卦之見於漢注者甚多,豈至朱子發而始用? 似於漢注,未嘗寓目。又云孟喜別得易家陰陽災變書,詐稱田王孫死時,枕喜膝獨傳喜。按司馬談親受易於田何,曰易以道陰陽。陰陽災變,原孔門正傳。故丁寬復從周王孫受古義,古義非十翼,即説陰陽。後高相言陰陽災變,云受之丁將軍,是其證。丁將軍從田何受易,未及於是,因事歸,故復從其同學補之。丁傳田王孫,孟喜從田生受之,有何可疑? 徒以梁邱賀不能,而喜又好自譽,故賀嫉之,謂喜言詐。豈知賀言尤詐乎? 至焦延壽問易孟喜,自是實情。喜家傳齊詩,今觀其易林,盡齊詩説。是不惟從孟喜傳易，且傳齊詩。兹云託之孟喜，以白生、翟牧，不肯京氏爲證，豈知白、翟之所以不肯者，皆當時利祿嫉妬之私，故班氏窮形盡象以譏之。今認爲實事，得毋讀史稍疏？至其説經之誤者，如臨九二象，未順命也，云本爻並無此義。按九二曰咸臨吉，无不利，謂陽遇陰，通行無阻也。左傳云不行之謂臨，兹云行無不利，故曰未順命。胡言無此義乎？又云三上之應多不吉，三應上爲貳於君，上應三爲失節。按需上六云三人來敬之終吉，睽上九云遇雨則吉，此皆三上應，經明言吉，胡云不吉？又云天玄而地黄，與春秋天王狩於河陽，同一書法；否則尊卑不分，天與地雜矣。此皆中末流義理之毒，而違經旨。又下繫上古穴居而野處，取諸火壯一節，云卦無此象，直取卦名。豈知棟宇風雨諸象，皆取之旁通觀，胡云無此象乎？蓋邱氏於易理甚疏淺，而自信頗堅，故其論説多浮泛不切也。

易經揆一十四卷_{乾隆刊本}

易經揆一十四卷，清梁錫璵撰。錫璵字確軒，山西介休人。雍正舉人，乾隆十四年與金匱吳鼎同以經學薦，授國子監司業，歷官祭酒少詹事。所著有易經揆一、易學啓蒙補各書。其易經揆一，當時曾命翰林二十人、中書二十人寫以晉呈。以此書故，以舉人遽授以翰林清職。當時榮遇，可謂無比。乃觀其易説，全以河圖洛書爲本，而所用之數，於古法常違。元亨利貞，爲乾之四德，亦即全易之根本，往來循環，如環無端。乃梁氏纏繞邵子天根月窟之談，四正四隅之舊説，連篇累牘，約數千言，而於元亨利貞之真諦，反疏之甚略，浮泛不切。又謂用九用六，爲六爻全變，而兩爻至五爻變，皆未繫辭，蓋以六畫變發兩爻變及五爻變之例。按用九用六，謂揲蓍求爻，若遇七遇八則不變，遇九遇六則變，乃文王以筮例示人。羣龍无首吉、利永貞，則申用九、用六之故也。純就揲蓍求一爻言，與六爻無涉，宋歐陽修論之詳矣。乃復承朱子之誤解，則未詳攷也。又説用九用六云：先天陽上爲乾其數七，陽降爲坎其數九；先天陰下爲坤其數六，陰升爲離其數八。夫陽降爲坎，謂乾之中爻北交坤，成後天之坎，豈謂降爲西方之坎乎？陰升爲離，謂坤之中爻，南交乾成後天之離，豈謂升爲東方之離乎？於先後天嬗變之理全昧。又陽順陰逆，故陽由七進九，陰由八進六。乃梁氏不知，謂陰由六升八，全違漢儒古法。至其訓詁之誤者，解訟九二不克訟云：二變坤爲順，坤順故曰不克。按不克訟之故，由於入淵，不由於變坤。解訟不利涉大川云：訟必見中五之大人，然後能決所訟；若駕空求勝，如涉川然，必無利理。則俚而且誤。解需云：需在造化，爲雲上於天；在物象，母氣之上運爲乳，以養其子也。不惟語俚，且不知養義乳義，於卦象何涉？凡易言不利君子貞，貞丈人吉，皆以貞爲卜問。乃梁氏解屯五之小貞吉大貞凶云：變坤爲復，體剛用柔，是謂小貞，新王當革命之初，皆用小貞；若開闢而期文明，創業而急旌別，是謂大貞，大貞必凶。按其説，且無論九五當位之不能變，小貞大貞之解，則擬不於倫。又説小過六二云：三四居二上，皆剛，三則父四則祖也。如此取象，則何象不可得？統觀全書，立説蕪雜，雅詁甚少。於所不知，不甘缺疑；所創誤解，觸目皆是。不知當時君若臣，何以矜重若是，豈果明易者無一人乎？

易學啓蒙補二卷 嘉慶刊本

清梁錫璵著。錫璵曾著易經揆一，已著録。兹曰啓蒙補，蓋補朱子周易啓蒙之所未備。惟有與啓蒙複者，如太極圖，六十四卦大圓圖，内包方圖，啓蒙已詳，兹復圖之，名曰八卦相錯圖，不已贅乎？有圖仍舊而説誤者，如首列啓蒙之河圖洛書，謂河圖圓，洛書方，圓者天，方者地也。朱子河圖正方，兹本邵子之意，改爲圓形，而圓形内仍包方形。按河圖究爲何形，古无明徵，即使陳、邵果是，其外形亦祇一二三四、六七八九各數，列爲圓形則形圓，列爲方形則形方，方圓由人意，无所謂宜不宜。至中央之十數，上列五數，下列五數，今忽於其邊作直線下垂，俾成方形，尤屬人爲，不得以爲象地。又以天一地二，天三地四，天五地六，天七地八，天九地十節文，謂此言河圖，其數由一至十，其象外圓中方，圓者天，方者地；則之爲卦，而六十四卦圖亦外圓中方。夫聖人則之者，則其意以畫卦也，豈畫此六十四卦之方圓二圖？天一地二節文，詳言天地數耳，無形之可言，梁氏忽謂其象外圓中方，更爲謬妄。有不必圖而强作圖者，如序卦圖、雜卦圖、八卦五行圖，及時行圖、物生圖，是也。其有可取而觀覽較便者，如將邵子之六十四卦大圓圖，分爲六層，其外層皆一陰一陽。至第六層，則東半純陽，西半純陰；其第五層，則南半純陽，北半純陰。蓋乾坤即子午，子午線以東爲陽儀，以西爲陰儀，其第六層正與此相應；而離坎爲卯酉，卯酉線以南爲陽，以北爲陰，其第五層正與此相應，於是二至二分之原理，益爲明晰，便於初學。然此圖清初華陰王宏撰，實先爲之，載周易圖説述中。梁氏襲用之而不言其所自，則有掠美之嫌[一]。他若數往者順圖，以天地定位節當之，謂定位通氣相薄不相射，皆數往也；知來者逆圖，以雷動風散、雨潤日暄、艮止兑説、乾君坤藏爲知來，皆逆數，亦頗爲前人所未言。蓋梁氏熟於圖書之學，故能即舊圖而生新義。惟攷證頗疏，不攷圖書究爲何物，遽以十九兩圖當之，深信不疑，則誠宋人之易學也。

古易匯詮無卷數雍正刊本

無卷數，分四册，清劉文龍撰。文龍字體先，閩寧化人，雍正間諸生。其第一册復古易十二篇之舊，以上下經爲二篇，十翼爲十篇，而附以伏羲六十四卦之方圓圖。第二册詮上經。第三册詮下經。第四册詮象辭、大傳、説卦、文言、序卦、雜卦。其十翼謂大象乃爲象傳，至小象乃釋爻之辭，不得謂之象，直名曰釋爻；其釋爻之辭，亦加以象曰，乃後儒之誤。按象曰二字，爲經本無，故漢儒無釋者，更無所謂大小；

〔一〕“然此圖”至“則有掠美之嫌”，印稿無。據尚校補。

至唐孔穎達作正義，乃有大小象之分別，而王注亦未言。茲謂爲釋爻，不謂爲象，能發前人所未發，可謂善疑。又云：聖人觀象繫辭，辭原以明象，故朱子云不先見得象數，則事無實證，虛理易差。蓋有是象，然後有是辭。不得其象，焉能明辭？辭不明則任意牽附，豈復成理？云云。可謂中程傳之大弊及後來言義理者之浮僞無當，真知易之所以然。又云：高談性命之家，率卑訓詁章句爲不足道，予謂沿訓詁章句而不能得其大意者有之矣，未有訓詁不明而能得其大意者。訓詁章句，譬則門户也；易理，堂室也。今欲登堂而不由門户，則文理尚不通，而空演義理，烏乎其可？按不訓詁章句而衍空理，自王弼開其端，然尚及易理；至程傳則專以演其聖功王道之學，不惟舍象數不談，並易理不顧。此風一開，宋人除朱震等數人外，無不以義理言易。至明清八比盛興，又雜以高頭講章之濫語，凡事宋易者，皆不識易爲何物矣。劉氏僻處山邑，獨能靜悟其非，則卓識獨優也。又易之異同文，皆羅列眉上，無或遺漏，尤徵賅洽。惜其詮解經文及傳語，太爲簡略，未足以副其所主張耳。

周易攷文補遺十卷 七經孟子攷文補遺本

日本東都講官物觀纂修。先是，西條掌書記山井鼎，撰周易攷文。鼎字君彝，紀人，有好古癖，聞邪下毛之野，有野參議遺址，爲數百年絃誦之地，乃偕州人根遜志往探之，獲足利學宋板正義，古寫本周易三通，及足利本周易。以與明

正德、嘉靖、萬曆、汲古各本，校其經文注疏，文字異同。留
足利三年，成七經孟子攷文。西條侯聞之，俾錄上其所校，
共三十有二卷。享保十三年，政府復命東都講官物觀平直
清及諸生校其書。以前書頗有遺漏，又掇拾補綴，以補其
闕，題曰補遺。阮元十三經注疏校勘記，皆採入記中。惟阮
祗校其異同，未論其是非。今觀其本，宋本固可貴，古本尤
可貴，凡其所異之字，常優於各本。略舉數則，以例其餘。
正義序云：業資凡聖，時歷三古。古寫本凡作九，並有旁注
云：伏羲、神農、黃帝、堯、舜、禹、湯、文王、孔子。按九聖與
三古對文，必歷九聖，方足三古。凡爲九之形訛字無疑。再
證以北宋端拱本正義，正與之同。又，欲取改新之義，新寫
本作辛；攷察其事，寫本察作案。今證以端拱本，悉與之同。
又第一論易之三名：崔覲劉貞簡等，並用此義。古寫本簡上
有周字。今證以端拱本，簡上雖無周字，然空一格，貞簡不
連文。可見簡上實有字，端拱本雖佚其字，然尚不作劉貞簡
也。況下文有周簡子云云，則此爲周簡，似無疑義。以此例
之，其古本尤可珍貴，足廣異文。雖或躍在淵，或作惑；草木
蕃下多茂字，不盡可從，要其善者亦多。山井書記之功，爲
不可没也。

義里睡餘編十卷 乾隆刊本

義里睡餘編十卷，河南信陽張綏佩撰。綏佩字宴亭。
乾隆辛巳進士，以即用知縣，分發雲南，所至有能名。平生

嗜易學,以十數年之力,成此易編。今觀其書,以圖書爲主,以宋人爲宗,雖疏解甚略,然不鈔襲舊説,亦不依傍程朱,凡有所解,不論是非,皆出自己意,似能自立者。惟識太淺陋,謂莊氏不知何人,注疏引用甚多,朱子以爲〔莊〕周〔一〕,竊擬周祖述老氏,必不爲聖人傳經。按莊氏之説,孔穎達正義常引之,王注從無引舊説者,不獨莊氏。又正義常以褚氏、莊氏並引,褚氏名仲都,梁人,莊氏蓋亦梁陳間人,而後於褚。隋唐志皆失載,因並其名亦佚,此有何疑者? 張氏謂朱子擬爲莊周,朱子何至陋如是乎? 又云京房十二辟卦。夫十二辟卦,左氏即言復在北,故云南國蹙,射其元,王中厥目。又干寶周禮注引歸藏易云,復子,臨丑,以至亥坤,皆同。又坤上六曰龍戰于野,是亦以上六居亥,故與伏乾相遇。乃張氏皆不能玟,以消息卦屬之京房。又謂左氏内外傳言易,不盡與經合。夫春秋人言易,無一字不根於象,其訓最古。今張氏因不知其象,遂謂傳不合經,則陋而且妄矣。至其注之謬者,如解終日乾乾,反復道也,謂乾五而反於三。則易無此例。解賁六四賁如皤如,白馬翰如云:皤白也,人白則馬亦白,竊意白馬當爲日影,日下則影上,故如飛翰之疾。則俚而且謬。説需上六雖不當位云:不當位,本義曰以陰居上,是謂當位,兹曰不當,其義未詳;按既變文曰上,則非陰所宜居也明矣,以爲當可乎? 夫曰上六,何卦無上? 不得於需謂爲變文,更不得言陰居上即爲不當。全書穿鑿如此者,不可勝數。蓋張氏沈淪於太極通書之説,欲特立以追性理之微,

---

〔一〕"爲"下,印稿無"莊"字。依文意補,並標括號爲記。

而識解甚陋，舉不足以達其所見。故掃象不談，自是其是，不自知其不合也。

讀易一隅二卷松厓文鈔本

陽湖管榦珍著，分上下兩卷。榦珍字陽復，號松厓，陽湖人。乾隆進士，工畫，累官至漕運總督，以清節著稱。惟按陽湖志，榦珍作榦貞，不知孰是也。其説易不按章句，汎論概要，以箴規人事。雖按六十四卦以次立説，而實不解經。每節歸宿，不爲聖王經綸天下之根本，即爲聖賢防微慮患之功用。蓋曾致力於程傳本義者，屏象數而不談。然於陳邵圖書之説，則亦不及，在談義理者，猶不失爲雅正。惟識太淺陋。篇首言秦漢間説易凡二十餘家，其書皆亡，惟京房以卜筮獨存。按西漢易説，至魏晉多亡，而孟喜、京房，至唐尚存，不獨京氏。若云近代，則京易祇存易傳三卷，專言占筮；其解易之書，無一存者。又云房以後書存者，惟太玄，説似創實亦言易也。夫法言擬論語，太玄擬易，在當時即謂之僭，比於吳楚之稱王，何來似創乎？又云：易以太極生兩儀，兩生八，以至六十四卦，參天倚數；玄以一生三，三生九，九九八十一首，知參天而不知兩地。雖以人爲八十一首之始，然天地能生人，人不能生天地。斯説也尤爲謬妄。太玄一生三，三生九，九九八十一，以斯爲知參天不知兩地；將易一生兩，兩生八，八八六十四，則知兩地不知參天矣？又太玄以中爲首始，中即所擬易之中孚也，豈以中爲天地中間之人乎？是於玄首命名，尚不能悉，而竟敢佟談若是。是皆因理學家莽大夫三字，橫亙於胸中而妄疑，其書之亦陋也。謬妄如是，不惟空疏之無足取矣。

周易義説無卷數二洪遺稿本

　　周易義説五篇，清洪榜著。榜歙人，字初堂。乾隆舉人，在天津召試第一，賜內閣中書。其兄洪朴，乾隆進士，官湖北學政，順德知府，有文采。榜幼與其兄齊名，世稱二洪。惜皆不永年。榜三十五歲而卒，故其著述皆未卒業。其所爲周易義説，分明象上、明象下二篇，又有述贊上、述贊中、述贊下三篇。其明象至損益而止，似亦未卒業者。其説之善者，如：山下出泉，何以爲蒙象？蒙者穉也，待養者也，泉始出在山下，出之則爲用矣，放之則至於海矣；當其未出未至，則象人之蒙矣。又説天與水違行，君子以作事謀始云：君子以其所訟，欲其無訟也，故曰作事謀始。何謂作事謀始？立制也。均之差之，經界正則無訟田者矣，質劑明則無訟財者矣，故曰謀始。又，澤中有雷隨，何以君子以嚮晦入宴息也？曰君子日出而視朝，退聽政於路寢，既夕則適宴寢息耳。嚮晦者，既夕之時也。君子嚮晨而動，嚮夕而息，如雷始出地而動，震乃隨澤而收其聲。以上諸説，雖無甚奇異之處，然樸實説理，皆有可取。至説大有云：火在天上大有，火何以在天上？火者宿也，心爲大火，南方朱鳥之宿，亦曰大火。以火爲星宿，則拘執而鮮通。説山下有雷頤云：象何以頤？頤者，口車輔之名。山常止者也，因雷之動以養物；口車亦止也，因輔之動以養身。按左傳云，輔車相依。注：輔，頰輔；車，牙車。疏：牙車，牙下骨之名。人欲嚼物，或言語，則牙車動而上與輔對，故曰輔車相依。是牙車司動，而輔不動，注疏甚明。又艮六五云艮其輔，亦以輔止而不動。今謂因輔之動以養身，義適相反，訓詁太疏矣。至其述贊各篇，皆空論義理，殆致力於程傳，泛言聖功天道之概要，於經義無關，故略而不論焉。

周易象義十卷乾隆刊本

　　杜文亮著，共十卷。文亮江西南豐人，字月峰。乾隆時貢生，於諸經多所論著，久困棘闈，不得售，卒以明經老。今觀此書，自序曰：聖人觀象繫辭焉以明吉凶，又曰君子觀其象而玩其辭，故名曰周易象義，俾知象之與義，離之則莫得其解，合之則悉會其微。象與義並重，深得讀易本旨。惟其所參攷之書，以周易折中、周易述義為主；又常曰錯綜，則亦以來矣鮮為宗主者。其首卷述圖書大義，及先後天卦位卦變各圖，依倣本義、啓蒙而加以說明，則又以朱子為主不待言矣。特本義所列八宮圖，乃京房舊法，為尋繹世應、遊魂、歸魂之根本。乃杜氏不知，而名曰八卦合象，似以一卦合七卦而成六十四者，則不知其義也。至其說經，如習坎云：習為練習，水性至險，習乎水則不溺。則誤而且俗。說九二見龍在田，利見大人云：龍見地上，必行雨以生五穀，占者無論君民，皆以見此大人爲利也。則陋而且誤。説用九用六云：乾變坤與本坤不同，坤變乾與本乾有異，故別立用九、用六之辭以占之。以見羣龍无首、利永貞爲占辭，則卦有七爻。説訟之利見大人，不利涉大川云：訟宜就有德位者決之，故利見大人；冒險求勝，猶涉大川而不利。則直不知爻辭本義，自造俚説以解經。至於用象，如利涉大川、不利涉大川，凡大川皆不知其象；凡漢人所用普通之象，亦不盡知。由是證其所參攷之書，甚爲孤陋，於漢魏易説，似皆未見。故言義而不免俚俗，言象亦不詳，不能副其所命之名也。

易説評議卷五

周易二閭記無卷數_{南菁書院叢書本}

茹敦和著,分閭上、閭下二篇。敦和會稽人,字遜來。乾隆十九年進士,歷官南樂大名知縣,大理寺左評事,湖北德安府同知。平生邃於經學,尤善易。所著易學凡十一種,而以二閭記爲最精。其書設爲二人問答相反覆之詞,曰茶閭,曰薑閭。後李慈銘嫌其不雅,易爲左右,故曰二閭。據其自序:茶閭居越城外二十里之紫洪山,薑閭居城外十二里之棲鳬山,嘗以易義質之,而記其語。似是寓言。而周易小義自序曰:有二老儒,爲東西閭師,敦和從之受易辭。則又似實有其人者。蓋仍爲寓言也。今觀其紀,博引故訓,貫穿經史,直抒胸臆,不蹈襲前人,而字必求其真實,詁必溯其源本。不惟可藥宋儒空虛之病,即講漢學如惠棟,如張惠言,如江藩等之宗主虞氏,申述其義不敢違者,視之亦有愧色。蓋所謂著書者,貴發抒己見,補前人所未言,方爲有益。如前人已言之,而又覆述之,陳陳相因,又何取乎?此二閭記之所以可貴也。然詳於訓詁，而不顧經義。如説撝謙云：撝、揮、麾同字，書右秉白旄以麾，淮南子瞑目而撝之，皆是。而以撝爲卻，曰撝之正所以爲謙。夫謙六四體震，震爲征爲行；今以撝爲卻，卻者退也，於易象易義，皆不協洽。全書類此者甚多。又捣鑿太甚，而不免於支離。如説比原筮元永貞云：蒙内坎，比外坎，于蒙言初筮，于坎言原筮，則筮爲坎象。夫坎爲通，故爲筮，此象除易林外，先儒無知者，兹獨與易林闇合，服其捣鑿之功。而以一爻變爲初筮，兩爻變爲原筮，原者再也；訓原爲再，先儒本有此訓，而以再筮爲兩爻變，則支離無據。末又謂左氏以一爻變爲占，其有兩爻變、三爻變者，皆謂之不占。豈知左傳之艮之八，即艮之隨，且五爻變，而穆姜述其占辭至詳且悉；國語之泰之八，貞屯悔豫皆八，亦皆有詳悉之占辭，能謂之不占乎？强詞奪理，則自是太過也。又篤信卦變，至理所不能釋，則以卦變爲解。如説剥五之貫魚曰：卦自觀來，觀巽爲魚。豈知坤亦爲魚，重坤故曰貫魚，虞氏舊詁原誤。説豐之配主夷主，謂豐四本小過之四，豐初本明夷之初。全用卦變，以濟其窮，頗與焦循相類，不可爲法。至謂解之甲坼，爲雷雨之劾，許慎曰甲爲東方之孟，陽氣萌動，從木戴孚甲之象，一言甲而坼義具；謂主鄭者作宅，訓宅爲根，與解義不類。無漢學家盲從之習。謂麗澤之麗，同於伉儷之儷；引周禮校人乘馬一師四圉，駑馬麗馬一圉，注云麗耦也。然則麗澤直兩澤爾。他若以節爲竹約，以中孚爲孚卵，與易林以震爲卵之象合，其義皆絕精。而震之爲卵，尤非他漢學家所能知其象。蓋是書之精者，直抒己見，不蹈故常，望而知爲宏博之士。而支蔓引伸，又往往有漫衍無經之病。此其大略也。

周易小義二卷 <small>周易大衍本乾隆刊</small>

周易小義上下二卷，清會稽茹敦和撰。敦和字遜來，所著周易二閒記，曾著録。小義之名，據所自序：自明以來，科場擬題，有大題有小題，科舉之例用其大者，不用其小者；今之小義，乃用其小者，不用其大者，題小故義小也。今觀其書，雖祇釋一字一物，然旁徵遠引，無不該貫。以爲言易也可，以爲不僅言易也亦可；以爲集羣書之義以釋易也可，以爲藉易以通羣書之義，亦無不可。其最精於他人者，在不拾漢人牙慧，精者取之，駁者棄之。如屯十年不字，鄭、虞皆以爲妊育，惟本義據曲禮，以字爲許嫁爲得。蓋夫婦既成，而後有妊育之事。漸曰婦三歲不孕，彼婦也，宜其孕矣；今女子也，而責其孕可乎？又云：屯三之鹿，震爲鹿也。虞訓爲山麓，豈知詩有之，瞻彼中林，牲牲其鹿；易曰入于林中，是易與詩皆以鹿爲林中之獸。今曰即山麓，胡爲乎？又，乾與震同爲龍者，以震得乾之初；乾與艮並爲虎者，以艮得乾之上。馬融以兌爲虎非也，九家以艮爲虎是也<small>茹誤以九家作虞翻決爲訛字</small>；然以艮爲虎，仍不能盡通。又云：寡髮讀宣髮，理謬義絀。又以蠱爲壞，其辨尤博。按以孕爲妊，以鹿爲山足，以寡爲宣，鄭、虞之説，清儒皆承述不敢違，茲獨辨其誤。而虞翻以坤爲虎，尤背於風從虎之義。至馬融以兌爲虎，後郭璞洞林雖用之，然用之占卜，以西方白虎取義，非解經也。而清儒盲從者稱述之，致使易之言虎者，其象愈亂，而皆不能通。茲獨以乾爲虎，於是以前之誤解皆明，且施之於易而無不當。茹雖不本之易林，能與易林闇合，發前人所未發，其有功於易道甚大。惟亦有穿鑿過甚者。如漸之言鴻，據易林巽艮皆有鴻象；茹氏不知，而以漸互未濟，有坎離，鴻者南北之鳥，卦有坎離故言鴻，則說太支離。又艮外堅亦爲龜，與離之取象同；乃茹氏不知，則以頤、損、益之互坤爲龜，則象無此義。此蓋智者千慮之一失。書雖名小義，然通貫經文，浩浩落落，其攷博，其識精，視清代諸易家隨人俯仰，且自稱家法以晦其短者，相去遠矣。

周易證籤四卷周易大衍本乾隆刊

周易證籤，上經分上下兩卷，下經分上下兩卷。會稽茹敦和撰。敦和所著周易二閭記、周易小義，皆著録。茲書以六十四卦證六十四卦，以甲證乙，以丙證丁；而曰籤者，説文籤驗也，一曰鋭也、貫也，蓋取其鋭利貫穿之義。今觀其説，雖六十四卦經文及傳文俱備，而並不章解句釋，且亦不窮究卦象，蓋以所有易象皆具於二閭記、小義及象攷諸書，故此祇言易理，以補其不足。乍視似空疏，又好用卦變，漫衍無經，爲焦循之先導；然其所闡發，多爲前人所未言。如説用九用六云：以九六變七八不變，故於乾坤二卦，特著其例。以用爲變，以用九用六爲文王特著之易例，説爲諸儒所未有。又謂坎在上爲樂，在下爲憂，以證雜卦之比樂師憂。以文言之終日乾乾，反復道也，以證復之反復其道。以艮爲光明，兌爲幽暗，以謙證履，以履證歸妹之幽人。又以蒙九二之坎爲家，以證師之開國承家，能正漢儒之誤解，補昔人所未有。又謂爻當位得中始謂曰正，然陽得二中，雖不當位，自然得正，以大畜之大正、大壯之大者正、未濟二爻象傳中以行正爲證。又謂爻往外曰往，來内曰來，然蹇九五曰朋來，實往外也而曰來，則以自五言之，當然曰來，而以需之上六三人來爲證。若此者，尤足以通舊説之窮，杜膠執者之口。其偶有誤者，如以亢龍有悔，證小過上六象傳之已亢，則不知陰無言亢之理。小過之已亢，亢與頏同，亢者下也，虞氏之解，最爲正當。又説習坎，因説文以鳥數飛爲習，便謂飛龍在天，坎有飛象，則説太勉强。若此者亦時有，分別觀之可也。

周易辭攷一卷周易大衍本

周易辭攷一卷，清茹敦和著。其周易象攷及周易證籤已著録。兹書大致與證籤同。如説夬象云：揚于王庭，揚指上六言；而大有初至五互夬，故象則曰遏惡揚善，亦謂之揚。又，文言或躍在淵自試也，无妄九五象傳則曰不可試，乾初爲試，其在无妄，五疾而四不可以爲藥，故曰不可試。又同人六二云：同人于宗，謂二五應也；睽二五亦應，攷睽六五云厥宗。專以甲卦證乙卦，後卦證前卦，皆易家所忽略，經茹氏舉出，新穎可喜。至如説泰四象傳曰中心願也,五亦曰中以行願,涣九二曰得願,中孚九二象傳亦曰中心願,謂願象皆因互震而有,純指震之陰爻。按願即孚,泰四之中心願,釋不戒以孚也;五之中以行願,謂應九二也;涣二之願,謂孚于三四也;中孚之中心願,更釋孚義也,其語雖在震,非即以震爲象也。又云隨五孚于嘉,遯五嘉遯,革二象傳行有嘉,離上有嘉折首,謂嘉有會義,故文言曰亨者嘉之會;凡二五應必曰嘉,至離上之嘉無應,則曰離坎伏卦,以坎填離,故嘉。則穿鑿無理。蓋易之言嘉、言慶、言喜、言願,皆因陰陽相遇而形容其相得,不必苦求其象,以此等字非象所屬也。求其象而不得,至以道家以坎填離之語當之,説尤駁雜。又此書祇六則,似未竣事者。又所舉各節,義意皆與會籤、證籤、象攷諸書同,又何必別立此名哉? 蓋好奇務博之過也[一]。

周易象攷一卷周易大衍本[二]

　　周易象攷一卷,會稽茹敦和著。敦和所撰周易二閭記、周易小義,皆精研象數。其中設於偏執,及支蔓過甚之處雖甚多,然皆説由己創,不俯仰隨人,宗漢學不囿於漢人,而能知其是非,最爲傑出。兹所攷易象,如以震爲車,謂國語震車也,春秋傳車從馬、侯車敗、車脱其輹之類,皆以震爲車,此真古師之傳。又曰:據左傳,震爲輹。夫易象莫古於左

[一]　"奇",印稿作"寄"。據文意改。
[二]　此篇印稿無,排印本亦未收入。兹依尚驤補鈔本校訂。

傳、國語，凡春秋人言易，無一字不由象生，其在唐宋象學中
絶之時，瞠目莫覩宜矣。至清儒攷究易象者接踵望景，乃不
知即左、國尋易象，甚至信漢儒而不信左氏。如左傳云純離
爲牛，虞翻曰離無牛象，清儒多信之。豈知虞氏未見左傳，
故以離牛象爲俗説。又虞翻解履二以坤爲輹，此亦虞未讀
左傳之證，而後儒亦從之。豈知左傳因震變離，震象毀，故
曰車脱其輹。是明明以震爲輹也。左傳有明象，而仍從虞
説者，是盲從也。獨茹氏能探本及原，本左傳以震爲車爲
輹，謂爲古師所傳，非後師可比。又如以巽爲疑，以震巽爲
疾。震則非，巽則當。凡卦無坎象者，皆以巽爲疑爲疾也。
又以巽爲立，巽爲股故爲立。以罪爲離象，謂離爲罔，罪亦
爲罔。以坎爲飲食，爲家。以震爲田，爲公，爲斗。以孤爲
坎象。以鄰爲震象。皆發前人所未發。而巽疑、巽疾、震
田、震鄰象，其用尤廣，於經之裨益甚大。又茹氏善於用覆，
謂小過下爲倒震，故曰遺音，遺音亦。則深知易經取正反象
之神妙。惜衹此一條，不能多舉耳。至謂巽爲素，履初曰素
履，以倒巽也。斯則粗迹，無足取也。又以復爲乾象、以艮
爲則象、以離爲號，則多以卦變爻變爲説。疑聖人取象，皆
就現有者而取之，萬不至取變後之象、變前之象。斯則漢人
誤解繫傳惟變所適之過也。

易講會籤一卷乾隆刊本[一]

清茹敦和著。敦如會稽人,字遜來,乾隆進士。所著周易二閭記、周易象攷等書,已著録。茲所謂會籤者,會萃羣説,互相駁詰,以明其是非。如甲籤以爲是,乙籤非之,丙籤又非乙籤,丁籤又非丙籤,故曰易講會籤。其所講皆易理,不爲義理所障蔽而爲浮泛虛僞之談。又精於象學,深識聖人觀象繫辭之義,最爲正軌。惟篤信漢人卦變之説,有時而過。如謂:革何以爲革?革卦之四也。革兑以爲坎,則成既濟。按革者改也,上水下火,言水火更代用事也[二]。凡寒暑往來,日月代明,無非水火二氣之更革。今乃謂革卦之四爻以成既濟,其義何其狹乎!如必謂革四爻以成既濟,將屯之三,明夷之五,蹇之初,需之二,家人之上,皆必革之以成既濟而後可。然何以爻辭皆未言乎?則説不協也。又謂:屯二五爲正應,而其辭曰女子貞不字,十年乃字者,以三爲之隔也。三不變則既濟不成,故十年乃字,而其卦爲屯;猶蹇初不變,不成既濟,而其卦爲蹇也。按屯二陰,三四亦陰,陰遇陰則窒,故應五難。茹氏謂二爲三所隔是也,謂三不變不成既濟非也。既濟者終止,非吉卦也。又謂:屯象傳雷雨之動滿盈,而九五乃曰屯其膏,因五雖居中得位,而互剥,實爲衰陽。按五之屯其膏,因坤民三分之二爲初所有,四亦應

〔一〕此篇印稿無,依尚驤補鈔本與排印本互校整理。
〔二〕"火",補鈔本作"大"。據排印本改。

初，五實無一民，故膏澤無所施。如以爲互剥，將何以解於此乎？且爻辭祇明爻義，不能强與象辭同。故无妄象辭曰不利有攸往，而初九則曰往吉。一爻有一爻義，胡能與全卦同？況象傳乎？此書椎鑿幽險[一]，詳人所略，期無滯義，最爲有功。然不免有罅漏，如此等是也。

兩孚益記一卷乾隆刊本[二]

清茹敦和撰。敦和字遜來，所著周易會籤已著録。此名兩孚益記者，以比初爻、益五爻，均兩言孚爲一例；又隨四孚初，家人之上孚三，陽孚陽爲一例，故曰兩孚。益者，從而廣之也。大抵貫穿各卦，使無滯義。以甲卦證乙卦，又由乙卦推丙卦、丁卦，如水銀瀉地，無孔不入。雖浪用爻變，穿鑿附會之處甚多；然能詳人所略，其説之精者，仍不可掩。如云：睽之言見者三，曰見惡人，曰見輿曳，曰見豕負塗。睽也者，兩目不相視也。上卦一離，二三四又互一離，於是此見其所見，彼亦見其所見也。按卦之得名，與卦之爻辭往往有關係。自序卦訓睽爲乖，後來易家，漸亡睽之本訓，於是二爻、三爻、上爻爻辭，皆莫詳其故。豈知睽之爲乖，必有其故。説文：睽，目不相聽也。聽者，從也。兩目不相從，則一目見如此，一目見如彼。故三上諸爻，見象各異。而其所以睽之故，仍原於卦象。卦上離爲一目，下兑爲半目；一目睛

〔一〕“椎”，補鈔本作“推”。據排印本改。
〔二〕此篇印稿無，依尚驤補鈔本與排印本互校整理。

不全，故與上目所見各殊也。宋易家多談空，不足數；清易家極力復古，亦無一人見及此者。獨茹氏以說文爲本，以卦象爲說，使三上爻義，劃然而解，足徵其象學之精。惟仍釋文之誤，改聽爲視，爲少疏耳。又說復上迷復云：坤曰先迷後得主，以終有慶也；今復之爲卦也，以一陽爲之初，則先得主而後迷矣，故於復上曰迷復也。又以坎爲泥，以大明爲日，以艮爲終爲成，以家人之上爲嚴君，說皆精當有理。至謂隨四孚初，家人上孚三，皆以陽孚陽，則大誤。隨四下乘重陰，有孚謂孚於二三，非孚初也；家人上九，居家人之上，爲全家所翊戴，有孚指下五爻，義不在應。又謂益九五有孚惠心，孚指初，尤謬。按坤爲心爲順，惠釋言云順也；有孚惠心，謂下三陰皆順五也。順五故有孚，於初陽何與哉？書內之誤，若此者亦多，分別觀之可也。

讀易日札無卷數乾隆刊本[一]

清茹敦和著。敦和所著兩孚益記等書，已著錄。茲讀易日札，約有數萬言。然無卷數，亦無次序，無先後，蓋每日讀易，隨有所得，即隨筆錄之。蓋茹氏所著說易之書，其名目雖多，其體例如一。茲書之大病，主張卦變爻變而太過。虞氏用卦變，原以卦無是象，變爲某卦以求其象。茲書則象爲本卦所有者，而亦用卦變。如云：困之致命，乾命也；卦雖互巽，而其變自咸來，咸互乾也，困乾象不成故曰致命。按

〔一〕此篇印稿無，依尚驥補鈔本與排印本互校整理。

困三至五互巽,巽爲命,乃上卦巽覆,故曰致命。非以乾象
不成爲致命。又云:旅五射雉一矢亡,何也?曰雉者離,旅
上之離本否上之乾,乾變而離,於是否五下居三,故曰一矢
亡。按離爲雉,伏坎爲矢,故曰射雉;乃坎伏不見,故一矢
亡。非以否五下居三爲矢亡。否五雖陽,安得即爲矢乎?
書内穿鑿如此者甚多。其説之得者,如云:中孚之三曰得
敵,敵者何?四也。三四二陰,其情不相能,三互震故鼓,四
互艮故罷。按荀爽注此云:三四俱陰,故稱敵也;四得位故
鼓而歌,三失位故泣而罷。誠以陰遇陰陽遇陽爲敵,艮傳所
謂敵應不相與也,荀注可謂透闢。乃王弼注似是而非,程子竟
以上爲敵。朱子舍荀注不從,竟從與易理背馳之程傳,致經義
永不能明。茹氏雖未悉俱陰稱敵之理,然曰三與四情不相能,
大旨與荀注闇合,可糾正程朱之誤。又如謂離有征伐象,明夷
之九三曰南狩得其大首,既濟九三曰伐鬼方,未濟九四亦曰伐
鬼方,皆離上也;而離上亦曰王用出征,晉上亦曰維用伐邑。
按離爲甲胄戈兵,故爲征伐,經茹氏一一證明,其義愈著。他
若謂離三互巽亦互兌,故曰不鼓缶而歌則大耋之嗟;謂瓶甕皆
象乾,乾之爲巽則瓶之羸、甕之敝漏也,皆有新義,開發象學。
書内如此者亦多,則瑕瑜不掩也[一]。

惺園易説二卷 ^{葆淳閣集本}

　惺園易説二卷,清王杰著。杰字偉人,號惺園,一號畏

〔一〕"不掩",補鈔本作"互見"。兹依排印本。

堂。乾隆間以第一人及第，授修撰，累官東閣大學士，以疾
乞休。耿直清介，持文柄十二次，不敢干以私。卒諡文端。
有葆淳閣集、惺園易説。今觀其易，卦不必全注。如乾卦祇
注初九、九四二爻，咸卦祇注九三一爻，惟睽、蹇、解三卦六
爻全注。此外皆不全注。又上經祇注十卦，下經祇二十五
卦。序卦、雜卦皆無注，繫辭、説卦雖有注而甚略。其説以
宋人爲宗，而折衷於御纂諸書，漢魏古注，無一取者。故於
易象，所取不能盡當。如説解九二得黃矢云：坎爲弓輪，其
於木也爲堅多心，故曰得黃矢。夫坎即爲矢，非取象於木之
堅多心，更非取象於弓輪。弓雖用以射，然於矢象迥不侔
矣。此取象之疏也。又説損初九之已事遄往，讀已爲紀，謂
視君事若私事，故遄往以赴之。按已即古文祀字，古人最重
祭祀，故曰遄往。本義讀已爲已事之已，謂輟所爲之事，而
速往以益之。程傳謂下之益上，當損己而不自以爲功，事既
已則速去之，不居其功，乃無咎也；若享其成功之美，非損己
益上也。是又讀已爲紀。兹讀與程子同，而義與程子異，然
愈迂曲失經旨，與程朱等。蓋王氏習於程朱義理之學，兢兢
焉不敢違，而不若宋儒之掃象不談。如睽上九，字字皆以象
求，視空虛説理者則善矣，以此爻無理可説也。又以明夷六
四之入于左腹，以九二夷于左股例之，當爲夷于左腹，以夷
字篆文下半似入，上半或殘缺，傳寫而訛。此雖創解，甚爲
有理，而先儒無言者，抑足貴也。

湘薌漫録四卷道光刊本[一]

　　湘薌漫録四卷,後附易經集説一卷,北平查彬著。彬字
伯墊。乾隆進士,官皖豫間三十年,最後擢申州知州卒。所
至有循聲,百姓遺愛,數十年不衰。在官未嘗一日廢書。早
年著采芳隨筆行世,詞賦家咸嘆其雅贍。又著湘薌漫録,於
易、詩、書、春秋、三禮皆有述作。其於易尤勤,以六十四卦
參證經史,不章解句釋,按象傳及六爻之義,以次徵引故事,
以明其吉凶是非、善惡忠奸之成敗及其起因,使人憬然悟,
毅然興起,所謂通經致用者,最爲得之。大致與宋楊誠齋之
易傳相類。惟誠齋釋及章句,此則渾言大意,微不同耳。然
參證古今得失,俾學易者有所會歸,獨爲親切,則較誠齋有
過之而無不及。與晉干寶易註之强以某卦之辭,謂指殷周
間某事者,迥不同也。惟所詁易理,皆以宋人爲宗,凡宋人
疏漏者皆仍而不改。如説乾道乃革,不知乾四貞午,五月夏
至一陰生,代陽終事,故陽氣極於巽巳,革於離午,但以四爻
爲上卦之始宜改革爲言。説龍戰于野,其血玄黄云:陰陽
争,君臣戰,兩傷故稱血。夫龍戰于野,九家謂天地合德,苟
爽謂陰陽和合,皆謂戰爲接,不釋爲戰争。即清儒如惠氏定
宇父子,亦皆遵苟九家定訓,不宜再襲王弼及宋人之誤解。
全書如此者甚多。謂此書以經證人事可,謂爲解經則太疏
矣。至末卷之易經集説,多取之宋儒,間及于漢魏,而所取

〔一〕此篇印稿存,排印本未收入。

亦多不當。如蹇六四往蹇來連,連亦難也,四居上下坎之間,故往來皆難;乃不取馬融解,而取荀爽來連承五之誤解,則昧於蹇名之所由來。旅初六斯其所取災,以斯爲㖦,取郭京之説;豈知斯者析也、離也,斯其所即離其所,離所故取災。㖦後來俗字。即作賤解,亦不必從人。蓋查氏所宗,多正心誠意之説,故於訓詁往往不當如是也。

讀易經一卷肖巖經説本

讀易經一卷,清趙良霈著。良霈字肅徵,安徽涇縣人,號肖巖。乾隆進士,官內閣中書。性孝友,立身先行誼,不務科名。有讀易、讀詩、讀禮、讀春秋諸書,及肖巖文鈔。其讀易,至乾文言其唯聖人乎而止。據其姪紹祖後跋,讀易未終而疾亟,遂輟筆而卒,時爲嘉慶丁丑。故其書衹一卷,不若讀詩、禮、春秋之多。今觀其説乾元亨利貞云:伏羲始畫此卦,已具有大通至正之四德;文王繫之以辭,括四德爲兩義,恐後人筮得此卦,樂其大通,而未知不正者之難於通也,故以元亨鼓舞之,而以利貞申戒之。此則不合,利貞在他卦誠有爲戒辭者,而在乾則確爲四德。是以太玄釋之爲春夏秋冬,擬之爲罔直蒙酋冥,四德循環,往來不窮,天時如此,人事如此,莫能逃,莫能外。蓋文王觀象繫辭,知非此四字,不足以賅括乾天之德,故文言曰君子行此四德,固正解也。若以利貞爲戒辭,則於乾德不合矣。又以利見大人爲二見五,五見二,仍朱子之解,弗知其誤。惟謂用九爲示人以占筮之例,則獨具卓見,不隨流俗,爲昔人所未言。又以知進退存亡,而不失其正者,其唯聖人乎一節,爲明用九之道,不獨爲處亢言,能詳昔儒之所略。蓋文言原以釋經,置用九不釋,是未畢也。乃解易者十九不知,以爲仍説亢義。豈知知進復知退,知存復知亡,即用九也。惟趙氏但知敷陳義理,不談象數,宗主宋人,漢魏易注似未寓目者,亦一蔽也。

周易解簡要六卷 嘉慶二十一年刊本

　周易解簡要六卷,巴陵張矩撰。矩字濂方,乾隆乙卯舉人,官末陽訓導。矩教學者,必先治生,通知稼穡之務,不專意於科名官禄,然後可以有爲。學者稱之。今觀其易,以朱子本義爲宗,後列其解,若爲本義作疏者。本義無注者,則本程傳及諸儒論説爲解,其義意必與本義相符,然後採録,以免相歧。又本義遇象傳言剛柔往來上下者,多用卦變,謂某卦自某卦來,此本虞翻舊法。凡象之不知,義之不能通者,則謂卦自某卦來,或強命某爻變成某卦,以就其説。本義主之,本爲不當。張氏以當時方尊朱注,不敢倡言其非,則本御纂周易折中,謂剛柔往來上下爲虛象,非論卦變。不從本義,俱作虛象解,免惑初學。於尊朱之中,能糾正其失,較世之盲從者有間矣。惟攷訂疏陋,謂文王作卦辭,周公作爻辭,故謂周易。夫周公作爻辭,西漢以前並無是説,至東漢馬融、王充之倫,始據箕子之明夷、王用享於岐山等辭,謂文王不稱王,又不及見箕子之明夷,強謂爻辭係周公作,以

爲易重。此本極陋之見，朱子雖從其説，後已大明，不宜仍
而不改。又周者普遍之名，元亨利貞，周而復始，故曰周易，
鄭玄及賈公彦周禮疏論定已詳。茲仍作代名解，疏已。又
謂隋唐已後，王注孤行，爲其能破互卦、納甲、飛伏之陋。夫
互卦左傳已用之，前甲後甲、前庚後庚、己日乃革，經且一再
言之，何陋之有？又云易之爲書，實根於象數，但自焦贛、京
房以來，穿鑿太甚云云。自李氏集解，已不能集焦氏易説，
京房章句所録亦微，從何處見其穿鑿？是皆於漢注並未涉
目，故失言如此也。

周易擬象六卷道光刊本

　　周易擬象六卷，黎曙寅著。曙寅字健亭，汝州人。乾隆
年舉人，六安州知州。據其子中輔所序，是書自乾隆戊戌至
己酉，越二十年而始成，凡十數易稿；剞劂初竣，板燬於火，
至道光十年復刊行世。首列邵子河洛及先後天諸圖，並啓
蒙諸説，卦變各圖。書名擬象，乃觀全書，無一爻以卦象立
解者，實與名甚不符。又其自序云：易之大綱，曰象，曰數，
曰理。理不合於象數，不能得易之理也。須由象數以通理，
憑理以參象數。論頗中王弼以來掃象者之病，藥程傳之虛
浮。不知其注與其言絶不相應，以空理爲説，蹈襲宋儒之陳
言。而間出己意，無不支離。如説羣龍无首，云剥復相尋，
如環无端，故曰无首。文言，云發卦爻之文而爲言。用六以
大終，云大字指乾，謂坤能以乾始爲終，非變爲陽。説黃裳，

云黄謂五,裳謂六。説磐桓,云初居下位輕,不足以展其長,如柱石之重器,未可輕動。皆失經旨。他若陰疑於陽必戰,云疑似也,六陰盛滿,疑似於陽,不相從必戰也。夫同聲相應,同氣相求,陰之於陽,陽之於陰,方相求相應之不暇,胡有爭戰?荀爽云陰陽相和,九家云天地合德,相和則相接,合德則相薄而相交,皆所以釋戰義,胡疑忌之有?乃黎氏於此等古注,似皆未閲目者。又如節者符節,節而信之,序卦有明文,天地節而四時成,即天地信而四時成也。苦者窳也,苦節不可貞,言節苦不能久用也。乃黎氏謂節爲制,以苦爲過。既濟九五東鄰謂離,西鄰謂坎,即不知先天卦象者,亦以離日出東爲東鄰,坎月生西爲西鄰,從無異詁。而黎氏則以九五爲二之鄰,謂東鄰爲坎;六二爲九五之鄰,謂西鄰爲離,謂受福者二,非五。諸如此類,書内甚多。惟説龍戰于野云,陰極不從陽,陽躁不和,故戰;自有此戰,而長男之胎,已肇於一元之復。誠以陰必凝陽於亥,然後復震生於子。是説也忽又發前人所未發,甚爲可珍。然上文云陰不從陽,不從陽即不相合,長男胡自生?自相牴牾,似又掇取他人之説,而不了其義也。

周易原篇解十二卷乾隆刊本

　　清胡道問撰。道問字近思。江西會昌諸生,乾隆間人。名原篇者,謂易篇第不合,乃以伏羲卦象爲一篇,每卦下附以孔子之大象,謂大象專以解伏羲之易。次以文王之彖辭上爲一篇，彖辭下爲一篇，每卦下附以孔子之彖傳。次以周公爻辭上爲一篇，爻辭下爲一篇，每卦下附以孔子之小象傳。繫辭上爲一篇，繫辭下爲一篇，文言上爲一篇，文言下爲一篇，說卦爲一篇，雜卦爲一篇，序卦爲一篇。共十二篇。謂古本易當如是，宋晁氏、呂氏所定之古本皆誤。其誤由於顏師古注班志易經十二篇，云上下經與十翼也。晁、呂沿其誤，以上下經爲二篇，遂膠固而不可析。按所謂十翼者，原各自爲篇，晁氏謂古易象傳與經各爲一書，是也；謂分傳附經始於費氏，非也。費氏無章句，祇以十翼説經，若以傳附經則有章句矣。其證一也。況高貴鄉公明言彖象不與經文相連，今鄭注連之。是以傳附經始於鄭氏，魏志有明文。其證二也。鄭氏時彖象尚不與經文連，中古文可知。劉向以費氏經與中古文校，悉與之同。是以傳附經，不始於費氏。其證三也。晁氏不詳攷，强謂始於費直，誤之遠矣。乃胡氏不知其誤，反謂以傳附經，中古文即如是，可謂歧而又歧。大象釋卦，誰不知之？今必鄭重申之曰此釋伏羲之易，以大象附卦下，謂不宜列象傳之後。豈知大小象之分，唐宋始有，古無是也。疑孔子作象辭，首釋卦象，次釋爻象，六十四卦皆如是，原爲一篇。故乾卦大小象相連，祇用一象曰，以存原式。今强分之。令小象連文，連則韻叶，是也。而每句有象曰，太詞費矣。又胡氏謂雜卦在序卦後，有類贅瘤，移之序卦前。不知六十四卦至既濟而定，可以終矣；而必終之以未濟者，以易道不可窮也。雜卦之於序卦，亦猶是也。此其義先儒無知者，不知而弗闕疑，妄爲移置，可乎？又謂文、

周之易，各不相同，故履文王謂亨利，周公於三爻則謂爲大
凶。豈知文王論卦，周公論爻，泰吉卦也而上六凶，爻之時
位不同也。況以周公演易，何所本乎？至其解説，多演義
理，不言象數。獨以艮爲黔喙，純指鳥言，艮一陽在前二陰
在後，如鳥之飛啄在前而翼在後，爲獨得真解。

周易外傳四卷<small>乾隆刊本</small>

　　清盧金鏡撰。金鏡字藥墅，號秋水。武寧人，歲貢生。
其説易皆援引史事，至末以易辭證明之，略如韓詩外傳體，
故亦曰外傳。而條例不言，若與韓詩偶合者。然韓詩外傳
所引詩，皆事與詩詞甚切；茲所引易詞，往往事與易詞不倫
不類。如云韓侂胄擅政弄權，有勸立蓋世功名以自固者，乃
議大舉伐金。已而屢敗欲議和，金人必得侂胄頭方罷，而無
人敢言。一日，史彌遠及皇子榮王，力陳危迫之勢，請誅侂
胄，帝允之。乃以兵擁侂胄至玉津園縊殺之，而以其首畀
金。易曰屯其膏，小貞吉，大貞凶。按侂胄誤國殺身，此正
鼎折足，覆公餗，其刑劇之事，乃以屯九五當之，太不合矣。
又狄仁傑之入相，婁師德實薦，而仁傑不知，意頗輕師德。
武后覺之，一日謂仁傑曰：師德知人乎？曰：未聞其能知人
也。后曰：朕之知卿，乃師德所薦。仁傑出嘆曰：婁公盛德，
我爲所包容久矣。由是，仁傑卒反周爲唐。易曰乘馬班如，
求婚媾，往吉無不利。益浮泛不切。又云，王欽若以天瑞之
説惑帝。帝曰：王且得無不可乎？欽若曰：臣喻以聖意，當

無不可。乃乘間爲旦言，旦勉從之。帝召旦飲，歡甚。賜以尊酒，曰：此酒甚佳，歸與妻孥共之。乃歸發封，則皆美珠也。旦自是不敢有異議，而天書之事成。易曰比之無首凶。按王旦以不敢直諫，有虧大節；然其所以不敢直諫，爲希榮固寵耳。若論吉凶，則明珠盈櫝，富貴長保，何凶之有？書內如此者多，當者甚少，無足重輕也。

遜齋易義通攷六卷抄本[一]

　　清紀汝倫撰。汝倫字虞惇。河間人。乾隆舉人，官滿城教諭。紀文達公之從姪[二]。此書據其紅字小識：某日病目，祇書若干字云云，足證乃其手書。故字甚小，而古雅有味。篇首附記：丁巳九月輯起。第五卷末又有硃書小字跋云：戊午二月，奉宗伯公命，召赴京，觀天子臨辟雍禮，乃攜此五卷，並易述二十二卷，至京呈閱。然則此書曾爲曉嵐先生所審定。其第六卷末識云：戊午五月校完。據其所識，此書之成，期祇九月。然其詳備宏博，實爲自來攷易者所未有。其第一卷攷三易，及汲冢易、子夏易。凡李過西谿易說、徐善四易，一切世人罕有之書，無弗採輯。其攷子夏易傳，據唐會要劉知幾、司馬貞等議，云韓嬰作。云王儉七志引劉向七略云，易傳子夏韓氏嬰也，是韓嬰字子夏，劉向有明文。按子夏傳爲韓嬰作，嬰字子夏，臧庸論之最詳確。兹未見臧説，而所攷定與之同。俗儒妄疑卜子夏者，可爽然矣，所關甚大。其第二卷，攷漢魏迄隋各易家。三卷，攷唐五代及宋初之易家。四、五卷，合北宋、南宋及金之易家。六卷，則攷元明之易家。凡解易説易之書，無不旁徵博引，使其是非開卷而知，並攷定其存佚，而己無所是非。紀文達撰四庫提要，其易類蓋取材於是書者甚多。以數月之力，而成此詳且博之通攷，且工楷自書，其精力之專勤，及其所見之廣博，真不易及也。

易說評議卷六

芸窗易草四卷 同治刊本

清閻斌撰。斌直隸永年人,字允中。乾隆間歲貢生,服
膺道學,行必端方。同治間經學使奏請,入祀鄉賢祠。其説
易皆渾括大意,不惟不言象數,並字句無一訓釋。且其注
文,往往不能協洽。自云:專以本義爲主,其與朱背者,雖多
新説,概不敢從。來知德謂二千餘年人不知象,朱子之易,
何嘗不言象?特不欲穿鑿附會,迷惑後學。按朱子語類云:
易開門便是象,某枉費多年功夫。即深悔其本義不言象也。
閻氏僻處鄉邑,於漢魏易説,似全未過目,故以易象爲新奇。
豈知繫辭明云聖人觀象繫辭,是所有卦爻辭,皆聖人注視卦
象而爲之。不知象焉能明其辭?故繫辭又云象者像也,言
卦爻辭所舉之象,像卦形也。所以象爲易本。今求其本,而
以爲迷惑學者,是於易之所以然而不能明也,徒以束身寡過
義理之辭,以爲塗附,庸有當乎?故其篇內所説,不浮泛則
誤解。如乾文言末節,原以釋用九之故;而云時乘六位,非

聖人不能。又如或躍在淵乾道乃革,謂陽革於午也;茲云躍淵非自修之時,故言乾道乃革。皆浮泛無當。又大有初九无交害,言初無應,又前臨重陽,阻礙不通也。茲云有大而盈則懼於害,初不涉於盈,故無交害。又臨上六敦臨之吉,志在內也,內謂三,言稍待陽長至三,上有應而吉也。茲注云敦厚於臨,視天下皆我度內,怙冒之心。又賁六五之吉有喜也[一],喜於承陽也。茲注云能反本還質[二],非世風之可喜乎。則皆誤解易辭,昧於經旨。舉此數則,以例其餘。蓋自程傳以義理説易,其末流必至歧誤空泛若是,不足怪也。

周易客難一卷十三經客難本道光刊[三]

　　清龔元玠撰。元玠字瑑山[四]。南昌人。乾隆甲戌進士,銅仁縣知縣。所著有黃淮安瀾編二卷,十三經客難五十三卷,爲孫文定公嘉淦所激賞。周易乃客難之一。名客難者,設爲問答,以申其義。惜所據皆王注、程傳、本義,及其他宋易而止,兩漢古注似未寓目,故所説多疏淺。如以爻辭爲周公作,而以箕子之明夷爲據;謂辟卦合河圖,而以二四六八十合天一爲復,以一三五七九合地二成妬爲説,皆勉強不安。又以後天卦位不始於文王,仍伏羲所定,最爲卓識。

─────────

〔一〕 “吉”,印稿作“害”。據排印本改。
〔二〕 “本”,印稿作“木”,據上下文意改。
〔三〕 此篇印稿無,依尚驤補鈔本與排印本互校整理。
〔四〕 “瑑”,補鈔本誤“琢”。據排印本改。

惟其所據，則謂伏羲畫卦，並造書契：雷頭辰腳爲震，居卯辰
之間；二巳共爲巽，居雙女巳位；离佳爲離，居朱雀午位；土
申爲坤；八兒几爲兌；一九二十藏日爲乾；欠土爲坎；丑頭木
火腳爲艮。凡地支皆互見於八卦中，故非文王所作。此無
論其所據之非，即丑頭木火腳爲艮諸說，已穿鑿鄙俚[一]。
至其說經，多以史事相比附。說磐桓云：沛父老欲以劉季爲
沛令，季數讓，磐桓也；隱芒碭山，居貞也；懷王封沛公爲武
安侯，利建侯也。又以即鹿无虞，惟入于林中，象類項羽；屯
其膏，小貞吉，大貞凶，象類齊景公、魯昭公；以長子帥師，弟
子輿尸，象類荀林父邲之戰、郭子儀相州之潰，多浮泛不切。
至解經而誤者，蒙初六用說桎梏以往吝云：本義謂以往爲觀
其後，王安石謂縱之以往則吝道也，王宗傳謂說其桎梏，不
豫以禁之，則過此以往，不可復制，此數說以王說爲優。按
以往吝，因往遇險，四無應，故不宜前，自爲一義，與上文不
相屬。本義及二王，皆以以往爲以後，並以讀他經之法强與
上文相屬。龔氏不知其大誤而取之，陋已。他若以輿尸爲
衆主，以壯趾爲壯盛，夫衆既得主，尚何言凶？趾既壯盛，尚
何征凶？雖義理家多如此詁，從而不疑，則其識可知矣。

易卦圖說一卷道光刊本[二]

清崔述著。述字東壁。大名縣人。乾隆壬午舉人，官

〔一〕"已"，補鈔本作"尤"。據排印本校改。
〔二〕此篇印稿無，依尚驤補鈔本與排印本互校整理。

羅源、上杭知縣。平生著述甚富，多發前人所未發，而攷信録尤爲世所重。兹易卦圖説，仍自出己意，不依附前人。如八卦各重八卦爲六十四卦圖，則以山澤水火雷風天地兩兩對列以重一卦，以天地定位節爲方式。與邵子之以先天卦次相重，其法略同，而形式特爲整齊，別成壁壘。至奇偶兩畫三重爲八卦圖，以陽爻重坤初爻，再重中爻、上爻，以成震坎艮；以陰爻重乾初爻，再重中爻、上爻，以成巽離兑，而六子生。夫乾奇坤偶，有奇偶則相交。乾坤初爻交生震巽，中爻交生坎離，上爻交生艮兑，先儒舊説不能易也。故謂震巽得乾坤初爻，坎離得乾坤中爻，艮兑得乾坤上爻則可；謂六子由初中上奇偶相重而生，則義不如舊説之備。又謂十二消息卦，與月不相應，如泰否天地平，應當二分，爲卯月酉月，不當爲寅月申月；冬至日短極寒極，不當爲復，復一陽生，應爲丑月，不當爲子月；夏至日長極熱極，不當爲姤，姤一陰生，應爲未月，不當爲午月；又乾坤不應當巳亥月，應當子午月。按十二月卦，其見於易者，坤上六行至亥，乃乾原居亥，故與龍戰；臨曰八月有凶，臨爲丑月，至八月則遯未，丑未衝故凶。其見於左傳者，晉筮遇復，曰南國蹙，射其元，王中厥目，謂陽氣自北射南也，以復居子也。且無論寒暑驗陰陽之非，而欲將古聖留遺之定法而改之[一]，亦太過矣。又日至冬至而極短，極則反，反故陽生；至夏至而極長，極則退，退故陰生。人以二至寒暑已極也，故不感其氣，而物則知之：麋陰獸，至冬至而角解，感陽氣也；鹿陽獸，至夏至而

─────────

〔一〕“法”上，補鈔本無“定”字。據排印本增。

角解,感陰氣也。其他草茹之驗尤多。奈之何欲以純乾純坤當之乎？至於説訟、小畜、豐、井、革諸卦,或爲前人所已發,均無甚精義。獨駁議唐郭京舉正,精審透闢。而謂舍逆取順,失前禽也,禽與上中叶;密雲不雨已上也,上與下亢叶,舉正所改皆失韻,尤爲卓識云。

西樓易説十八卷光緒刊本

清楊家洙撰。家洙字東川,安徽懷寧人,乾隆間歲貢生。省志縣志皆有傳。嘗致書於其友江濬源云:自明初講章行而六經晦,易與春秋尤甚,故著易説,以正其舛謬,稍補程、朱之所未備。今觀其書,編次以朱子本義爲宗,前八卷解經,卷九、卷十解上下象傳,卷十一、十二解上下象傳,卷十三解文言,十四、十五解上下繫,十六説卦,十七序卦,十八雜卦。按自漢世無大小象之名,至唐孔穎達,始謂解卦者爲大象,解爻辭者爲小象。兹書一仍乾卦之體,俾大小象相連,合上下象傳爲一篇,至爲有識。惟純以義理爲宗,屏象數不談,又囿於講章餘習,所陳義理,皆爲八股者之所便,故多浮泛不切。楊氏云講章行而經義晦,誠以身中其毒也。如説屯九五小貞吉大貞凶云:以處大事,雖正而不免於凶。此本朱子之誤解。正何有大小？且大正而凶,義不能通。楊氏仍之,殊爲淺陋。又説中孚鶴鳴子和云:二居下無應,不求孚於物,而物自無不孚。則不知子和之義何在。説中孚六三得敵云:得敵者一説極,一巽極,相信之過,初交大密者,而終必疏。豈知三陰四亦陰,陰遇陰爲敵,艮象傳所謂敵應也。豈以交疏爲敵乎？則空演義理,而於易理轉昧。書内説經浮泛如此者甚多。至於釋傳,尤多歧誤。如説休復之吉以下仁云：仁謂初,二比而下之[一],是以初之仁輔其仁也。按休者,待也。待胡以吉？以下陽將息至二而吉也。二本乘剛,胡能下之？又説大畜九三利有攸往,上合志云：他卦陰陽敵爲不相應,此則以同德相應,故三與上九合志。按三與上九皆陽,既知其爲敵,胡能相應？大畜與他卦同耳,焉得獨逃其例？上謂六四、六五,陽遇陰故合志。豈謂上九乎？升初云上合志,上謂九二、九三,陰遇陽故合志,與此同也。此既誤解,升益誤矣。祇説頤六二行失類云：以陰求養於陽言,則二以從初爲得類。可謂發千古之誤解,爲書中未有之創解。乃下又云：舍初而往從上,故失類。豈知陰與陽爲類,失類謂三四五皆陰,行不遇陽也,非謂從上舍初爲失類也。然以陰從陽爲得類,詁爲千古所未有。可惜祇此一明,於其他類字,又俱失詁耳。

讀易偶鈔一卷鈔本

　　讀易偶鈔一卷,篇首署曰樗庵蔣學鏞。樗庵,蓋其字,兼无序文,故其里居時代,皆不能攷。然書内引黄宗炎説,而不及惠棟、張惠言諸人,則後於宗炎,而前于惠、張,蓋雍乾間人。所鈔易説,漢宋各家,皆有所取,而以己意論其是

[一]“比”,印稿作“此”。據上下文意改。

非。然袛攷覈易之源流篇第,而不及經文,大體如孔氏正義篇首之八論。其所引至爲廣博,而是非頗陋。如以周易周字爲代名,取孔穎達之説,云文王作易於羑里,其時猶是殷世,故題周以別於殷云云。夫以文王之小心翼翼,況又在囹圄之中,自題周以別於殷,斷無此事。鄭玄云:周,徧也、備也,言易道周普,無所不備。賈公彥周禮因之,最爲有識。凡三易之名,皆因首卦而有。連山首艮,艮上艮下,故曰連山;歸藏首坤,萬物皆歸藏於地,故曰歸藏;周易首乾,乾元亨利貞,即春夏秋冬,循環往來,周而復始,故曰周,豈爲代名乎? 至於易字,斥許氏日月爲易,及陸佃蜥蜴、蝘蜓、守宮爲易之邪説[一],是矣。而鄭康成簡易、變易、不易之説,雖與乾鑿度同,然皆易之用,而非易字本詁。史記大宛傳:天子發書易。謂發書占卜也。又武帝輪臺詔云:易之,卦得大過。易之,筮之也。豈得以字之用,遂爲字之本詁乎? 又謂:周公繫爻辭之説,不見於經。今檢爻辭,如明夷于南狩,得其大首,指武王伐紂也;箕子之明夷,指箕子爲奴也,則爻辭非文王作甚明云云。夫武王伐紂,自西而東,故牧誓逖矣西土之人,非南狩也。箕子,趙賓讀爲荄兹,劉向、荀爽讀爲荄滋,焦氏易林則以爲孩子,即最後之王弼、蜀才,尚讀爲其兹;而象傳之箕子以之,則無一人異讀者。讀爲箕子,誤自馬融。誠以六五君位,故以孩子況紂之昏,猶書微子篇之刻子即孩子,皆指紂也。紂爲君,故明不可息。若作紂臣之箕子,已晦其明矣,有何不可息? 則攷覈太疏之過。又謂圖書

〔一〕"蜥",印稿作"蚚"。據《埤雅》改。

不可信,先天卦位之必無。似皆隨聲附和漢學家之緒論,而已乏主張。故鈔撮雖多,可取者少也。

易圖條辨無卷數道光刊本

易圖條辨,無卷數,清張惠言著。惠言輯鄭氏易注三卷,已著録。兹所謂易圖,首論朱子啓蒙河圖洛書二圖,謂洛書即乾鑿度所謂易一陰一陽合於十五之謂道,故太乙取其數以行九宮,是太乙取八卦之數,非八卦之數出於太乙。後儒乃謂宓羲則此而畫卦,不亦誣乎?按洛書各書皆言出於禹時,爲宓羲所不見,則此畫卦,誠爲不經。疑繫辭所謂洛書,未必指九疇,或上古更有其事。惠言不此之求,並繫辭而亦駁之,殊爲過當。惠言又云:尚書洪範僞孔傳言洛出書,神龜負文,大戴禮明堂二九四、七五三、六一八,北齊盧辯注云法龜文,説與僞傳合,不知何所據。按鄭注引春秋緯云:河以通乾出天苞,洛以流坤出地符,河龍圖發,洛龜書成〔一〕。是洛書爲龜文,出於緯書,爲康成所述,不得謂僞傳及盧注無據。乃惠言匿鄭注而不引,則駁議不得其平。其辯河圖,云啓蒙曰則河圖者,河圖之虛五十者太極也,奇數二十、偶數二十者兩儀也,以一二三四爲六七八九者四象也,惠言駁之云:五十非起數之本,不能當太極;兩儀有四,四象有八,其病正與劉牧同;而四方之象,皆一陰一陽,又未見其分四象也。按五十與起數何涉?數之起,始於參兩,能以參兩爲太極乎?則所鍼非病

〔一〕"龍"下,印稿無"圖"字,"成"字作"感"。依《周易集解》引鄭玄注校改。

也。兩儀者陰陽，奇偶即陰陽，故朱子謂爲兩儀。今以其偶數二十，奇數二十，列在四方，便謂兩儀有四，有是理乎？又朱子謂以一二三四爲六七八九，謂六七八九從一二三四生也。今並八數連數之，便謂四象有八，是莫明朱子之旨。尤異者，謂四方之象皆一陰一陽，又未見其能分四象也。夫上文剛謂朱子並四方數數之，兩儀有四，今又謂四方數爲一陰一陽，不能爲四，胡一人之言，前後背戾若是？圖書之可議者多矣。惠言所辨，皆偏而不公。著其尤甚者，以例其餘。至先天圖，乾南象之見於左氏者，如同人之乾曰，同復於父，敬如君所；又如南國蹙，射其元，王中厥目，皆乾南之確證也。又如九家注同人云，乾舍于離，同而爲日；荀注云，乾舍于離，相與同居。乾若不在南，胡得與離同居？又荀注陰陽之義配日月云：乾舍于離，配日而居；坤舍于坎，配月而居。是不惟乾南〔一〕，並坤北亦言之。而惠言皆不舉，殊爲不平。至於卦變圖，在漢儒以虞翻用者爲最多，然皆因象不能求，義不能解，始用卦變，以濟其窮，否則無用者，在易解中最爲歧誤。宋人不知其窮窘而爲此，反視爲當然。乃惠言反不痛駁之，殆爲習俗所染歟？

易學闡元不分卷 花雨樓叢書本

　　易學闡元三篇，清姚配中著。配中字仲虞，安徽旌德人，諸生。治經長於易，嘗本鄭氏義著周易姚氏學，爲阮元

〔一〕“惟”，印稿作“爲”。疑音訛。據上下文意改。

所稱許。晚年乃著易學闡元，無卷數，分爲贊元、釋數、定名三篇，鎚鑿幽深，頗多奧語。其贊元云：元者，一也。元不可見，終亥出子，故虞氏謂復初爲乾元，復初陽始來復，天地之心也。又漢書律呂志云十一月乾之初九，陽氣伏於地下，始著爲一，萬物萌動，故黃鐘爲天統，律長九寸，九者所究極中和爲萬物元也。云始著爲一，云究極中和爲萬物元，則其所謂元非初九明矣。此則大誤。姚氏蓋泥於乾初九潛龍勿用之言，而元則萬物資始，非不用也，故謂元自元，初九自初九。豈知復初即乾之初九，乾元在初子勿用，息至二則用矣，即推而至於四躍、五飛，仍此元也，與初九不異也。繫所謂周流六虛也。奈何欲析而二之乎？又云：乾鑿度云，陽動而進，變七之九，象其氣之息也；陰動而退，變八之六，象其氣之消也。鄭注云，象者，爻之不變動者；九六，爻之變動者。而疑七變九，八變六，非陰變陽，陽變陰。是尤謬誤。夫乾鑿度所云變七之九，變八之六，皆就揲蓍言。揲蓍三變成一爻，兩耦一奇則爲七，乃三變皆奇，則七變而之九矣；兩奇一耦則爲八，乃三變皆耦，則八變而之六矣。故鄭注云象者爻之不變動者，不變動謂兩奇一耦、兩耦一奇之七八也；九六爻之變動者，變動謂三變皆奇、皆耦，而爲九六也。至爻已成九，則變陰。故左傳蔡墨曰，乾之姤曰潛龍勿用。是乾初爻變陰成巽也。爻已成六，則變陽。成季之生，筮得大有之乾，曰同復于父。是大有五爻陰變陽，故成乾也。胡言非乎？姚氏又云：宋衷注革九五虎變，云九者變爻。若如常

解，變而之陰[一]，則五失位。夫革之對爲蒙，蒙皆革之九六
所變而成，及其既變，於本卦革何涉乎？是皆因不知用九、
用六，文王以筮例示人，而求之過深，故有此疑誤也。至第
二釋數，云：易本於一，一者數之始，十者數之終，十仍一也；
故易始於一，終於一。又以龍戰于野爲乾坤接，不釋爲戰
爭，其識與惠士奇相同。至第三定名，謂易道周普，周流於
萬物，周匝於四時，故曰周易，以周禮賈疏説爲是，以孔穎達
釋代號爲非。其神農、黃帝，所以有連山、歸藏之名者，乃因
其易而名；猶之明農，即稱爲神農也。一掃宋以來俗解，非
深於易理者，莫能道也。其見重於後學宜矣。

學易討原無卷數[二]　嘉慶刊本

　　無卷數，共十二則，歸安姚文田撰。文田字秋農。嘉慶
進士，由修撰累官禮部尚書，卒謚文僖。此書據其自述，於
嘉慶辛酉科主試福建，既撤棘，即奉命督學粵東，由閩至粵
二千餘里，途中孤寂無事，因憶昔年學易而似有得者，分條
詮次，每抵逆旅則索燭書之，共得十二則。第一原數，第二
原圖，第三原書。其原數謂天地之數始於一，有一必有對，
故一生二；一與二交，而生萬物，故二又生三。由是一與三
合成四，二與三合成五，五數備而萬事立。其後五數皆由五
數而衍。其原圖、原書云：五數既立，圖書出焉。五行之序，

────────────

〔一〕“而”，印稿訛“面”。據排印本改。
〔二〕“無卷數”，印稿作“一卷”。據正文首句改。

洪範一曰水，二曰火，三曰木，四曰金，五曰土。故河圖以一
六爲水，二七爲火，三八爲木，四九爲金，五十居中爲土。河
圖爲天數，洛書爲地數。洛書之數，皆即河圖之中數而衍
之，故一與九，二與八，四與六，三與七，皆十數之分佈，而即
具水火木金之數。其說皆平正通達，不矜奇立異。其第四
爲原卦，謂卦有一奇一偶，即數之一與二；畫至三爻則生二
生三也，於是乾坤立；乾坤相索而生六子，則八卦出矣。説
頗簡當可喜。其第五爲原蓍，謂策用四十九是蓍用七，每九
變而成一卦是揲用九，重爲六爻是爻用六，八卦重爲六十四
是卦用八。按如此言七八九六，與揲蓍所得之七八九六判
然不同，似爲稍誤。其第六謂邵子所傳八卦次序圖，後儒據
因而重之之文，謂其説無當；然揲蓍時三爻必以次加，且易
卦九四六四，並不云外卦之初，亦不云陽爻之位，仍是遞加，
則邵子之説爲有徵。按此論頗能杜非議邵子者之口，允爲
邵子之功臣。其第七論出震圖，第八論乾南坤北圖，皆是之
而不從先後天之名，尤爲有識。其第九謂大象巽爲風，而易
則言木者多。能詳他人之所略。其第十原三百八十四爻，
十一原卦變，謂卦變宜從程子之説，皆自乾坤。豈知地天
泰，天地否，雖乾坤皆具，而卦名則已易，程子之説未爲可
從。至第十二原筮，謂三變皆掛，不能無疑。按黃梨洲已有
此言。然初變得五與九，算奇偶時，掛一並未開除不計，祇
算其大數耳，至二三變連掛一則數恰合。自漢以來皆如此，
以不如此，則九六七八之數不能得也。以唐之僧一行，尚不
敢違，何況後人乎？似太鑿矣。

周易經義審無卷數嘉慶十七年刊本

　　清盧浙著。浙江西武寧人,字讓瀾,號容葊。嘉慶進士,由戶部主事,累遷工科給事中。其請禁緝捕、請以湯斌從祀孔廟二疏,傳誦一時。後遷太僕寺卿卒。有周易説要、春秋三傳評註、讀史隨筆、三惜齋詩文、周易經義審等書。周易經義審者,據其自述,以御纂周易折中詳於義理,略於象數,及今上復纂述義,義理象數,粲然皆備,乃以二書爲標準,復採諸家之説,一斷於經傳。其於經傳合者録之,違者擯之,故名經義審。今觀其書,無論是非,多自書己見,尊信程朱而能正其非,用漢儒之象而不泥於漢儒,在經説中,頗能自立。惟其弇言重視象數,而普通之象皆不能舉。如剝言牀,不知艮即爲牀,而以身之所處爲解。頤大象慎言語節飲食,以震爲言語;震爲口,經有明文,故以震爲飲食;而正覆皆震,有訟意,有爭意,故曰慎曰節。乃盧氏謂言語飲食,於頤名卦之義無涉。則緣不知夫子別立大象之義。又謂頤中虛爲離,損、益亦中虛,皆互離象,故皆言龜。不知離爲龜以其外堅,艮外堅故亦爲龜,焦氏易林久有此象,即清儒亦間有知之者。又説輿説輹,皆不能指出輿象、輹象。大畜、无妄,皆以艮爲牛,乃盧氏於无妄則謂震艮合離爲牛,於大畜六四則謂初九止於下宜爲牛,是皆不知强説,或象甚明而皆不能舉。全書類此者甚多。然則謂詞從象出者,盧氏蓋知其如此而不能用,實與宋儒之空説虛理者無異也。又謂彖象連經,始於費氏。費氏祇以十翼説經耳,並未以彖象連經。彖象連經始於鄭玄,魏志高貴鄉公傳有明文。又謂朱子爲康節所誤,更因天一地二以下三章皆言卜筮,遂指周易爲卜筮之書。夫天一地二以下三章之言卜筮,祇本義用程説,强改古本次序。古本天一地二,在子曰夫易何爲者也上,豈在大衍之前乎?則攷訂之疏也。又謂陽順陰逆,萬不可從。夫自乾鑿度以來,即謂乾貞子左行陽時六,坤貞未右行陰時六,天道左旋,地道右遷,然後相交。統漢儒皆如此言,而謂爲不可從,則於易理太疏矣。惟説童牛之牿,謂牿爲牛馬牢,本之説文,又以書淫舍牿牛馬爲證;説豶豕之牙,謂以杙繫豕謂之牙,本之埤雅,訓詁既新,又與艮象義合;又説何天之衢,何當讀爲荷,程子以爲誤加何字、本義以爲發語皆非,則能正程朱之失;他若據春秋傳執事順承爲臧,逆爲否,以釋師初六否臧凶義,則明晰的當,不可移易。書內可取若此者亦有,分別觀之可也。

易理象數合解二卷道光元年刊本

　　易理象數合解二卷,清聶鎬敏撰。鎬敏字豐陽,號京圃。湖南衡山人。嘉慶辛酉進士,官翰林院編修,安徽學政,轉兵部職方司郎中,嚴州府知府。所著有松心居士詩文集、賜書堂試帖律賦、京圃詩文讀經心得等集行世。此合解蓋欲以易理與象數兼明,矯漢人重象數不重義理,宋人言義理不本象數之弊。其實宋人如程傳、本義,所詳者義理,非易理也。義理者,乃治國平天下、修身齊家之事。如程傳動云某爻之才,皆借易以演其內聖外王,治人治己,經世涉世之務,而於易理多不相涉,且多相背之處。本義大體以程傳爲本,然義理之中兼顧易理,故優於程傳。至於象數,自王弼掃象後,歷唐迄宋,舉不知易象爲何物。朱子晚年,始悟其非,謂程子云吾所治者辭,辭明而象自得,豈知辭由象生,先識象然後能明辭,吾枉費多年功夫。是本義雖不重象,然能識象爲易本。若夫漢人重象,乃春秋古法。春秋士大夫言易,無一字不從象生。繫辭云聖人觀象繫辭,是易辭皆由象生。漢人若非,則左氏亦非矣。至漢人所言之理,乃爲易理,非義理。聶氏憒然莫辨,將程傳等書之義理,與易理混而爲一,烏乎其可?況聶氏所演者,首爲太極圖,次爲河洛圖,及邵子先天方圓各圖,以爲此乃易理易數之根本。至於易象,全書無言者。不知其所謂合解者,所合爲何也。又敢於自造法制,説四營云:第一營分二,第二營揲四,第三營扐奇,第四營掛一;謂繫明曰再扐而後掛,故掛一當在再扐之後。夫再扐後掛之掛,自京房以來,皆作卦。卦者,掛也。謂三變成一爻,宣佈此一爻於版也。豈謂再扐之後,而方掛一乎?此攷訂之疏也。又創爲十二月卦,以晉爲九月卦,萃爲十月卦,皆與卦氣相反而不知。又謂十二辟卦,創於漢儒。夫復居正北,早見於左傳;龍戰于野,易亦以純坤居亥,是皆隨聲附和黃、毛之誤説,而不究其本。又謂易無互體,王弼、鍾會發之,後程子、王介甫、張南軒成之,真能掃易學之蕪穢。而不知左氏亦先言之。耳食盲從,尤爲疏陋。

周易輯義續編四卷道光二十五年刊本

　　周易輯義續編四卷，清盧兆鼇著。兆鼇字桐坡，湖南安仁人。嘉慶辛酉進士，官萬州化州知州，署潮州府同知。其説易屢稱來注，蓋以來知德爲宗，而不掃象。惟於象學所見甚淺，故每多迂曲之談。又浪用卦變，故瑜爲瑕掩。如説君子終日乾乾云：乾爲純陽，日稟陽精，故乾有日象；内卦至三，乾象已成，故稱終日。此發先儒所未發，最爲卓識。而説亢龍有悔云：本卦上與初變大過，過於剛則亢。夫上九居卦之極，窮極致災，自然之理，又何必變爲大過，以申亢義乎？説龍戰于野云：天地之大德曰生，生生之謂易，故天地不交則萬物不通。是謂坤爲生物之本，物何以生則由於天地交，以戰爲交，甚當也。乃下又云：自履霜以來，陰已不無可疑，至於上六，遂以爲陽所疑而窮，窮故戰，戰故不免於血。夫陰陽同聲相應，同氣相求，何相疑之有？疑、凝古通，陰凝陽正相交也，即生物之本也。乃盧氏前説與後説不同，則雜採舊説，而莫能皀白。又如説鳴鶴在陰云，鶴爲澤鳥，夜深長鳴，是採虞翻以半夜爲陰之説；乃又曰艮爲邱陵，峻峰之下，磵谷之間，是之謂陰，則又以艮山之下爲陰，而莫衷一是。豈知艮納丙，爲山陽；二至四艮覆，則山陰矣。易林説中孚云，熊羆豺狼，在山陰陽，正釋此也。又之正之説，創於虞翻，命爻之不當位者變而之正，此卦變爻變之説所由來。在虞氏因易象失傳，不知卦象，故命某爻變以爲釋。夫一卦可變爲六十四卦，如此通融，又何解而不得？況虞氏往往命當位之爻變，以遂其說，是之不正矣。原不足法。乃盧氏不知其故，但見歷代易家恒言爻變，視爲天經地義，云某爻變爲某卦，無論變與不變，宜就變爻取義，若有所泥，即不免癡人說夢云云。真所謂以其昏昏，笑人昭昭者已。

周易偶記二卷　道光間誠意堂家塾刊七經偶記本[一]

　　清汪德鉞撰。德鉞字崇義，懷寧人。嘉慶進士，由庶常改禮部主事，終於員外郎。所著有七經偶記，爲桐城姚鼐、武進臧庸所稱，周易其一也。其說易不章解句釋，詳於上經，略於下經，以宋易爲宗，以義理爲主。其說之善者，如朋盍簪云，豫九四取象於盍簪者，象一陽橫貫於五陰之中也。按簪所以括髮，而震爲髮，艮爲簪，一陽橫貫于五陰之中，正簪之用。乃執者謂朋如何能盍簪，而讀爲戠、爲撍、爲臧。豈知易辭皆由象生，有此象而不必有此事。如執而不通，則比曰有孚盈缶，剝曰貫魚以宮人寵，將如何講哉？又如釋大過君子以獨立不懼，遯世无悶云：巽爲寡，有獨立之象，然獨立而懼則不可謂之獨立矣，兌悦故不懼也；巽爲伏爲入，有遯世之象，然遯世而悶亦不可謂之遯矣，兌悦故无悶也。由象取義，最得易旨。又如說履六三咥人凶云：三應在上，四虎尾，上虎首，上來三則虎首反噬，故咥人凶也。按乾虎之象，久已失傳，豈知文言曰風從虎，以乾爲虎也。又履彖曰

―――――――――――

[一]　“道光間誠意堂家塾刊七經偶記本”，印稿無。據排印本補。

不咥人,獨六三曰咥人凶,舊解能通其説者甚少,汪氏所説,獨簡而明。惟爲義理所蔽,一切訓詁,浮泛説之,蹈宋儒空疏之病。又漢人舊訓,似皆不知。如屯即鹿无虞,云鹿讀爲麓。虞翻、王肅皆如是讀,而汪氏乃引朱子之説,謂晁氏鹿作麓,鹿、麓古通。晁氏述舊訓耳,非始於晁氏也。又書中誤解甚多。其書之編次,書懷寧臧庸,然庸於篇首,並無序文。又攷姚鼐爲汪氏作墓誌,惜其早逝,否則其經學與事功,必不止此,亦歎其學之未成,則此書之定論也。

周易雜卦反對互圖一卷_{嘉慶刊本}

清汪德鉞著。德鉞所著周易偶記,已著録。兹專攻雜卦反對及互圖義者。據其自敍:此篇非漫爲顛倒者。顧自漢以來,終未明其旨。朱子謂自大過以下不反對,或疑其錯簡,以韻協之,又似非誤。今録雜卦,時時玩索,稍有窺測,即録之於後,以質世之通易者。按汪氏所測,凡一陽之卦六,皆在前三十卦;一陰之卦六,皆在後三十四卦。除乾坤二卦外,前三十卦坤卦凡十二見,而乾祇二卦,大畜、无妄是也;後三十四卦乾卦凡十二見,而坤止二卦,否、泰是也。而上經除乾坤,自比、師至大畜、无妄凡十卦,下經自咸、恒至否、泰亦十卦。按否、泰、損、益,爲上下經之樞紐,雜卦以損、益居上經,以否、泰居下經,而除乾、坤不計外,自比、師至損、益十卦,自咸、恒至否、泰十卦,與序卦自乾、坤至否、泰十二卦,自咸、恒至損、益十二卦略同。兹云自比至大畜、无妄十卦,比至大畜、无妄十二卦耳,非十卦也。上經乾祇二卦,下經坤祇二卦,其次序未必相應也。又云:周易上經不變之卦六,餘二十四卦實十二卦,共十八卦;下經不變之卦二,餘三十二卦實十六卦,共十八卦。雜卦則前三十卦,祇乾坤兩卦,餘二十八卦反對祇十四卦;後三十四卦,不變者六卦,餘二十八卦反對亦十四卦。又云:以互卦論之,互剝、復凡八卦皆在前三十卦,互夬、姤凡八卦皆在後三十四卦,與序卦一陽者六卦皆在上經,一陰者六卦皆在下經同。按此義昔人未經道過。惟又云:前三十卦互乾者一卦,互坤者凡三卦;後三十四卦,互坤者一卦,互乾者凡三卦,亦整齊不差。按前三十卦共互坤卦十四,後三十四卦共互乾卦十四,不知其胡以祇云三卦? 至其他所測,多有勉强者,不盡當也。

讀易義例一卷嘉慶刊本

　　清汪德鉞撰。德鉞所著周易偶記、雜卦反對互圖已著錄。此所爲義例,共六十五條。有與義例皆不相涉者。如言易象六十有四,言貞者三十有四卦,言不可貞者一卦,言元亨者十一卦,言亨者二十有六卦,言吉者十九卦,言元吉者一卦,大吉者一卦,言利者三十五卦,言凶者五卦,言悔者一卦。又易爻辭三百八十四爻,而言貞者七十一爻,言无咎者九十爻,言吉者九十七爻,言凶者四十七爻,言无悔者二十二爻,言厲者二十三爻,咨者二十爻,亨者四爻,利者四十一爻,不利者十爻,言咎者一爻,有孚者十七爻。此直總簿計耳,於例既無涉;若其義皆在本卦本爻中,於總數亦無涉也。至其他所舉之例,皆不注明某卦,以申明其義,令人閱之,多不知其所指。如云易初上無位,而即以爲賤者;易中四爻有位,而有時以爲賤者;易有以二爻爲一類,分上中下三等而觀之者;易有以中二爻爲一類,合上下四爻爲一類而觀之者。按之諸卦,皆不合,訖不得其所指,抑有誤耶? 書內如此者甚多。祇易剛柔皆應者八卦,而其應有取有不取,知其指否、泰、咸、恒、損、益、既濟、未濟八卦而言;又云易五上二爻,多有相首尾者,知其指乾、泰等卦而言;又云易有全體取象爲一物者,知其指大壯之羊,漸六爻之鴻而言。又云:易大象傳,多有與象爻之義不類者。按大象傳義,有與卦義相反者,有引以爲戒者,有推擴卦義者,有相成者,先儒皆未言。兹云與象義不類,可補前人所未發,最爲善疑。至云易有二卦合體相似,而名迥不同者;有二卦顛倒,而其名義迥不同者,則所見太淺,何待言哉? 不足貴也。

易説評議卷七

周易觀象無卷數_{嘉慶刊本}^{〔一〕}

清長白蔣紹宗撰^{〔二〕}。紹宗字諟廬。嘉慶舉人。官湖
南石門、瀘溪、瀏陽等縣知縣。此則其官湘潭時所著,無卷
數。上下經,上下繫,説、序、雜三傳,外附厄言一卷。名曰
觀象者,據其自序云:孔子曰易者象也,象也者像此者也,君
子觀則得之。按自春秋士大夫以迄兩漢,凡説易者,無不以
象爲本。蔣氏所言,可謂扼要矣。今觀其注,首先釋象,末
略疏其義,凡義理家空洞之解、泛濫之談,無一語及之,一掃
元明以來講章之霾霧,是其所長。惟經文實字以象求之,其
虛字亦必求之於象,爲自古所無。如説潛龍勿用云,初震爻
象龍,變成巽象潛,巽下二爻似坎又似艮,故象勿;説九三屬
无咎云,變則似坎,故象无;九四或躍在淵云,此爻變則成

巽，進退不果，故象或；飛龍在天云，爻值離，故象在；説同人于野云，伏震有行象，故象于；同人柔得位得中云，互巽故象得；説乘其墉弗克攻云，伏坎故象弗；説大有公用亨于天子，小人弗克云，卦取半震，故象用、象于、象克，伏坎故象弗；九四匪其彭，无咎云，伏艮故象其，伏坎故象匪、象无；復十年不克征云，初二似坎，故象不。書内取象率如此。此無論其所取之象，或爲半象，或爲本卦所無，由爻變得來，支離穿鑿，不合正軌。而所謂于字，不字，弗字，其字，勿字，无字，大概皆爲語助辭。漢人用象，若虞翻可謂密矣，然皆不及於語助等字。誠以是等字，無象之可言也。是蓋習聞易辭皆由象生，故拘執不通若是。又蔣氏於易理太疏，所取之象，既泛浮不實，而於易理背馳與否概不計及，故取象愈密，愈無足觀。至末後巵言，祇言易無一字不由象生，然亦無切實發明也。

周易介四卷_{嘉慶丙子刊本}

周易介四卷，清單維著。維字宗四，號濰村。山東高密舉人。篤行誼，尤重實學。與族叔作哲讀書精微觀，人罕見其面，於經史子學，悉探奧蘊。與李長麟、王立性等結詩社於李氏南園。後司德州訓導，遷濮州學正，卒於官。著有周易介行世。今觀其書，祇釋上下經，繫辭、説卦、序卦、雜卦皆無注。以宋儒義理爲宗，而間及於象。然漢儒所用易象，十不能舉二三，疏略已甚，且誤者甚多。如解屯即鹿无虞云,坎爲鹿。夫屯下震上互艮,皆有鹿象,先儒互用之,獨未有以坎爲鹿者。茲云坎象鹿,臆造無據。又説履虎尾云,互離爲虎。離雖有文,然以象虎,則漢魏人所未見。又説否之苞桑云,艮木堅多節,故爲苞桑。苞桑者柔桑,陸績有明訓,且皆以互巽爲桑。若艮在下互,與五無涉。書内如此者每有,則取象之不審也。至其解説之不當者,如解泰初象志在外也,謂君子志在天下,故曰志在外。此宋楊萬里之誤解,凡清儒言義理者,無不襲之。從俗不改,將内外應與之謂何矣?又説隨六二係小子,失丈夫云:五爲丈夫;乃於六三係丈夫失小子,則又謂丈夫爲四。夫六二與三之丈夫,原皆指四,四艮體,艮堅,故小過以艮爲祖,隨以艮爲丈夫。六二爲六三所隔,故係小子失丈夫;六三爲六二所阻,故係丈夫失小子。純指初四言。茲謂丈夫二指五,三指四,此程傳之誤解,不宜再襲。又説坤西南得朋,東北喪朋云:西南兌離皆陰卦,皆坤類,故得朋;東北震艮坎,皆陽卦[一],與坤非類,故喪朋。是不惟朋字類字皆失詁,而陰陽相求相得之根本大義亦失矣。且何以解中孚六三之得敵,艮象之敵應,及頤六二象詞之行失類乎?統觀全書,病在襲用程傳太多。程傳不論象,不拘易理,自演其所謂聖功王道之學。雖以朱子之尊信,晚年尚悟其非。不加撿擇,而盡從之,故歧誤如此也。

〔一〕"坎,皆陽卦"至篇末"故歧誤如此也",印稿無。據排印本補。

河上易註十卷_{道光元年刊本}

　　河上易註十卷，清黎世序著。世序，河南羅山人，字湛
侯。嘉慶進士。知南昌縣，在官五年，治狀爲一時最。累官
至南河總督，以束水攻沙、蓄清敵黃爲務。淡泊寧靜，一洗
靡俗，爲治河名臣。卒諡襄勤。有河上易註，蓋皆其治河時
所著，故名河上。黎氏蓋以義理與象數宜並重，深以程傳、
本義空演義理，不求象數爲非。而御纂周易折中以程朱爲
主，即御纂周易述義名宗漢易，仍於象數甚略，黎氏蓋深以
爲非，託言折中、述義二書聖訓精微，凡講周易者皆莫能外，
而不敢明引，以蹈不敬之愆。揆其宗旨，蓋欲取漢宋二家，
冶爲一爐，甚正當也。其特出者，如蒙、比皆言筮，以筮爲坎
象。夫坎之爲筮，除焦氏易林外，自馬、荀、鄭、虞皆不能言
其象，清儒獨茹敦和知之，他皆不知。黎氏雖少後於茹，未
必見其書，可謂發前儒所未言。又比之原筮，晉干寶據周禮
太卜掌三兆之法，一曰玉兆，二曰瓦兆，三曰原兆，訓原爲
卜。後儒不察其誤，往往從之。否則訓爲先，爲始。沿誤至
今，無有知者。黎氏獨訓原爲田，謂原兆爲龜坼之紋，下坤
爲田，上坎爲筮，故曰原筮。取象既確，説理愈通，由是千餘
年之誤解，得以復明。又以大畜豶豕之牙，訓牙爲繫豕之
杙，於象於義皆協，勝於舊解。又説否之苞桑，以苞桑爲叢
生之柔桑，不取堅固之俗説，然後與其亡其亡之義相應。他
若頤象爲正覆震，亦正覆艮，中孚二至五象亦然，故頤象曰

慎言語,中孚曰其子和之,皆兼上覆震而言。此其義除焦氏易林外,二千年無喻者,故解皆誤。獨黎氏於頤曰震艮同體,而一俯一仰,如兩人然;於中孚則以三至五爲覆震,故曰其子。全易如此者,雖不能盡發,然亦足見其探討之深矣。惟誤解亦多。以大畜九三象辭之上合志,爲合君上之志;謂剝五之貫魚,下變坎爲魚;以頤之靈龜爲坎象,是皆臆説無據。又謂卦須皆變成坎離,使陰陽平均,合聖人用中之義。此本虞氏之正之説,六爻正,三陽三陰即平均矣。乃黎氏襲其意而變其貌,曰六十四卦須皆裁爲三陰三陽,俾損過就中。於是无論卦爻之當位與否,概使變成坎離,以就其説。背古法,違易例,莫此爲甚,則此書之大病也。

讀易集説不分卷　嘉慶丁丑刊

讀易集説,不分卷,亦無篇數。清朱勳輯。勳字普齋,號虛舟。江蘇靖江監生,官至陝西巡撫。值川楚匪亂,籌辦防剿,地方以安。後坐事降官。所著有周易集説、四書通等書。今觀其集説,純取宋人,以程傳、本義、邵子觀物外篇、周子通書、張載橫渠易説爲主,不惟不及漢人,即王弼、孔穎達之説亦概不取。餘則兼采東萊呂氏之讀易紀聞,誠齋楊氏之易傳,白雲郭氏之傳家易説,朱震之漢上易集傳及叢説,廣平游氏之易説及中庸解,兼山郭氏之易説易傳,童溪王氏之學易記,龜山楊氏之易説,蒙齋李氏之學易記,南軒張氏之學易記,渾源雷氏之學易記,司馬溫公之學易記,又有誠齋楊氏之學易記，耿氏之學易記。凡周、邵、張、程、朱子之說皆高一格，知以此五家爲宗主；其餘諸説皆低一格，似附於後，以備參攷者。除説卦外，無及於卦象者，專取空虛之説。朱漢上重易象者也，凡以象解易之處，概不採録。蓋宗主性理，忽視象數。既與春秋士大夫及兩漢儒者易説有違，而所舉之書名，如學易記有八九人，皆同用此名，而目録家皆不載，不無可疑。總其全書，皆以宋儒爲宗，宋以前不取，以後亦不取，若易道至宋而止者。書內從無案語，篇首亦無序例。姑測其意如此，不足重也。

周易無忘録三卷道光七年刊本

　　周易無忘録，上中下三卷。清蔣珣撰。珣字少泉，浙江餘姚人。嘉慶舉人，官瑞安教諭、著易義、書義、詩義、春秋等經無忘録。其易義上卷，論卦爻及彖象傳之微旨，中卷發繫辭、説卦、序卦、雜卦諸傳之精蘊，下卷推演河洛及後世説易擬易諸家之梗概。旁搜博采，比事屬辭，頗欲包羣書而集衆美。然其選擇不精，每多誤解。如謂坤爲實，以蹇六四當位實、鼎九二鼎有實、六五中以爲實、蒙六四獨遠實爲證，謂皆指坤。豈知蹇六四曰當位實，實指坎；坎中實，而四上下皆坎，故往蹇來連，言往來艱難之故由上下當坎也。鼎九二鼎有實，以二之前皆陽，故象曰慎所之，言二陽遇陽，所之不利；實皆指陽，不謂五。六五之中以爲實，言五居中位，得實爲應，故利貞；實正指二，尤不謂五。蒙六四獨遠實，言初三五皆近陽,獨四不近;實指二上,更非自謂。此語較鼎之鼎有實、塞之當位實,尤淺顯易解,乃亦誤焉。由是證其於易辭,大半皆不能明。其第二卷以説卦解爲最詳盡。而卦象有不能解者。如巽爲工,此不能解也,乃謂引繩之直以制曲,故爲工。又如坎爲耳痛,蓋以一陽刺入坤虚,故耳痛,乃曰聽勞則耳痛。聽勞如耳痛,將視勞則離目痛,行勞則震足痛,巽股痛矣。其誤可知。又如序卦物不可終離,故受之以節,節合符取信,其用在合,故與離對文;乃謂涣則躬約束以節,則不知節爲何義。其第三卷則撮鈔黄宗羲象數論,挨次敍説河洛諸圖,及太玄、皇極經世、潛虚等擬易之書,簡而不明,無所可否,尤不足貴。

生齋讀易日識六卷道光刊本[一]

清方坰著[二]。坰字子春。平湖人。嘉慶舉人,官武義訓導。平生研求理學,以程朱爲依歸,以鄉先輩陸稼書、張楊園爲法則。其爲學大概略見於生齋文集中。兹讀易日識,至无妄而止,蓋未及卒業而歾。其説易皆以易辭證反身克己之功,而不在於解易。故其所舉易説,多以程朱爲宗,漢魏舊詁從未一引。然爲義理所縛,講章習氣太深;中八比之毒,剖析之功太細。縱戰兢惕厲之言,自寬自欺之戒,每卦皆有,然千篇一律,則陳腐不鮮矣。故書内一涉經義,則

〔一〕此篇印稿無,依尚驤補鈔本與排印本互校整理。
〔二〕"坰",補鈔本誤"埛"。據排印本改。下同。

十九皆誤。如説需初九利用恒云：恒於其所即是不失其常，要其所以能恒者祇在乎有孚，故象言有孚，爻言用恒。夫初九之用恒，以二三皆陽爲害，故不能應四。象言有孚，謂五孚於上下陰，於初之用恒何涉？乃曰用恒在於有孚，殊爲誤解。又如説比原筮云：受人比而必自筮，然一筮不足，又必再筮；其再筮也，有元善之德而又必長永，元且永矣而又必正固；不問人之來比與否，而於己之當比不當比審之，何其内省之嚴密也！按原者坤象，筮者坎象，原筮略如野筮，然二象皆失傳。自漢以來，訓原爲再、爲先，兹從舊詁，原不足怪，獨其所陳之義皆經義所本無，爲當時習制義者咬文嚼字之論説，雖程朱亦所恒言，然以説經則浮泛無當。又如以圖之於將然，防之於未然，説蠱之先甲三日，後甲三日，於天行義不合；説无妄初九往吉，云誠能動物，其理絲毫不爽，似未知往吉之義何在。不足貴也。

周易訓義七卷_{嘉慶刊本}

清喻遜撰。遜字時敏，號蓮峰。寧鄉諸生。其説易純以周易折中、周易述義爲主。凡卦爻下之注，首訓義，次集説，而以折中、述義欽定説殿其後。實其所謂訓義，無不本之折中、述義二書，不必重述也。間於爻下注易象，其自謂本之欽定二書，然頗有誤者。如説即鹿无虞，以坎爲鹿象。漢人如焦延壽、虞翻，皆以震爲麋鹿，坎從無此象。又或錫之鞶帶，謂乾爲圜有帶象，坎爲曳故褫。按訟上九之詞，其象皆在應爻，應爻三體巽，巽爲繩，故爲帶；巽隕落，故褫之。乾胡有帶象？坎曳與褫義何關？又說剝牀以足云，以牀爲象，取身之所安也。按易林皆以艮爲牀，取其形似，義與巽同，後儒多從之。茲云取身之所安，於象者像也義有違。書內如此者甚多。至其說之誤者，如小畜輿說輻云，說輹可以復進，說輻則車不能行。夫輻本作輹，釋文有明文；馬訓爲伏兔，亦云下縛；子夏傳及釋名，皆以爲車屐。車與軸之行，全在於是。今下縛解脫，如何能進？若輻在輪內，如何能脫？又如隨六二係小子失丈夫，云小子指六三，丈夫指初九；至六三係丈夫失小子，則又云丈夫指九四，小子指六二。按六三象明曰係丈夫，志舍下也，是以初爲小子也。茲云指二三。又丈夫指九四，則二爻之丈夫，亦指九四，故係初失四。茲於六二之丈夫，謂指初九。胡一人之說，違戾若是？又如蹇利西南不利東北云，坎險在前，不宜冒險前進；西南陰方主退，故利西南。按象傳明曰蹇利西南，往得中也，西南者坤，謂九五往居坤中，得位有輔，故下又曰利見大人，往有功。茲謂爲主退，顯背經旨。書內如此者亦甚多。折衷、述義皆當時義理家之所爲，其誤解之迷惑後學者，蓋不可屈指數矣。茲書毫不能辨而盡從之，則易理太疏也。

周易通解三卷　道光刊本[一]

清卜斌著。斌字雅堂。歸安人。嘉慶進士，由刑部郎

〔一〕此篇印稿無，依尚驤補鈔本與排印本互校整理。

中、簡知府,後爲左江兵備道。其易解頗簡潔,無支辭蔓語,無空泛之談。又深知聖人觀象繫辭之意,能以象解易,與漢儒合。又直抒己見,不拘囿前人,故瑕瑜互見。其解之誤者,如說坤六三或從王事云:爻等五爲王,三五同功,爲從王事。按坤消至三否,上乾爲王,故從王事。非以三五同功。文言說坤六四曰天地變化,便知坤消至四爲觀,觀八月故云變化。消至三與至四同耳,故知爲否,此其證也。又說需象利涉大川云:爻等五爲大,三爲川,三五同功而濟,故利涉大川。按象傳云利涉大川往有功也,謂五往坤中也,坤爲大川也。坤水之象雖失傳,然往謂五明矣。兹謂三五同功,三何功之有哉?又說訟六三或從王事云:聽於二而順於四。按從王事,謂三承上乾,乾爲王。與坤三同也。於二何與?又說說卦巽爲工,云巽精巧爲工。按巽無精巧之象,舊無達詁,則當闕疑,不宜穿鑿。書內如此者甚多。其說之善者,如讀陰疑於陽必戰,讀疑爲凝,不從義理家陰盛陽疑之說。又說屯剛柔始交而難生云:屯者乾坤之始交,震陽交始,坎陽交中。按乾純陽,坤純陰,無所謂交。屯以乾初交坤成震,以乾二交坤成坎,爲乾坤二卦後之始見,故曰始交。兹書獨不從虞翻以坎初二易位之說,改正舊解,甚爲有功。又說蒙六三見金夫云:三應上,上九剛堅稱金夫。按艮爲金爲夫,舊說因不知此取應爻象,又不知艮金艮夫象,故歧誤百出。兹書獨知此取上艮堅剛象,能發前人所未發。書內如此者,亦多有也〔一〕。閱者棄取之可也。

周易通解釋義一卷道光刊本〔二〕

清卞斌著。斌著周易通解已著録。兹曰釋義者,乃總釋周易大義,使六十四卦皆無滯義,而不拘於一卦一爻。又其所説皆創自己意,直抒所見,不蹈襲前人,深得著書之體。如云小畜象曰不雨、爻曰既雨,履象曰不咥人、爻曰咥人,兩卦爻象之不同如此者,象明一卦之用,爻備六位之占故也。按此義爲前人所未知,故既雨、咥人之故,無有通其説者。惜所舉祇二卦,他若无妄象曰不利有攸往,爻曰往吉;損象曰利有攸往,爻曰往凶;夬象曰利有攸往,爻曰往不勝,易內如此者不可勝數。昔之人坐不知此,故所釋皆誤。卞氏獨能明其義,甚爲有功。又云:易象一爻,有吉凶兼及者,如无妄六二、漸九三、未濟六三,皆先凶後吉,若此者皆兩占之。按此義前人亦未及。惟无妄六二、未濟六三,先儒皆謂經文有缺誤,難以爲憑。獨漸九三曰:夫征不復,婦孕不育,凶,利禦寇。前凶而後利。蓋艮爲夫,居卦終,故曰不復;巽爲婦,坎爲孕,坎陷故不育而凶。然九三下有二陰相附,勢衆故利禦寇。坎爲寇,艮爲禦也。此與家人九三,家人嗃嗃悔

〔一〕"多",補鈔本作"時"。據排印本改。
〔二〕此篇印稿無,依尚驤補鈔本與排印本互校整理。

屬吉,婦子嘻嘻終吝〔一〕,皆按一爻上下視而取義,故吉凶不同。惜卜氏未能博引,以申其義。他若釋六十四卦、先天八卦、後天八卦,及序卦、雜卦等篇,雖各有新義,未能協洽。又謂八卦必重者,謂耳目手足股肱皆兩;乃兌爲口,則謂口爲肱之形訛字,殊嫌穿鑿。又信虞氏謬説,謂大過過以相與,故二應上、五應初。因誤解傳文,擅改易例,殊爲大謬。獨其釋象,能以坤爲魚,以坎爲矢,以巽爲豕,以兌爲牛,與易林闇合,經義藉以復明者多處,則殊爲有益耳。

易經音訓不分卷<small>十一經音訓本道光刊</small>

易經音訓不分卷,首義例,次上下經,上下繫,序卦、説卦、雜卦。道光時河南巡撫楊國楨,命開封知府存業,知縣袁俊、汪傑、李親賢、王治泰,書院山長劉師陸,編輯校勘。國楨崇陽人,嘉慶進士。撫河南七年,憫寒士得書難,刊十三經讀本。又以論語、孟子家有其書,去之,祇刊十一經,以便學者。易其一也。此本爲讀本,白文之下,偶注反切,旁擇本義之解注於旁。後以安徽曾刊十一經讀本,故名曰音訓。其易經源流及其傳授,漢各家派別,王弼、陸德明、呂祖謙、程子、朱子所闡明之周易大義,爲學易者所必知,則詳盡於卷首集説中。惟所集之説,及旁引經注,皆傾向義理,偏於宋易。至聖人觀象繫辭,周易根本之所在,以及消息卦、

〔一〕"嘻嘻",補鈔本、排印本作"嬉嬉"。據阮刻《周易正義》改。又"吝"上,補
　　鈔本脱"終"字。從排印本補。

納甲諸事,爲學易者所必知,則集説中無一語及之。然則學易者祇即是本求之,可斷言其無益也。況所集諸説,如程子言有理而後有象,有象而後有數,得其義則象數在其中;必欲窮究象數,乃尋流逐末,管輅、郭璞之學。按易辭皆聖人觀象而繫,今捨象而求其辭,義如何得?又以象數爲管輅、郭璞之學,是不惟不知管、郭,並左傳、國語及漢人解易之書爲何物,一概不知。蓋易説之浮泛無根,至程傳而極矣,朱子即嘗駁其説爲顛倒。兹書復録之,以惑後學,則不如錫山秦氏九經白文之無弊也。

漢宋易學解不分卷_{嘉慶刊本}

漢宋易學解,不分卷數。首上下經,次上下繫,及説卦、序卦、雜卦。題王希尹著,而不書何處人。祇篇首有法式善一序。式善嘉慶時人,序稱王君,是作序時希尹尚在。然則希尹亦嘉慶時人也。其易解先言易象,再及義理,意欲冶漢宋爲一爐,較之空言義理者進矣。惟於易象易理,所詣太淺,不足以副其書名。所謂漢易者,非第易象也,有易理焉。兹書於每卦每爻,先言錯某卦、綜某卦,以來知德爲宗;爻無論當位不當位,隨意令變,以虞翻爲主。豈知來氏錯綜之説,後儒以其不當,鮮有從者。虞氏卦爻變以之正爲説,乃爻之當位者虞氏亦常令變,則之不正矣。希尹不知其非,一概盲從,遇象之不能知,則令某爻變以尋其象;義之不能解,則曰某卦綜某卦,以就其説。凡象學家之弊皆仍之,至漢儒所謂易理者，概不詳也。如説童牛之牿云：以柔止剛，剛不敢犯，故元吉。則於易理全背。舉此以例其餘。至宋儒所謂義理，如説見龍在田時舍也，以舍爲捨棄；説大畜何天之衢云，何其通達之甚，如天衢也。則襲宋人之説，而訓詁太疏。説六四元吉有喜云：少年而能畜德，何喜如之？説六五之吉有慶云：五得止惡之道，國家之慶也。則敷演義理，而於易理全違。書内如此者，十而八九。祇於説卦釋黔喙之屬云：鳥之剛在喙，艮剛在上，故爲黔喙之屬。不遵馬、鄭以爲獸屬，能發前人所未發。然全書如此者甚少也。總此書之大病，無論爻當位與否，先令某爻變，再由變爻而云錯某卦，再由錯卦而云綜某卦，勉強湊拍。蓋易學之龐雜紛亂，失其本根，至是而極矣。

周易研幾一卷同治己巳刊本[一]

周易研幾一卷，清豫師著。豫師旗人，字錫之。道光間進士，官至川東道，博洽能詩。後失明，罷官，爲八旗名宿。其所著周易研幾，蓋取繫辭聖人極深研幾之義，實皆言占筮。共爲十三圖，説十六篇，其所演皆火珠林之術，與坊間所售卜筮正宗、增删卜易無以異，而妄附會於易辭。如謂參伍以變云：伍者五行，參者三合也，即申子辰爲水局，亥卯未爲木局，巳酉丑爲金局，寅午戌爲火局，而土則寄於四行之中；五行得三合，故曰參伍以變。夫參伍以變者，謂易數也，

〔一〕此篇印稿存，排印本未收入。

故下云錯綜其數。蓋古人起數之法，始於三才，故爻數至三而終，過三必變，乾四云乾道乃革是也、終於五行，故爻數至五而盈，過五必變，乾上有悔、泰上城復于隍是也。豈謂水生于申、王于子〔一〕、墓于辰〔二〕，木生于亥、王于卯、墓于未，金生于巳、王于酉、墓于丑，火生于寅、王于午、墓于戌之小數乎？況坤爲土，亦爲水，易於水土不分，故術家謂土之三合與水同，用之而驗，安得謂土無三合乎？又曰八卦每宮所屬之七卦，其五行悉從本宮，如乾金也，則姤、遯、否、觀、剝、晉、大有七卦〔三〕，亦皆屬金云云。夫八純卦於五行各有專屬，餘五十六卦皆八純摩盪而成，或上火下水，或上土下木，各自不同，胡得強與本宮同？豫師蓋以六親皆由本宮五行而起，遂誤以八宮所屬之卦，其五行皆與本宮同。豈知五十六卦之六親，皆因其所納之支，與本宮五行生尅而定，京氏所謂生我爲父母，我生爲子孫，尅我爲官鬼，我制爲妻財，同氣爲兄弟也，專以所納言，豈謂其卦乎？又說八卦成列，象在其中云：八卦列八方，彼此對待，愛惡生焉，故象在其中。此尤不知傳語所謂。傳語謂三畫卦成，凡天地間事物之象，盡包括其中耳，於愛惡何涉？又曰：因而重之，爻在其中，六十四卦，即八卦之六爻也。是仍不知爻義。蓋三畫卦有畫無爻，爻者交也；重爲六畫，始能初與四交，二與五交，三與上交。豈謂八卦之六爻乎？八卦除乾坤外，餘六子及五十

〔一〕“王”，印稿作“壬”。據上下文義改。下同。
〔二〕“辰”，印稿作“戌”。據上下文義改。
〔三〕“大”，印稿作“火”。據京氏八宮卦義改。

六卦,皆乾坤所積而成,而云八卦之六爻,變爲六十四卦,其誤不亦遠乎?又謂近而不相得則凶,即爻變回尅之謂。此更不知繫傳之所謂,徒巧於附會影射耳,實陋甚也。

周易本義補說五卷 道光刊本

清蔡紹江撰。紹江字伯澄。蘄水人。道光己卯進士,歷官刑部郎中。據篇首賈楨序,紹江乃其父之門人,常病朱子本義總括易義,不易瞭解,命紹江補注,以期明晰。故其書首列本義之注,其所補之注則低一格,附於朱注之後,故名本義補說。其說之善者,如朱注賁其須云,二附三而動,有賁須之象,而不言須義。兹補之云:毛在口曰髭,在頰曰髯,在頤曰須;三至上互有頤體,二在頤下,故爲須。此雖舊說,而文義顯明。又剝牀以足,朱注不言足象。兹補之云:剝自下始,故曰牀足。又舍爾靈龜,本義不言龜象。補云:說卦離爲龜,頤、損、益三卦亦云龜者,離外實中虛,頤、損、益亦外實中虛,故亦象龜。按易林以艮爲龜,艮亦外堅。兹雖不知艮象,然取象甚切,朱注得此,解說方明。又如虎視眈眈,朱注不言虎象。兹云艮爲虎。大過初爻藉用白茅,朱注祇言茅物之潔者。兹云巽爲白,爲草木,故爲茅。皆足以補朱注之所未備。書內如此者甚多。其說之誤者,如白賁无咎,上得志也,得志謂上九下乘重陰,陽遇陰則通,故云得志。本義無說。兹補云得志謂得其篤實之志,則不合傳旨。又復六二象,休復之吉,以下仁也,下謂初九,陽爲仁,言陰近陽故吉。茲補云：初陽爲仁人，附而順之，是降下於仁人故吉。則於傳義有違。又如離象，大人以繼明照於四方，繼明者謂上離下離，與習坎同，皆重義。本義無注。補云：繼明，無時而不明也。則於象旨稍有不合。又離六五象離王公也，言上陽下陽，下陽四爲三公；上九云王用出征，以上九爲王也，五正麗於王公之間。本義不注，甚屬不合。茲補云：六五所麗者，王公之正位。即以六五當王公，則違背象意。書內如此者亦多有也。然此書能補本義之闕漏，並能言象，不但爲朱子之功臣，亦晚近義理家之少有者也。

易經解注傳義辯正四十四卷 光緒二十二年刊本[一]

　　清彭申甫撰。申甫湖南長沙人。道光乙未科舉人，候選通判。其所集易注，至爲詳悉，自漢迄清，凡名家注皆採入書中。如李氏集解之古注，並集解所無者，皆採輯無遺。此外如王注，如正義，如程傳、本義、漢上易，以及楊萬里、蘇軾、陸希聲、項平甫、來知德等易説易注皆備，而於清易家祇取王夫之、李光地，間及顧炎武、王引之等説。其古注有可疑者，則加案語，辯正其是非可否。寒士得此一書，並苞羣書於其內，省檢查之煩，收合流之益，甚便也。其所辯正，亦多可取。惜其偏重義理，忽視易象，略於訓詁，故所録之注，宋人獨多。至有清一代易家，李光地則專尚義理者也，故所取獨多，其王夫之則取其演空理者。其以漢易爲宗，若毛大

〔一〕“光緒二十二年刊本”，印稿無。據排印本補。下篇標題同此。

可,若惠棟、姚配中、張惠言等,則擯而弗採。故其所辯正,每有歧誤。如謂水火爲坎離所獨有。不知坤亦爲水,艮亦爲火,其義皆原於本經。又以艮爲黔喙,先儒皆以獸言,獨冷氏謂鳥善以喙止物,有取於飛鳥非是。豈知黔喙之象,以艮剛在上,故取象於喙,非取艮止。冷氏謂鳥以喙止物則非,謂爲鳥則是也。焦氏易林讀黔喙爲黔啄,喙鳥獸所同有,啄則鳥所獨有。故易林遇艮,則以爲鷹鸇、爲鵰鶚,冷氏之説,固古訓也。又謂虞氏即象演象,因象造象,多至三百餘,不知聖人假象以明易,後儒執易以求象,而易反以象亡矣。此尤囈語。聖人觀象繫辭,是易辭皆由象生,不求象安能明辭?虞氏之大病,在强命爻變以求象,至其所取之象皆原本於經,無自造也。彭氏不知象爲何物,故妄言如此也。又鄭氏詁太極云:極,中之道。以極爲中,自是古訓。故屋棟亦曰屋極,以極當正中也。有中方有兩,故生兩儀。乃彭氏以爲外道。又虞氏以坎離震兑爲四象,坎離震兑即四方,即四時,即六七八九。乃彭氏謂爻甫二畫,尚未成卦,安得有震兑坎離?則執於啓蒙之説而太過。以此見彭氏於易理之疏也。然其案語亦多可取,分別觀之可也。

易經圖説辯正二卷 光緒二十二年刊本

　　清彭申甫著。申甫著易經解注傳義辯正,已著錄。兹專辯正河洛圖,先天後天方位圖,邵子六十四卦方圓圖,納甲圖,卦氣圖,十二辟卦圖,及虞翻、朱子等卦變圖。其於河圖,過信啓蒙之説,引大傳天一地二節文,及太玄一六爲水、二七爲火、三八爲木、四九爲金、五五爲土,並鄭康成注以爲證。豈知墨子云:迎敵之數,東方八,南方七,西方九,北方六。素問同。月令:孟春其數八,孟夏其數七,孟秋其數九,孟冬其數六,中央數五。大戴禮:孤子朝八人以成春事,七人以成夏事,九人以成秋事,六人以成冬事。言此數者多矣,而墨子尤古。然皆不言其爲河圖數。至於洛書,先儒皆以爲九疇,然九疇授禹,大傳云聖人則之,謂畫卦之伏羲則之也,伏羲豈能則禹時物? 疑大傳所謂洛書,乃別一物,非九疇之洛書。彭氏於圖書,概不詳攷,遽謂胡渭所駁,皆强詞奪理。胡渭謂一與二,三與四,五與六,七與八,九與十,奇耦爲配,是謂各有合,於易義誠爲違盩,其他不盡非也。先後天卦圖,衹邵子以先天屬伏羲,後天屬文王爲不當耳;至其命名,不可易也。乃彭氏謂先後天之名,無本强立。豈知文言云先天而天弗違,謂先天方位,皆天地自然之法象,陰陽牝牡,相對相匹,故天弗違;後天而奉天時,謂震春、離夏、兌秋、坎冬,來往循環,不差不忒,故曰奉天時,皆指卦位言。故先後天之名,本於文言,具有至理。乃彭氏改爲天地定位圖、帝出乎震圖,不惟名陋,且於易理太疏矣。一二三四五六七八,乃卦數也;十干之序,尚各有數,注家用以解經,豈以八卦而無序無數乎? 觀焦氏易林,遇兌每言二,遇震每言四,可知此數自漢已有,非邵子所創。又太極生兩儀,及六十四卦次序,焉能爲圖? 毛奇齡所舉之八誤,雖不盡當,然云卦衹有三畫,並無四畫五畫之加,其言是也。大傳云：八卦成列，卦在其中；因而重之，爻在其中。是八卦相重爲六十四，非八卦之上逐漸加畫而成也。乃彭氏不加分別，一概詆之，殊失其平。又彭氏謂胡一桂之卦象圖，分爲文王之象、周公之象、孔子之象，據經爲圖，皆確鑿不可磨滅。豈知胡氏所列之圖，頗多誤解。如以輿象、車象屬之乾，以大畜、小畜、大有爲本。按是三卦，皆以伏坤爲車爲輿，非以乾爲車輿。說卦蓋自古相傳之象，不得即屬之孔子。且周公演易，於古無徵，唐孔穎達誤解爻辭，妄以爲證，非也。彭氏不知其非而大信之，疏已。又謂京氏世應，出於納甲。夫世應即左傳所謂貞悔，乾鑿度所謂一與四、二與五、三與上相應予也，於納甲何涉？書內如此者甚多，舉一以例其餘，以見專重義理者之疏於易理有如此也。

易説評議卷八

讀易叢記二卷同治刊本

清漢陽葉名澧著。名澧字翰源，名琛之弟。道光舉人，官內閣侍讀。篤於風誼，在都門聞翁方綱曾孫女溷迹市中，貧無以度，引爲己女，擇名門嫁之，士林稱頌。其說易不章解句釋，亦不甚申明易理，祇即易字之有異文及滯義者而訓詁之。雖多前人所已發，然攷訂詳明，引據繁博，望而知爲精於攷据學者。其說之精審者，如謂屯女子貞不字，字非許嫁，其以字爲許嫁者始於宋耿南仲，其誤由於誤解曲禮。曲禮：女子許嫁笄而字。又儀禮士昏禮：女子許嫁，笄而醴之，稱字。所云稱字在許嫁之後，非以字爲許嫁之通稱甚明。後世以男娶女字，對舉而言，皆因讀曲禮而稍誤。又謂即鹿无虞，虞翻、王肅皆作即麓，謂古鹿、麓通用。除引洪氏頤煊說外，復引穀梁僖十四年傳，林屬於山爲鹿；國語周語，瞻彼旱鹿，韋注鹿山足，是鹿麓古字通用，見於古籍者甚多。按字非許嫁，鹿麓古通，惠棟、張惠言、臧琳等雖皆已論定，而葉氏所舉皆特詳明，能引伸前人所未備，足見其博。有攷證詳盡，而解不適者。如視履考祥[一]，祥本吉凶之先見者，上九居履之終，故可攷視其已往之禍福。而葉氏以祥、詳古通用，故荀氏作詳審也，謂作詳審，文意尤順。按祥、詳古固通用，然此曰視履考祥，則祥爲實字，若作詳備解則文意殊淺。又復初无祇悔，祇九家作疧，字音支，多也，祇、多音義並通。按祇、多音義並同，是也。惟祇字乃從氏得音，故與提通。而葉氏祇皆作祇從氐，則非也。有不必詳而博攷者。如其行次且，祀事作巳事，場作易[二]，皆古文省字；冶之與野，彭之與旁，形渥與刑劅，皆音同通用。繁稱博引，反不簡明。有誤解者。如文言曰時舍也，義同詩之舍矢如破。舍，發也，故天下文明。井九二時舍也，則義同於君子幾不如舍之捨。字雖一而義則殊。乃葉氏必以井之時舍，釋文言之時舍，則於易理有違矣。

易經輯説五卷　道光丁亥年刊

易經輯説五卷，杭州徐通久著。通久號抱真，道光間爲陝西中部縣知縣。其所集易説，以朱子本義爲主。凡本義篇首所列各圖及其注，一字不遺。本義之後，雜採孔正義、程傳、胡炳文、俞琰[三]、朱子語類、晁説之、真德秀、邵雍、周

〔一〕"考祥"印稿作"攷詳"。據阮刻《周易正義》改。下同。

〔二〕"場"，印稿作"場"。據上下文意改。

〔三〕"琰"，印稿作"炎"。據文義改。

敦頤諸人之説，間亦及於王弼，而程傳爲最多。自謂素無師承，去易道遠甚，不敢稍出己意，有玷聖經；而其間有諸家講解各異者，兼存其説，以俟極深研幾之君子而折中焉。故其書始終無一案語，無一己注。然觀其所采，以程、朱爲宗，與周易折中十九相同；程、朱以外之説，亦大半爲折中所有。凡漢魏諸儒象數之學，周易本原之在所在，不惟不録，似亦不知者。直讀折中可矣，又何貴此書乎？又大象天行健，君子以自強不息，釋卦辭也，朱子以此處象字，冒小象言，注云象者卦之上下兩象，及兩象之六爻，周公所繫之辭也。朱注本不甚分明，而徐氏直謂天行健，君子自強不息，爲周公所繫之辭，著之篇首，定爲易例。則並朱注尚不能盡悉。歧誤如斯，尚何易學之可言乎？

周易訓故大誼殘本四卷_{鈔本殘闕}

周易訓故大誼，殘本，共四卷。清羅汝懷撰。汝懷字念生。湘南湘潭人。道光拔貢，官龍山訓導。有緑綺草堂詩文集、褒忠録等書。其周易係舊鈔本，祇五卷，至坎離而止，中又缺第二卷，坤卦屯卦説皆亡。實祇四卷，蓋殘書也。書名訓故，凡易字皆訓其原始。及其後來，不惟實字，及動辭字固皆釋，按説文詳其源流。即下至於字、乃字、而字、其字、哉字、或字、於字等虛字，及一二三四五六七八九十數，皆按字書，詁其所以然，無一遺者。又所引之註，漢魏人居多，似意重尊崇漢學。然漢魏人言易皆言象，此書所採，凡漢人言象者，無一及焉。又易説兩歧者，多無所是非，而並存之。乍觀之似主漢易，實以王弼爲宗。蓋羅氏長於小學，疏於易理，又於易象少有知者。如謂干寶説比之原筮，引周禮三卜一曰原兆之文，訓原爲卜；豈知原兆，謂兆文坼裂如原出。能辨干氏之非，識頗高於昔儒。惟又謂胡以舍玉兆、瓦兆，而獨取原兆乎？夫比下坤，坤爲田爲坼，干氏獨取原兆者，以與坤象相合。乃羅氏不知，而反怪其舍玉兆、瓦兆不言。玉兆瓦兆，於卦象何涉？此於聖人觀象繫辭之旨，太爲疏略。然異同之字，則檢擇頗精。如謂頤虎視耽耽，耽當從説文作眈。又謂坎卦險且枕，枕宜從古文作沈；險且沈者，言遇險而且沈溺也，如是則於下句入于坎窞相合。又謂習坎當作襲坎，不宜從註作便習，人豈有諳練於險以行險者？又謂易義多實少虛辭，以本義訓比之後夫凶，以夫爲語助爲非。若是者，説皆詳善可取。羅氏又詳於韻學，謂頤之虎視眈眈，與下逐逐不韻，若以古音求之，逐釋文云蘇林音迪，此乃古音；而眈從尤，古當讀如的，正與迪音相協。又云坎六四簋貳用缶，與損卦之二簋可用享同，貳爲借字，非爲副貳；酒、缶、牖、咎爲韻相協，舊讀以簋字斷句，失韻不協。則又發前儒所未發。惜其説祇上經，下經遺失爲可惜。

六十四卦經解一卷 鈔本

六十四卦經解一卷，元和朱駿聲集注。駿聲字豐芑。道光中舉人，黟縣訓導。時詔海內文學士獻所著書，駿聲呈

所撰説文通訓定聲,賞國子監博士銜,旋升揚州府教授。著
述甚多。今觀其易解,皆集舊注,首象傳,次象傳,低于經一
格;次雜採各家易解,又低于彖、象傳一格,瑕瑜並列而無所
是非,間附己意,則用小字注於中。惟題曰六十四卦經解,
今衹一卷,至需、訟而止,並乾、坤、屯、蒙衹六卦耳。其爲殘
本無疑,然可見其梗概。朱氏蓋好奇立異者,如云夏曰連
山,商曰歸藏,周曰周易,周者言易道徧普無所不備也。三
易之易讀若覡,周易之易讀若陽。按易即陽字,漢書地理
志,交趾郡曲易縣,師古云,易古陽字。是明明讀周易爲周
易,而又採日月爲易,蜥蜴能十二時變色爲易。及彖之義出
于豕,象之義出于象。凡説之奇異者備著之,而不釋其義,
不申其是非。又注自强不息云,人一晝夜一萬三千五百息,
每息宗動天行十萬里。則以息爲呼吸。如所言不息,則人
死矣,如何能通? 一卷之內,類此者頗多,則過於好奇。用
九用六,乃文王以筮例示人,乃採集三皇五帝禮讓不自尊,
及周公負扆南面,復子明辟諸浮説。又如龍戰于野,其血玄
黃,戰者接也,交也,故荀爽注云陰陽相和,九家注云天地合
德。夫曰相和,曰合德,則戰非戰爭明甚。乃解曰戰鬪也,
窮陰薄陽,所以戰也。則全襲王弼及宋儒之誤解,大失經
旨。統觀所注六卦,凡稍異之解,必録無遺。如乘馬班如,
釋文衹曰鄭作般耳,餘皆作班,般、班音同通用,文雖異音義
皆不異也。朱氏則必取説文作驙之説。驙、邅俱張連切,其
音既同,其義俱爲難行,乃上文方作邅如,此又作驙如,義複
矣,可決許氏之非。乃朱氏不從同而必從異,何取乎? 其餘

若乾卦六爻,盡録干寶舜居側陋、文王羑里諸説,則見其識之不足。然朱氏蓋精於小學,祇訓詁字義,獨爲真切爲可取耳。

周易玩辭一卷 同治刊本[一]

清王景賢著。景賢字子希。閩縣人[二]。道光己亥科舉人,咸豐間舉孝廉方正。平生服膺理學,以朱子爲宗。故所爲易説,不章解句釋,每一卦祇爲一略説,六十四卦畢,纔數千言。或僅説卦之大義,以與其身心性命之理相比附。如説乾云:元亨利貞,即仁義禮智,是爲天德,聖人之學孰不在此四字得來?乾象乎天,天無不包,萬理之原,皆從此出。説坤云:乾剛健,坤柔順,君子既當法天,尤宜效地,剛柔合德,不可有所偏至。説屯云:乾坤之後,天地既分,人事始焉,故曰君子以經綸;然仍本四德,以爲參贊之資。説泰云:陽在下而升乎上,陰在上而降乎下,陰陽相交,萬象開通,故名爲泰;然陽德雖美,而不容太過,故二爻曰中行,四象曰中心。皆於經取義,而意不在於解經,故雖浮泛而無所責。又或取卦中一二字,以發抒其朝乾夕惕之功。如説訟云:訟言惕中,此即戒慎恐懼之學。師:象曰容民畜衆,何其分量之廣大。比:曰有孚盈缶,大象下一親字,親亦孚也,何等親切。損:下之貢獻於上,分所當然,不得謂之損;然自上觀

〔一〕此篇印稿無,依尚驤補鈔本與排印本互校整理。
〔二〕"閩",補鈔本誤"閔"。據排印本改。

之,則以爲有損於下,此聖王所以使後世顧名而思義也。
蹇:象傳往得中、往有功,未嘗以往爲不吉,而爻辭皆言往
蹇,象義爻義固互相發。按往得中、往有功,謂五往坤中也;
卦互重坎,初前遇險,三、四亦前遇險,故皆曰往蹇。象有象
義,爻有爻義。无妄象曰不利有攸往,初曰往吉,非互相發,
一爻之義固與全卦不同也。由是證王氏玩易辭,祇以成其
性理之學,其於易解固多未能明也。

周易平説二卷咸豐刊本

清郭程先撰。程先字雪齋。河南輝縣人。書首署共
城,共即共伯和舊國也。道光時舉人,治易甚有名。歷主河
間瀛洲書院、涉縣清漳書院、山左清陽書院、平山天柱書院
講席,所至以理學教諸生,門徒翕服。其易説則在平山時,
爲門徒所刊者也。因尚理學,故説易純以義理爲主,不章解
句釋,祇敷陳大義,渾圇講説。大概每一卦作論一篇,以卦
爻詞爲措詞資料,以衍其正心誠意,修齊治平之大略。而經
義之本來,有所不顧。如訟論云:訟之道以中爲吉,以柔爲
善。睽論云:能睽然後能合,苟一於求合,則阿欲曲從而已
矣。皆自抒胸抱,與經義無干。又有不知經義而誤解者。
如謂大象傳乃孔子所作,羲易之傳,大象者乃就天地山澤雷
風水火八者言之,故曰大。按大象乃總釋卦詞,故謂之大;
豈以其説八卦本象,而謂之大乎?又謂王用亨于西山,但
稱曰王,則其爲文王可知。按師曰王三錫命,幷曰王用汲,

易稱王之處甚多,何以知爲文王? 又論頤六二行失類云,言五爲陰類。按類若指五陰,二五正應,尚何云失? 又論益云,損上益下,下益而上亦益,故名益。按上下之親疏,陰陽之輕重,迥然不同;損上陽以益下,下則益矣,上則何益? 以是例之,損卦損下陽以益上,下則損矣,上亦爲損方得,以卦以損名也。尚可通乎? 是於貞悔之理,殆全不知。總全書所說,似墮義理之窟,迷而不能出。至所謂易理者,不惟不詳,且多違背,而象數更不待言矣。故夫借周易以爲束身寡過之助,或習八比者閱此書當有益。若欲治經,則疏陋無涉矣。

讀易寡過一卷蛾術堂本道光復刊

讀易寡過一卷,清沈豫著。豫字補堂,蕭山諸生。平生好學,攻研經史。所著有皇清經解淵源錄一卷,提要二卷,讀易寡過一卷,周官識小一卷,左官異禮略一卷,羣書雜議一卷,讀史札記一卷,秋陰雜記一卷,芙村文鈔二卷,詩鈔一卷,總名爲蛾術堂集。其易說所采多漢魏人,宋儒甚少。然不言象,亦不言訓詁,偶於諸卦取一二句釋之,並多證以人事。然於易理,所入甚淺,故其說往往歧誤不合,或俚而且陋。如說乾道變化云:朱子曰伏羲有伏羲之易,文周有文周之易,晦翁此說,深得惟變所適之義。夫乾道變化,乃說天時;惟變所適,乃論卦爻上下變化,義絕不同,豈可並論? 又說蒙卦見金夫云:初二四五上皆言蒙,而三變其文曰女,女爲陰類,近小人,猶滕更曹交之紈綺,願列門牆,而不屑教誨,終不得與于蒙之列,故曰見金夫不有躬。以金夫爲聖賢,是直不解易辭爲何義而妄言。其説之陋者,如飲食必有訟云:自古莫大之禍,每起於燕衎,沛公之鴻門,吳王之魚腹,易早垂戒。夫訟者爭也,謂有飲食即有爭端,彼沛公之鴻門會,吳王僚之被刺,乃爭天下國家者,與飲食何涉? 尤可笑者,謂説卦以乾爲天,坤爲地,下六子分列,見一陰一陽之謂道,無獨有偶。夫盈天地間人,不知幾京垓,而男不聞有皓首而鰥,女不聞至老而處者,男女雖參差不齊,而終能各如其配,以是知乾坤之妙。則説俚而識陋。全書類是者甚多,不惟無創獲之解,且少精實之論。於寡過之義,渺不相關。蓋沈氏困於科舉,久不得售,欲借著述以自顯,而經學淺甚,故所著皆庸俗無足觀。易其尤甚者耳。

周易象義集成十九卷道光刊本

清程茂熙著。茂熙字松泉。興國人,諸生。平生嗜易,學之最久。惟參攷太陋,除程傳、本義外,多取周易折中、周易述義之説,而以來氏易爲宗主。凡所用象,皆取自來氏。又來氏所謂某卦錯某卦,綜某卦,竟奉爲法則,深信不疑。篇内之説,亦莫多於來氏。至漢儒舊詁,無一語道及,足徵其見書太少。故其講解,多涉淺陋。如云先天以離兌爲陽,以坎艮爲陰,此漢儒之説,于經無見。按先天卦位,如九家,如荀爽,皆以乾爲南,以坤爲北;荀爽、鄭玄,並以巽爲西南。

而易林説先天卦位尤詳備。獨先天之名，漢儒無言者。以離兑爲陽，以坎艮爲陰，此皆宋人之説。乃程氏謂爲漢儒，可見其於漢易並未入目，且並不知清儒之不承認先天説。又云：邵子先天八卦次序圖，伏羲之書也；六十四卦次序圖，則邵子所僞作也。蓋此圖傳於希夷，出於邵子，而邵子究未能明，因而作六十四卦方圓之僞圖。豈知伏羲先天圖，後儒皆不承認。今以先天爲伏羲之書，以六十四卦次序圖、方圓圖爲邵子所僞作，其失於參攷，敢武斷大言，殊屬非是。又説周易云：卦辭成於文王，爻辭作於周公，十翼成於孔子，故以周名之。説太疏淺。又云，朱子以乾元亨利貞爲占辭，與諸卦一例，因誤認周易爲卜筮之書，其實惟吉、凶、悔、吝、无咎、无攸利乃是占辭云云。是直不知易之卦爻辭爲何物。至書中解説，則中義理之毒太深。如龍戰于野云，尊陽也，與天王狩於河陽，同一書法。陰疑於陽必戰云，與陽以討陰，不許陰與陽敵。天玄地黄云，凜然名分之不可淆。屯卦卦爻詞皆曰利建侯云，文王之意，謂五宜建初爲侯，周公之詞則謂初可爲侯。以建侯乃九五之事，初在下何以建侯？則蔽於義理，皆不知經旨所在。舉此以例其餘。惟尚知言象，與末流主宋易者稍別耳。

讀易例言無卷數道光刊本[一]

清孫廷芝撰。廷芝字銅池，山東平度州人。諸生。自

[一]　“無卷數”，印稿作“一卷”。據内文改。

幼習易，後館於濰縣劉氏。因以易學授諸生，乃著讀易例
言，以爲學易者之階梯。無卷數，共二十九圖解，皆極淺近
之事。如卦位解云：凡卦第一爻第三爻第五爻，皆陽位，陽
爻居之則當位，陰爻居之而不當位；第二爻第四爻第六爻，
皆陰位，陰爻居之則當位，陽爻居之則不當位。以及初與四
應，二與五應，三與上應；二乘初曰乘，初承二曰承，初近二
曰比諸例。皆極淺近，爲訓蒙之初階。而其所解説，每不能
詳盡，有遺漏之憾。如解交重單拆云：交爲老陰之名，拆爲
少陰之名，重爲老陽之名，單爲少陽之名；而交重必變易，所
謂用九用六也。重交即九六，單拆即七八，則缺而不言。又
解貞悔云：内卦爲貞，外卦爲悔。而遇卦爲貞，之卦爲悔，則
不言也。又云筮儀云：前十卦爲貞，後十卦爲悔。此是朱子
之筮例，後儒駁之者多矣，不足爲據，且筮儀中亦無此語。
又其説多有誤者。三十六宫解云：乾、坤、坎、離、頤、大過、
中孚、小過，此八卦一卦爲一宫；餘五十六卦，正反實二十八
卦，每二卦爲一宫，實爲二十八宫，合之乾坤等八宫，共三十
六宫。豈知邵子三十六宫都是春者，乃贊先天圖之妙。先
天圖一與八對爲九，三與六對爲九，二與七、五與四相對皆
爲九，四九三十六。又先天圖乾坤相對共九畫，坎離、艮兑、
巽震相對亦皆九畫，四九亦三十六也。非以一卦爲一宫也。
又邵子之大圓圖，即按先天八卦位次，以一卦重八卦，爲六
十四，係所謂因而重之也。乃孫氏分其圖爲八，曰乾生八
卦，坎生八卦圖。不曰重而曰生，其誤尤甚。至朱子所列京
氏八宫圖，爲初學所難解，且其用甚廣，反闕而不説。蓋孫

氏僻處鄉間，參攷甚少，故淺陋如斯也。

卦極圖說無卷數_{雲南叢書本}

清馬之龍著。之龍字子云。麗江人。嘗隱居於縣西北雪山中，號雪山居士。道光中出遊，寓昆明幾二十年。此圖說乃其在昆明時，有客見其學易，請其著書，傳授於人。乃援筆作太極圖，兩儀圖，四象圖，卦極圖一，卦極圖二，後附說十三條。其太極圖作一圈。兩儀圖作兩圈，一圈內畫一陽爻，一圈內畫一陰爻。四象圖作四圈，左圈內畫陰爻二爲老陰，右圈內畫陽爻二爲老陽；中二圈左畫陽爻於上陰爻於下爲少陽，右畫陰爻於上陽爻於下爲少陰。其卦極圖一，平列乾兌離震巽坎艮坤八卦，與朱子本義所列伏羲八卦次序圖無少異。其卦極第二圖，仍以乾兌離震巽坎艮坤爲序，先於乾卦之上各加乾兌離震巽坎艮坤，依次加已，成六十四卦，與本義所列伏羲六十四卦方位圓圖內之方圖無以異。而名曰卦極者，據其說云：假屋脊之名，名之曰太極。故離極言卦者不見卦者也，離卦而言極者不見極者也。本極言卦，即卦言極者，見極者也。又曰：極實有而無，象實有故永不壞。無象故不可名。不可名而名之，不名之名也；不可圖而圖之，不圖之圖也；不可說而說之，不說之說也。按邵子先天方圓各圖，本出自道家。今觀馬氏各圖，全以陳、邵爲本，而語涉玄虛，似祖述郭象莊子注、王弼老子注者。知馬氏隱居深山，從事道家之學。惟其圖說太簡略，迷離恍惚，莽不得其實際。末有五華山南、山西、山東三侍者跋。五華山在昆明城内,蓋皆其弟子。稱居士無時無處無事不接人,而人自不知。則直以神仙待之,其宗旨從可知矣。

周易函書補義八卷同治刊本

清李源著。源字春潭。宛平舉人,甘肅知縣。書成數十年,至同治七年,其孫士珩,服官汴省,始刊於大梁。名函書補義者,蓋平生服膺於胡煦函書,致力最久;謂爲補義,明函書所未有也。按胡氏原書,卷帙浩繁,編次無序,實發明易理亦不甚多。兹書八卷,前二卷皆即胡氏原圖,解說河圖洛書之理,及生數成數之用,雖甚詳悉,然於經義所裨無多。末後兼及於納音,皆掇拾舊說,更無新義,頗嫌涉於技術之流。第三卷至第六卷說上下經,七八兩卷則解繫辭及說、序、雜三傳。其說經之最精者,易内朋字類字。二千年以來,皆以陰遇陰陽遇陽爲朋爲類,致易解歧誤至今。獨此書說西南得朋,乃與類行云:類即朋也,朋即類也,有相資相得之義。謂陰資陽以爲朋,月資日以爲光;若陰與陰陽與陽,合一不分,安可云類? 安可云朋? 復曰朋來无咎,謂陽來也,陰以陽爲朋也。頤六二征凶,行失類也,陰以得陽爲類,往不遇陽故云失類。於是全易朋字類字皆得解。他若說天地變化草木蕃云:變化謂更易,蕃謂震巽之爻,亦掩閉之義。按自東漢以來,無不以草木蕃息爲解,致與經義全背。豈知陰息至四成觀,時當八月,草木生機全行遮蔽,故曰草本蕃。

蕃與藩通。詩四國于蕃；周禮大司徒蕃樂注，杜子春讀蕃樂爲藩樂，謂閉藏不用，是其證。兹書雖未敷暢其義，然謂爲掩閉，其識已高出漢魏人以上，有功於易學。他若説大過以女妻象初，以老婦象上，與焦氏易林以巽爲少妻、以兑爲老婦象合，不從虞氏謬解。説既濟東鄰西鄰，謂下離爲東，上坎爲西。皆發前人所未發。雖其他常解甚多，且間有誤者，然有此極精之創解，固不害其有功於易學耳。

周易淺玩二卷道光十三年刊本

　　周易淺玩二卷，臨川李宗澳撰。宗澳不見於縣志，而宗瀚亦臨川人，疑宗瀚之族人也。上卷上經，下卷下經[一]。云倣程傳，祇釋六十四卦，不及彖象傳及文言。直抒己見，不盡循舊詁，在經説中，頗能獨立。視抄襲舊解，陳陳相因，一望而生厭者，區以別矣。其最善者，謂同人伏戎于莽，以互巽爲伏戎。巽爲伏，人知之。巽爲寇盜，除焦氏易林用之，外無知者。兹不本易林，能與易林闇合。説賁其須云：在口曰髭，在頰曰髯，在頤曰須。獨遵干注，不以須爲待，最爲創識。夫初九曰賁其趾，此曰賁其須，原與上爲對文。若釋作待，於義何取？乃李氏獨悟其非，於經義所裨甚大。説鼎九二我仇有疾云：仇，匹也。上應於五，是爲我匹；二爲三四所隔，故不我能即。夫陽遇陽則窒之義，失傳久矣。故易辭如此者，无不悮解。如夬初九曰往不勝，九四曰其行次

────────────

〔一〕"下卷下經"，印稿"卷"作"傳"。疑誤。據前後文意校改。

且，姤九三亦曰其行次且，大壯初九曰征凶，及此，舊解皆不知其故在陽遇陽。兹曰二爲三四所隔，得其故矣，可謂發前人所未發。惟衹於鼎卦發其義，至夬、姤之其行次且，則又不能本此爲釋，似偶然幸中。又説賁其須云：在頤爲須，賁三至上正爲頤象，而二綴其下，正附於頤也。乃謂二衹附三，則取象本切者，而反不切。又説中孚六三得敵云：三與上應，有應則不能自主，而憂樂皆係於物，鼓罷泣歌即明其不能自主。夫得敵者，以四亦陰，陰遇陰，故與三爲敵；至鼓歌則爲震象，泣罷音婆則爲艮象，艮震相反，而三居其間，故有此象。非謂有應也，説全誤也。又其自序謂易在畫卦時，衹有奇耦，未有名也，自聖人繫辭而後命之曰乾曰坤。繫辭之人，以爲文王，謂乾坤之名皆文王所定。又謂周公作爻，無初二三四五上之稱，疑初九初六等，皆漢儒所加。豈知乾曰用九，坤曰用六，經文若不言初言二，則九六之字不見於經。經曰用九用六，誰復知其所謂？又謂文言、繫辭，有子曰者爲孔子，外皆漢儒所作。則皆不揣其本之言。又卦爻辭無韻者，强叶使韻，尤不足取。

易卦變圖説無卷數咸豐刊述史樓叢書本

無卷數，不著撰人姓氏。據武林沈映鈐後跋，謂是書爲其曾王父虙堂先生，丙辰在京寓，借全謝山處本鈔。或疑即謝山所著。然攷經史問答，於易變頗斥來知德，以爲繁溷。而是編謂來氏錯綜之法，最爲綱要，則非全氏之書也。映鈐以世無傳本,於咸豐間刊入述史樓叢書中。今閱其書,自漢儒、宋儒以訖於清,凡言卦變者,皆録入而論列其是非。按卦變之説,後人往往託始於彖傳,豈知彖傳所謂隨剛來而下柔、蠱剛[一]上而柔下等辭,乃所以發明卦義並剛柔往來反覆之理,以見易道之通變不窮,非以此卦生彼卦,更非以此爻換彼爻。後儒誤會傳義,便謂某卦自某卦來,持某卦之象以爲此卦之象。如虞翻不知艮龜象,則謂頤從晉來,晉離爲龜;不知震鶴象,則謂中孚從訟來,訟互離爲鶴。害義亂經,莫此爲甚。後儒如朱子,不知其窮窘而爲此乃所以便其私,更加甚焉,曰某卦從甲卦來,又從乙卦來。夫一卦可變爲六十四卦,循例而變,尚何求而不得? 後來焦循以變求解,每卦皆然,每變必至於不可窮詰,皆此等階之屬也。此書於各家卦變之弊,指摘無遺。又歷引王輔嗣、孔穎達、徂徠石氏、安定胡氏、童溪王氏、黄中林氏、南溪王氏等闢卦變之説以爲證。而黄中林氏,謂聖人以八卦重爲六十四,未聞以復、姤、泰、否、臨、遯變爲六十四。南溪王氏,謂彖傳如剛柔上下往來字樣,本義類以卦變言,余看衹是現在一箇卦體。其論尤確切難破。末又謂仲氏易推易之法,其所謂聚卦者乃本之京氏,子母卦者本之朱子,而且竊來氏反對相綜之義而隱其名,蹈朱子十辟二生出之失而掩其蹟,此不過腰纏十萬貫,騎鶴上揚州之故智,有何神奇,而張皇至此? 議論尤爲透闢。乃竟不知著者之名,殊可惜也。

〔一〕“剛”字原無,據阮刻《周義正義》補。

易學提綱無卷數咸豐元年刊本

易學提綱，清胡先矩輯。先矩字懷仁。涇縣人，諸生。
據篇首自述：先君子嗜易實深，恒彙聚口講而指畫之，爲近
科鄉會闈易藝之用。故其書無卷數，無上下。先列河圖洛
書及先後天圖，先天河洛配八卦、後天河洛配八卦各圖説，
以及十二辟、卦氣起中孚、虞氏納甲、鄭氏爻辰、鄭氏以爻辰
所値二十八宿圖説，來矣鮮之錯卦圖説、綜卦圖説，宋子卦
變、九家逸象、虞氏逸象，何爲彖辭、何爲彖傳、何爲大象、何
爲小象、何爲大象傳、何爲小象傳、何以爻名九六，並録程子
之上下經篇義、來氏易之上下經篇義。大概爲周易大全所
已具。而其是非臧否，無一己意雜其中。蓋全爲應試者作
八股採用。當科舉未停時，士子無論曾讀易與否，能知易有
如此雜説，如此故事，如此條例而用之，已如高岡鳴鳳，翹然
異人，百不有一。又鄉會試二場有經義五篇，易題居首，最
爲重要。又雖四書題，亦可專以易理爲文，藉醒耳目，博科
第。故此書末後附列易經題八股文十篇以爲準的，更附列
四書題而專易經者八股文一篇，以爲搏取科名者之捷徑。
其用心良苦，其爲術至善，又何怪南河官廨幕友見之，羣促
其付梓。如河道總督趙書升所言乎：誠利器也。第觀其所
選八股文，有用易象而誤者，有談易理而非者，有説互卦源
本左氏、駁宋人謬説而至當者，瑕瑜並收。蓋皆中式之文，
目爲至善，而不知其不然。然則其所輯先儒易説，其是非悉

不能辨，更不足責矣。

還硯齋周易述四卷 <small>光緒刊本</small>

　　還硯齋周易述四卷，清趙新撰。新字又銘。福建侯官人。咸豐壬子進士，由檢討歷官詹事贊善，又奉命冊封琉球，終陝西儲糧道。所著有學庸題解參略、續琉球國志略、周易述、易漢學擬旨，及詩文各若干卷，總名曰還硯齋全集。其周易述上經祗注二十八卦，下經祗注十一卦，蓋未全之書。其注以欽定周易述義爲主，每卦先舉述義之説。述義號稱漢易，故各家序文，皆稱又銘説易純以漢儒爲宗。故所有易內異同文，皆不從正義。即正義與漢人同者亦不從之，必從其與正義異者。如盤桓作般桓，甲坼作甲宅。豈知磐桓作般桓，磐亦作盤、作槃、作般，音同通用，固無區別。甲坼作甲宅，宅、坼音同，故亦通用。荀爽云：仲春之月，草木萌芽，故甲坼。夫既曰萌芽，雷以動之，當然爲甲坼。坼，裂也，正釋解義。設荀作宅，陸釋文早言之矣。乃今之集解，皆爲惠棟擅改。趙不知其謬，引荀注而曰甲宅，則太疏矣。且馬、陸訓宅爲根。無論宅無此訓，即使有，甲之與根平列爲義，與解義何涉乎？甚矣其不思！他若洗心作先心，冶容作野容，皆以音同通用。凡如此等，毫無是非優劣之可言，必信彼抑此，則適形其陋耳。所謂漢易者，以其象數，以其易理，以其訓詁。至字與正義、本義異者，及某卦爲某宮幾世卦，某卦在卦氣圖爲某月卦，爲大夫、爲諸侯、爲卿、爲辟，某卦旁通某卦,此皆漢易之定例,凡治易者皆知之。乃趙氏於易理既疏淺而不知,於卦象所知尤少不足用,於訓詁但知與正義異文者從之,至義之當否無一闡發,徒列易例於卦首,以當漢易。此正世所謂述義之漢易也,不亦遠乎!又虞氏卦變,乃因不知其象,而爲此穿鑿以求其象,其謬誤尤大。趙氏不知,往往從之,尤是非莫辨。

還硯齋易漢學擬旨一卷光緒刊本

易漢學擬旨一卷,清趙新撰。新字又銘。咸豐進士,官至陝西儲糧道。所著周易述已著録。兹曰漢學擬旨,蓋專以漢易爲宗。所釋六十四卦不必全,爻亦不全釋,或釋一二爻,或不釋爻辭衹釋象辭,有類筆記。其所輯之注雖不標人名,然十九皆爲虞義。虞翻於象之不知、理之難解者,則用卦變爻變以爲解,歧誤百出。兹書於漢注之善者皆未之知,衹得虞氏卦變爻變之法,以便其穿鑿。如鳴鶴在陰,其子和之,虞不知鶴象、陰象,謂卦自訟來,訟互離爲鶴,坎爲夜,故曰陰;鶴半夜鳴,故曰鳴鶴在陰。凡虞注如此者,無不採之,鶩漢學之名,失漢學之實。又偶下己意,則謬誤愈甚。如説比原筮云:比自師來,師旁通同人,震巽相應,受命如嚮,筮象也。豈知坎爲通,故爲筮。已不知其象,而以師、同人爲解,則迂曲無當。又説高宗伐鬼方,三年克之云:坤爲年,位在三,故爲三年。夫三互坎,坎數三,故云三年。今以位在三當之,下未濟九四位在四亦曰三年,其何以爲説?又説繻有衣袽，終日戒云：謂伐鬼方三年乃克，旅人勤勞，衣服敝敗，鬼方之民猶或爲盜，故終日戒也。尤淺陋失易理。説坎六四樽酒簋貳用缶云：爻例五天子，四諸侯，坎二變爲比，有天子親諸侯之象，故以樽簋爲饗。夫樽簋皆禮器，享祭則用，奚必天子與諸侯？説坎不盈祇既平云：祇，漢易作褆。褆，安也。按祇既平，與上坎不盈爲對文，故康成作坻；作褆者京氏，安得云漢易作褆？説何天之衢亨云：上變成坎，坎爲亨。夫上九蓄極而通，自然之理，何必變坎？又云：衢者九交之道，天有九道，天衢象也。又引惠氏説房南二星，北二星，二星之間爲天衢。夫易辭若如是拘泥解之，將無一可通。全書如此者甚多。雖知重象，説多虛浮，於訓詁尤少闡發，此書之大略也。

易說評議卷九

讀易隨筆三卷同治刊本

讀易隨筆三卷,清吳大廷著。大廷字桐雲。咸豐舉人,官至臺灣兵備道。所著有桐雲六種。其讀易隨筆,章解句釋,祇就卦義爻義,觀玩吉凶。而尤重易時易位。謂自官京師以及奉檄從軍,交遊半皆賢俊,而守正理以與周旋,每柄鑿不相入。及讀易既久,乃大悟向之所如不合者,理非不正,守非不堅,時與位俱失故也。乃益就程傳、本義讀之,而貫穿以夏峰之說,條記其大旨,以爲省身寡過之助。又云意在推尋卦畫,闡明人事,即象數以明其理。今觀其說,大抵以程朱爲宗,以義理爲主。其象辭、卦辭,概不詮解,昆侖敷演,雖未若楊誠齋之明以史事爲證,然其所言皆有所指:如是則亂生,如是則免禍。固程朱之嫡系也,純爲義理之學。至所謂易理者,篇內概未之及。尤異者,自言即象數以明其理,乃六十四卦之論說無一語及於象數者。蓋自王弼掃象以後,以空理說易,盛於唐,極於宋,已不知象數爲何物。迄於明清，八比盛興，凡以義理説易者，無不以八比之法，聯絡經義。學者知有象數之名耳，至何者爲象數，已不能知。乾嘉以來講宋易者，其自序無不云兼重象數，實無一言象數者。固不祇此書，蓋程傳、本義之流弊，至斯又極。觀夫大廷自序云：若欲矜奇表異，以炫惑學者，則非譾劣所能。伊所謂矜奇表異，蓋即言象數、言易理，而不專言義理者。其宗旨從可識矣。

周易三極圖貫八卷<small>咸豐刊本</small>

清馮道立撰。道立字務堂。東臺諸生，舉咸豐元年學廉方正，人稱爲馮徵君。所著有淮揚水利圖説，及周易三極圖貫。分元亨利貞上，元亨利貞下，共八卷，所爲圖共三百三十三圖。名曰三極者，取天極地極人極之義。圖貫者，言易道貫通天地人之事與理，無所不備，無所不包。而其原皆起於太極，太極在天爲太乙、爲北辰，在河圖洛書爲中宮之五與十，在數爲一，在人爲仁。故凡先儒所爲圖，靡不採録。其爲先儒所未圖者，則雜採舊説，明之以圖，而列説於其後。然其所言，皆天地日月、陰陽消長，及太極兩儀、納甲五行，圖書與先天八卦、後天八卦貫通之理，並朱子啓蒙及胡一桂啓蒙翼傳、漢上易、來氏易等圖説之陳言，無所闡發。其於易理則雜亂而無統紀，於經義更無所裨益。末卷又謂易與五經貫，易言習與論語時習貫，太極與大學貫、與中庸貫，大壯與孟子貫。如此推演，恐四庫之書無有不貫者。篇首葛序,謂其網羅舊籍,包孕古今,總括禮樂行政,未免雜而不純。蓋定論也。

宗經齋易圖説四卷咸豐刊本

　　清姚象申著。象申字嵩崑,江西萍鄉人。其所爲圖凡六十二,而附以説;又所爲説凡十一,而未有圖。大抵薈萃宋元以來儒者圖説,間附以己意。第一卷爲太極圖、河圖、洛書等圖,凡二十圖,説凡二十三。第二卷爲先天八卦順逆等圖,凡十六圖,凡二十一説。第三卷爲配卦節氣圖、卦爻直日圖,共十六圖,十六説。第四卷爲卦氣人象圖、坎離圖、物象圖凡十二,説凡十四。其攷訂最詳者,爲三十六宮圖,凡劉牧、邵子、鄭漁仲、方虛谷之説皆備,而折衷於邵子。朱子謂邵子以三十六宮指反易卦五十六,實祇二十八,加乾、坤、坎、離、大過、頤、中孚、小過不易之八卦,共三十六卦,爲三十六宮。以鄭漁仲指先天八卦畫説爲非,最爲有識。又以伏羲時已有洛書,故能則以畫卦。九疇自九疇,洛書自洛書。按禮緯含文嘉云:伏羲德合上下,天應以鳥獸文章,地應以河圖洛書。姚氏雖未能舉此爲證,然説與禮緯闇合,尤爲有見。又納甲法自虞翻以來,皆云十六平明巽,月退辛。姚氏獨云十八日平明巽,月退辛。雖未詳其所本,然月之生,由晦日歷三日出庚,則其退也亦應歷三日方見。由望日至十八日正三日,若十六與望日太近,不能遽見其退象,疑六爲八之訛。姚氏所據,獨得其真。惟其圖説有太穿鑿者。

如六十四卦方圓圖，圓象天、方象地，原不象人，乃茲又有人
象圖。謂六十四卦圓圖，下復爲尾閭，循督脈上升；上姤爲
泥丸，循任脈下降。其穿鑿頗可哂。又以十二辟卦變七十
二候卦，致周公時訓與卦皆不相應。夫周公時訓，皆從卦象
而來，如蚯蚓結値中孚，因巽爲蟲，故爲蚯蚓；中孚正反巽相
對於中，故曰蚯蚓結。復値麋角解，因震爲鹿，艮爲角；復艮
覆在下，角墮地，故曰麋角解。姚氏不知，致時訓與卦皆不
相應。又有義甚淺不必圖，及難以圖見者而強圖，或圖而與
易無涉者，皆可删也。

大易觀玩録四卷民國九年重刊本

　　清胡澤順撰。澤順字梅坪。涇縣附貢生，官訓導。屢
試棘闈不售，遂絕意進取，專肆力於經史義理性命之學。咸
豐間，洪、楊軍起，澤順以鄉兵守涇，城陷被害。著有四書一
得録、大易觀玩録等書，皆散失。後其孫樹堂，於民國九年，
得大易觀玩録，復補刊之行世。其首卷謂包犧始作八卦，乾
當爲圜形，餘七卦皆爲半圜形；因而重之，乾作六圜，餘七卦
皆由半圜合成渾圜。以意改造。其所引古文諸説，皆與其
所創之卦形渺不相涉，可謂好怪矣。又云説易者未能通天
地人之由，析義則遁於虛，泥象則滯於實，而易道遂晦。及
觀其易象説，即鹿无虞，惟入于林中云：埤雅云鹿性嘉林，入
于林中，則鹿爲得所。按惟入于林中，謂出獵無所得，空入
林中也，豈謂鹿入林中乎？又説履虎尾不咥人云：左傳楚令

尹子文初生,棄於夢澤,虎乳之。赤子初生,不識不知,有悦應之象,故乳於虎。又謂虎尾取象於乾上。夫乾上若爲虎尾,從何履之?是皆於易説易象之最淺近者,尚不能通,而強説之,致支離如此。其卷二卷三,則皆易表,有正表四,有別表八。凡卦象卦德,天時人事,鬼神,十幹十二支之屬,及日月星辰之躔次,奇形怪狀之事物,無不分列於表中,謂易道廣大悉備,無所不包,無所不納。實究其説,雜亂無條理。其第四卷學易自訟説,似又以義理爲宗,而所見皆膚淺,少精當之論。在易説中可謂至駁者矣。

周易變通解六卷 同治刊本

清萬裕澐撰。裕澐字澍辰。湖北黃岡舉人,官崇陽教諭。其名變通解者,蓋取繫辭變而通之以盡利,及化而裁之存乎變,推而行之存乎通,及上下无常,惟變所適之義。其説易全宗主漢人,然無漢學家盲從之病。力闢顧炎武等謂邵子之先天圖爲宋人僞作之非,曰左氏風行而著於土,山嶽則配天,及川壅爲澤,震之離亦離之震,皆以先後天卦位合言。巽先天位西南,坤亦西南,故曰風行而著於土。艮先天位西北,乾亦西北,故曰山嶽則配天。坎兑同位,震離亦同位,故曰川壅爲澤、震之離亦離之震。此見於左氏者。其見於漢注者,荀氏注家人,謂離巽之中有乾坤,故曰父母之謂也。注同人云,乾舍於離,相與同居。注陰陽之義配日月云,乾舍於離,配日而居;坤舍於坎,配月而居。九家注同人,亦曰乾舍於離,同而爲日。又注大明終始,謂乾起坎而終於離,坤起離而終於坎,坎離者乾坤之家。按萬氏所舉左氏之先天證,雖尚有遺漏,然山嶽配天、風行著土,其證尤爲明確,而昔人皆未知。至荀及九家注之乾舍於離,相與同居,乾若不在南,胡以與離同居?又坎離者乾坤之家,尤乾南坤北之確證。萬氏爲漢學,宗漢易,獨敢反顧炎武、黃宗羲、毛奇齡之謬説,不似惠棟等之盲徒,發前人所未發,其有功於易學甚大。真能求諸己,獨立爲説者也。惟篤信卦變、爻變之説太過,凡卦無不變,爻無不變,甚至八純卦亦曰自某卦來。夫五十六卦,皆八卦相盪而生者也,是五十六卦皆自八純卦來,顛而倒之,烏乎其可?卦變在漢人莫過於虞翻,翻於象之不知、義之難解者,輒曰某卦自某卦來,以尋其象,以濟其窮。如謂中孚自訟來,以取鶴象、陰象是也。不卦卦如是也。萬氏則無卦不變。又虞氏爻變,謂某爻失正,以之正爲説。如解利涉大川,不知坤即爲水,必取失正之爻變爲坎以當大川是也。萬氏則無論當位不當位,皆使之變。其爲法雖與焦循不盡同,然漫衍無經,則與之等;至經中本義,反略而不説,則兹書之累也。

易古興鈔十二卷<small>同治七年刊本</small>

清唐虁謙著。虁謙字赤兑。湖南新化縣布衣,於詩、書、禮、樂、春秋各有撰述,顧尤嗜易。謂曰古興者,謂書莫古於易也。其論之最當者,如曰:易者,象也。天地間有一物即有一象,然猶一物一象也。若一物而兼數象,彼此出入不可以常理度者,不竭心思之用,耳目之力,不能通變也。乃後儒説易而掃象者,更甚於輔嗣,將明夷之垂翼,左股右腹,睽之負塗戴鬼,姤之羸豕包魚,皆聖人之怪誕不經矣!又云:聖人於天地雷風水火山澤八正象外,復推廣以及其餘,欲使讀易者,明易詞字字有來歷也。自掃象者出,專以空虛説易,將置繫傳、説卦於何等?按自春秋以訖兩漢,無有不以象説易者,故韓宣子適魯,不曰見周易,而曰見易象,誠以易字字皆象也。自王弼不知象,專尚空談,捷徑一開,至有宋而大盛,歷元、明、清,學者幾不知象爲何物,而易遂亡矣。唐氏痛詆其非,語皆中肯,足爲專以空理説易者之針砭,使之猛醒。而謂易辭用象,明易辭字字有來歷,尤爲洞見易學之本源。朱子云:易出門便是象,前後一揆矣。惜其於象學太疏,於象之不知者,皆用爻變以取象。如説利涉大川,必使某爻變成坎,以當大川是也。又每以五行生克解易,如説乾道乃革,謂乾金承火,不得不變革是也。又其注文前後,每苦淆雜,不能簡明。如解西南得朋東北喪朋云:西南陰故得朋,東北陽故喪朋。是以陰遇陰爲朋也。下又云:東北者坤之室,坤納乙癸,東乙北癸;喻在室之女,適夫家而得朋。是又以陰遇陽爲朋。又説龍戰于野云:陽稱龍,陰稱蛇;陰疑於陽,蛇威似龍,故稱龍也。是以陰盛爲龍。乃下又云:戌亥爲天門,乾之都也,故稱龍焉。又以伏乾爲龍。則所詁不能一致。又説泰初茅象屬震,否初茅象仍屬震不屬巽。按易林坤即爲茅,泰之茅象用伏,否則用正。又大過初爻藉用白茅，明以巽爲茅也，何以不屬乎？書內如此者正多，則於易象不能會通也。

讀周易記六卷_{同治十二年刊本}

讀周易記六卷，清范泰衡撰。泰衡字伯崇。四川隆昌縣舉人，官萬縣訓導。據其自述，在萬縣時所見僅本義一書，每有於此可解、於彼不可解者，思之數月，忡怔疾作，遂廢棄不爲。後其子守鳳陽，就養署中，卒成此書。於每卦不章解句釋，渾言大義，蓋以宋人爲宗。宋人之中，尤以程朱爲重，然能糾其失。如説乾二五利見大人云：先儒皆言二利見五，五利見二，讀象傳文不然。五曰大人造，二曰君德。大人即二五也。二曰德博而化，五曰聖人作而萬物覩。利見非二五相利見也。按二利見九五之大人，九五利見九二之大人，説始於鄭玄，宋程朱皆采其説。夫利見者利於出見也，二五不相應，如何能相利見？程子覺其不安，乃又造爲同德相應之説，益違易理。范氏能覺其非，稍異流俗。又説黃裳元吉云：程子以坤爲臣道婦道，居下則元吉，居尊則大凶，如羿、莽，如女媧氏，如武氏，非常之變，不可言也，故以黃裳爲戒，而不盡言。按此等義理之解，直不識易爲何物，且以女媧氏爲女主，其陋亦甚矣。徒以明清以來，國家功令，尊尚程朱，無人敢議。茲書駁之，雖不盡當，然使後學尚知其謬，亦不無小補。惟全書解説，浮泛空滑，不惟捨象數不談，於易理尤欠明瞭。其六十四卦，徒糾纏於宋人束身寡過、防微杜患之陳言,已屬無味;至解説文言、上下繫、説卦、雜卦等傳,尤支離附會,違背經旨。蓋范氏參攷之書,除宋人外,至注疏而止,兩漢古注皆未寓目。故中義理之毒,淺陋如斯也。

讀易通解十二卷同治刊本

清丁敍忠撰。敍忠字秩臣。湖南長沙人。先著讀易初稿八卷,後數年多所改正,遂易今名,增爲十二卷。據其自述,微詞奧旨,悉宗周、邵、程、朱,及先儒舊説。然所謂先儒者,至宋而止,宋以前古注所輯甚少。故其解説,頗有誤者。如説大明終始云:陽大陰小,陽明陰暗,大明者乾陽之德,始終謂兩乾相接,下乾已終、上乾復始也。豈知大明謂日,晉象傳云順而麗乎大明,是其證。乾亦爲日,故曰大明。大明終始者,乾始於坎終於離,即冬至至夏至也,非謂乾三與乾四相接爲終始也。説龍戰于野,其血玄黃云:陰極,陽不得不起而爭之,故爲龍戰于野,陰陽兩傷之象。曰龍,尊陽之辭。按陰之與陽相須相求,及其相遇,又何有戰爭?許慎説此云:戰,接也。九家云:玄黃,天地之雜,言乾坤合居。荀爽云:消息之位,坤在於亥,下有伏乾,陰陽相和。夫曰相和,曰合居,則非戰爭明矣。乃捨古注而不從,從宋以後之俗説,致與經旨全背。又説得朋喪朋云:凡易之言朋者,皆以陰言。此雖舊説之通病,然復象云朋來无咎,朋謂陽也,胡爲皆以陰言乎,亦太不思矣。又説不寧方來,後夫凶云:

方者計日可待之辭,後夫謂方來中之後者。按方者,並也。詩方舟爲梁,史記淮陰侯傳車不得方軌,是也。不寧方來,謂並來也,無待義也。至於後夫,直背五不來耳,豈方來而後哉?觀於下四陰皆承陽,獨上六乘剛,可恍然矣,夫謂艮也。漸三曰夫征不復,以艮爲夫也。書內誤解如此者甚多。獨於説卦,艮爲黔喙之屬云:鳥剛在喙,黔黑也,鳥喙多黑。不以黔喙爲虎豹,爲獨得真解耳。

玩易四道十四卷_{同治刊本}

清黄寅階撰。寅階字俁廙。南海縣貢生,官潮州惠來縣訓導。其名玩易四道者,蓋因繫辭以言者尚其辭,以動者尚其變,以制器者尚其象,以卜筮者尚其占,故曰四道。自卷一至卷十解上下經,自十一卷至十三卷解各傳,末卷則爲圖説。其所輯之注,漢宋並收,義理與易象兼重,蓋欲冶漢宋爲一鑪。然所輯古注,取於虞翻者十之九,所取之象亦十八九用虞翻法,由卦變得之。其他漢儒精當之解,無一及者。如龍戰于野,許慎訓戰爲接,九家謂陰陽合德,荀氏謂天地和合,皆戰字正詁,乃皆不取,而釋爲戰争,釋其血玄黄爲陰陽兩傷,致與易理全背。又易屢言利涉大川,不利涉大川,以坤爲大川也。需象傳云往有功也,謂五往居坤中也。訟云入于淵也,坤爲淵,謂二下入坤中也。乃盡從虞氏誤解,以坎爲大川;卦無坎者,則令某爻變成坎,以當大川,致與經旨傳旨全背。又離爲龜見説卦,不知艮外堅亦爲龜,故頤、損、益皆言龜。不知而不闕疑，亦用爻變成離，以取龜象，此用象之誤也。至於易理採折中説，謂比與應必一陰一陽，若剛遇剛、柔遇柔，則不相應、相比。按此爲周易根本，乃折中知其理，而注易不能通用。凡易爻之有應無應，皆知之。至遯三云有疾厲，以三比陽也。大壯初云壯于趾征凶，以初比陽也。推之咸三云往吝，鼎九二云慎所之，夬、姤三四云其行次且，皆以陽遇陽爲義，而折中則不知。茲書襲折中誤，更雜以宋元儒浮僞之義理，愈浮泛失解。祇説頤六二征凶行失類云：六五非其應，故失類。説升六五升階云：坤爲土，三爻層上，階象。不以陰與陰爲類，雖不能推説全易類字，即此一解，已足正先儒之誤。而以坤爲階，取象尤精。又説需雖不當位，未大失云，終乾則上不當位，與荀注闇合，亦足正唐以來舊解之失。惜書内如此者甚少耳。

讀易易知三卷 <small>同治刊本</small>

清黄寅階撰。寅階輯玩易四道，已著録。後又輯讀易易知三卷。其名曰易知者，取乾以易知之義。惟其編次，謂彖曰、象曰、坤卦文言曰等字，皆古本所無，盡行刪去。致乾卦雖用舊式，而彖傳與經不分，象傳與彖傳不分。至坤卦於卦辭東北喪朋安貞吉下，即接至哉坤元萬物資生之彖傳，彖傳終即接地勢坤君子以厚德載物之大象，大象下忽又接初六履霜堅冰至之六爻辭，用六利永貞下忽又接履霜堅冰陰始凝也、馴至其道至堅冰也之小象，小象畢即接坤至柔而動也剛、至靜而德方之文言,而皆無標識。餘六十二卦皆如是。又凡傳辭與經文皆頂格書。夫忽而卦辭,忽而彖傳,而大象,大象下又忽而爻辭,爻辭下又忽而小象,小象下又忽而文言;書寫格式既無區別,而又無象曰、文言曰以爲標識,亂雜不分。讀是書者,又孰知何者爲經,何者爲傳乎?古本無是者,以彖傳、象傳各自爲篇,坤文言與乾文言爲一篇,故無象曰、彖曰、文言曰等識耳。然每篇亦必有總標名,至鄭玄以傳附經,故仍其名以爲識別,否則與經亂矣。其乾卦統大小象用一象曰者,以漢時無大小象之分;且大小象連文,原可省一象曰。至坤卦以下,又以小象附於爻辭下,故每爻須有象曰。茲書不思其故,妄爲改作,烏乎其可?至其注釋,頗簡明可喜。惟盡襲張惠言之虞氏義,故誤解甚多。如說天地變化草木蕃云:三息成泰故草木蕃,消至三成否故天地閉,消至四故賢人隱。豈知此專釋四爻括囊之義,與三爻何涉?蕃、藩通,閉也,言陰消至四成觀,時當八月,草木生機盡行蕃閉,與下天地閉賢人隱同釋括囊之義。虞氏既誤解變化二字,故以蕃爲息,則貽誤至今,茲書仍而不改。又說頤六五不可涉大川云:才弱而涉大川,奚其可?說上九利涉大川云:戰兢惕厲,雖涉大川,其何不濟?按坤爲大川,六五以陰乘重陰,陰遇陰得敵,故不可涉。上九下乘重坤,陽遇陰則通,故能利涉。蹇九三傳云內喜之也,與此理同也。書內泛解如此者甚多,則又中義理之毒,故於易理疏闊如斯也。

讀易筆記二卷_{光緒三年刊本}

讀易筆記二卷,桐城方宗誠撰。宗誠字存之。以諸生參兩江總督曾國藩幕府,積勞爲直隸棗強縣知縣,歷十年,多政績。後告歸,閉戶著書。後爲安徽學政貴恒所奏保,賞給五品卿銜。所著有讀易、詩、書、禮、春秋、孝經、論語、學庸、孟子等書筆記,各若干卷。宗誠蓋致力於理學,以程朱爲依歸者。故其讀易筆記,專明義理,純以程傳及朱子本義爲宗,以易辭爲行己處世之指南,以陰陽剛柔爲君臣父子夫婦人倫之準則,如此則吉,如彼則凶。末又雜引古人之事,以爲徵驗,以爲勸戒。吾人讀聖賢書,所爲何事? 正當如此耳。然此係以易爲修身齊家治國平天下之通鑑則可,謂之治經則不可也。以程傳本義爲法則,而述其緒餘,俾程朱義理之説爲世所重則可;謂義理之學即爲易理,而觀象玩占,程朱所説,得聖人作易之本心,則不可。何言之? 方氏謂程傳專明義理,豈知義理與易理無涉,聖人不如是也。謂朱子本義兼言象數,豈知朱子本義之不言象數。其晚年常悔之,自謂枉費多年工夫,備見於語録。豈可强謂其兼言象數乎? 且本義固在,可覆按也。是恐不知象數爲何物矣。故是書空言義理之處,皆正大可風;偶爾解經,便爾歧誤,或迂曲不合。如謂乾九二之大人,必待九五之大人;九五之大人,必與下剛中之賢輔,咸有一德。夫二五不相應,何待之有? 是襲程朱之誤解,而不顧易理也。又如説不耕穫不菑畬云:言非爲穉而耕、爲畚而畜也,乃先難後穉之義。則敷演義理,而迂曲難通,故云謂之治經,則不可也。

周易究四卷　光緒三年刊本

周易究四卷,徐梅著。梅字詠華,又號有離子。浙江嘉善人。其易首卷列象本、上傳注、下傳注三項,其説甚怪,皆不能解。如乾元會兑,坤會震雷,及蒙初筮吉,坤牛兑口等語,爲自來説易者所未見,而莫知其所指。其所謂上傳注者,乃釋上繋;下傳注者,乃釋下繋,其怪奇與前相等。如釋在天成象,在地成形云:在天震巽乾三卦吉,離卦凶;在地離卦吉,乾震巽三卦凶。成象成乎坎卦也,天也;成形成乎艮卦也,用也。其義皆與常殊。其第二卷有天星選擇、天德、月德、貴神、水運、地運、室位連、臣名、算數、道大諸篇。謂易有天道,有地道,有人道,有日道,有帝王道,有山道,有水道,有物道,有鬼道。三三而九,此之謂九經之道。包羲以是傳之神農,神農傳之黃帝,黃帝傳之堯、舜,堯、舜傳之禹,禹傳湯,湯傳之文、武、周公、孔子。孔子殁,鍾離子、郭璞、袁天罡、李淳風、楊筠松、陸子立、邵堯夫、劉基,各以其道發明之。劉子殁,遂不得其傳。其語甚不經。其卷三有琴説、瑟説、音律、卦韻、干支、音韻諸篇。更有人命篇,凡易之言命者,皆言人命之吉凶也。宮室篇,凡易之言門户宮室者,皆相宅之吉凶也。更有鍋竈、宗廟、墳墓篇,亦皆以易辭附之,尤近於市井術數之爲。其第四卷則分列昔人宅墓圖訣,謂爲演術，則皆以易辭爲附會，語焉不詳。謂爲解經，不惟不及易辭，並不及易理。而其自序，謂天之與人以道甚難，彼夫將相公侯，能貴人富人能殺人，而獨不可得道。今天既以道與我，是天將信用我也；我知之，我不言之，使人明而用之，是我負天也。隱然以得道自負，而於書之本旨，無一語及之。意其人抑鬱不得志，故憤而爲此放誕之論也。

易學一得録四卷 光緒四年刊本

　　易學一得録四卷，清胡澤漳撰。澤漳湖南益陽人，字少珊。諸生，胡文忠公林翼之族人。林翼爲湖北巡撫時，湘人士輻輳門下，爭自表見。澤漳獨不攀附，閉門研經，以布衣老。蓋狷介之士。其説易以邵子、朱子爲宗，間附己意，故曰一得録。首卷辨河圖洛書與八卦之相通，及邵子所傳先天圖、後天圖、六十四卦方圖各圖，與河洛圖之方位。第二卷論伏羲六十四卦圓圖義例，及圓圖中方圖移易之氣機，文王序卦義例，文王序卦亦具元會運世之數，復見天地心説。第三卷論雜卦義例，朱子變卦義例，注家得失，卦候，卦氣，京房錢卜之法。末更附論奇門起例正誤，天乙貴人，陰陽義例。統觀各説，謂爲術數，則無一能詳者；謂爲解經，則爲河洛所糾纏，卦變所束縛，置易象而不論。況以五十五數爲河圖，四十五數爲洛書，在宋以前並無此説。故後儒有謂河圖爲五行數者，有謂洛書爲九宮數者。此名不敢謂其確當，然徵之於古，較爲有據。孔子曰：必也正名乎。名尚未正，何論之有？乃胡氏並不加攷察，襲啓蒙之説，以河圖配先天卦，以洛書配後天卦，陳陳相因，於經何補？至卦變之説，虞翻用以解經。凡經之不能通，象之不能知者，概用卦變以取象。一爻變象不能得，則命二爻變；二爻變仍不能得，則命三爻變。易學之亡，亡於此也。朱子不知虞氏卦變專以濟其窮，視爲天經地義，亦往往曰某卦自某卦來，其無情理，後儒早已非之。乃胡氏謂朱子之卦變，密於易林，特未作繇辭。易林之繇辭雖以爲占，實演卦象，易借以明。其取義與朱子之卦變，判然不同。且易林亦變四千九十六卦耳，朱子胡能再多？何疏密之有？又所論注家得失，祇邵、程以後作者，以前則云卦變則有焦、京卦氣，馬、鄭爻辰，楊子雲太玄，關子明洞極。其卦變不免補綴。夫太玄何來卦變？則不知而强説。又以左傳專之渝攘公之輸，及鳳凰于飛之卜辭爲易辭，疑其出自歸、連。全書之陋，如此者多，不足取也。

觀象反求録不分卷　雲南叢書刊本

　　清甘仲賢著。仲賢字應篪。雲南姚安人，光緒二年丙子舉人。觀象者，觀六十四卦之大象也。蓋以夫子之大象，或曰君子以，或曰先王以，或曰后以，皆即卦象而反求之人事。因解釋其義，而曰反求録。其緒言云：有物必有象，象著而物之理亦著。小象解一爻之義，大象釋全卦之旨。而聖人之釋大象，尤注意於修己治人之君子。時或稱引先王，亦示人以則古昔之意。前聖人觀象以立卦，後聖人觀象以繫辭。學者即觀象以反求，近取遠取，皆有益於身世。故於象辭、爻辭、小象皆不及，而專攻大象。首説其義，次推論人事，次求上下象及上下互象。謂大象之語，言互象者尤多。按象辭每言互象，先儒知者甚少，甘氏每卦必求互象，可謂語不離宗。惟有誤者，如説大有象遏惡揚善云〔一〕：上互兌，兌毀折則惡生；上卦離明照之，有遏惡之意；下互乾，下卦亦乾，乾元者善之長也，以上卦離明照之，有揚善之意。豈知遏惡揚善，皆言伏象。比坤爲惡，互艮爲止，則遏惡矣；乾爲善，陽居五得位而尊，則揚善矣。若本卦則無此象也。穿鑿説之，胡有當乎？又説賁象无敢折獄云：賁之所以无敢折獄者，文飾耳；深文刻覈，爲折獄之大忌。夫无敢折獄者，正以火在山下，失其明耳，故雜卦謂賁无色。豈以其文飾乎？況卦互坎，坎爲隱伏而明不足，故不敢也。又謂剥象厚下安宅云：山在地上本高聳，今傾頹附於地，剥之象也。按所謂剥者，以陰剥陽，非艮山傾頹於地。山若傾頹至地，是窮上反下變爲復，京氏所謂崩來无咎也，豈剥之謂乎？又説萃象除戎器云：兌秋肅殺，五行兌金，故有戎器之象。豈知兌爲斧，旅九四有明文。故巽爲覆兌，即曰喪斧；而艮爲手，故除戎器。非取兌秋之象。又以麗澤兌爲附麗。按麗與儷通，麗澤者上澤下澤，言非一澤；若作附麗，失兌義矣。獨以井象勞民勸相，訓相爲勉，則與爾雅合，能知舊注訓相爲助之非，甚爲有功。然篇内如此者不多也。

〔一〕“象”下，原有“離”字，疑衍。據上下文義刪。

易學贅言二卷光緒七年刊本

　　清謝珍撰。珍字實齋,一字瑞周。江蘇武進人。幼好
學,然不以科名爲念。性耽易理,終身誦讀不輟。父爲人貲
捐丞倅,性不喜仕進,卒不就。所著有踵息盧粹語、易學贅
言。其説易純以宋人義理爲宗,其稱述皆先儒舊説。如云:
乾起坎而終於離,坤起離而終於坎,離坎者陰陽之府,故曰
大明終始。此荀爽釋乾象之語也。又如自復至咸,凡三十
卦,八十八陽,九十二陰;自姤至中孚,亦三十卦,八十八陰,
九十二陽。此吳草盧解卦氣圖之語也。而皆不舉其名,據
爲己説。篇內如此者,十蓋六七。名曰贅言,蓋紀寔也。其
説之善者,如謂元亨利貞,即仁義禮智,即春夏秋冬,即金木
水火。此非融會貫通於易理,且研討太玄有素者,不能作是
語也。又云:繫辭有聖人之言焉,有非聖人之言焉。其傳也
久,其間失墜而增加者,不能無也。其曰易之興其於中古
乎? 作易者其有憂患乎? 當文王與紂之末世,周之盛德耶?
若此者雖欲曰非聖人之言可乎? 其曰河出圖洛出書聖人則
之,幽贊於神明而生蓍,若此者雖欲曰聖人之言其可乎? 按
幽贊於神明而生蓍,乃説卦語,非繫辭。然此語實有可議,
非祇謝氏也。又以聖人則河圖洛書爲不然,是不信圖書也。
乃篇內發明圖書數之異同及其配置,至爲詳悉。又曰:伏羲
則河圖畫卦,是天不愛寶。又似甚尊信者。則是非不能一
也。其言之誤者,如曰:不節若則嗟若,節,儉也,君子以儉

德避難,不可榮以禄。按節者合也,古合符取信,故序卦與離對文,訓節爲信。今以節爲儉,則古無此説。又云:无妄足以立誠,誠者,成也。按妄、望古通,故古皆作无望。史記春申君傳,是其證。至吳虞翻始作虛妄解,是无妄者信也。然象傳曰:无妄之往,何之矣? 天命不右,行矣哉[一]! 天下豈有信實之人,而不利往? 又豈有信實之人,而天命不右者哉? 是作虛妄者非也。謝氏從之,疏矣。

周易卦象六卷_{光緒十五年刊本}

清張丙矗著。丙矗字龍西。萊陽人。光緒乙亥副貢,官清苑知縣。著有禮記集腋、月令集解、新疆紀略、雪塞行吟、續廉吏傳,及周易卦象六卷、占易秘解一卷。其周易名曰卦象者,據其自敍:朱子曰,學易須會得道理,然溯流以觀,卻須先見得象數的當下落,方説得理不走作。不然,事無實證,虛理易差。乃觀其所著本義,詳於理而略於象,雖曰象數在其中,而不求卦爻以實之,正所謂事無實證也。按張氏此書,首列本義,可見其説理仍本朱子。次列按語,必指實卦象,以求實證,殆以補本義之所未備。在清末治易者,允爲罕有。惟於易理仍述朱注或程傳之義爲多。如臨卦上六象曰:敦臨之吉,志在内也。朱注即不釋志在内之義,張氏謂身雖在外,志未嘗不在天下國家。以天下國家當内字。又襲舊解,訓敦爲厚。豈知敦與屯通,屯與頓通。敦

〔一〕"矣",印稿誤"乎"。據阮刻《周易正義》改。

者,待也;内謂三,上應在三。臨本陽息卦,言稍待陽息即至
三,上有應也。此與復六五之敦復義同。復亦息卦,五應在
二,言稍待陽息至二,五有應也。朱子以三無應,疑而不釋,
張氏補之而益非矣。又大畜九三象:利有攸往,上合志也。
上謂四五,四五皆陰,陽遇陰則通,故曰上合志。此與升初
六同。升上謂二三,二三皆陽,陰遇陽則有喜,故亦曰上合
志。而皆非上爻之上。朱子疑大畜上亦陽無應,升上亦與
初無涉,而皆不釋。張氏於大畜之上合志亦不釋,於升則謂
上爲上三陰,所補益非。又井上六井收勿幕,收,成也,象傳
及注疏甚明〔一〕。乃朱子謂收爲汲取,又采晁之説,以收爲
鹿盧收纑。張氏以爲不安,謂井繩之在下者,井上無有。是
井收也,於象傳益悖。是皆盤旋於宋易,捨古注不攷之過
也。全書雖言象,而於易理太疏。故程朱誤説,仍者八九;
偶有駁議,當者甚少。惟其卦象論,謂易爻辭及傳皆言互
卦,所舉皆合。足見於象學,所究已深。又謂易言倒象,如
豐上六體震,即爲倒艮,艮爲屋爲家爲門户。則與虞氏及荀
氏詁重門之説合。又謂中孚六三之或鼓或罷,或泣或歌,震
爲鼓歌,覆之爲艮,則罷而泣矣。此尤發前人所未發,爲功
甚巨〔二〕。惜其所舉太少,知中孚六三,不知九二鶴鳴在陰,
其子和之,及困、震之有言,皆言覆耳。

〔一〕"傳"下,印稿無"及注疏"三字。據尚校增。
〔二〕"爲功甚巨",印稿無。據尚校增。

占易秘解一卷 _{光緒十五年刊本}

占易秘解一卷,清張丙嘉撰。丙嘉著周易卦象,已著録。茲所輯筮案,自左傳、國語,以及歷代筮案之見於載記者,凡四十四則,而爲之詳解。並謂朱子啓蒙所定筮例,按之於古,多不能合。如朱子謂六爻俱静占象,乃秦伯筮遇蠱,晉侯筮遇復,皆不占象。朱子謂一爻動則占本卦變辭,不及之卦。乃畢萬筮得屯之比,莊叔遇明夷之謙,崔杼遇困之大過,晉文遇大有之睽,皆之遇並占。至三爻變,朱子定前十卦後十卦之例,以卦變圖爲準。又六爻全變,乾坤占二用之尤爲歧誤無理,朱子蓋惑於左傳蔡墨之言。豈知墨引易以證有龍,非筮於易。按張氏所駁朱子之説,皆引古筮案以證其非,所議皆平允,非故爲攻擊之論。雖朱子見之,亦不能不謂其是。足見張氏於古筮法攻研之精審。惟所釋筮案,往往有誤。如成季生,遇大有之乾,即離變乾;離南乾亦南,故曰同復于父,敬如君所。所者,位也。言人敬離位,同于乾位也。此正乾南之證之最古者。乃張氏釋之,謂同復于父者,同于父也,捨復字不釋;敬如君所者,敬與君同也[一],不言所義,與杜注同。豈知杜注不知先天象,故于復義、所義,皆不知其所謂。奈之何講宋易而亦誤解乎?又晉侯筮遇復,曰南國蹙,射其元,王中厥目。夫陽起于北,南行推陰,陰消陽息。坤爲國,故南國蹙;而離與乾皆在南,離爲目,乾爲王爲元。元者,首也。陽氣南射,

----

〔一〕"與",印稿作"如"。據尚校改。

故離目與乾元皆傷。杜注不知乾舍於離，衹謂離受咎，不知乾亦受咎。張氏所述，與杜注同，而謂伏離爲侯爲目爲矢。豈知震即爲射，易林屢用之；震即爲南，見于升象。不必如是穿鑿也。他左氏之卦，所釋亦多未安。然自杜注即如是，亦難以責之張氏矣。

易説評議卷十

周易補注四十一卷<small>光緒十五年刊本</small>

周易補注四十一卷，衡陽段復昌撰。復昌字爛烆。諸
生。幼時父欲使之讀，以家貧不可，乃夜持書就村塾問字，
晝則以耘耔之暇，吟哦於隴畝間。會湘潭王闓運隱居石門，
聞其名，徒步造訪，與語悦之，凡所啓發，皆能領悟。由是常
問學於王。後以經學修明，爲學使吳樹芬所奏保，以教諭候
選。竟坎軻以終。其所輯古注，除李氏集解外，凡史、漢及
子書有釋易者，皆爲補入，較集解滋多，間出己意。名曰補
注，其意蓋以爲補前人之所未及。又其所輯之注，純以漢、
魏、六朝爲主，不惟宋人講義理者一字不取，即王、孔注疏之
語亦無録入者。蓋純以漢儒之理數爲宗，易象爲主，而擯棄
宋人義理之學。惟漢魏古注，敷陳易理，固勝於演義理者之
汎濫空疏，然亦不盡當也。兹編所録，雜然並取，黑白混淆，
漫無甄別，亦一弊也。又自第一卷至第十卷，創爲周易例表
十篇，謂周易以元亨利貞爲德，吉凶爲得失，悔吝爲憂虞，无

咎爲補過。外此則有譽、艱、厲、孚、往來、大川。然有五十八卦有元亨利貞及吉凶悔无咎者，有六卦無元亨利貞及悔者，又有六陽爻有元亨利貞及吉凶悔吝无咎者，有六陽爻皆無者。作表以明其例。按此種研討，可謂發前人所未發。惟元亨利貞之四德具備，祇乾卦足以當之。他若屯、革、臨、隨已不稱，若无妄則凶卦也，而亦具四德，義尤難曉。其餘卦祇具二德、一德或三德者，更莫明其故，而昔人無言者。後端木國瑚謂元亨利貞，即春夏秋冬。卦有春夏卦者，以元亨爲識；有秋冬卦者，以利貞爲識。故各卦多少不同。然又何解於無一德者？如睽、井、艮、觀，冬夏卦皆有，又何以爲説？兹書雖仍莫詳其故，然能表而出之，以爲討究，即非庸俗所能。惟所謂例者，以此例彼，可通行也；兹尚不知其故，但曰表可矣，胡例之云哉？

周易學統九卷 光緒刊本

周易學統，清汪宗沂撰。宗沂字仲伊。歙人。光緒進士，官山西知縣，加五品卿銜。研精禮經，洞悉樂呂。著有尚書今古文輯佚、管樂元音譜、聲譜、漢魏三調樂府、詩譜、曲譜、詩説、三家兵法、三湘兵法，及周易學統諸書。周易共九卷，後附大傳逸文，及消息表、來卦表。其説易以西漢爲宗，而益之以唐李鼎祚之集解，宋周、邵、程、朱之學，及元、明以來各家之説。謂自王弼注易，掃除象數，波及來卦、互卦，後人動視爲譚空説理之書；矯之者輒崇虞翻以與之抗，標爲漢學,而説取道家,象多臆造,其失也與王弼之掃象同。
又云:復遵三十六宫之説,與易緯合,與虞氏又合,初無漢宋
門户之可分。近人力攻邵子爲道家,不論其于漢儒之説有
合與否,且于八卦方位之本出説卦傳者,亦連類及之。豈知
先天圖,乃道家沿易象而作,非易緯乾鑿度言先天即爲道
家。至江都焦氏,以算誣經,援墨亂儒,竟無有排之者。門
户之見重,而是非昧,徒啓小生亂經之漸。此正攷據家之大
惑,足爲名教之深憂。域于門户,愈求愈蔽,而欲以會其通
可乎? 其著書之大意如此。故其易注首舉西漢易説,再旁
及各家。雖斥王弼及宋人義理之空疏,然亦頗采其説。蓋
説之善者,雖宋亦取,不善者雖漢不録,有是非之判斷,無漢
宋之區別。故凡鄭氏爻辰,虞氏卦變、爻變,無一取者。誠
以鄭、虞遇象之不能知,理之不能解者,不甘闕疑,妄以此二
法以爲解説,勉强支離,雖初學亦望而知其不合理也。一概
芟除,差爲有識。惟於易理所入不深,故所采之注往往不
合。如以天地際,爲三四爻接;以武人爲于大君志剛也,志
剛乃武人自忘其分。疇離袛,疇,類也,陽以陰爲類。謂否
四下乘三陰,陰爻離袛也。乃汪氏謂與五、上爲類[一],則由
易理太淺也。又説師貞丈人吉,云丈人應爲大人,是也。惟
謂三國志裴注明言古無丈人之名,豈知裴注所言,乃婦翁無
稱丈人者,非謂古無丈人之稱。論語丈人荷蓧,見之久矣。
則攷訂之疏也。

〔一〕 "上",印稿訛"止"。據前後文意改。

需時眇言十卷 光緒刊本

　　清沈善登著。善登浙江桐鄉人，字毅人。光緒進士，改翰林院庶吉士。閉戶讀書，不營士宦。著此書時，已雙目失明，因曰眇言。其第一卷爲綱領，第二卷爲原易，第三卷爲原筮，第四卷爲原象，第五卷爲原數，第六卷爲圖説上，第七卷爲圖説中，第八卷爲圖説下，第九卷爲三表，第十卷爲補遺。其原筮，已詳杭辛齋所著沈氏改正揲蓍法中。其説易大旨，謂易本原於圖書，易數即勾股，其六十四卦爻本數積數，即勾股自乘爲平方，再乘爲立方之垛積。杭氏云：沈氏心得獨在於數，其以勾股推大衍，合求一術，以圖書爲體而以大衍爲用，是以全易象數言大衍也，故視舊説爲詳。今按其所言綱領，無不以數言，且無不以圖書言，視舊説誠爲詳矣。而欲以數括盡易理，則與先儒不合也。又其説之誤者，不可枚舉。如謂易名與八卦名皆伏羲所定，而但有畫無文，亦無取象，至倉頡始造字。按繫辭明言包羲氏王天下，仰則觀象於天，俯則觀法於地，近取身，遠取物，胡言包羲不取象哉？又沿孫盛之説，謂大禹始重卦。夫易自伏羲即揲蓍，若自大禹始重卦，尚何揲蓍之爲？是皆誤信伏羲有畫無文之謬説。豈知倉頡在伏羲前，凡緯書皆稱爲倉帝，稱爲頡皇，稱其造六書。其稱爲黃帝史臣者，乃衛恒書勢之説，太史公無是也。文字至伏羲發達已久，倘其時若無文字，伏羲名百物，胡以紀之？神農嘗百艸，胡以詳之？連山爲伏羲易，前鄭有明説，夏用之耳，非大禹創作也。尤異者其原象一卷，約萬餘言，皆言氣化之事。王弼掃象者也，乃言王弼易出，厥功甚偉；程傳不知象者也，而謂程傳尤爲傑出。訖不言何者爲象。蓋沈氏好逞奇炫博，方説甲忽及乙，方説乙又及丙丁，故忽而易，忽而論、孟，忽而大學、中庸。因宋儒説義理近禪，又忽而禪，忽而佛，忽而佛又非禪，禪又非佛，而漸忘其本旨。故其書每篇歸宿處，尋索多無着。杭辛齋謂其目眇，寫錄者未必知易，故述語繁複，而圖與説先後甲乙，皆不相符。誠中此書之病也。

心易溯源二十四卷<small>光緒刊本</small>

清謝若潮著。若潮字慕韓。福建龍巖州人。光緒丁丑進士，官江西永寧等縣知縣，後升知府。所著名心易溯源者，蓋取聖人以此洗心之義。其第一卷至九卷解上下經，第十卷至十二卷解上下繫及説卦、序卦、雜卦三篇之義，其十三卷至二十四卷則原筮、原象、原卦、原圖書及鬼神、五行等義。其説易頗能自主，不附和前人，不盲從舊説。如謂先天圖，説者皆謂爲方外別傳，然歸妹、中孚、小畜之言月幾望，皆指巽言，應先天之月也。泰、既濟之言鄰，則皆以先天位言。子雲太玄、伯陽參同契皆用先天，非特邵堯夫也。後天圖説者謂爲文王所定，然觀帝出乎震之文，明指伏羲；伏羲以木德王，故曰帝出；且震從辰，巽從己，坤從申土，坎從欠土，是伏羲畫卦，已定其名，非文王始有。又云：大象六十四以字，乃孔子示人以崇德廣業之事，故不言吉凶，明易非專爲卜筮設；六爻固以五爲君位，然過泥於貴賤之説，則扞格不通；説卦爲伏羲之易，以卦名推之，先後天均是伏羲所定；以仰觀於天推之，卦象亦必定自伏羲。按謝氏所言，皆自抒所見。而謂先後天及説卦象皆伏羲所定，尤爲創見。故經中用象，往往不與説卦同。蓋説卦引其端，文王廣其義，年愈久而變通愈多。如經以兑爲月、爲老婦，以震爲小子，艮爲丈夫，其明徵也。惜謝氏未能詳舉耳。其釋用九云：乾爲首，今六爻皆變陰，有見羣龍无首之象。以變陰釋用九，了當易知。而説用六傳以大終也：以大終者，言可以終乾陽之事而作成物。按以大終者，言陰極終變陽，與用九同也。乃釋用九當，用六則否，何也？又於用九後云：右七節爲爻辭，周公所作。注云：説本馬融。姑無論融説之無本，用九節若爲爻辭，則卦有七爻矣，惡乎可哉？又説履虎尾，以兑爲虎，虎在後履尾前行。按乾爲虎，三履其後，故曰虎尾。以兑爲虎，則尾象無著。又復曰朋來无咎，謂陽來也，陰以陽爲朋也。而謝氏以坤爲朋。又説隨六二，以三爲丈夫，初爲小子；説六三，又以四爲丈夫，二爲小子。詁皆不合。書内誤解如此者，亦不少也。

周易臆解六卷光緒刊本

　　清楊以迥著。以迥金匱人。所著有周易通解六卷，已著錄。周易臆解雖未標明卷數，然上下經各分上下二篇，又圖説上、圖説下，亦六卷也。其解説祇上下經，不及十翼。經文下首列朱子本義，再雜録諸家解説，最後爲己之案語。其説易純以己心所悟得者言之，不惟歷代易説有所不從，並十翼亦敢與相背，故瑜皆爲瑕所掩。其説之善者，如謂周易周字非代名。繫辭云日往則月來，月往則日來，是一日之周易也；寒往則暑來，暑往則寒來，是一歲之周易也。且易先有連山、歸藏，皆非代名，皆原本伏羲；文、周所推演，仍太皞之遺書，而能以代名私之乎？按周非代名，自鄭康成、賈公彥以來，代有主張。楊氏所執理由，較舊説尤爲透闢。又説履虎尾云：陽剛之性，無過於乾，無過於虎，故以虎象乾；履者躡其後也，上爲虎首，四則爲尾，故曰履虎尾；虎本咥人，和悦以履其後，故不爲所咥。謂諸家以兑爲虎之非。按乾虎象失傳已久，其在漢祇焦氏易林知之。訖於清，茹敦和始疑之。楊氏獨以乾爲虎，不惟用象精，説理亦愜。他若説大壯君子用罔云：罔，無也。老子云三十輻共一轂，當其無，有車之用。解頗新穎。其説之誤者，如釋九六云：冬至陽生，律中黃鐘，黃鐘九寸；然則九爲陽生之數，故以名陽爻。夏至陰生，律中蕤賓，長六寸；六爲陰生之數[一]，故以名陰爻。其以九爲老，七爲少，説本讖緯，儒者所諱。按九六七八，乃易之根本；周易用九六，用者變也。象傳所謂以大終，即陰變陽也。陰胡以變陽？六爲老陰，陰極則變。陽極亦如是。楊氏誤解用字，祇論九六，不論七八，於易本不明。又謂易緯以六畫分三才，上二畫爲天，中二畫爲人，下二畫爲地。

〔一〕“之”，印稿作“大”。據上下文意改。

自鄭氏、孔氏説易皆本此旨。有此一誤，推象大都不合。繫辭云兼三才而兩之故六，則初三畫爲三才之體，上三畫爲三才之用；體與用各以三畫象三才，故曰兼三才而兩之。按乾九五飛龍在天，明以五爻爲天。文言九三云上不在天，三既爲天位，胡以文言曰不在天？又四既爲地位，胡以文言曰下不在田？且繫辭云兼三才而兩之故六，六者非它，三才之道也，即謂爻雖積爲六，仍爲天地人，與三爻同也。楊氏强謂下卦一三才，上卦一三才，二與五位同，太疏陋矣。書内支離之説，如是者甚多。偶有善處，皆爲所掩。其概略也。

學古堂日記不分卷_{光緒二十二年刊本}

學古堂爲蘇州書院名，創始者爲江蘇布政司黃彭年。至光緒庚寅，遂刊學古堂日記若干卷，皆堂内高材生所著。其日記有周易二種，一爲元和顧樹聲所記。樹聲字九皋，附生。其日記祇十則，大致以鄭氏爲宗，而説多支離破碎。如説直方大，云以象傳祇言直方，不及大字，遂疑大爲衍文，並以霜、方、章、囊、裳、黃協韻爲證。夫六爻誠協韻，然直方大與含章可貞同耳，豈得以章爲韻，便謂可貞爲衍文？象傳釋經，祇舉其概略耳，以此爲據，烏乎其可？是皆泥於虞翻乾直之説，故迂曲而不通。豈知文言云直其正也，正謂二得位中正也；象傳云含弘光大，大謂坤，坤載萬物，當然爲大。直與大皆謂坤。方者地之體，大者地之用，而又當中正之位，故曰直方大。彼夫正義、本義所釋，固不誤也，特未能以經

解經,破虞翻等乾直之説耳。陸德明時,漢魏六朝本皆在,
從無謂大爲衍字,亦無謂大下有闕文者。經不得解,疑經文
有闕誤,便欲改字或删字者,皆非也。又觀卦上九觀其生,
生謂民,見九五象傳。兹曰觀其生,觀九五之民也,故象曰
志未平。乃顧氏謂觀九五,尤爲失詁。他若謂其形渥,宜從
鄭作剭。則前儒早已論定。斯其所云,宜從仲氏易,訓斯爲
析,謂與同行者較量彼此,必至分析其處。夫斯其所,爲離
其所。釋言:斯,離也。離其居處,故有災。毛氏所釋,較作
語辭者進矣,仍未得也。一爲許克勤。克勤字勉夫,浙江海
寧人,廩貢生。所著有論語古注集箋、經義雜識等書。今觀
其讀易日記,亦以鄭氏爲宗者。然皆抄撮舊説,隨聲附和,
無獨裁之見。如以周爲普徧非代名是也。夕惕若厲,從許
氏作夕惕若夤。夤與厲皆惕懼,而文言則作厲,並以危釋厲
義。注莫古於十翼,捨此不從,而從許氏! 又如冶容誨淫,
必從鄭、陸作野容。豈知冶、野音同通用,易字如此者甚多。
且冶、野皆修飾容儀,表見於外,信彼抑此,無味已極。又如
惕號莫夜,謂宜從鄭,訓莫爲無;無夜者,非一夜也。夫莫、
暮古通用,而古書用莫者多,暮者反少。暮夜與無夜,何者
爲順,似無容深求矣。又何必以爲鄭説而必申之? 此皆心
鶩漢學之名,失其己見,故不論是非,失其平也。

香草校易五卷光緒二十九年刊本

香草校易五卷,清于鬯著^{〔一〕}。鬯字香草,江蘇南匯人。其於諸經皆有説,旁及三傳、國語、孝經、論語、孟子、爾雅、説文等書,皆有校語,共六十卷。其校易祇五卷。蓋以漢易爲宗者。其説之善者,如謂地勢坤,坤本作巛,巛當讀爲順,非坤字也。惟取俞樾之説,順從川聲爲少誤。巛即坤字,順之川仍坤字,故順從坤而得聲。推之訓馴、巡、紃皆然,非從川也。又謂乾卦當從干寶説,以初九爲十一月,九二爲十二月,九三爲正月,九四二月,九五三月,上九四月;坤起五月,至十月。而何妥則用間爻之法,左行陽時六,以乾初九爲子月,九二爲寅月,九三爲辰月,九四爲午月,九五爲申月,上九爲戌月。二説相較,干氏爲優,俞蔭甫不宜抑干而信何。按干氏之説,本之消息卦,陽至巳而極,故曰亢龍,故曰盈不可久。若從何妥,則上九當戌月,於亢義、盈義皆不合。然何妥之説,亦自有據。文言云:或躍在淵,乾道乃革。謂陽革於午,陰代終也。故何妥以子寅辰午申戌爲釋,以見文言之另一義。坤則何氏未之釋,俞氏申何義,謂坤當初六六月,六二八月,六三十月,六四十二月,六五二月,上六四月。此俞氏不知乾順坤逆之理,妄以六、八、十、十二順行爲序。且坤上六直四月,於龍戰于野之義全背矣,于氏駁之宜也。

〔一〕"于"上,印稿無"清"字。據排印本補。

又謂繫辭盗之招也,招與的同,以吕氏春秋萬人射一招爲據,則確切有理。其大誤者,謂繫辭上傳日月運行,日月當爲乾坤;否則上文鼓之以雷霆,蜀才云霆疑爲電,日月若謂離坎,則離爲電,上下複矣。豈知雷自下起,霆從上擊,正震艮象也,虞釋不誤也。雷霆言震艮,風雨言巽兑,皆演正覆卦象。下日月言坎離,則演對象。皆言六子之用。舍虞注不從,而從蜀才之謬説,誤矣。又謂包犧氏必不親作罔罟;世本曰芒作網,宋衷曰芒,包羲臣,以此爲據。若然,則黄帝、堯、舜垂衣裳,必親縫紉乎?又謂瀆則不告,告當爲梏;其亡其亡,爲亡馬;資斧,當爲資布。若此者篇内亦甚多,故其善全爲所掩矣。

讀易劄記無卷數_{光緒刊本}

讀易劄記,清關棠著。棠漢陽人,光緒乙酉舉人,官羅田教諭。記無卷數,祇説六十四卦。卦亦不全解,或一二爻,或三四爻;又或不釋象辭祇釋彖傳,不釋爻辭祇釋象傳。以唐史徵周易口訣爲宗,輔以程傳、本義,而比較其是非,頗能糾程傳之謬誤。如説喪羊于易云:程傳易作和易解,朱子作難易,言忽然不覺其亡。皆非。應作疆場[一],從食貨志。又王用亨于西山,程子讀亨爲亨通,不作祭享解,不及本義作享之自然。説需上六雖不當位,无大失也云:程子謂陰居上爲不當位,於易之通例有違。比之无首,訓首爲始,尤爲

―――――――――

〔一〕"場",印稿作"場"。據《漢書·食貨志》改。

牽強。又讀賁其須，以須爲鬚髮之須，不作待解。覆公餗，
其形渥，謂形渥當作刑劓。按程傳之演義理，汎濫無拘束，
不惟不言象數，不顧易理，失易學之本源，並易之普通常例
亦不盡悉。至於訓詁，尤淺陋，視本義尚不如。乃自明清以
來，國家功令，尊尚程朱，故無人敢議其非。關氏獨能駁之，
其識已稍異流俗。又以賁其須爲鬚髮，讀形渥爲刑劓。按
鬚古本作須，鬚乃俗字。形渥、刑劓，音同通用。易字如此
者，不可勝數。乃享之爲亨，裁之爲財，人知之。進而曰血
即恤，或洫之省文，則疑矣；若曰形即刑，渥即劓，庸即墉，則
駭怪矣。關氏獨知此，雖甚少，亦足貴也。惜其於易理不
明，稍下己意，即歧誤不免。如説蒙二納婦吉，子克家云：二
剛明能包蒙而吉，然必如納婦，不失其柔始吉；猶之雖克家，
終當盡子道耳。則不識易辭之所指。又説需上六雖不當位
云：當，讀平聲。謂虛己待三，雖似不當所處之位，然以其能
待陽，自不致大失。夫此句荀爽注甚明白。程子以不知荀
注而謬解，朱子曰未詳，殆亦不見荀注。居今日而著書，奈
之何於古注皆未覩乎？則參攷之陋也。

讀易一斑四卷光緒刊本

　　清吳麗生撰。麗生字淦泉。江蘇丹徒人。其説易不章
解句釋，統論其大義及其全體關係，並經外規則。雖所稱
述，多因襲先儒成説，然皆雜以己意，故其説有善有不善。
其善者謂歐公疑圖書，然書顧命曰天球河圖在東序，論語曰

河不出圖,易大傳曰河出圖洛出書。夫三書之言,不可誣也,但古無龜文龍馬之説,孔安國、揚雄輩始言之。今據顧命河圖與天球並設,疑亦玉也。可謂善疑,不附和舊説。惟又云:若果馬毛旋文,何以由伏羲至成康,傳千百年而不朽?按河圖即使果由龍馬發現,當時照録其文以爲則,豈必並其馬毛旋文而藏之?則説大拘也。又論周易云:謂之周易者,取交易、變易之義;周者,普遍也。是也。惟又云:周以前未有此名,而或以易字加於連山、歸藏。則非也。按周禮春官太卜:掌三易之法,一曰連山,二曰歸藏,三曰周易。注:易者,揲蓍變易之數,可占者也。夫既曰三易,是連山、歸藏亦名易也。胡以皆名易?以三易皆揲蓍,皆以九六七八爲用。若連山、歸藏古不名易,周禮能曰掌三易之法乎?則持論太疏也。其卷三、卷四則多有獨得者。如云:大象曰君子以之云云者,以,用也。顧其辭往往與卦義相反,如屯勿用有攸往,而曰以經綸;明入地中明夷,而曰用晦而明。蓋卦有吉凶,君子用之則無吉凶。按此義先儒未有言者。但吳氏所舉,尚有未盡。蠱曰振民育德,振則不蠱也;同人曰類族辨物,辨物則審異也。他相反者甚多,此正所謂用也,而吳氏獨明其義。他若三陳九卦,九卦上下體皆無離,晦其明也,所以處憂患也。又易本爲卜筮之書,聖人已明言之:蒙曰初筮告,比曰原筮,革九五曰未占有孚。世人徒爲高論,以爲舍理言數則視易也淺;豈知易之用不盡卜筮,其本則卜筮也。又謂坤卦宜以先迷後得主爲句;隨王用亨于西山、升王用亨于歧山,與象辭言后、言先王同,不必指文王;既濟東鄰西鄰猶言彼此，不必指紂與文王。若是者皆不隨聲附和，確有心得，與流俗大異也。

艾氏易解六卷 光緒乙巳排印本

清艾庭晰著。庭晰四川內江人，字雅堂，諸生。生平嗜易，爲之數十年始成此書。其第一卷、第二卷解上經，第三、四卷解下經，末卷解繫辭及說卦、文言、序卦、雜卦，又有首卷列弁言、例言、總論等雜說，實共六卷，名周易串解。串解者，據其自述：如訟，文王則言訟所由興，周公則言訟所由息，孔子則言訟所由無；又如師，文王則言師所由勝，周公則言師所由敗，孔子則言師所由寓。準此以解易，不惟一聖可串，即三聖亦可串。若以爻論，乾曰時乘六龍，而九三獨稱君子；屯三言乘馬，而六三獨曰即鹿，則不串而串，愚必求其同。漸六言鴻漸，而上三俱漸陸；豐四言日中，而象詞獨曰日昃，則串而不串，愚必求其異。準此解易，不惟一爻可串，六爻皆可串。他若以否、泰串上經，以損、益串下經，其例尚多。按艾氏之所謂串，即所謂通也。惟其所舉，皆摭拾經中一二字以爲例，與經義渺不相涉。如漸六爻皆言鴻漸，三、上皆象漸陸。夫鴻漸于陸，與漸干、漸磐、漸陵隨爻取象等耳，有何異之可言？取義既誤入歧途，講解遂無不勉强，無不浮泛。如說訟云此教人聽訟之法，說師云此示人以出師任將之道，說履云此示人以剛柔善處之方。凡六十四卦，無不如此。自以爲括盡經義，而不知其皆不切。又凡六爻之理,皆爲串同。豈知易辭與他經不同,不惟爻與爻不串,即一爻之中,上句與下句亦不串。如夬九四牽羊悔亡,聞言不信;震不于其躬于其鄰,无咎,婚媾有言是也。若象則上句與下句尤不串,如訟有孚窒惕,困亨大人吉。義本不相屬,强使相屬,是爲八比文作無情搭題者之伎倆也,惡乎可哉?故夫所講解者,愈詳悉愈繁冗,愈串通愈浮泛。又此書體例不能明晰,經與傳不分,講說經傳亦串而不分,閱之但覺淆亂心目,亦不善之大者也。

周易人事疏證十六卷宣統庚戌排印本[一]

清章世臣撰。世臣字喬非,號豸卿。望江人。以諸生舉孝廉方正,選繁昌縣訓導,遷太平府學教授。生平致力於經學,尤好易。疏證正編凡八卷;續編四卷,然分上下,亦八卷也。世臣自謂倣宋李光、楊萬里而作。按李光讀易詳說,誠齋易傳,皆以史事徵引易說。而誠齋易傳二十卷,所引尤繁多。而於經義之訓詁,及陰陽消長,易理原本所在,反略而不說。然亦有本:晉干寶說乾初潛龍勿用云:此文王在羑里之爻也。九二云:此文王免於羑里之日也。九三云:此文王反國大釐其政之日也。九四云:此武王觀兵孟津而退之日也。九五云:此武王克紂正位之爻。至亢龍有悔,文、武事皆難比附,李鼎祚遂以放桀南巢,湯有慚德當之。此等附會之談,久爲學者所非議。然偶然以人事指點,不爻爻如此

〔一〕"宣統庚戌排印本",排印本作"宣統二年同文書館鉛印本"。

也。楊萬里等遂援以爲例，逐卦逐爻徵引史事，而於卦爻辭之所以然不詳也。推而言之，如大學，如中庸，如論語、孟子，孔孟之所言，無不可以史事説之，胡獨於易？兹編又襲李、楊之例，擴而廣之，然多李、楊所已言者。章氏謂誠齋易多有，李説少見，故不嫌複。夫著書者，以前人所未言，故我言之。若前人已言，我又何必複述之？況義不相屬，强爲附會。如説睽上九云：李氏兆賢曰，佩漢壽亭侯印，何常污？而翼德以爲受曹操官，是見豕負塗也；並無背劉歸曹之事，而以爲信有之，是載鬼一車也；始不開門相納，是張弧也；後來古城聚會，是脱弧婚媾遇雨也。所言關、張事，皆三國演義語，不惟於經義無涉，其陋俚亦甚矣。舉此以概其餘。至説説卦兑爲口舌，祇以古人慎言事當之。如此敷演，雖汗牛充棟，不能畢其説。而續編所舉各事，尤爲勉强，尚不如正編也。

周易標義三卷雲南叢書刊本

清李彪撰。彪字星海，雲南彌渡縣人。據其後敍，壬戌歲夏秋之交，避地天目，凡得談易八卷。又取全書逐節逐卦，略標其義，以便晨夕之稽攷。今按其注甚簡略，不談象數，純以易理爲宗。而於每卦下，按先天位，并邵子所傳之乾一兑二，離三震四，巽五坎六，艮七坤八之數，先標下卦之位，曰先天位某方，而不及上卦。次標曰幾之幾。如水雷屯，則曰先天位東北，四之六。如澤山咸，則曰先天位西北，七之二。再次則序卦。其說之善者，如說用九用六云：凡筮例遇陽爻，用九不用七；遇陰爻，用六不用八。因七八不變九六變，故隨指一爻而言也。用九則陽變陰，剛變柔；用六則陰變陽，柔變剛。說頗明晰。而謂隨指一爻而言，尤發前人所未發。故其說用六永貞，以大終也，云：坤變爲乾，故以大終，順而健也。簡而明。較空敷衍大義，而實不得經旨者，有上下牀之別。又說升初六象，上合志也，云：上二陽汲引之也。以二三爲上，獨得真解，可正漢宋以來舊說之誤。惜其於大畜九三之上合志，謂陽與陽同志，又悖易理。其說之戾者，如說隨六二云：小子初也，丈夫五也。及說六三，則又以丈夫爲四，三係四而失初。豈知六二、六三之丈夫皆謂四，不謂五。艮爲夫爲堅爲壽，故曰丈夫。其以六二之小子爲五，六三之小子爲初者，乃虞翻之謬說，茲與之同。又說頤六二象行失類，云初、上非二之類。按六二爲陰，三四五亦陰，行不遇陽，故曰失類。初、上正二之類，但行不遇耳。此雖因類字自漢以來失解，然各家多闕疑不說，不應顯背易旨如此。又說蹇利西南云：五往得中。絶不知坤居西南，五往居坤中得位，故利西南。又說離爲龜爲蠃云：蠃取善麗，龜取文明。豈知離外堅，凡蠏蚌鼈龜之象，皆取其外堅，非取其文麗。全書歧誤如此者甚多，其善者殊不足相敵。似生居荒僻，見書甚少也。

易説評議卷十一

周易鄭氏注箋釋十六卷民國刊本

曹元弼撰。元弼字彥三。江蘇吳縣人。光緒進士,官內閣中書。後江蘇巡撫陳啟泰,進呈其禮經校釋,特賞翰林院編修。其説易以鄭玄爲宗。因鄭説乾坤,舉堯、舜、周公以明君臣之義;説離六二,舉文王之子發、旦,以明父子之道;於恒明夫婦之義;於姤嚴淫僻之防,最得作易本旨,故以爲注。而以荀、虞、宋、陸等説爲箋。末乃自下己意爲釋,而以清儒惠棟、張惠言、姚配中三家爲主。自第一卷至第六卷釋上下經,卷七、八釋彖傳,九、十釋象傳,卷十一、二釋繫辭,卷十三釋文言,卷十四至十六釋説、序、雜三傳。其説易象數與義理兼收並蓄,既有繁複之虞,乃所採愈繁而愈無斷制。如注龍戰于野云:許氏云戰者,接也;九家云玄黃,天地之雜,言乾坤合居也;乾鑿度云乾坤氣合戌亥;王氏云陰陽離則異氣,合則同功。夫曰乾坤合居,曰氣合戌亥,則戰非戰爭明甚。茲書所採乾鑿度、許慎及九家諸説,皆戰字確詁。乃又取戰争諸説,謂陰陽兩傷。陰凝於陽,以凝爲疑。
豈知疑、凝古通?陰與陽既離則異氣,合則同功,類羣相應
相求,何疑忌之有?且戰争與和合,義絶相背。其以爲戰争
者,皆義理家欲借是以明君臣尊卑之義,故曰陰盛疑似於
陽,陽不能堪故戰。而不知其於易理大背。胡可兩存其説?
此爲全易之關鍵。此義不明,凡全易朋字、類字,及其他易
理涉是者,無怪其皆誤矣。又如説箕子之明夷,既取馬融之
説,以爲紂臣;又取趙賓、劉向、荀爽之説,以爲荄滋。又如
大壯,既取京、荀壯盛之説,又以馬、虞訓壯爲傷爲是。夫此
兩義相背,胡可相兼?至於釋傳,誤解尤多。如説大畜九三
上合志云:上謂上九。豈知上謂四、五,陽遇陰則通也。説
升初六上合志云:初與二陽俱升,二正五,初亦正四。以上
爲五。豈知陰遇陽得主,上謂二、三。易以在前者爲上,與
大畜九三以四、五爲上同也。節初九不出户庭,知通塞也。
用虞氏誤説,謂二變坤土塞初。豈知二變陰,初九陽遇陰,
通之極矣,何塞之有?至九二曰不出門庭凶,以九二陽遇陰
利征,當出不出,故曰失時極。乃仍襲虞氏謬解,謂二當化
不化故失時,則於易理全昧。獨於艮象傳上下敵應云:陽遇
陽,陰遇陰相敵,故曰敵應。於中孚六三得敵云:三四皆陰,
故曰得敵。則深明易理。乃於此義相同者,不能推行,説之
皆誤。則注雖多亦何益哉?

易釋四卷民國刊本

易順豫著。順豫湖南龍陽人，字由甫。光緒癸卯科進士，刑部主事。詩人易順鼎之弟。其釋易衹説經不及十翼，至歸妹而止，缺後十卦不釋。是未完之書。其首尾亦無敍跋，似是其卒後所印。因以禮説易，喻之者少也。其説天行健云：乾言健禮也。易，禮也。伏羲畫卦象禮，文、周作卦爻辭皆所以言禮。健者禮之本，非健不足以任禮。非禮則健或失之偏，或失之亢，有不得其正者矣。又説爻云：爻之猶言效，效之猶言學也，所以學禮也。故爻曰九六，九學之之辭，六得之之辭。初爲士，二爲大夫，三三公，四諸侯，五天子。自士至於天子，皆有禮。故需言讓禮，訟言爭禮，師言軍禮，履言履禮，謙言謙退之禮，晉言天子進諸侯之禮，明夷言天子任三公之禮，家人言齊家之禮，暌言遷國之禮，損言自損之禮，益言天子益天下之禮，蠱言守舊，臨言教民，賁言聰士，噬嗑言懲惡之禮，革言諸侯受命爲天子之禮，鼎言太子繼世爲天子之禮，漸言選舉之禮，婦妹言嫁娶之禮。按易理雖無所不包，然專以禮言，似難盡通。如履之爲禮，師言軍禮，家人言齊家之禮，尚可勉言。若訟言爭禮，暌言遷國之禮，漸言選舉之禮，則義不相涉。雖即六爻强爲演繹，皆兀臬不安。徒爲立異而無至理，似心有所敝也。至於易理易象，均略而不言。惟訓詁時有新義。如説蒙利用刑人云：刑，成也。學記教之不刑，與此刑字義同。用説桎梏者，謂教之使成,不陷於罪戾也。按學記教之不刑,鄭注云:刑,猶成也。詁既有本,義亦協洽。篇内如此者時有。惟斷句太奇,如剥牀以足,則剥牀句,以足句。坎不盈,祇既平,則坎一字句,不盈祇句,既平无咎句。納約自牖,則以納約句,自牖句。則祇求立異,而不顧所安也。

周易輯說講義四卷 民國刊本

　　孫乃琨撰。乃琨字仲玉。山東臨淄人,曾講授於陝西正誼書院。此乃在書院時爲諸生所作講義也。祇説六十四卦,不及繫辭、説、序、雜三傳。據條例云:曾纂周易集解六卷,已講過,故不再説。其解易全以宋儒義理爲宗,鮮及易理,至易象更不道及。凡字句皆無切詁,全襲用朱子遺法。朱子説即鹿无虞惟入于林中云:六三上无正應,妄行取困,爲逐鹿无虞陷入林中之象。至鹿无虞之義不釋也。後儒因此病本義者多矣。孫氏全書如此者太多,則解説嫌略。易之辭,全觀象而繫,故其文上下句不必聯貫。孫氏以讀他經之法讀易,如説困象[一],亨貞大人吉无咎,有言不信云:陽剛中正,大人處此,故困有亨道;若不中正之小人,徒以口舌悦人,求免於困,則人終不之信耳。按有言不信,與上貞大人吉,各自爲義。大人吉,謂二、五得中也;有言不信,謂三至上正反兑也。兑爲言,正反兑,故不信。義與上文絶不相

〔一〕“象”下,印稿多“云”字。依前後文意删。

聯，提出小人以爲聯貫，豈知經無是意？又震上六之婚媾有言，亦與上文義不屬，乃孫氏説之云，震未及躬及鄰之時，即知恐懼修省，則可无咎；但瑣瑣姻婭，識見淺陋，不免以爲過慮而有言耳。按卦二至上正反震相背，故曰有言[二]；卦三男俱備，無一女象，不能婚媾，故曰婚媾有言。與上句亦絶不相屬。義不屬而强使相屬，則失經旨。又艮象傳上下敵應，謂陽應陽、陰應陰爲敵也。又中孚六三云得敵，謂四亦陰，與三爲敵。與艮同也。乃孫氏以不相交與説敵應，以中孚六三應上九爲得敵，説皆與易理相背。書内誤解如此者甚多。祇説用九用六，以用爲變，最爲得解。然全書如此者不多。觀書内所引舊説，至宋儒而止。似漢魏易説，皆未寓目，故空疏如此也。

學易筆談四卷民國八年排印本

學易筆談四卷，杭辛齋著。辛齋海寧諸生。幼好學易，清末常主持報社。入民國，爲國會議員。四年，以反對帝制，被捕入獄。自言在獄中遇異人，傳授京氏易，故於易所入益深邃。所著有易學筆談初集四卷，二集四卷，易楔六卷，易數偶得二卷，讀易雜識一卷，愚一録易説訂二卷，沈氏改正揲蓍法一卷。民國九年卒。兹本乃其初集。其説易不章解句釋，不分漢宋，謂門户之見最爲誤人。然於宋程、朱之易，每多微詞。謂後世所以有宋易之名者，以邵子能發明

〔二〕“言”，印稿作“信”。據上下文意改。

先天各圖,創前此所未有,故有漢易、宋易之名。若程、朱等易,仍不出王弼之範圍。至論三易之源流,及漢魏晉唐易注之派別得失,及宋元明清之漢宋兩派之易説,博洽詳盡。足見其於易注搜羅之廣,涉獵之富,而能詳人所不能詳者。唯在易數,如一生二,二生三,及二與四,三與五,用九用六諸説,皆能自發新義,貫通透徹,與端木國瑚之周易指後先媲美。而卷三中之象義一得,尤精微奧妙,合易理與數術揉而爲一,發前人所未發,爲近代罕有之易家。惟其攷據,頗有疏略。如説聖人之大寶曰位,何以守位曰人,云宋儒改守位曰人之人字爲仁。按陸德明釋文,明言王肅、卞伯玉、桓玄、明僧紹作仁,是自魏晉多有作仁者,豈宋人所改乎?又論先天卦位,不始於邵子,云荀慈明之升降,虞仲翔之納甲,細按之皆與先天方位相合。他若上經首乾坤,終坎離,即先天四正卦。又祭義,祀天南郊,祭地北郊,朝日東門,夕月西門,亦先天位之證。按荀爽注同人云:乾舍於離,同日而居。夫與日同居,則乾亦南。又荀注陰陽之義配日月云:乾舍於離,配日而居;坤舍於坎,配月而居。是不惟乾南,並坤北亦知之。又左傳:大有之乾,即離變乾,曰同復于父,敬如君所。所者,位也。乾若不在南,離如何復其位?又筮遇復,曰南國蹙,射其元,王中厥目。乾若不在南,祇射離目可矣,胡爲並乾元、乾王而亦射之?又乾鑿度以乾南坤北釋天地定位節,尤詳。而杭氏皆不引,所引皆不足以間執人口。則攷證之疏也。至第四卷,以十字架及化學各氣以證易理。夫易本無所不包,以是言易,則不勝其説矣。

學易筆談二集四卷_{民國鉛印本}

海寧杭辛齋著。其學易筆談初集已著録。兹蓋其最後之著。或釋一句,或釋一字一象,或平議先後天及河洛諸義,隨筆記録,無後先,無次序。大抵杭氏易學,長於博覽,短於切詁,華美有餘而樸實不足。如解文言,歷引舊説皆以爲不當,而以物相雜謂之文爲説。謂六十二卦皆陰陽相雜,惟乾坤爲純體,爻不相雜,不雜則人將疑爲無文,故特著文言以明之。又乾坤六爻皆兼六子,皆非指一卦而言,故結以天地之雜也一句,雜故文也。按毛氏仲氏易云:釋文王所言,故名文言。惠棟云:文言乾坤爻卦辭也,文王所制,故謂之文言。二家所釋,最爲確詁。乃杭氏謂彖傳、大象皆繹文王所言,胡以不謂爲文言?此真强説無理。彖傳祇釋彖詞,大象祇釋卦象。卦象爲太昊所畫,豈能概括曰文言,致無分別?若文言,則並卦爻詞而統釋之,而制此卦爻詞者爲文王,故繹文王之意曰文言。杭氏以彖、象傳爲例,可謂擬不於倫。又杭氏言彖傳、大象,不言小象,是信周公作爻詞之謬説,故不以文言指文王爲然。凡諸家説此不當者,皆坐此病。豈知此爲爻詞非周公作之鐵證乎?又論雜卦義,舊解謂爲反對作、爲互卦作之皆非。云序卦分也,雜卦合也;由分得合,復由合而分,至最後仍由分而合。按六十四卦至既濟而定,定則易道窮;故終以未濟,使之不窮。雜卦者,對序卦而言也。六十四卦文王序之,使其次不亂,以成文王之易。然易之道貴變，變則通，通則不窮，故又亂其序，使損益居上經，否泰居下經，以明先人事後天道之義，以成爲孔子之易，以殿十翼。猶未濟次既濟之意也。杭氏不知此，以分合爲言，疏淺之甚。又論未濟男之窮也云：此三字正對女之終而言，所重專在窮字、終字，男女二字不必重讀。按未濟三女雖不當位而皆承陽，故不窮；男則剛外柔内，與否同，故窮。程子謂三男皆失位故窮，其見之幼穉，尚足較乎？程子固非，杭説尤虛僞。至説先後庚甲，祇舉其與他卦字面相涉者以爲敷衍。至先甲三日，後甲三日，先庚三日，後庚三日卦辭，與本卦象之關係，懵然不知，則其謬過於所駁舊説也。又説先天卦位之證，祇以師、比、同人、大有、頤、噬嗑等上下卦先後天同位者爲證。至左傳與乾鑿度之言先天，及九家荀爽易注，康成月令注之明言先天卦位者，皆不能舉出，以杜俗儒盲從者之口。以是見杭氏於攷訂之學太爲疏淺，故其説經多虛而少實也。

沈氏改正揲蓍法一卷民國排印本

　　杭辛齋節録。辛齋著學易筆談，已著録。先是桐鄉沈善登著需時眇言，内原筮一篇，即此書也。杭氏是其説，而病其書之敍述繁複，閲者難明，遂節録其書，名曰沈氏改正揲蓍法。沈氏謂分而爲二以象兩者，象河圖中間之二五也；掛一以象三者，象參天也，參天本河圖中央三位也。此其解雖謬，然尚依舊法。至揲之以四，則謂以天地數五五揲之，

凡四次,共過二十策;其分二時,左右所差不可過七數,過七
則不足二十策,或僅足而無餘。則其人粗心已極,尚何言
筮? 按九六七八之數,皆因揲之以四而得。揲之以四,謂每
揲四策也。若四爲四次,則三十六策胡以知其爲九? 二十
四策胡以知其爲六? 二十八策胡以知其爲七? 三十二策胡
以知其爲八? 此最明著者。其謬一。此節專明筮法,若每
揲五策,傳必詳之。傳所不言,而妄以天地數爲本。其謬
二。又分二象兩,並無多少之規定。多少既不可知,豈能限
揲蓍之次數? 其謬三。所謂奇者,謂不足一揲也。今餘六
策或七策,尚足一揲,而統謂之奇。其謬四。又其法分二掛
一後,祇揲左。謂揲左而右數已知,知而故揲,玩瀆已甚,故
不揲右。乃并歸奇數及過揲之二十策於右,復分之,不掛
一,而但揲右,再扐歸奇。并初扐及掛一而計其數。至是凡
三變,三變成一爻。謂掛一爲一變,并右爲二變也。按衍數
原爲五十,如其所言,則用四十九爲一變,分二爲二變,掛一
已爲三變,至歸奇、再扐,約有五變,豈祇三變? 其謬五。又
揲左而知右數,揲右而知左數;左右即不揲,而不能不計其
數。今初扐用左數,而不用右數,是有天數而無地數;再扐
用右數而不計左數,是有地數而無天數也。其謬六。歸奇
於扐者,原以有待。今揲左已畢,即將奇與過揲之二十策並
歸於右,是歸奇於右也。又何必扐於小指間,虛作此式,故
緩其揲? 其謬七。又以所得之奇數,三五七九爲陽爻,四六
八爲陰爻。若數過十則爲變爻。删六七八九而不用,則經
謂用九、用六爲非矣。沈氏晉朱子用先天爲無忌憚,此之自

聖自賢，視朱子爲何如？其謬八矣。虞翻注歸奇云：所揲之餘，不一則二，不三則四。賈公彥注三易云：三多爲交，爲六；三少爲重，爲九；兩多一少爲單，爲七；兩少一多爲拆，爲八。虞翻五世傳易，計其時可與西京相接。公彥爲隋唐間人。朱子所言，仍漢唐舊法。乃沈氏謂其不通，自行創法，自謂精審詳密。杭辛齋氏震乎其言，凡所疑誤處，皆無所商榷。甚矣其好怪也！

易楔六卷民國鉛印本

杭辛齋著。辛齋海寧人。其所著沈氏改正揲蓍法，已著錄。茲名易楔者，據其自序：楔也者，契也。上古結繩而治，後世聖人易之以書契，百官以治，萬民以察，蓋取諸夬。夬，決也。故治事察物，非契莫決。後人治器尚象，廣契之用，而楔興焉。其第一卷説圖書，第二卷説卦位、卦名，第三卷説卦別、卦象，第四卷説卦數、卦氣、卦用，第五卷明爻及運氣，第六卷正辭。其攷論圖書，以太極圖爲始。於圖之來歷，攷訂綦詳；於河圖、洛書之平議，亦允當愜心。其攷論先天八卦、後天八卦及納甲之説，雖多前人所已言，而間發新義。惜攷訂少疏，不能將左傳、乾鑿度之言先天象，及漢儒明言先天卦位之經注，一一舉出，以杜反對者之口耳。至釋六十四卦卦名，雖不盡當，然多前儒所未發。至於命卦，以爻稱卦名爲陽，不稱爲陰。如乾卦，祇九三一爻稱名爲陽，餘不稱爲陰，即命爲謙。聲應卦，以象傳用韻平仄分陰陽。

如坤卦二四陰,餘盡陽,即坤應聲中孚也。按命卦、聲應卦二例,皆創於周易指,每卦取以爲例,意義毫無。杭氏取此備數,未免好奇。至於以天地山澤雷風水火爲大象,以乾馬、坤牛等爲本象,以乾爲天爲圜等八節爲廣象,界限分明,解釋亦多新義。其第四卷詳論辟卦月卦,及京氏月建積算之法,則多襲黃梨洲象數論之文。而不載月建圖,殊爲疏漏。其第五卷六爻三極圖、爻位圖、八卦正位圖、六爻定位圖、六位時成圖、六爻往復圖、爻數圖,雖精理往復,然盡端木國瑚所創爲。杭氏即其説更詳之,而不言出於端木,殊失著書之體。至第六卷所釋,皆易之單辭隻字,如内外往來之類,則每多精理。總全書論,博洽詳贍,爲杭氏八種之冠無疑也。

讀易雜識一卷民國鉛印本

海寧杭辛齋著。辛齋所著易楔等書,已著録。此雜識蓋其最後所輯。其自序謂:頻年讀易,偶有所得,輒爲乙記。以其間多爲前所未言者,不欲散棄,復輯録之。首言老子之易,莊子之易,孟子七篇不言易而深於易。末又謂周官皆本於易,三禮如王制、如月令、如明堂太室、如朝賀祭祀車服器物之類,無不協乎度數,無不源于易。按易理無所不包,如是以求,恐天地間之事物事理,舉不能外,更僕難數。中又謂魚鳥相親,如月令田鼠化爲鴽、雀入大水爲蛤,又如湖州黃雀化爲小魚,金陵之鳥化爲白魚,粤東田中小魚乃化爲

雀,名禾花雀,若是者皆震巽二氣,有以致之。巽爲魚,中孚
豚魚即巽之象。郭璞曰魚者震之廢氣,故魚實具震巽二象。
震巽相反覆,故魚鳥互化。又云:姤言魚,姤五月卦,五日一
爻,姤二正值五月五日,故曰天地相遇。南北洋魚汛,以黃
花魚爲大。平日南北洋漁船皆四散,獨至五月五日,則南北
洋漁船皆集於大戢山洋面,南北四百里之內,魚疊聚海中,
以長篙插入海中,能直立不傾。南北洋漁船數十萬,舉一綱
而船不能容。若是者,天地相遇之驗也,亦即姤卦氣化之轉
移也。似皆於易義無涉,而强以易辭爲文飾。又如火珠林、
參同契、子夏易傳,皆見於學易筆談二集中,此復重出。又
漢有兩京房,及易論九事、宋古易五家,皆昔人所已詳。又
子夏易傳,王儉七志引劉向七略云:易傳,子夏韓氏嬰也。
是韓嬰字子夏,劉向有明文。子夏傳,即漢書藝文志之韓氏
二篇,亦即蓋寬饒傳所引之韓氏易傳。辛齋不知,謂崇文總
目刪去子夏名,以袪疑惑,殊爲失攷。又此書所言多與易無
關,似勉强湊集,以足其七種之數者[一],故無甚可取也。

愚一録易説訂二卷民國鉛印本

　　原名愚一録易説,象州鄭獻甫著。獻甫字小谷。據杭
氏序云:小谷先生與德清俞樾,年齒科名相先後,著述亦相
等。顧僻處嶺南,江左以北鮮知其名。余客羊城,見其全

〔一〕 "七",印稿作"八"。按民國十二年(1923)研幾學社排印本《易藏叢書》,
　　凡收杭氏易學七種。茲據改。

集，高可等身。遂手鈔其易說二卷，或意有未盡，遂條疏訂，附以拙見，以資商搉云爾。按鄭氏易說，攷訂詳明，列舉鴻博，雖未章解句釋，然舉一義而貫串全經，求其凝滯，訂其同異，樸實詳盡，望而知爲深于漢學者。至辛齋所訂，多毛舉細故，無所發明。如原書謂：王注肥遯曰繒繳不能及，是讀爲飛遯。最爲精當。乃辛齋反謂：下文注，明作肥遯，不作飛。則所見殊淺。不知王注義與字不相應之處甚多，皆後人所改。又如原書論子夏傳：或云丁寬作，或云馯臂子弓，或云杜子夏，大都皆漢人，異唐人僞作。辛齋則云：玉函山房所輯者，雖非卜氏作，尚有古意；若通志堂所刻，不但非漢魏人作，亦非六朝文字，僞而又僞者也。按子夏傳，臧庸據劉向七略韓嬰字子夏，子夏傳爲韓嬰作，久已論定。鄭氏不見臧氏所攷，仍襲舊說，以爲丁寬，以爲馯臂子弓，以爲杜子夏。夫馯臂子弓，爲商瞿再傳弟子，非漢人也。辛齋不是之訂，而云雖非卜氏作，是以原書爲卜商也，則太疏矣。又原書駁卦變云：如无妄剛自外來，即遯之初、三相易，皆在內卦，非外來也；晉之柔進上行，即觀之四、五相易，皆在上卦，無所謂進也；睽之柔進上行，即大壯三、上相易，柔爲下行，非上也；蹇之往得中，即觀之三上相易，不得爲中也。按剝窮上反下，是初、上可上下，故无妄曰剛自外來，非遯之初、三相易。晉、睽之柔進上行，凡爻在外即曰進，曰上行，不必自某位進也，凡象傳皆如是也；今謂晉爲觀四、五相易，睽爲大壯三、上相易，柔爲下行，胡能有合？至蹇之往得中，謂九五得中位也，與三、上何涉？今謂爲觀之三、上相易，則錯詁傳文。乃辛齋不訂正其詁經之誤，而但泛論卦變之不能盡通，其疏陋亦與鄭氏等。蓋兩人易學，均無章解句釋之功，故統論大義則通達有餘，一及字句則錯誤立見。以是見説易而避免章解句釋者，其內容均有不足也。蓋杭氏於攷訂訓詁之學，本非所長，故其所訂正多浮泛不切也。

易數偶得二卷 民國鉛印本

海寧杭辛齋著。辛齋學易筆談已著錄。此編專演易數。蓋辛齋爲同文館學生，夙攻算數，本其所得，以與易數相引證。又其鄉前輩李善蘭爲算學大家，於數理發明最多，辛齋所言數理，迴環往復，妙義環生，多本之李。然皆算學之事，辛齋聰明，通之於易。如謂數皆以天地爲本，凡演數皆以參天兩地爲用，及數有順逆是也。其説之最精者，如謂天地數陽順陰逆，然一三五七九，二四六八十，皆順數也。明來知德氏，頗知陰數宜逆行，而未得其方式。後咸豐間，嘉興方氏春水方生易説，始發明四二十八六之序。按之河圖，一三五七九，是自北而東而中央而南而西，皆順行；四二十八六，是自西而南而中央而東而北，皆逆行，與晉崔馹謂陰數起於四之説恰合。其中數皆在中宮，又兩數皆相合，一四合五，三二合五，五十合十五，七八合十五，九六合十五，仍皆合五。凡陰陽之極數皆在末。並創爲陽數始一，陰數始四兩圖，以明其義。一順一逆，次序天然，其難遂通。其餘如七九易位、時三位四、乾始巽齊、圓方互容各節，皆各有

新義,而多采之於沈善登。惟謂邵子之先天數,乃邵子精通
數理,自能造法。若古無是數,係邵子創爲者,則大誤。按
焦氏易林遇兑即言二,遇震即言四,遇艮即言七,凡邵子所
謂日月星辰、水火土石之八象,易林無不用。即此八數用之
尤多。可見此象此數,在漢時即有,非創於邵子。蓋六十四
卦尚有卦序,八卦當然有八卦之序;其序次之位,即此卦數
也。八卦以乾爲首,故乾數一;乾始坤終,故坤數八。此亦
如十干之位,庚次第七,其數即七也,並無其他深奧[一],且
其本仍在易。革九三云三就;離卦數三也;損曰二簋,兑卦
數二也;臨曰八月,坤卦數八也。辛齋不知此爲卦數,疑有
其他神秘,妄爲鋪張,則失攷也。

繫傳說卦輯義無卷數民國排印本[二]

沔易黃福輯,無卷數,後附易學顯微篇、圖書通義兩種。
據自序云:程傳祇解上下經,不及十翼。而繫辭傳以下注,
惟朱子本義爲簡括。兹本朱子,間亦參取他家,附以鄙見,
彙爲一編。於河圖洛書先天諸圖,後儒所肆口詆毁者,輒本
邵、朱,略爲辨正。非遵邵、朱,遵孔子本文也。所意未盡,
更爲易學顯微、圖書通義附之。按程傳雖不解十翼,而李氏
集解集漢魏人說,較本義尤詳備,黃氏偶採之,甚少,故訓詁
多不能確切。如辭也者各指其所之,之,往也。朱子云:小

〔一〕"奧"原作"粤",據上下文改。
〔二〕"無卷數",印稿作"三卷"。惟正文云"無卷數",故依排印本改。

險大易,各隨所向。以向釋之,義最爲簡括。如初與四,二與五,三與上相應,即相向,即相來往。乃黃氏不錄,謂辭各有所指,可以卦爻善否,依類求之。而解遂不明。又説古之聰明睿知神武而不殺者夫,虞氏云:乾坤坎離,反覆不衰。是訓殺爲衰。士冠禮:以官爵人,德之殺也。鄭彼注云:殺猶衰也。故釋文云:王、鄭、王肅、干所戒反,陸、韓讀如字。按朱注於殺無明訓,删之是也。惟黃氏不攷虞、鄭皆訓殺爲衰,謂其神武而不露其殺伐。亦謂如字,義遂不洽。又説一人行則得其友,以上應三爲得友。豈知友謂四、五二陰。三、上不易位,又何嘗不相應乎?至論天地定位山澤通氣節云:此節之文,惟邵子先天圖足以明之,而朱子信之;非信邵子,乃信經也。竊意先後天二圖,皆出自上古,且皆根據經文,非可誣罔。明清人駁之,躁率不平。又論帝出乎震齊乎巽節云:此八卦流行之圖,文王用之。邵子因以爲文王所定,名爲後天之學。愚謂此亦出上古,必非文王所定。按謂先後天皆出自上古,朱子信經非信邵,邵子以後天專屬文王之非,不附和舊説,不盲從昔人。先後天如頭尾之不相離,以後天屬文王固非,以先天專屬伏羲亦非也。黃氏深知其故,故持論皆得其平,能發前人所未發。惜其疏於攷訂,未能將左傳、乾鑿度及荀爽、鄭玄、九家等經注之言先天卦位者一一舉出耳。至易學顯微篇,謂邵子六十四卦横圖,正所謂八卦成列因而重之,於八卦上各加八卦;及重之既訖,自有一爻上再生一陰一陽之妙,不必如邵子所謂由八卦生十六,十六生三十二,三十二生六十四,節節爲之。此説也,即質之邵子,當亦以爲然。益足證程子謂是加一倍法之語之尤誤也。圖書通義多因襲舊説,獨得者少也。

周易兩讀無卷數_{民國刊本}

　　李楷林編輯。楷林字士陶,安徽太湖縣人。周易兩讀者,據其自述:程子易傳用王輔嗣本,附彖、象於經,欲使學者尋省易了也;朱子本義,經傳次第一依吕伯恭原本,欲使學者復見古經。今程傳、本義並立學官,蒙不揣謬妄,欲合兩書爲一帙,使易尋省,而又不失爲古經。爰立表三格,上經,中彖,下象;末録繫辭以下諸篇,祇寫正文,不録傳注。縱讀之則經傳合,彖象與卦爻相應,與程子所用王輔嗣之本合;橫讀之則經傳分,卦爻、彖、象各自成篇,與朱子所用吕伯恭本合,故題曰周易兩讀。末附音均表一卷,庶讀易者不至誤讀。按以三格録經傳,上録經,中録彖傳,下録象傳,縱讀仍彖、象附經,橫讀則彖傳、象傳仍不失爲一篇,無支解彖、象之虞,無隔絶爻象用韻之弊,誠爲便利。然於初學,亦無大益也。惟所附周易音均表,取段氏玉裁六書音均表中周易韻字,依經傳次第編入表内。凡注某數者,其音即列某部。如下字古音户,乾象傳以與普協,咸象傳以與處協,下注五字,則在第五部。中孚六三,罷字古音婆,以與歌協;小過爻詞,離古音羅,以與過協,則皆注十七,則在十七部中。按下之音户,屢見於詩,學者尚知之。若罷之音婆,因疲而轉;離之音羅,學者鮮能知之,故讀無不誤。得是書以爲檢尋,其益甚大。則茲編不無可取也。

周易雜卦證解四卷_{民國排印本}

周善培著。善培浙江諸暨人。其前三卷解經,第四卷解上下繫及説卦、序卦、雜卦。名曰雜卦證解者,以一卦互五卦,如屯三至上互蹇,二至上互比,二至五互剥,初至五互頤,初至四互復。不名曰互卦,而曰雜卦者,謂互字不見於孔傳,乃漢儒所立之名。繫辭云:雜物撰德,辨是與非,則非其中爻不備。雜物即互卦也。於是即所雜之卦辭,以證本卦之辭。如屯初雜復,復象曰亨,屯亦曰元亨;復曰无疾,屯初九則曰盤桓,盤桓猶无疾也。初至五互頤,頤之義爲自求口實,混沌之民莫急於食,故屯宜雜頤。頤象辭曰貞吉,屯則曰利貞;頤六二曰征凶,六三曰凶勿用,屯象則曰勿用有攸往;頤六四曰虎視,屯六三換其詞曰即鹿,辭異而義實同。以所雜之卦辭,證本卦之辭,全書以此爲例。按左傳莊二十二年,筮遇觀之否,曰猶有觀焉。即謂否初至五仍互觀也。漢人注易,亦屢用四五爻互。如虞翻注大畜六五云三至上體頤,又注頤云二至上體剥。惟古偶用以解經。茲則以互卦辭證本卦辭,於六十四卦外演成互卦三百二十卦,故雖元亨利貞悔吝等字偶有一二相同,然義實不屬。如屯雜復雜頤,猶可勉強牽合;至二五雜剥,則扞格難通。又所謂雜者,尚有二至四,三至五中四爻二卦,今獨詳此五雜,中四爻二雜則不論,似仍有遺漏。又以此法解釋繫辭,相去益遠。而於大衍之數五十章云：繫辭傳所以解繫辭，繫辭不言卜筮，此節則專言卜筮，乖作傳之旨，一也；下文舉易之四道，卜筮爲最後，此節獨詳言卜筮，上下乖違，二也。按蒙曰初筮告，比曰原筮元永貞，皆明言卜筮；乾於六爻之後曰用九，坤於六爻之後曰用六，皆所以舉卜筮之例。又所謂貞凶、小貞吉、大貞凶、貞丈人吉，貞爲卜問，前鄭有明解。胡云不言乎？易有四道，卜筮雖居後，然非擯斥卜筮也；大衍節詳言，上下文似亦不乖違。蓋著者專精於互卦，用力過深，故忽略其他也。

淮南子周易古義三卷 _{鈔本}

　　淮南子周易古義，共三卷，長沙胡兆鸞撰。名曰古義者，蓋以淮南子當漢初，其說易與後來不同也。今觀其所舉，如窺於明鏡者，以覘其易也。則以易爲明，與說文引祕書日月爲易之說合。日月取其明，今以鏡爲喻，亦取其明也。易何以爲明？按祭義：易抱龜南面。是易者占卜之名，因以名其官。又史記大宛傳：天子發書易。謂發書卜也。又武帝輪臺詔云：易之，卦得大過。易之，卜之也。夫易既爲占卜，則其爲明也必矣。繫所謂懸象著明，莫大乎日月是也。而後世皆不知此義，胡氏發之，雖所取之證不皆合，亦頗有功。又道曰規始於一，一不能生，故分而爲陰陽，陰陽和合而萬物生。按陰陽和合而萬物生，乃易學之根本，故有應予則吉，無應予則凶。繫辭云方以類聚，陰陽合方爲類，類則萬物生而吉;又曰物以羣分,分則爲獨陰獨陽,即所謂一不能生也,故凶。又坤上六云:龍戰于野,其血玄黃。龍者陽,戰者接也,即言陽與陰和合也。故九家注此云:天地合居,陰陽合居。荀爽注云:陰陽相和,合德而後萬物生。又易陽爻遇陽爻、陰爻遇陰爻必凶。胡以凶?一不生也。陽遇重陰,陰承重陽者必吉。胡以吉?陰陽和合也。淮南所言是也。自東漢以來,皆不知此義。胡氏所引虞注爲多,故浮泛不切。又胡氏引穀梁獨陰不生,獨陽不生二語,以證和合之旨。而不知以易理爲證,則以易理之失傳已久故也。又淮南:乘馬班如,泣血連如。與今本泣血漣如異。胡氏謂即塞四往蹇來連之連,皆有難義。又淮南九師道訓云:遯而能飛,吉孰大焉。不作肥遯。胡氏謂與張衡傳利飛遁以保名合。說皆可取。然肥古作琶,琶、蜚同字,即王注亦云矰繳不能及,讀亦作飛。必以爲古義,則附會也。至謂淮南説乾三云:終日乾乾,陽動也;夕惕若厲,陰息也。則道家之旨,非易旨也。又胡氏以子夏傳爲丁寬所作,不知爲韓嬰,則攷訂頗疏。凡虞氏誤解,皆尊信不疑,則易理太淺。故稱引雖多,切當者少也。

静修齋易經解無卷數_{鈔本}

　　静修齋易經解,清仇景崶著。景崶字嶰伯。甘泉人。其時代莫可攷,然注中謂近世惠氏云云,則乾嘉以後人也。其易解無卷數。自上下經以訖雜卦,按次注釋。首舉漢、宋舊説,不厭其詳,末以己意爲斷。其所取宋注,大抵以程傳、本義爲主,而時病其空疏,駁斥者多,尊崇者少。其所取漢注,大抵以荀、虞爲多,而時虞其駁雜,是之者半,非之者亦半。然無論漢注宋注,可取不可取,必旁採博收,以廣聞見,羅列衆説,而揚搉其是非。蓋易注之最詳悉者。其用力之勤,參稽之博,治易能若此者,亦少也。惜其於易象太疏,所取不盡當,所下己意時有謬訛。如説用六云:六謂六爻也。則不知六九爲何義。説柔履剛云:以兑之柔,履乾之剛,躡之而進。得解矣。而從虞氏説,以坤爲虎,不知乾即爲虎。説比原筮云:公羊傳曰求吉之道三,故易有初筮、再筮之文。以原筮爲再筮。按公羊僖三十一年:求吉之道三,禘嘗不卜。並未有初筮再筮之文。此宋林栗之所加,冀以證成其以原爲再之解。豈知原者出也,原筮者野筮;坎爲筮,坤爲原也。説月幾望云:小畜、歸妹、中孚皆有兑、巽,月望於乾,兑乾左爲上弦,巽乾右爲下弦,上下弦皆去望不遠,故言月幾望。云云。按幾,荀、九家皆作既,幾、既音同通用。既望者十六日,兑爲月,十六日平明巽,月退卒,三卦皆有兑、巽,故皆云月既望。豈以兑、巽近乾爲幾望乎?書内謬誤如此者,蓋不可勝數。又論焦氏易林乾之豫,云禹鑿龍門,通利水源,東注滄海,民得安存,於豫卦何涉?豈知豫震爲帝王,故曰禹;震爲龍,艮爲門,故曰禹鑿龍門;互坎爲水,坤亦爲水,震出,故曰通利水源;震爲東,坤爲海,爲民,艮爲安,故曰東注滄海,民得安存。無一字不從豫卦象生,與易之觀象繫辭同也。而曰於豫何涉,其於普通易象,皆不能知,可斷言也。此所以捃拾易説，至繁且多，而瑕瑜互見。然初學得此本，則莫善于是矣。

易隱八卷 清刻本〔一〕

　　易隱八卷，署粵東遊南子曹九錫輯。卷首無序文，故九錫不知何時人。其所演皆火珠林占法，而尚及於易辭。如云六爻安靜者，以本卦彖辭斷之；一爻動以動爻占；二爻動取陰爻爲斷，若同陰同陽，取上動之爻辭斷；三爻動以中爻辭斷；四爻動取下靜之爻辭斷；五爻動取靜爻之辭斷；全動占用九、用六。若彖辭、爻辭不應所占之事，然後取動變一爻，各配生尅，斷其休咎。法猶近古。與今世坊間通行之卜筮正宗、增删卜易諸書，專用納甲，與卦爻辭全行脫離者異。又冬至後初爻昇陽，大寒後二爻，雨水後三爻，春分後四爻，穀雨後五爻，小滿後上爻。夫所謂昇陽，即京氏易傳所謂龍德在子也。夏至後初爻昇陰，大暑後二爻，處署後三爻，秋分後四爻，霜降後五爻，小雪後上爻。夫所謂昇陰，即京氏易傳所謂虎刑在離也。又論五行納音法云：先布大衍數四十九在地，以申巳子午九，乙庚丑未八，丙辛寅甲七，丁壬卯酉六，戊癸辰戌五，己亥數四。範圍先天數除之，餘一爲水，水生木，則所納爲木；二爲火，火生土，則所納爲土；三爲木，木生火，則所納爲火；四爲金，金生水，則所納爲水；五爲土，

〔一〕　此篇印稿存，排印本未收入。題下"清刻本"三字，印稿無，據盧松安《易廬易學書目》補。

土生金,則所納爲金。簡而明,確而易記,爲各本之所無。黃宗羲象數論,謂甲子、乙丑金者,甲九子九,乙八丑八,積三十四以五除之,餘四故爲金。曰餘準此。推之丙寅丁卯無一能合,致貽笑柄。坐不知此也。總之此書,在習火珠林術者,猶爲近古,大致與斷易大全相同,而詳於大全。然惟其近古,故不能通行於市肆,俾俗流皆喻也。

太極會通六卷 <small>鉛印本</small>

　太極會通六卷,翟衡璣撰。衡璣湖南武岡人,不詳其時代。然觀其書,殆近世習道教者之所爲。故其自負,妄誕不經,謂是書一經六緯,發明天地人一氣之微,羲文周孔往矣,孟子而後,成不傳之絕學,道明而中國其昌。又云:太極判爲兩儀,兩儀者陰陽,陽爲樂,陰爲禮;吾望禮樂之興中國,猶孔子望三代之英也。又云:孔子假年學易,示人以救世之苦心。後之學易者,顏子、曾子、子思、孟子,皆見其大者也。後之名臣碩儒,皆具體而微者也。而禮樂之興,衡璣猶日望之。既以孔子自擬,復以繼承顏曾思孟之道統自任。乃閱其所說,以太極爲會歸,以圖書爲大用,而以禮樂爲治世之根本。天地之氣,不外陰陽,陰陽之發端在禮樂;故治平之術,禮樂爲先,唐、虞以夔、伯夷典之,周官以三公燮理之,而其原皆本於太極。多浮泛不切。又云:人非水火既濟不能生存,偏勝則病,大勝則死,不知何以爲剛中,何以柔麗乎中正,更不知抽爻換象,何以爲純陽,何以爲純陰。皆道家導引之説。至所言圖書之數，及先天八卦，後天八卦，與圖書相關之理，皆啓蒙所已發，先儒之陳言，而衡璣視爲創獲，一再敷陳。其篇首所謂一經六緯者，一經似謂太極，六緯訖不知其何所指。因語無倫次，故端序不明。近世假經文以文飾其雜説，如此者多矣，不足取也。

易説評議卷十二

連山歸藏逸文一卷閩竹居叢書二十八種本

閩觀頰道人録。道人姓名不詳。其焦氏易林吉語後跋云:易林字句,異同頗多,茲所録皆據瞿曇谷校宋本。曇谷清初人,然則道人在瞿後。又書内祇諱玄字,他無諱者,或即雍正時人[一]。其所輯二易之文,頗簡略,遠不如玉函山房所輯之多。於連山輯祇三條,如剝上七曰:數窮致剝而終吝。象曰:致剝而終,亦不知變也。復初七曰:龍潛於神,復以存身,淵兮無畛,操兮無垠。象曰:復以存身,可與致用也。姤初八曰:龍化于蛇,或潛于窟,茲孼之牙。象曰:陰滋牙,不可與長也。以上三條,可以攷易象,可以證連山占七八,皆連山極要之文。又干寶周禮注,引連山易帝出乎震,齊乎巽一節,與今説卦同,茲皆無之。於歸藏輯祇十七條。如瞿卦云:瞿有瞿有瓜,宵梁爲酒。尊于兩壺,兩羭飲之。

[一]"道人姓名不詳"至"或即雍正時人",印稿有作者弟子黃壽祺先生眉批云:"祺案,觀頰道人名楊浚,福州人,大約係光緒進士。此文宜校改。"

三日然後穌,士有澤我取其魚。及熒惑卦云:昔者桀筮伐唐而枚占,熒惑曰不吉,不利出征,惟利安處;彼爲狸,我爲鼠,勿用作事,恐傷其父。按瞿即睽卦,熒惑即賁卦。賁上艮,艮止故不利出征;艮爲狸,在悔,故曰彼爲狸;坎爲鼠,在貞,故我爲鼠;互震爲父,坎險故恐傷其父。不惟其辭古雅絕倫,並可以攷失傳之易象。而書內皆遺而不録,所録皆零詞斷句,於學易無關。偶有雅詞,如有人將來,遺我貨貝,以至則徹,以求則得,有喜將至。爲馬輯之所無,而不得其卦。又所輯各語皆不著其原本。然則茲編所録,較之各家,脱漏殊多,不足貴也。

河圖始開圖無卷數古微書本

　　明孫瑴輯。瑴字子雙,華容諸生。家世文學,藏書極富。其文嘗爲董宗伯玄宰、顧太史開雍所稱賞。嗜古好學,以數十年之力,輯得古緯文三十六卷,名曰古微書。復旁參古籍,以爲徵驗。每卷終有跋曰賁居子者,瑴之別號也。河圖始開者,蓋上古之時,中原之水,以河爲最大,而河流之遠,不可窮詰。故黄帝問風后,欲知河之始開。風后言河凡有五,皆始乎崑崙之墟。其源出崑崙東北角剛山,東北流千里,折西行至蒲山,南流千里至汶山,東流千里至秦澤,東流千里至潘澤陵門,東北流千里至華山之陰,東流千里至於植雍,南流千里至於下津。然河水九曲,其長九千里,入於渤海。按,東北流千里至華山之陰,東北疑是東南之訛;南流千里至於下津,南流疑是北流之訛,下津疑即今之津沽。其秦澤、潘澤、陵門、植雍等地名,不見於他書,無從測知。然或文字有訛,或上古地名大異。以華陰、下津、渤海三地揣之,風后所言,猶可得其梗概。至謂九州之水剛柔各異,其泉或苦以辛,或甘以烈,發爲人聲或疾或緩,或勇漂,或舒遲,與管子、淮南所言大同小異。孫氏皆舉出,以爲此書之佐輔,甚有益也。至謂崑崙下有四柱,廣十萬里,地有三千六百軸,犬牙相錯,則荒誕難稽,不知其意爲何也。

河圖括地象無卷數_{古微書本}

　　明孫瑴輯。共二十七條。在緯書中所存獨多,猶能窺見其大旨。括地者,蓋言地之形象,總括於其中也。篇首宋均注云:昔禹治水得括地象,其傳最古。疑均假託於禹,以神其書。然其詞句,實藻采華麗,有類於山海經;神異怪誕,與鄒衍大九州之説及淮南鴻烈諸篇相近。至謂崑崙爲地之中,崑崙東流播爲九州,名赤縣神州[一],即禹之九州也,爲中國九州;中國之外,尚有大九州,分天下爲九區,非禹貢赤縣之小九州也。其説尤與鄒子同。又云:崑崙爲天柱,其氣上通於天。故天有四表,地有四瀆;天有五行,地有五岳;天有七星,地有七表;天有八氣,地有八風;天有九部八紀,地有九州八柱。而以崑崙爲地之中央。崑崙東南,地方一萬五千里,名曰神州,帝王居之。其餘八極,中土之文德及而

────────

〔一〕“名”,印稿作“各”。據《河圖括地象》改。

不治。與淮南所稱九州之外尚有八殥，八殥之外尚有八紘，八紘之外尚有八極之説合。又云：天不足西北，地不足東南；西北爲天門，東南爲地户。按内經及乾鑿度亦以戌亥爲天門，辰巳爲地户。其本因皆緣天干之數至酉而終，不及戌亥，故戌亥爲空亡〔一〕；辰巳者戌亥之衝，戌亥既空故辰巳爲虚耗，空亡虚耗故云不足。昔之人不明言其故，又造爲女媧鍊石補天之説，若真有不足者。以訛傳訛，其荒誕遂不可窮詰矣。亦讀古書者，所不可不知也。

河圖挺佐輔無卷數古微書本

明孫瑴輯。共得五百餘字。注云：此其符命之祖乎！其書首言黄帝曰〔二〕：夢見兩龍挺白圖，即帝以授余於河之都。覺味素喜〔三〕，不知其理。問於天老，天老曰：河出龍圖，雒出龜書，所紀帝録，列聖人之姓號，古之圖記，天其再授帝乎？試齋以往視之。黄帝乃祓齋七日，遊河洛之間。至翠嬀淵，大鱸魚折溜而至。乃與天老跪而迎之，魚汎白圖，朱文五色。天老以授黄帝，名曰録圖。又云：黄龍負圖，從河中出，付黄帝。是黄帝受河圖。又曰：堯時與羣臣遊翠嬀之川，大龜負圖來投堯。堯勅臣下寫取，告瑞應。是堯受河圖。又曰：舜以大尉即位，與三公臨河觀，黄龍五采負圖，

〔一〕"亡"，印稿作"巳"。依前後文意改。下文同。
〔二〕"帝"下，印稿無"曰"字。據《河圖挺佐輔》增。
〔三〕"味"，印稿作"昧"，"喜"作"善"。據《河圖挺佐輔》改。

出置舜前。又曰：禹治水功成，天帝以寶文大字賜禹，佩渡北海，免弱水之難：是舜與禹皆得河圖。是書本不全，據所存見，已有四人得河圖。然據天老語黃帝，天其再授帝圖，則黃帝以前受圖者尚有也。漢儒皆謂伏羲受河圖，由天老言證之，殆不誣也。此書文佚耳。又由天老言觀之，河出龍圖，雒出龜書，皆爲黃帝以前之事，似皆爲伏羲時事。故易繫云：河出圖，洛出書，聖人則之。言伏羲則以畫卦也。而孔安國、劉歆，皆謂河圖即八卦。夫河圖若即爲八卦，尚何言則？其誤一也。又孔、劉皆以雒書即九疇，即天錫禹之洪範。夫雒書若即爲禹之九疇，畫卦之伏羲胡能則之？黃帝時之天老又胡由知之？明雒之出書，亦在伏羲時，故並則以畫卦。凡易注之誤，均由此書得正，則此書之功也。而清易家注易者，侈陳緯書，獨遺此不錄，何哉？

河圖絳象無卷數古微書本

　　明孫瑴輯。祇四則，得四百餘言，猶能窺見大旨。首言黃河首尾與星宿相應。其第一曲名地首，上應權勢星；東流千里，至規其山，名地契，爲第二曲，上應距樓星；祁南千里，至積石山，名地肩，是爲第三曲，上應別符星；邠南千里，入隴首，抵龍門，名地根，是爲第四曲，上應營室星；龍門上爲王良星，爲天橋，南流千里，抵龍首，至卷重山，名地咽，是爲第五曲，上應卷舌星；東流貫砥柱，觸閼流山，名地喉，是爲第六曲，上應樞星；西距卷重山千里，東至雒會，名地神，是爲第七曲，上應紀星；東流至大伾山，名地肱，是爲第八曲，上應輔星；東流至絳水，千里至大陸，名地腹，是爲第九曲，上應虛星。按祁南千里至積石，祁南必祁連之訛，漢書所謂祁連山也；積石，即禹貢所謂導河自積石也。大伾以北，無絳水名，疑絳爲滏之訛。滏水北爲大陸，水經注所謂滏陽河也；大陸者大陸澤，爲河水之所匯，即禹貢所謂至於大陸也。至所謂權勢星、距樓星、別符星，不見於星經及史漢之天文志，抑或文字有訛，故不識其名也。又云：河自華山東流千里，至於桓雍。桓雍，始開圖作植雍，植、桓形近，必有一訛。而地志無其名，亦不知孰是也。後又載龍威丈人，在太湖洞庭山林屋洞天，竊取禹王寶書。事與靈寶要略及越絶書所紀略同，而與前文頗不類，存而不論可也。

河圖帝覽嬉無卷數古微書本

　　明孫瑴輯。共十四則，五百餘言。孫注云：帝覽嬉者，猶覽德輝而嬉悅耳。其全書不知如何。據所輯，皆言日月之行度占驗。日行黃道，黃道者，中道也。黃道之東爲青道，南爲赤道，西爲白道，北爲黑道。黃道一，青道、赤道、白道、黑道皆二。日一行青道則春，行赤道則夏，行白道則秋，行黑道則冬。與隋志所謂日循黃道東行，行東陸謂之春，行南陸謂之夏，行西陸謂之秋，行北陸謂之冬合。立春星辰西遊，日則東遊；立夏星辰北遊，日則南遊；立秋星辰東遊，日則西遊；立冬星辰南遊，日則北遊。春分星辰西遊之極，日東遊之極;秋分星辰東遊之極,日西遊之極。日與星辰相去各三萬里,夏至、冬至亦然。按中興天文志,占天之法以二十八宿爲綱維,分列四方,南北去極各九十有一度;冬則南遊,春分星辰西遊之極,三十有六度,星辰相去三萬里,夏至則星辰北遊。與此皆合。至月行吉凶,大致與漢書天文志同。如云:月犯心有亂臣,宮中有亂,王者惡之。與天文志所紀地節三年,正月戊午,乙夜月食熒惑,占曰憂在宮中,有內亂,按熒惑即心星,是其所占悉同也。又云:月暈六重,兵起流亡,月暈星辰,秋兵起。與天文志紀高祖七年,月暈圍參畢七重,後果致平城之圍,其占悉合。而月犯南斗、犯太白、月暈胄及慧星在月諸雜占特詳,爲馬、班二史所失載,則亦可補其缺也。

河圖玉版無卷數古微書本

　　明孫瑴輯。共數百言。名玉版者,蓋示神秘之義。惟書內所言,有涉於歷史者,如謂倉頡爲帝,南巡狩,登陽虛之山,臨洛汭之水,靈龜負書,丹甲青文以授之帝。文止二十八字,景刻于陽虛之石室。李斯止識八字,曰上天垂命,皇辟迭王。及秦始皇浮江至湘山,逢大雨,問博士湘君何神。博士曰:帝堯二女爲舜妃,死而葬此。按論衡云:倉頡四目,爲黃帝史。世本云:黃帝命倉頡爲左史。衛恒書勢云:黃帝之史沮誦倉頡。惟此書及春秋元命苞,皆言倉帝。而外紀且云倉帝名頡,創文字在伏羲前。此上古史之異文。然以理揣之，伏羲能作八卦，則其時必久有文字。不然文化發抒，不應顛倒如此。疑外紀所言倉帝在伏羲前，爲實錄也。有類於方志者，如云：古越俗祀防風神，奏防風古樂，截竹長三尺吹之，披髮而舞。又云：從崑崙以北，九萬里得龍伯國人，長三十丈。以東得大秦國人，長十丈。皆衣帛不知田作，但食沙石子。皆可補方志之缺。有專言神異者，如禹以防風氏後至殺之，後禹使范成光御二龍行域外，遇防風。防風二臣，以塗山之戮，見禹使怒而射之。大風雨，二龍昇去。二臣恐，以刃自貫其心而死。禹哀之，拔其刃，療以不死之藥，是爲穿胸民。又云少室山上有玉膏，一服即仙。又云芝草狀如車馬，如龍蛇。皆怪誕難信。以故全書宗旨，莫能畫一，徒足以徵異聞而已。

河圖稽耀鉤無卷數古微書本

明孫瑴輯。稽耀鉤者，據瑴所釋，稽耀曰鉤，以言乎元象之窈窕，無不覩也。書內所言，皆日月薄蝕、星辰順逆之事，大致與史記之天官書、漢書天文志相同。不過彼爲完書，首中宮，次五星，次二十八宿，次雜星及雲物雜占，秩而有序；此則雜亂，無所統屬。不知其原書即如是，抑零星補緝，不能不如是也。第其所言，有爲天官書、天文志所無者，如五星散爲五色之彗。歲星之精，流爲國皇，主內難。太白散爲天狗，主候兵。辰星散爲枉矢，枉矢所射可誅。熒惑散爲蚩尤旗，主惑亂。填星散爲獄漢，爲五殘，主奔亡；爲虹蜆,主内淫。按歲星者木星,太白者金星,辰星者水星,熒惑者火星,填星者土星,其或流爲某星,或散爲某星,爲馬、班志所無,故亦不得其義。有與天官書、天文志占同者,如曰五殘主奔亡,與天官書五殘星見則五穀毀敗,大臣誅亡之説合;國皇主内難,與天官書國皇所出,其下起兵之占同。然其占候爲馬、班書所無者多,所同者少。存用以補各書之缺,雖衹數百言,亦可貴也。

河圖握矩記無卷數古微書本

明孫轂輯,漢宋均注。共得二十四則。注云:五運三正,安有常期?謂之握矩者,明乎皇帝王之迭興各有禎符,若春規夏準,秋矩冬權,可象鑑而不謬也。全書大旨,數語已括盡無遺。今觀其書,皆言古帝王降生之符瑞,始燧人,次伏羲、黃帝、少昊、顓頊、帝嚳、后稷、商湯、文王、秦始皇、項羽、劉季,或言其母感某物而生,或言其生而異相。而伏羲之下不及神農,帝嚳之後不及堯、舜、大禹,文王之後不及武王,且周之先有后稷,殷之先不及契,殆皆遺佚,無從輯錄。不然,如玄鳥生商見於毛詩,洛書錫禹、九疇演範、赤烏流屋、白魚躍舟、武王受命伐商,屢著祥瑞,胡爲此書均不及之哉?蓋古人之視帝王過爲尊嚴,而帝王之負有神聖之德者,尤爲重視,故造爲種種神異以重其降生,比附種種徵祥以成其運會。此風一倡,凡後世開創受命之帝王,其始生無不有禎符著於史策,以顯其神異,皆此等緯書説爲之倡也。

然其事雖荒誕，其文頗古樸怪駭，盪人心目，錄之以供辭章家之資料而已。

龍魚河圖無卷數古微書本

明孫瑴輯。共二十六則，千餘言，在緯書爲較詳者。惟首言日月所行躔度，以黃道爲中心：黑道出黃道北，白道出黃道西，赤道出黃道南，青道出黃道東。立春、春分，月從東青道；立秋、秋分，月從西白道；立夏、夏至，月從南赤道；立冬、冬至，月從北黑道。天有四表，月有三道，聖人知之，可以延年益壽。以及五星之所司，及五星之精下降爲雨師、風伯各神。此似與史漢之天官書、天文志無以異。而下忽云：天之東西南北極，各有銅頭鐵額兵，長三千萬丈；各有金剛敢死力士，長三千萬丈。忽荒怪不經。又云：東方太山君，神姓圓名常龍；南方衡山君，神姓丹名靈峙；西方華山君，神姓浩名鬱狩；北方恒山君，神姓登名僧；中央嵩山君，神姓軍壽名逸羣。呼之令人不病。又五岳各有將軍，各有姓名，恒存之卻百邪。又四海各有君，各有夫人，呼之卻鬼氣。又髮有神，耳、目、鼻、齒皆有神有名，有患呼之九遍，惡鬼自卻。又刀、矛、弓、矢、斧、盾，皆有神有名。又云：造五兵者蚩尤，黃帝初與戰不勝，天遣元女，下授黃帝神符，制伏蚩尤。因即使之主兵，威服天下。後蚩尤死，天下復擾亂，帝乃畫蚩尤形，萬邦見之，皆彌伏。夫能知五岳四海神之姓名，奇矣；而耳目刀矛之屬皆有神有名，尤奇。史皆謂黃帝殺蚩尤，茲獨謂制伏蚩尤，使仍主兵，與他書不同。則皆神異之事，足廣異聞。末又詳載埋鹽沙宅亥方，可以致富；五月懸艾虎門上，歲暮取麻子、豆子著井中，七月七日男女吞赤小豆，均令人卻病。以及種種禁忌，種種趨吉辟凶之方法，甚爲詳悉。總後前所言，雜糅不類，此其所以以龍魚命名歟？

河圖録運法無卷數緯攟本

　　清喬松年輯。載緯攟中，共三則。曰：黃帝坐玄扈閣上，與大司馬容光、左右輔將周昌等百二十人，觀鳳凰銜書。又云：廢昌帝，立公孫。又云：舜以太尉受號爲天子，五年二月冬巡狩，至於中州，與三公諸侯臨觀五龍五采，負圖出置舜前也。按此所言皆五帝之事。其曰廢昌帝立公孫，公孫者黃帝姓。言炎帝廢，公孫興，仍黃帝也。而公孫述因此文，竟據蜀稱帝，可謂妄矣。又唐虞時，焉有太尉官名？而緯書屢言舜爲太尉，以秦漢官名加之於五帝之世，甚爲不倫。亦緯書出於漢人之證也。

河圖説徵無卷數緯攟本

　　清喬松年輯。載緯攟中，共三則。曰：蒼帝起，天雨粟。又曰：青雲扶日。又曰：黃帝起，大螾見。按蒼，應作倉。雒書説禾亦有此文，作倉帝起，雨粟。仍謂倉頡作字。天雨粟，鬼夜泣也。若作蒼帝，則指太皥。太皥以木德王故曰蒼帝,炎帝以火德王故曰赤帝,黃帝以土德王故曰黃帝,少昊金天氏以金德王,故曰白帝,具見各緯書中。茲既曰天雨粟,則確指作字之倉帝,而非以木德王之蒼帝也。螾,集韻云蚓也。字彙補云:神蚓也,大五六圍,長十餘丈。則非尋常之物。茲云黃帝起,大螾見,視爲祥瑞,必長十餘丈之大物也,故特紀之。

河圖闓苞受無卷數_{緯攟本}

清喬松年輯。載緯攟中,衹一則。曰:弟感苗裔出應期。見石仲容與孫皓書注中,而不言其出何書,殊爲不合。故此一語之意義,不得而知。

河圖挺光篇無卷數_{緯攟本}

清喬松年輯。載緯攟中。曰:陽精散而分布爲火。衹此八字,輯自太平御覽八百六十九。陽精者日,言天地間之火,皆陽精所散布也。

河圖龍文無卷數_{緯攟本}

清喬松年輯。載緯攟中。曰:鎮星光明,八方歸德。衹此八字,見蜀都賦注、袁淑詩注、石闕銘注。按鎮星者,土星。史記天官書作填,曰:中央土,主季夏,日戊己,黃帝,主

德;其所居國吉,其國得土,不則其國失土。兹曰八方歸德,
乃得土之驗,如湯武是也。

河圖帝視萌無卷數_{緯攟本}

清喬松年輯。載緯攟中。注云:帝王世紀有此篇名,而
無其辭。按河圖闓苞受、抃光篇、河圖龍文、河圖攷鉤及圖
緯絳象等篇,雖得其文,祇一二語。其書之大旨,仍無從窺
測。備録其名以備攷,與此同也。

河圖攷鉤無卷數_{緯攟本}

清喬松年輯。祇五字,曰:有壞者可穿。載緯攟中,注
見陶徵士誄。按顏延年陶徵士誄曰:遭壞以穿,旋葬而窆。
李善注:河圖攷鉤曰,有壞者可穿。攷鉤是否言葬,祇五字
不能測知。李注舉以釋穿壞之義,則已恰合,故更不多舉。
管窺一斑,無如何也。

河圖説徵祥無卷數_{緯攟本}

清喬松年輯。載緯攟中。祇一則,曰:鳥一足獨立,見
則主勇強也。見天中記及御覽九百二十八、四百三十三。
按家語:齊有一足之鳥,飛集公朝。景公怪之,使使聘魯問
孔子。孔子曰此鳥名商羊,水祥也。昔童兒屈一脚,振肩而

跳,且謠曰天將大雨,商羊起舞,其應至矣。茲亦一足,而曰
獨立,其應與商羊不同。則別一獨足鳥也。

河圖天靈無卷數緯攟本

清喬松年輯。載緯攟中。曰:趙王政以白璧沈河,有黑
頭公從河出,謂政曰,祖龍來,天寶開,中有尺二玉櫝。祇此
一則。按趙王,説郛作秦王。然秦與趙同祖,緯文又往往秘
其辭,趙字未必定訛。惟此文説郛、初學記、天中記、唐類
函,皆作河圖攷靈曜。祇御覽作天靈。疑天字爲攷之訛,御
覽或誤也。

河圖合古篇無卷數緯攟本

清喬松年輯。載緯攟中,祇一則,見後漢祭祀志。曰:
帝劉之秀,九名之世,帝行德,封刻政。而太平御覽引河圖
令占篇云:池淪月散,必有立王。又宋書五行志亦引河圖
令占篇云:日薄也。松年以合古與令占字形相類,謂合古
傳寫誤爲令占。按三占從二,御覽及宋書既皆作令占,似
宜從之。後漢書雖古,祇此一見,必謂合古是令占訛,似亦
不然也。

河圖皇參持無卷數 緯攟本 [一]

清喬松年輯。載緯攟中,祇一則。曰:皇辟出,承元訖;
道無爲,治率被;燧炬,戲作術;開皇色,握神日;投輔提,象
不絶;立皇後,翼不格;道終始,德優劣;帝任政,河曲出;叶
輔嬉,爛可述。按此語出隋書王邵傳。邵釋云:皇辟出者,
皇,大也;辟,君也。言大君出爲天子也。承元訖者,言承周
天元終訖之運也。道無爲治率者,治下脱一字,言大道無
爲,治定天下率從。被遂矩,戲作術者,矩,法也。昔遂皇握
機矩,伏戲作八卦之術,言大隋被服三皇之法術也。遂皇機
矩,語見易緯。開皇色,言開皇年,易服色也。握神日者,言
握持羣神,明照如日也。又開皇以來,日漸長,亦其義。投
輔提者,言投授政事於輔佐,使之提攜也。象不絶者,法象
不廢絶也。立皇後,翼不格者,格,至也。言本立太子,以爲
皇家後嗣,而其輔翼之人不能至於善也。道終始,德優劣
者,言前東宮道終而德劣,今皇太子道始而德優也。帝任
政,河曲出者,言皇帝親任政事,而邵州河濱得石圖也。叶
輔嬉,爛可述者,叶,合也;嬉,興也。言羣臣合心輔佐,以興
政治,爛然可紀述也。按邵所釋首二句是也。道無爲治率,
謂治下脱一字,從率字斷句,非也。道無爲,治率被,無爲者
寓文帝文字,治率被言天下率被文德也。被與爲協,應從被

〔一〕"持"印稿作"待"。據《隋書》校改。按,《易緯辨終備》鄭玄注云:"皇參
　　持,河圖名也。"則鄭以《河圖皇參持》爲名。

字斷句,治下無脫文也。遂矩戲作術,此五字中必有脫文。遂,邵釋作遂皇,戲釋作宓戲,以遂皇握矩,伏戲作八卦之術當之,謂隋德似之,似穿鑿無理。又喬松年遂矩作燧炬,不知松年所據何本。頗疑燧炬寓煬字,言煬帝嬉戲無道也。下所釋皆勉強。而帝任政,河曲出二句,釋尤不安。疑帝任政謂煬帝任政也,河曲出謂河東李氏興也。道終始,德優劣,謂隋運之終始,全由於德之優劣。優指文帝,劣指煬帝。豈謂前後太子乎?然緯書多引之,自漢至隋唐鮮有釋其義者,獨王邵釋之,其可珍為何如?乃緯攟脫而不載,甚矣其疏也。

河圖挺命篇無卷數緯攟本

清喬松年輯。載緯攟中,共二則。曰:倉、羲、農、黃,三陽翊天德聖明。又:孔子年七十,知圖書,作春秋。按羲者伏羲,農者神農,黃者黃帝。惟倉帝,說頗不一。春秋元命苞云:倉帝史皇氏,名頡,姓侯,生而能書。及受河圖綠字,於是仰觀奎星圓屈之形,俯察龜文鳥羽、山川指掌而創文字,天為雨粟,鬼為夜哭,龍乃潛藏。治百有一十載,都陽武,卒葬衛之利鄉亭。又河圖玉版:倉頡為帝,南巡登陽虛之山,臨於玄扈洛汭之水,靈龜負圖,丹甲青文以授之。又世本云:史皇作書。又淮南子亦云:史皇生而能書。又馬氏繹史引外紀曰:倉帝名頡,創文字,在伏羲以前。或云黃帝命倉頡為左史,制文字。然以為黃帝臣者,徵之古籍甚少。

故史記於黃帝制文字事,缺而不紀。誠以文字謂至黃帝而大備則可,謂至黃帝始創有文字則爲情勢所必無。何則?戲皇能畫八卦,文明發達至於如是,豈無文字者所能爲?又戲皇始名百物,炎帝嘗百草,又豈無文字者所能記?蓋至伏羲、神農時,文字久有,而倉頡之爲皇帝在伏羲前。徵之外紀、世本、淮南子,既彰彰可攷,而春秋元命苞且著其爲帝之年歲,及都處葬處,尤爲詳悉。則此云倉羲農黃,以倉頡爲帝,次三皇前,固與諸古籍所言合若符契。太史公作黃帝紀,以制文字大事竟缺而不書,誠以文字不始於黃帝,且倉頡非黃帝臣也,非滅其功也。此以見古書雖一二語,亦可珍也。

泛引河圖無卷數緯攟本

清喬松年輯。泛引之名,殊爲不當。緯書除乾鑿度能成文外,餘緯皆從經史注,及史志所引者輯得,皆泛引也。豈祇河圖?名曰泛引,若古河圖有是名者,最爲誤人。原喬氏之所以爲此名者,殆以所輯各條,皆已見於他緯。如河導崑崙,上有權勢星一條,已見於河圖絳象;凡天下有九區及嶓冢山等六條,見於括地志;日月兩重暈及蟾蜍去月等五條,見於稽耀鉤;黃帝遊于洛等二條,見于挺輔佐;大星如虹等九條,見於握矩記;赤九會昌等二條,見於會昌符;少室山其上有玉膏,服之成仙,及大秦國民但食沙石子二條,則見於河圖玉版;九州殊題,水泉剛柔一條,則見於始開圖,故名曰泛引，使自成一書以立異。豈知鄭玄易注云：河圖九篇。
九篇必各有名。疑河圖括地象、河圖稽耀鉤、河圖挺佐輔、
河圖握矩記、河圖會昌符、河圖玉版等，皆九篇中之篇名。
古書所引，但云河圖，而省其篇名耳。古微書分列於各緯
中，必有所據。豈能憑空結撰，妄生分別？喬氏求其本而不
得，謂孫氏無據妄爲。孫氏生明代，家世儒生，藏古籍極富，
明代所有今佚其書者多矣。徒以孫氏古微書所輯各條未注
明其出處，遂從而疑之；抑知古人尚質，宋王應麟輯鄭康成
周易注、明姚士粦輯陸績周易述，皆未注其所本？孫氏猶是
耳，非借是以藏拙。喬氏不察，別造泛引之名以立異，則真
妄矣。

洛書靈准聽無卷數古微書本

明孫㲄輯。共二十六條，千餘言。其書首言洛水居中，
與河合際，得地理陰精，故王道和洽，帝王明聖，龜書出文，
天以與命，地以授瑞。於是天皇、地皇、人皇，相繼興起。天
皇顧贏三舌，驤首鱗身，碧盧禿揭；地皇十一君，皆女面龍
顙，馬蹏蛇身；人皇龍身九頭，驤首達腋，有九子以長九州，
己居中州，以制八輔。按始學篇云：人皇九頭。而三墳云：
有巢氏俾人居巢，積鳥獸之肉，聚草木之實，天下九頭，咸歸
有巢。然則人皇九頭者，因人皇有九子，以爲九州酋長，故
曰九頭，非人皇身具九頭也。後至有巢，因功德大，九頭皆
來歸服，是其明證。而各書以訛傳訛，若人皇實生有九頭

者,可謂好怪矣。又云:皇道缺,帝者興。堯龍顏日角,八采三眸;舜長九尺,龍顏日衡,方庭甚口;禹兩耳三漏,足文履己;湯連珠庭,臂有四肘;文王日角鳥鼻,而皆都於河洛之間。故湯在洛有黃魚、黑烏、黑龜、赤文之瑞,武王渡孟津致白魚、赤烏之祥。其書之大旨如此。惟書末又有雲物之占,星辰之應,以及帝王法天象地、盛德感應之徵兆,與前者所言,義又不相屬。然皆從各書掇拾之零辭斷句,其本義所在,亦難測知也。

雒書無卷數漢學堂叢書本

清甘泉黃奭輯。共七十三條,二千餘言。從太平御覽輯得者四條,初學記六條,水經注一條,藝文類聚二條,文選注二條,南齊書天文志一條,路史二條,餘五十五條盡輯自開元占經。除乾鑿度外,以此爲最多。按鄭玄河出圖,洛出書易注云:河圖九篇,雒書六篇。茲皆從各書掇拾,不知當幾篇。要其概略,可得窺尋。又王充論衡云:河圖雒書,言興衰存亡,帝王際會,皆妖祥之氣,吉凶之端。而孔安國謂即九疇,尚書洪範箕子所陳者是。班書五行志引劉歆説,並謂洪範初一曰五行,至畏用六極六十五字,爲雒書本文。由此書證之,鄭氏謂洛書六篇,所言不誤。又書內言地皇、人皇九頭之制,及蒼帝、赤帝、黃帝、白帝之興起各有雲瑞。蒼帝者伏羲,赤帝者神農,黃帝者軒轅,白帝者少昊。又云禹出石夷,掘地代,戴成鈴,懷玉斗;湯長八尺一寸,珠庭。皆帝王際會興衰存亡之事，與論衡合。又云某星犯某星，主何吉凶；日蝕月蝕，或主用兵破敵，或主國亡，更與論衡所言妖祥之氣，吉凶之端合。疑王充所見者即此也，孔安國、劉歆謂雒書即洪範之九疇者皆誤也。惟其中所言，亦雜見於他緯。如謂人皇兄弟九男，別長九州，己居中州，以制八輔；蒼帝起青雲扶日，黃帝起黃雲扶日等文，皆見於靈准聽。以及五星占驗等事，互見於他緯者尤多。亦不無少疑也。

雒書甄曜度無卷數_{漢學堂本}

清甘泉黃奭輯。據鄭注，度者，限度也；曜，周天列宿也，故名甄曜度。初輯者爲明孫瑴，載古微書中。祇周天三百六十五度四分度之一，一度爲二千九百三十二里，則天地相去十七萬八千五百里一條；及推廣九道，百七十一歲一條。茲輯校孫本多三十餘條，並及鄭注。孫蓋未見開元占經，其所輯數條雖爲占經所有，大概從他書所引而得，其餘皆不見也。茲輯本之占經者二十六條，本之清河郡本者五條，本之後漢書王符傳者一條。據鄭注所釋，是書所言，皆周天列宿之事。故首言周天度數，及每度若干里，以算天地相距之里數；後言某星犯某星，於人事有某應，而以歲星、熒惑、太白、辰星、填星爲之主。歲星者木星，熒惑者火星，太白者金星，辰星者水星，填星者土星。五星以外，則二十八宿之雜占。大致與漢書天文志之占驗略同。而中忽云：四星聚見于牛女之次，而晉元因以王吳；四星聚見于參觜之次,而齊主因以王魏;景星見于箕尾之次,而慕容德因以復燕;弧星突入東井,而苻堅遂以亡秦。按齊主王魏,謂北齊高洋篡魏也。是直隋唐人之占,而以竄入古緯書[一],可乎?雖代秦者卯金刀,劉秀爲天子,代漢者當塗高,事前皆見於讖緯,事後皆應,然文與此異。此皆事後之占驗,可斷言其非也。又云某山上應某星,皇道闕,故帝者興。其文亦往往雜見於他緯,與本書義不相屬,亦不無可疑也。

雒書摘六辟無卷數漢學堂本

清黃奭輯。共十五條。從占經輯得者十一條,餘或本之初學記。先是,明孫瑴古微書祇輯得孔子曰,及次是民没六皇出一條,辰放大頭四乳一條。瑴未見占經,故占經所引者古微書皆無,無足怪也。六辟者,六皇。據宋均注,首辰放,次民没民始。民没民始,穴居之世終也。辰放名次屈,出地郛,駕六飛麟,從日月,治二百五十歲,餘辟悉不見。又云:人皇兄弟九人,別長九州。又云:姬昌有命在河,聖孔表雄德,庶人受命,握麟徵易。不知人皇、姬昌、聖孔,在六辟之數否?然民没民始,當穴居之最終,似六辟皆在上古。周之文王,春秋之孔子,雖皆云受命,必不在其數。文闕不全,故六辟之名,亦不能悉見。至於日有赤黑珥,主夷人起兵;有兩珥,主自伐;日四背,天下駴擾;日暈明,主有陰謀;暈而兩珥,主國有大疾;月暈生芒,主后黨害主;以及太白守心,

---

〔一〕"竄",印稿作"篡"。據上下文意校改。

後九年大饑;填星逆守黃帝座,主亡地各占,與漢書五行志、天文志所載機祥占驗略同。與六辟之義,似不相屬。抑占經所引皆斷章取義,故不能窺見其主旨所在歟?

雒書説禾無卷數_{緯攟本}

清喬松年輯。載緯攟中,祇一則。曰:倉帝起,天雨粟,青雲扶日〔一〕。按此十字,曾見河圖説徵。但倉作蒼,説徵傳寫訛也。倉帝者倉頡,因其創作文字,故天雨粟,鬼夜哭。若夫蒼帝,則緯文中皆指伏羲,因其以木德王。木東方色蒼〔二〕。猶之神農以火德王,稱赤帝;黃帝以土德王,稱黃帝;少昊以金德王,稱白帝也。釋詳河圖説徵篇中。

雒書寶號命無卷數_{緯攟本}〔三〕

清喬松年輯。載緯攟中,祇一則。見蜀志先主傳。曰:天度帝道備稱皇〔四〕,以統握契,百成不敗。因有備稱皇語,故譙周、許靖等,以爲符命與讖緯相應,於勸進表中舉以爲證。惜乎祇此一則也。

〔一〕 “青雲”,印稿作“青青”。據《喬勤恪公全集》本《緯攟》改。
〔二〕 “木”,印稿作“水”。據上下文意改。
〔三〕 “書”下,印稿脱“寶”字。據《喬勤恪公全集》本《緯攟》補。
〔四〕 “度帝”,印稿作“統地”。據《喬勤恪公全集》本《緯攟》改。

泛引雒書無卷數緯攟本

清喬松年輯。載緯攟中，共十一條。此名甚不當。雒書而已，徒以各書所引祇稱曰雒書，便名曰泛引雒書，若古有此書名者。其不當與其泛引河圖同也。其實秦失金鏡條，已見攷靈曜；沙流出條，已見甄曜度；蒼帝起青雲扶日條，太白守心條，皇道缺條，人皇氏駕六提羽條，相厥山川條，王者不藏金玉條，鰮鰡魚狀條，皆見於靈准聽，而皆詳於古微書中。又何必別立此名哉？後甘泉黃奭輯通緯，直名曰雒書，而其多約十倍於喬輯，則甚當也。蓋所謂靈准聽、甄曜度等，皆雒書篇名。而古書往往省下三字，祇引曰雒書，疑仍為一書也。

易統驗玄圖無卷數古微書本

明孫瑴輯。載古微書中，祇一則。曰：荔挺不出，則國多火災。按月令仲冬之月：芸始生，荔挺出。鄭注：荔挺，馬薤也。疏引皇氏云：以其皆為香草，故應陽氣而出。茲云荔挺不出則國多火災，不出則陽氣內蘊，不能發舒，故荔挺不應，陰陽不和，則災沴必至。然所以多火災者，以鬱極生熱也。又按喬松年古微書訂誤云：按此文見通卦驗，孫氏立驗玄圖之名，而祇列此一條，妄也。按古微書，及攷正古微書、漢學堂叢書，所列通卦驗皆無此文，不知喬氏所據何本。且緯文之互見者多矣，豈袛此二語？己未見其名，遽謂孫氏僞造，以妄訾之，果孰妄乎？又孫氏何所爲而僞造此名？其袛列一條，正見其錄實，胡爲又責其少？真可笑也。

易内傳無卷數<small>緯攟本</small>

清喬松年輯。載緯攟中，共五則。曰：人君奢侈，多飾宮室，其時旱，其災火。又：公能其事，序賢進士，後必有喜。反之，則白虹貫日。以甲乙見者^{〔一〕}，譴在中台。又：當雷不雷，太陽弱也；又：陽無德則旱，陰僭陽亦旱；又：后妃擅國，白虹貫日。松年後有跋語云：第一條郎顗傳引作易内傳，餘三條作易傳。求之京房易傳無此語，故皆定爲易内傳云云。今按後漢郎顗傳，引易内傳凡三，第一引曰：凡災異所生，各以其政。變之則除，消之亦除。第二引曰：久陰不雨亂，氣也，蒙之比也。又曰：賢德不用，厥異常陰。其第三引方如松年所輯第一則，人君奢侈云云。其前兩則松年皆遺而不錄。至顗傳於易傳凡四引，其第一引曰：有貌無實，佞人也；有實無貌，道人也。寒温爲實，清濁爲貌。松年袛錄其後三則，此一則在前，反遺而不及。松年身爲大官，似此等皆倩人搜輯，故疏漏如此。又郎顗三引易内傳，下引當同；乃袛曰易傳，則非易内傳明甚。若京氏易傳，五行志引皆曰京房易傳，無袛云易傳者。其非京氏甚明，無庸攷慮也。又按緯書有易傳太初篇，太初其篇名，易傳其總名，疑顗所云易傳，

────────────

〔一〕“以”，印本作“臣”。據《後漢書·郎顗傳》改。

省其篇名耳。即易傳太初篇之易傳，而非易内傳也。總之緯攟一書，其疏漏及其攷證之不足信處甚多，而此書其尤甚者也。

易辨終備無卷數_{緯攟本}

前提要已著録，後喬松年補輯三條。曰：日再中，烏運嬉，仁聖出，握知時。又：日之既，陽德消。又：魯人商瞿使齊，瞿年四十，今後使行遠路，恐絶無子。夫子正月與瞿母筮，告曰後有五丈夫子。子貢曰，何以知？子曰，卦遇大畜，艮之二世。九二甲寅木爲世，六五景子水爲應。世生外，象生象，來爻生互，内象艮別子。應有五子，一子短命。按此條見史記仲尼弟子列傳，張守節正義所引，惟一子短命下，尚有：顏回云，何以知之？内象是本子，一艮變爲二醜三陽爻五，於是五子，一子短命。何以知短命？他以故也。共八句三十九字，喬氏皆遺而不録。其所録上文，屢有節删之字。若此八句，有顏回問，並有孔子解釋卦爻之語，如何可節删？故疑喬氏此書，皆假手於人，而非其自爲。觀此蓋信。又按艮之二世，以大畜爲艮宮第二世卦也。六五丙子水爲應，以唐諱丙，故曰景子也。世生外，言甲寅木，受外卦子水生也。象生象，或以外卦艮土象生内卦乾金象也。内象艮別子，疑指下卦之伏象艮也。艮三爻申金爲子孫，而飛爻爲辰，飛生伏，而辰數五，正五子也，故下曰應有五子。至一子短命之故，雖經顏子問，夫子解釋，其語卒莫能明也。

而最後何以知短命，他以故也，語尤混侖難解。以易大過之有它吝及中孚之有它不燕例之，得無以辰之應爻爲寅，寅木尅辰土，故一子短命乎？甚矣，其難知也。此筮案錄者多矣，而釋者訖無一人。姑略釋之，以俟能者。

易天人應無卷數_{緯攟本}

清喬松年輯。載緯攟内，衹三條。云：君子不思遵利，兹謂無澤，厥災孽火燒其宫。又云：君高臺府，犯陰傷陽厥災火。又云：上不儉，下不節，災火並作，燒君室[一]。揆其宗旨，大致與京房易傳相類，言人事與災異相感召，故名曰天人應。然衹此三則，其全書究如何，亦不敢斷言也。

易通統圖無卷數_{緯攟本}

清喬松年輯。載緯攟内，衹二則。曰：日行東方青道曰東陸，日行南方赤道曰南陸，日行西方白道曰西陸，日行北方黑道曰北陸。又云：日行東陸，謂之春。按魚龍河圖及河圖帝覽嬉，皆言日行青道、赤道、白道、黑道之事甚詳。兹與之同。然衹此數語，不見全書，其大義所在，益不可攷知。存其名而已。

〔一〕"君"，印稿作"居"。據《喬勤恪公全集》本《緯攟》改。

易傳太初篇無卷數緯攟本

清喬松年輯。衹一則。曰：天子旦入東學，晝入南學，暮入西學；在中央曰太學，天子之所自學也。採自後漢書祭祀志。餘無所攷。其書之宗旨若何，益難揣測。存其書名而已。

易萌氣樞無卷數緯攟本〔一〕

清喬松年輯。載緯攟中，共五則。曰：人君不好士，走馬被文繡，犬狼食人食，則有六畜談言。又：聖人受命而王，黃龍以戊己日見。又：聖人清静行中正〔二〕，賢人福至，民從命，厥應麒麟來。又：上下流通聖賢昌，厥應帝德鳳皇翔，萬民喜樂無咎殃。又：聖人得天受命，黃龍以戊己日見。總其所言，皆天人感應之事，大旨與漢書五行志相類，故曰萌氣樞。言人事萌於中，則機祥應於外，全以氣相感也。雖衹此五則，然書之大概，可得而覩矣。

易内篇無卷數緯攟本

清喬松年輯。載緯攟中，衹二則。曰：福萬民，壽九州，

〔一〕此篇印稿無，排印本亦未收入。兹依尚驤先生補鈔本校訂。
〔二〕"静"，補鈔本作"浄"。據《喬勤恪公全集》本《緯攟》改。

莫大乎真氣；鍊五石，立四極，莫大乎神用。云採自天中記及路史後記。又云：日月相逐爲易。而未注其所本。夫曰真氣，曰神用，似皆道家之言。而日月相逐爲易，與下繫日往則月來，月往則日來，日月相推而明生焉旨合。特其語尤簡而有味，惜乎其不多見也。

易運期無卷數_{緯攟本}

清喬松年輯。載緯攟中，衹二則。云：言居東，西有午。兩日並光日居下，其爲主人反爲輔。五八四十，黃氣受，真人出。又云：鬼在山，禾女連，王天下。按言午者許也，兩日者昌也，謂漢當以許亡，魏當以許昌；五八四十，言文帝年四十而歿；黃氣受，言改元黃初也。鬼在山，禾女連，魏字也。禾女連，緯攟連誤通，所據本訛也。此皆言魏受命代漢之事，與代漢者當塗高同旨。然其書大旨，是否何在，必不衹於此，無從測知矣。

圖緯絳象無卷數_{緯攟本}

清喬松年輯。載緯攟中，衹一則。曰：太行附路之精。附路，義頗未詳。或者是星名，其分野直太行山。然太行南北千餘里，枕燕、趙、晉、衛四國之地，星之分野無如是巨者。而天官書、天文志皆未見此星名，似又非也。

檢 齋 讀 易 提 要

吳承仕　撰
張善文　校理

檢齋讀易提要校理弁言

《檢齋讀易提要》一卷,吳承仕先生撰。

先生諱承仕,字檢齋,又作硯齋、縝齋,清光緒十年(1884)生於安徽歙縣昌溪。二十八年(1902)壬寅科中舉,三十三年(1907)應舉貢會考,殿試一等第一名,分大理院主事。入民國,任司法部僉事。受業章太炎先生,爲高弟。曾執教北京大學、北平中國大學、東北大學、北平師範大學。抗戰期間投身救亡運動,加入中國共產黨。民國二十八年(1939)遭日僞迫害,染病身亡,年五十六。畢生精研經學,著述甚豐。

先師黃壽祺教授早年從吳先生問業,亟承獎掖。先生辭世,先師適執教北平,嘗整理遺稿數十種,撰《歙吳先生之著述》一文。1982年至1983年,我隨師赴北京師範大學,協助整理吳先生遺著,承擔校點《檢齋讀書提要》一書(北京師範大學出版社1986年出版)。茲編所收易類提要四十七篇,即出《讀書提要》,今別輯成卷,題曰《檢齋讀易提要》。

按先生諸篇提要稿,皆1934年至1935年間,爲"續修四庫全書提要館"所撰(詳前《易説評議校理弁言》)。今存作者手稿(簡稱稿本),及提要館打印稿(簡稱印稿),是爲茲編校理底本。

打印稿中原有作者手校（簡稱“吳校”），後來又有余嘉錫批（簡稱“余批”）、黃壽祺先生續批續校（簡稱“黃批”、“黃校”），皆據以互校。當年校點《讀書提要》畢，即承先師匡正糾謬，復蒙啓功教授撥冗審閲，獲益匪淺，實難相忘。惟 1986 年北京師範大學出版社印行之《檢齋讀書提要》，限於體例，未出校記。今以原作校勘記分列於腳注，庶明所據。又 1993 年中華書局出版《續修四庫全書總目提要·經部》（簡稱“排印本”），1996 年齊魯書社影印出版中國科學院圖書館藏《續修四庫全書總目提要稿本》（簡稱“中科圖鈔稿本”），俱載吳先生提要稿，今亦並取參校，遂有兹編之成也。

　　是書校理，福州風雅頌電腦工作室章夏、陳華、連玲玲協助至多，吳生章燕亦參與焉。特並志之。

門下晚生張善文
謹記於福建師範大學易學研究所
公元二〇〇四年十二月

檢齋讀易提要

易説醒四卷_{同治間洪氏刊本}

明洪守美撰。守美字在中，涇縣人。據曾化龍、施閏章序稱，其少以易名家，年踰八十，好之不衰。其生平撰述，見於涇縣志者三，曰易説醒，曰易經揆一，曰調元要録。而明史藝文志及朱彝尊經義考，僅著録易説醒一種。清修四庫，亦未甄録。同治十一年，其後人汝奎爲之重刊，而易經揆一、調元要録二書則求之不可得矣。卷首有自爲凡例五條，略謂：易之爲書，辭文旨遠。是編演説，悉遵程子易傳、朱子本義，以示所宗。次取名儒語録，次取時彦講説，皆出姓氏，間附己意。寧簡勿繁，寧淺勿深，俾閲者展卷豁然，因顏曰易醒云。案是書經傳次弟，一依永樂大全以朱附程之本。經傳文下，首題演字，雜揉程、朱，傅以己見，約文成義，自爲條貫，所謂演説者是也。次引諸儒説近百家，宋、元人若蘇子瞻、陸象山、楊敬仲、項平甫、趙汝楳、吳草廬、胡雲峰等不過數見，唯晚明易義爲多，下及李九我、李卓吾、袁了凡諸家。而於程敬承、張彦陵、湯霍林、曾霖寰四家,則援引不下百數十事,蓋以四家爲主也。尋敬承名汝繼,著周易宗義十二卷;彦陵名振淵[一],著周易説統十二卷,俱見四庫易類存目。提要謂汝繼本從舉業而入,後乃以意推求,非能元元木本究明易學根底,故終不出講章門徑。今觀是編,上不攀京、孟、荀、虞之緒餘[二],下不及河洛圖書之新説,即訓詁名物,亦所不談。唯敷釋程朱,一以心身性命、修齊治平之道爲主。意者專明義理,亦足自名其家。然好談文章理法,拘拘於起訖照應之間遣詞造句,尤與八比制義相近。執業素同,氣臭相及,故所援引程敬承、張彦陵之倫,如凡例所云,兼采衆説,倣先儒四書滌理、易經九鼎諸書體例。滌理、九鼎,疑是舉業講章之流。以此爲則,斯足以窺其著述宗旨矣[三]。施序又云:易説醒,温陵大中丞曾公見而善之,爲之版行,流通數十載矣。洪子研慮不已,與年俱深,又復取舊所已行者增損參校,略雷同之衆解,定猶預於微茫,謂之易經揆一,視舊本爲尤善。蓋説醒爲其少作,復不自滿,故爲揆一以更之歟?

易經卦變解一卷柏柳堂刊本

　　清吳脈罷撰。脈罷有易象圖説六卷,末卷八宮納甲占

例〔一〕，在四庫易類存目中。今據其六世孫炎序言：易象圖
說，刻版於順治己亥年，而卦變解、八宮說則藏稿於家，懼其
湮没不傳，故付梓以廣之。炎之序作於道光二十年，刻梓在
後，故不見於四庫耳。是書首錄朱子本義卷首之卦變歌，次
依歌文中卦名前後，取象傳下朱義稱某卦自某卦來者錄之，
略引荀、虞舊義，並加案語以申其說，寥寥短章，不成片段。
案卦變圖之作，自李之才、朱震、朱子本義以下皆有之，繩複
錯雜，未爲精審。訖清儒胡秉虔、吳翊寅等作，比類合誼，乃
漸就條理。吳氏生清順、康間，其所崇信，極於邵、朱圖書而
止，無所發正，亦時勢使然耳。

周易八宮納甲一卷<small>柏柳堂刊本</small>

清吳脈邕撰。脈邕有易經卦變解已著錄。據四庫存
目，易象圖說後附八宮納甲占例一卷，其原出自火珠林。提
要稱以錢代卜者之所用，是也。按八宮世次，本於京氏易傳，
荀爽、干寶以下，皆用其說。陸德明經典釋文，於每卦之下，皆
據干義注明某宮某世，蓋專爲卜筮而作。是書鈔錄八宮世次，
略加案語，無所發揮。卦以乾、坎、艮、震、巽、離、坤、兌爲次，
而謂之文王後天。既不附注幹支，而題名納甲。是於考據義
理，皆無所長。蓋一時抄撮而成，非著述之盛業也。

〔一〕“宮”，印稿作“卦”。據《四庫全書總目·易類存目》改。

增訂周易本義補不分卷清康熙間刊本

　　清蘇了心撰，劉祈穀增訂。祈穀，字俶載，署其居爲洮村，並不審其籍貫仕履。劉氏序稱了心之書，有講之未詳者，有極精當而與制舉未合者，增訂之説所由來也。了心大約取之乎裒旨，間參以蒙引。聖朝取士，易尚本義，而以裒旨爲一定之解，今删其不合裒旨者，增其未達裒旨者，以爲場屋之利器云耳。尋康熙五十四年，御纂周易折裒，一依朱義、程傳爲宗，以爲經義程式。劉序作于康熙三十七年戊寅，在頒行折裒前，其所謂裒旨、蒙引，疑亦敷衍本義，爲舉業而設者，故不見於各家著録也。是書略依坊間通行本，非復朱子所定上下經十翼之次，鈔撮原注，頗有增損，去取之間似無深意，亦有不明經義而妄爲説者。如用九見羣龍无首注云：其象猶龍之剛猛在首，而今見其無，如是則不吐不茹，既畏其威，又懷其德矣。龍首剛猛，既成野言；吐剛茹柔，尤無義據。又不知用九爲揲蓍變卦之例，故聊爲空言以應塞耳。七日來復注云：于卦爲七爻，于時爲七日。案本義稱，自五月姤卦一陰始生，至此七爻，而一陽來復。蓋據十二消息卦言之。此乃妄有删節，則七爻云云，不幾於空發乎？謙象傳注云：嘗觀之天地矣。又云：嘗博觀夫天地鬼神以推於人矣〔一〕。其下即以駢偶膚末之辭，分釋傳義，尤未能脱然於八比時義氣息者也〔二〕。卷首依坊本列河

〔一〕"於"下，印稿衍一"于"字。依手稿删。
〔二〕"息"下，印稿無"者也"二字。據手稿補。

洛先後天圖,而於洛書附注九疇,於六十四卦圓圖附注二十四氣[一]。雖亦有本,然又自爲八卦小方圖,與先後天卦位皆異。自注云:小方圖不見於經,今以大方圖約之也。夫本義附圖,已非朱氏之舊,更非經本所宜有,乃云小方圖不見於經,抑何陋乎!

易一貫六卷_{觀象廬叢書本}

　　清吕調陽撰。調陽,彭縣人,著有觀象廬叢書二十餘種。是書卷首爲圖説,自河洛先天太極舊圖外,自爲則圖畫卦、則書定位及範圍晝夜出入、分至朔望生生諸圖。卷一至卷四爲上下經,卷五爲繫辭傳以下。據其自稱,咸豐丁巳春,見來注周易[二],始有發悟,越十九月而成書,名曰一貫。一者,圖之五十,卦之恒也,寂然不動也;貫者,圖之三八,卦之泰也,通也;其一以貫之之幾,則圖之一六,卦之咸也,感也。以恒、泰、咸三卦爲易之本,會其説於周濂溪、張横渠之理,來矣鮮之象,而要其歸於洛書。由是解釋經傳,一準象數,塗傅舊義,參以新説,以是自名其家。並謂苟明一貫之義,凡經傳所載,諸子所言,精辭妙理,舉不難燭照而無遺矣。今案乾坤六子,是爲經卦,别爲六十有四,在漢儒則有四正十二闢之説。而吕氏獨稱恒、泰、咸,又以恒、泰、咸傅

〔一〕 “圓圖”,印稿作“圓卦”。黄批云:“祺案,卦當爲圖之誤。”兹依校。
〔二〕 “來”,印稿誤“成”。據吴校更正。下文“來矣鮮”同此。

之天地生成數之五十〔一〕、三八。一六，嚮壁虛造，已不審其所謂。其所謂範圍圖，以既濟、未濟、否、泰、損、益、咸、恒八卦配九宮數。所爲分至朔望圖，以明夷、晉配二至之朔，訟、需配望；以蹇、解配二分之朔，家人、睽配望。揆之漢宋易家卦氣爻辰諸法，無一合者。魯莽滅裂，若此者蓋不可一二數。又謂文言爲孔子述文王之意；説卦傳天地定位至八卦相錯一節，帝出乎震至成言乎艮一節，皆爲文王之言，而數往者順與萬物出乎震各節，則孔子之言也。加之分析文字，穿穴不根。如云易象燕翼附壘仰其首之形，生生之謂易、小往大來，類燕哺子也；燕不畏人，故有直義；哺子雌入則雄出，故有交易、變易義。此外，坤即爲賣，故訓爲委土；巽從兩卂，有似於鳥鷔；坎從欠土，爲水所止；兌從兩八，轉爲言説：支離妄誕，不可勝窮。蓋由易道廣大，展轉多通，愚者爲之，遂多荒忽。今觀其太極圖附注云：太極圖自古有之，蓋木工相傳畫於屋棟者，今尚存其遺。不知元明以來所謂古太極圖者，遠涉參同契之水火匡廓，近傳自趙古則之天地自然，雖屬怪迂，亦有根柢。呂氏不學，乃謂傳自木工，然則彼所見太極圖，僅得自屋棟門楣間耳。漢宋派別，河洛異同，皆所不曉。譾陋如此〔二〕，而性又好怪，則附會又何所不至哉！

〔一〕“十”，印稿訛“千”。據吳校更正。
〔二〕“譾”，印稿作“荒”。據手稿改。

易經補義十二卷_{耕餘堂刊本}

　　清葉酉撰。酉字書山，號華南。桐城人。乾隆四年進士，入翰林，遷左春坊庶子。後主講鍾山書院十餘年，卒年八十有一。嘗師事方苞，每見輒質諸經疑義。著有易補義、詩拾遺、春秋究遺等書。是編大旨，以易本卜筮之書，爲撲蓍而作；卦爻之辭作於聖，卦爻之象則本於天，故占辭不若卜象之驗[一]。王弼言理不言象，朱子譏之；顧本義仍絶口不言象，故爲作補義十二卷，於象尤加審焉。案王氏略例稱：互體不足，遂及卦變；變又不足，推致五行；一失其原，巧愈彌甚。故有忘象存意之談。朱子亦以漢儒納甲、飛伏之法雖幸而中，要亦附會穿鑿，不可崇信[二]。然聖人作易，所以教人卜筮，故本義之釋象辭、爻辭，皆以觀象玩占而言，正所以懲荀、虞之末失，删輔嗣之玄談，著作大旨，昭然若揭。葉氏乃以朱子不言象爲懲噎而廢食，故特詳取象以救其失，是駁朱非申朱也。持論不同，又何補之有乎？今尋葉氏言象，於互體[三]、卦變、納甲而外，亦多據卦畫爲取象所由。如乾九二，見龍在田。注云：坎爲雨，田得雨以長禾黍而育人民，龍之功能表著莫大於田。蒙六二，勿用取女，見金夫不有躬。注云：互體坤，三爲坤之初爻，有女象；下與二比，

〔一〕“驗”，印稿作“譣”。據手稿改。
〔二〕“崇”，印稿作“保”。據手稿改。
〔三〕“互”，印稿訛“五”。據吳校更正。

坎二自乾來,乾爲金,故曰見金夫。諸此取象,皆從互體、卦
變來,與荀、虞同術而推致自異。又如師六五,田有禽。注
云:凡易言禽多在坎,不專指飛鳥,即狐兔之屬皆是;蓋以中
一陽爲禽之身,初、三兩陰爲禽之四足也。觀六二,闚觀。
注云:互艮爲門,二在門之下,闔户爲坤,有從門隙中窺見仿
佛之象。巽九二,巽在牀下。注云:牀取巽木象,上奇爲牀
身,下偶爲牀足。諸此取象,皆從卦畫奇偶來,則宋人麻衣、
水村之遺法也〔一〕。夫玩爻比象,義有多門,滑稽不窮,滋蔓
彌甚。漢儒推致互變〔二〕,射覆之術也;宋人附會卦畫,兒戲
之事也。葉氏自命補朱,乃用其吐棄不道者而又加甚焉,果
何謂乎?本義之敝,在於拾陳、邵之唾餘,衍河、洛之詭義,
嘵嘵不已,貽誤後學。葉氏獨有取於是,誠所謂棄球璧而寶
小璣者也。又按爻辭之傳,亦標象曰,蓋自鄭本已然;葉氏
乃悉改爲傳曰,謂較勝於坊本。不辨正俗,變亂常行,尤爲
專輒。又云:繫辭下傳,周氏、莊氏分九章,注疏依之;惟劉
瓛分十二章,歐陽石經亦然,與朱子同。此所謂歐陽石經
者,果何等書邪?要之,補義一書專明取象,首尾貫串,自成
統緒。至于淆亂漢宋,穿穴不根,乃易家之通病,不得以是
專責葉氏也。

〔一〕“村”,印稿作“鏡”。據手稿改。
〔二〕“致”,印稿作“校”。據手稿改。

周易象考一卷_{茹氏經學十二種本〔一〕}

清茹敦和撰。敦和有周易二間記、周易小義已著録。茹氏易學，凡十一種，惟變卦考未見，餘皆刊行。二間記、小義二書，爲其縣人李慈銘所重定，此外皆原本也。尋易之取象，自説卦外，陸氏釋文録荀氏九家逸象三十有一，宋儒朱子發、朱元晦、項平甫、吳幼清等皆有考釋。迄清學作，惠棟易漢學、張惠言虞氏易、馬國翰輯孟氏章句及紀磊虞氏逸象考正，又輯得虞氏逸象約五百餘事。是書略依漢儒互體、旁通、之變、飛伏之法，比輯象爻詞例，證明説卦及荀、虞各家取象所由，以爲違誤者則駁正之，以爲奪漏者則補苴之，計二百十八事。第一巽爲命條。泰上六，自邑告命。虞云：否巽爲命。謂泰旁通否，自三至五互巽也。茹氏乃云初爻伏巽。大有象傳：順天休命。虞云：二變時巽爲命。謂大有卦二爻變，則自二至四互巽也。茹氏乃云互兑倒巽。臨九二象傳：未順命也。虞説已佚。張云：遯，巽爲命。謂臨旁通遯，遯自二至四互巽也。茹氏乃云倒兑爲巽。此皆用虞氏象而違虞氏例者也。第四乾爲玉條。茹氏云：荀九家又有震爲玉，複出宜删。按九家震爲王，本之帝出乎震，無震爲玉之文。此據誤本而妄爲説者也。第七艮爲幾條。屯六

〔一〕 “茹氏經學十二種本”，印稿作“茹氏易學七種本”。手稿删“七種”二字。按茹氏易學著述十種，編入清乾隆間刊《茹氏經學十二種》中。今據校改。下三篇同。

三,君子幾。茹氏云:屯三互艮初,幾本爲艮初象;蓋艮上爲成,而艮初爲幾。此荀、虞所未言而以意推得者也。第十三艮爲拯條。明夷六二,用拯馬壯。茹氏云:三四五互震成倒艮,拯爲艮初象;但出溺曰拯〔一〕,出溺者必倒其手,故取倒艮也。此因明夷互震,又倒震爲艮,艮爲手,又倒手爲拯,而展轉以求之也。第三十三坎爲疾條。茹氏云:虞氏易坎爲疾,然考之於經不甚合;説卦傳莫疾乎雷、莫疾乎風,則疾當爲震、巽象。按虞以坎爲疾,爲疾病、爲疾厲,與説卦莫疾乎雷風之疾一爲名詞,一爲狀詞。茹氏以此駁虞,非虞義也。竊謂考易象者,本之説卦,推之互變飛伏,牽引附會,何所不通?且如荀九家云:震爲鵠。以震爲善鳴,故有鶴象。虞云離爲鶴,義見左傳。茹氏乃申九家而斥虞氏。又如虞氏云:坤爲田。坤爲地,故爲田。茹氏乃云:震于稼爲反生,故震爲田,坤不得爲田。若此類者,竟何據以爲取舍邪?況互變不已,加之倒卦,又分三畫爲初中上三象,益不可究詰。要之,此漢學之極蔽,非茹氏所獨也。是書出象先後,不依八純卦,亦不據上下經,似以事類爲次,敷陳義據。蓋與其所撰二閒記、易小義、讀易札記、卦變考互爲詳略〔二〕,更相發明。茹氏書作於乾隆中葉,當惠氏之後,張氏之前;而研精漢學,專明取象,亦可謂聲應氣求,臭味相及者矣。卷末有周易辭考,僅列揚、願、試、嘉、宗、習六條。又有周易占考,志字一條。疑是未成之作而附録於後者。

〔一〕“曰”,印稿訛“日”。黄批云:“曰,依手稿校。祺注。”
〔二〕“詳略”,二字印稿誤倒。據吴校更正。

大衍守傳一卷茹氏經學十二種本

清茹敦和撰。敦和有周易二閭記等已著録。是書删取繫辭傳天數五地數五一節，参伍以變一節，大衍之數一節，乾之策一節[一]，説卦傳昔聖人之作易一節，前後不次，自爲圖説，以明河圖之數、大衍揲蓍之法。意謂鄭注大衍章天一生水云云，雖非大衍之要旨，然中央四方、奇偶單複之形，則瞭然可覩，荀、虞並同其説。傳曰極其數遂定天下之象，象即圖也。苟非此圖，康成豈能率爾馮臆，鑿然爲此注哉？參伍以變者，参即三，伍即五，三五得十五，即中央天五地十之合數。變之，即爲二九四、七五三、六一八、四十五數之圖，縱橫交午計之，皆得十五，所謂錯綜也。釋傳雖近附會，實能隱據舊義，自成其説。以四十五數本於五十五數，而五十五數實原於大傳，一善也；大衍之數，本以揲蓍，不與八卦方位相配，二善也；二數皆爲河圖，於洛書無涉，略與河圖畫卦、洛書演疇之古義相近，三善也。以視宋元以來般旋於劉長民、朱元晦、蔡季通、張仲純腳下者，蓋遠過之矣。然其説天數五地數五云：二五併則十，地數見而天數不見；大衍，地數也。以大衍爲地數，豪無典據，義亦難了。説天地之數五十有五云：五十有五者，十一五也，班固曰十一而天地之事畢矣事當作道。案律曆志稱五六天地之中合，故日有六甲，辰有五子；五六合之爲十一，故云十一而天地之道畢。此謂五

〔一〕"之"，印稿訛"三"。依吴校更正。

十五爲十一個五,已鍬析無據,又傅以班孟堅之言,義不相比,尤徵穿穴之失。

大衍一説一卷_{茹氏經學十二種本}

　　茹敦和撰。是書亦取聖人作易及天數五地數五、參伍以變、大衍之數各節而詳釋之,體例與大衍守傳同,説義亦互爲詳略。自謂井窺之見,偶而存之,不過自説其説,故名一説。大恉以大衍爲揲蓍求卦之法,易無數而蓍有數,蓍之數即天地之數,五十五數之圖本於鄭康成,四十五數之圖即由此而來,乾鑿度謂之大乙下行九宮法,按之實與大傳所謂參伍、錯綜者合,則即取九宮之圖反而歸之大傳亦無不可。並采獲國語、周書、史記、漢書義以證成之。以視宋元以後,繳繞於十圖九書、圖配先天、書配後天諸説者[一],實能比附古義,稍有據依。但謂諸數由五而衍,遂取五十五、四十五兩圖,反復分析,一是以五爲本,即知來藏往[二]、往順來逆諸語,皆以一二三四、七八九六釋之,錯互牽引,殆乎辭費。又云:紹興中興化彭氏興,謂四十五之圖爲天中圖,于是更作地中圖,其圖以六居中,左八右四,戴十履二,三五爲前,七九爲後,得數五十四,合天中圖得數九十九。案彭氏之説,林之奇嘗稱之。其後熊良輔述其師熊凱説,謂天一至地十蓋有十圖,唯五爲天心,其數縱橫八面皆三五之數;六爲

〔一〕"後",印稿誤"先"。依吳校更正。
〔二〕"知",印稿誤"書"。依吳校更正。

地心,其圖縱橫八面皆三六之數,得天地之中故也。彭氏之天中、地中,即熊氏所謂天心、地心。熊氏並謂其義亦原於陳希夷、邵康節。要之數目巧合,其術非一。茹氏僅舉彭氏,不知遠或託於陳、邵,後則傳自熊氏師弟也〔一〕。茹氏既以四十五數爲河圖,復據張彥遠名畫記引河圖緯文,以千里一曲爲河圖,合四十五之數,東西南北,恰爲九位。果以象九曲之形與否,存疑焉可也。此說亦見於二閭記,其屬稿先後不可知。疑茹氏易義各種,皆平時叢稿,有寫定可付梓人者,有錯雜緟複以竢刪正者。就是編與大衍守傳觀之,亦可見矣。

八卦方位守傳一卷_{茹氏經學十二種本}

清茹敦和撰。敦和有周易二閭記已著錄。是書節禄大傳易有太極、天一地二及天地定位各節,而以象數方位說之。其體例與大衍守傳、大衍一說略同。以謂五十五、四十五二圖,爲八卦之所由生,即方位之所由定。傳稱易有太極者,謂易有五十五之圖也。極者,中也,即中三五數。兩儀爲二五,即與五相配之十。四象即北一六,南二七,東三八,西四九。四象生八卦者,以乾、坎、艮、震左旋,巽、離、坤、兌右轉,位坎於北、坤於南、震於東、巽於西、乾於西北、艮於東北、離於西南、兌於東南,與二九四、七五三、六一八相配,而五居其中。亦即八卦相錯、往來順逆之義,是爲八卦未定之

〔一〕“弟”,印稿誤“第”。依吳校更正。

位。至帝出乎震一節，則乾、坎、艮、震、巽、離、坤、兌，皆順而左旋，離南坎北，震東兌西_{即宋儒所謂後天位}，是爲八卦已定之位。此其大較也。案太極之義，質家謂之太一，亦謂之北辰；玄家則云無稱之稱，不可得而名。自馬、鄭、虞翻、王輔嗣、周茂叔、朱元晦等，更無異説。今以太極爲五，奇觚不常，誠振古所無有。至若八卦離南坎北之位，在宋儒謂之後天，更造一乾南坤北者爲先天，卦位之説，齊此則止。今乃以九宮數相配，離、兌爲肩_{配二四}，乾、艮爲足_{配六八}，左震右巽_{配三七}，戴坤履坎_{配九一}，與自昔相傳之坤二、離九、巽四、兌七、震三、乾六、坎一、艮八者截然不同，又振古所無有也。乃爲之辭曰：孔子曰[一]，吾學夏禮，之杞而不足徵也，吾得夏時焉。夏時即今之八卦方位之圖是也。案舊説夏時爲小正，坤乾爲歸藏。連山首艮，歸藏首坤。唯朱元昇三易備遺，有連山應中星之圖，自乾一起西北，由兌二、離三、震四、巽五、坎六、艮七、坤八，皆逆而右轉，又與茹氏方位異。嚮壁虛造，歧中有歧，將何所據以自信其説乎？茹氏説聖人以此洗心，退藏于密云：五十五之圖，以五與十爲中一位；四十五之圖，無十而有五；至於八卦，則並五而無之。夫五之爲五，非八卦之心乎？聖人洗其心而退藏於密焉。以此説經，真與戲論何異？校之展轉求象者，其滑稽尤過之矣！鋪觀茹氏易學，原本象數，旁及名物訓詁，間涉傅會，終有義據。唯此編分別方位，似多荒忽。過而存之，以備一家之説可也。卷末附釋先甲、先庚、東鄰、西鄰諸條，亦以其自定卦位

〔一〕“孔子曰”，印稿無。據手稿補。

爲準，前已發正，故不具釋。

周易詮義十五卷敷文書局刊本[一]

　　清汪紱撰。紱一名烜，字燦人，號雙池[二]。婺源人。諸生，乾隆二十四年卒。五經、四子書、宋明理學、律呂醫方、壬遁小數，皆有撰述。清四庫僅收其參讀禮志疑二卷，餘並不見著録，蓋網羅所不及也。是編卷首爲易學源流、周子太極圖説、程子易傳序、上下篇義、本義圖説、筮儀、説易大凡，卷一至卷十二爲經傳十二篇，卷十三、十四爲易學啓蒙。而以五贊置啓蒙書首，以復其舊。汪氏以謂明初程傳、朱義並行，習易者因劃朱義以附程傳，其後專行朱義而經傳猶用程本，是併程傳、朱義而兩失之。故一依吕祖謙所定古易舊次，全録本義正文。朱用吕本，繫辭在文言前；汪氏乃移文言於繫辭前，不知其以意爲之邪，抑參用晁以道、程沙隨本也。程傳有精粹不可移易者，摘録于本義之後；其與朱異或見謂不可從者，則悉與辨正。次引宋、元、明、清諸儒易説足以申釋朱學者百有餘家，要以胡炳文[三]、蔡清、林希元三家爲最多，所采漢唐舊義不過十之一二。蓋胡之通釋、蔡之蒙引皆爲本義作疏，林之存疑則又繼蒙引而作，其體用與

〔一〕“刊本”，印稿作“出版”。依吴校更改。
〔二〕“清汪紱撰”至“號雙池”，印稿作：“清汪烜撰。烜一名紱，字燦人，號雙溪。”據排印本改。
〔三〕“胡”，印稿訛“明”。依吴校更正。

是編同,故引之獨悉也。次又自下己意,近本經義,旁及史書,推而至於理欲消長之幾,佛老邪正之辨,家國興衰之故,終以爲禮樂可興,井田可行,封建可復。蓋汪氏之學,一以朱子爲歸,束修儒行,存養有得,故不覺其言之親切而有味也。是書體例與董楷傳義附録略同[一],董書全録程傳與本義,此則間録程傳,全録本義,以表示宗朱祧程之旨。是書前序作於雍正甲寅,後序作於乾隆丙子[二],中間相去廿餘年,用力積久,固可概見。然其先時辨圖書者若黃宗羲、宗炎、毛奇齡、胡渭,辨本義九圖者若王懋竑等,向來沿襲之謬,皆已發正。汪氏於此,似皆不甚措意。唯過信河洛先天無極諸圖説,謂先天圖是作易之祖,自漢而後,秘於方外,儒者不見此數,故於繫辭、説卦大衍、太極、天地定位諸章,皆不得確解。邵子、朱子得先天而反之於易,而後其説乃坦然明白。所謂八卦成列者,列須是橫排,橫排非先天橫圖而何? 案列,猶云行次等比耳,方圓橫直,皆得爲列。且傳祇言八卦成列,不言太極、兩儀、四象成列也。以列爲橫排之據,其淺陋爲何如乎? 又自漢儒始言河圖爲八卦,洛書爲九疇,自劉牧、朱震以來,以九爲河圖即明堂九宮數,十爲洛書即天地生成數。唯蔡氏、朱氏,依僞書關朗傳,以十爲河圖,九爲洛書,實揑八卦、五行爲一。汪氏尊朱至矣,乃云:河圖位數,分明是五行,聖人卻因之畫八卦[三],此在人看得不同耳。殆亦知朱、蔡之

〔一〕“楷”,印稿誤“樹”。依吳校更正。
〔二〕“後”,印稿訛“復”。依吳校更正。
〔三〕“卻”,印稿作“欲”。據手稿改。

未可悉從，故爲是説以調停其間乎？今謂河洛先天之學，本近迷妄，爲純儒所不道，疏本義者隨應釋之可矣，不必曲爲附會也。且語類所記，亦有率爾之言。如謂咸卦上一畫象口，中三畫象背、腹，下有人腳之象。汪氏引此條以説咸象，或未必悉如朱氏意也。此外援用尚書不辨真僞，説制度訓詁不應典據，稱引儒先則名字謚號雜出，爲疏證之文則故爲語録體，皆足詒人以口實。然彼固自謂以理義爲主，名物細故，可勿深求也，今亦不煩徵詁之矣。

周易講義一卷惺齋雜著本

清王元啓撰。元啓字宋賢，號惺齋。嘉興人。乾隆進士，官將樂縣知縣。有惺齋雜著十餘種，未盡刊行。乾隆三十八年，年六十，掌教灤陽，曾攜周易數册，避居鵲山寺中，研讀有得，輒筆記之，都萬餘言。其子尚玨録輯成書，計經説七十餘事，並附録其平時所爲易義十餘事，名之爲周易講義。蓋筆語雜記之倫，非首尾條貫之作也。大恉專明義理，不涉象數，頗以人事得失、古今成敗爲玩辭玩占之徵。其所援引，自程傳、朱義外，爲王介甫、司馬君實、蘇氏父子、郭兼山、吕與叔、項平甫、楊廷秀、楊敬仲、王景孟、馮儀之、王伯厚、吳幼清、俞玉吾、熊任重、丘可行、胡庭芳父子、蔡介夫，下訖李晉卿等二十餘家，擇善而從，不專一説。即程、朱舊義，亦頗有發正。而漢儒卦氣、納甲、爻辰之術，則一切無與焉。尋其體例，明以宋儒義理之學爲宗，而先天太極、河圖洛書之數，則絕口不談，是愈於宋、元以來好言方位次第、九圖十書之紛紛者矣。其於小畜輿脫輹引項安世曰：輹，車軸轉也。王氏校云：轉，蓋即縛字之誤。按輹訓車軸縛，本於說文，陸氏釋文略同，向無異義。作轉爲傳寫之誤甚明。又大過卦引尚書知之匪艱，行之惟艱，不知說命爲晚出僞書。又以坎卦簋貳與酒缶相叶，爲古韻如此。不知貳在脂部，缶在幽部，韻部絕不相近。此等疏失，殆專治宋學者所難免。至其徵引儒先成說，如王伯厚、王應麟，吳艸廬、吳澄，胡雲峰、胡炳文，李安溪、李文貞等，名號錯見，使讀者疑，尤非著作之體。

易心存古二卷_{乾隆庚辰刊本}

　　清張六圖撰。六圖字師孔，曲沃人。是書刊行於乾隆二十五年，自序稱：苦心多年，先以易心舉首尾、該始終，於古道或有存。此其名書之旨也。書分上下兩卷。首列易旨十則，次取河洛諸圖及經傳文義而以意釋之，謂之易心十詳。略謂易有五聖，羲、文、周、孔而外，並及大禹。八卦方位則謂伏羲乾南，次序乾西，河圖乾北。又自爲周易口訣圖，自乾一至乾六，以一線貫之，說云：第一乾是八卦方位之乾；第二乾是八卦次序之乾；第三乾是河圖天一之乾；第四乾是圓圖之乾，至此有天，故云乾爲天；第五乾是圓圖之坤，故曰坤爲地；第六乾爲六十四卦之乾。因取六十四卦之第三爻略釋之，以證其周易口訣之義。又謂凡卦第四爻俱是言坤[一]。又謂五聖心法惟一兑字。又云：六十四卦，一神先天流行於後天也。立義措詞，荒謬悉如此比。不獨漢宋家法，蒼雅字詁，茫然未有所聞，即通常文句[二]，似亦不甚了了。易家固多失之誣，然全不讀書，無知妄作若張氏者，亦不數數覯也。

周易尊翼五卷 潘子全集本

清潘相撰。相字潤章，號經峰。安鄉人。乾隆二十五年順天鄉試舉人，旋成進士，官濮州知州。周禮、禮記、尚書、毛詩、春秋，皆有撰述。少時治易，讀本義、啓蒙、程傳，已乃泛濫百家。年二十，輯羣説附本義後，名曰管窺。游太學，始改名尊翼，謂以大傳爲繩準也。自序稱：歲科校試，例陳經解，以羲、文、周、孔及今御纂周易折中、周易述義之書，聖明著作，囊括無遺，欲以風檐片晷，率爾拜獻，無離畔之差，誠知其難，故隨時劄記，録爲一編。然則是書本爲場屋舉業而作。卒乃細繹諸易家説，演暢成編，更名尊翼，亦非專以説經爲羔鴈者也。書凡五卷，上下經傳各二卷，繫辭、説卦、序卦、雜卦爲一卷。相其體例，殆欲兼綜義理、象數二門[三]，而以宋學爲主。所引周、邵、程、朱、項氏、金氏、胡氏及張清子、來知德等十餘家，家不過數事，貫穿舊義，織組成

〔一〕“謂”下，印稿無“凡”字。黃批云：“凡，依手稿校補。”
〔二〕“句”，印稿作“字”。黃批云：“句，依手稿校改。祺注。”
〔三〕“綜”，印稿訛“線”。據手稿改。

言,雖無穿鑿不根之談,亦鮮發疑正讀之益。獨於先天河洛、太極圖説,深致研求。謂河圖指天地生成數之中爲太極,又有陰陽互根之象,有老少互藏其宅之象,有陰陽生五行之象,有包含先天八卦、文王八卦之象,有黄帝八陣圖之象。洛書指九宫數所含,亦略相似。又改宋人所傳伏羲八卦次第方圖及方位圓圖,穿穴牽引,繳繞不窮。彼宋、元、明以來所傳諸圖,本多迷妄,今更曲爲之説,是治絲而棼之耳,於經義究何補乎?加之出身科舉,涉獵未周,説義考事,不求本始。且如易含三義,本自緯書,述於鄭贊,乃引吴曰慎之言,以爲不易、變易、交易所自出。又雜卦自大過以下,失兩兩相從之次,鄭注疑其錯亂失正而弗敢改,宋儒若蘇軾輩,始以意釐正之。今潘氏亦以協韻改定舊弟,而云管見如此,未知是否。似全未見漢宋儒書者,誠疏漏之尤也。又以坤象曰用六永貞之象曰二字、鼎元吉亨之吉字、涣上九去逖出之去字爲衍文,竟於坤象傳删象曰二字。專輒自用,尤違説經之法。

易古文三卷 <small>函海本</small>

　　清李調元撰。調元字雨村,號墨莊。綿州人。乾隆二十八年進士,官潼商道。嘗輯函海一書,多至二百餘種,並著詩集、詩話等。是編自序稱:講易之餘,多集古本,互相考質,其有文字異同之處,隨時筆記,久且裒然[一],因刊之以示博古君子。今尋其所集文字異同,計四百五十餘事。本

〔一〕 “裒”,印稿誤“褒”。黄批云:“裒,依手稿校。祺注。”

之陸氏周易音義者,約三百五十餘事,當全書百分之七十九有奇;本之七經孟子考文補遺者,約八十餘事,當全書百分之十七有奇;此外采自左傳、禮記、史記、漢書、説文者,不過十餘事而已。按釋文所列,有孟、京、向、歆〔一〕、荀、虞、劉表、宋衷、陸績、王肅、王弼、董遇、姚信、黃穎、向秀、干寶、王廙、張璠、蜀才、李軌、徐邈諸家,或由家法之異,或因師讀之殊,或就訓義以別其異同,或據寫本而辨其得失,上揅漢讀,蓋雜有今古文説。若永嘉以降各家,閒有據鄭、王二家之本而勘其文字之譌奪者〔二〕。至於山井鼎、物觀等所稱古本〔三〕、足利本,雖足珍異,亦上窺唐寫卷子而止,以視釋文,猶瞠乎其後矣。李氏不訊其端末,不考其後先,一有異文,既見採録,乃猥名爲古文易。此所謂古文者,果費氏古文原本邪?抑馬、鄭所傳,輔嗣所據之費氏本邪?真所謂名不正則言不順者矣。且其援引釋文,全不注明出處,似孟、京、荀、虞云云,皆彼所親見者〔四〕。又釋文所稱一本作某、本或作某者,不悉甄録,取舍任意,欲以何明?又如蒙卦云:蒙亨〔五〕,以亨行,時中也。時上有得字。繫辭傳云:是故卦有小大,辭有險易。辭上有而字。是以出而有獲。下有何字。是數事者,祇出異文,不著一語,更不審其何據。著述體例,安有如是者邪?如欲廣集逸義,旁考舊文,則李氏集解、郭氏舉正

〔一〕 "歆",印稿訛"韻"。依吳校更正。
〔二〕 "奪",印稿誤"榜"。依吳校更正。
〔三〕 "觀",下印稿脱"等"字。據手稿補。
〔四〕 "所",印稿誤"而"。依吳校更正。
〔五〕 "亨",印稿誤"享"。據手稿改。

及宋元人書,並宜博採,又不限於陸元朗、山井鼎二家也。統觀李氏是編,妄名爲古文易,一蔽也;所録僅及二家,二蔽也;於釋文妄有去取,三蔽也;引書不注出處,四蔽也;自不下案語,五蔽也。蜀人好爲文詞,不明經學法式,蕪雜淺陋,不蹈於大方,李氏殆其一邪?

周易學不分卷_{道光刊本〔一〕}

清沈夢蘭撰。夢蘭字古春。烏程人。乾隆四十八年舉人〔二〕,道光二年卒於宜都知縣任。所著有周易學、尚書學、毛詩學、周禮學、孟子學、溝洫圖説,於周官及水地之學尤邃。是書不分卷,於上下經六十四卦,每卦首卦辭,次爻辭,次彖,次大象,次小象,乾、坤二卦則附文言于小象之後。意謂古易彖、象傳都爲一帙,繫每卦之後。自費氏易行而帙序始亂,惟乾卦尚仍其舊,故據乾卦釐正之。案漢易十二篇,經傳本不相連。自鄭玄以彖、象附卦爻,王弼又以文言附乾、坤,即見行注疏本是也。今如沈氏所定,則爲古所無有,乃自謂復費氏以前之舊,實爲紕漏。繫辭以下章數節次,亦有更置;説卦、序卦、雜卦,又依隋書經籍志説合爲一帙。是皆意爲矯亂,未脱宋明人之陋習者也。卷末節取先天河洛五圖,又自爲錯綜、參伍、加減、乘除、節氣五圖。其釋大衍章、天地定位章、帝出乎震章,雖用邵氏、朱氏之説,尚不過

〔一〕"學"下,印稿無"不分卷"三字。據正文所敍增。
〔二〕"年"下,印稿多"浙江中式"四字。黄批云:"依余嘉錫先生校刪。祺注。"

爲繳繞，猶愈於汪紱輩之好言象數者。唯謂孔子五十學易，五十者，河圖中宫之數。明孫應鼇亦有此説，不知是闇合否。説誠巧慧，然必以揚雄、劉歆、鄭玄天地生成之數，儗關朗、朱熹、蔡元定十爲河圖、九爲洛書之説，爲仲尼所與聞而後可，又安有是理乎？又小過卦末注云：臨似震，觀似艮，遯似巽[一]，大壯似兑，大過、小過似坎，頤、中孚似離。尋蔡元定説大壯云：這箇似夾底兑，兩畫當一畫。沈氏臨似震云云，蓋與同意。是又出於互體、反對之外者矣。其説義則一以王注、程傳、朱義爲依，采其精義，録其善言，觀象玩占，證以史事，文詞淡雅，簡而有法。取象唯用互體、反對二者，餘悉不取。又謂一卦可變爲六十四，而於本義所謂某卦自某卦來，皆所棄捐。以視高言荀、虞，專精陳、邵者，猶爲有補於經訓矣。大抵沈氏易學，義理爲長，訓詁考據皆所不了。如云：乘，古通甸[二]。乘馬，兩馬也。震、坎二陽，兩馬之象。又云[三]：於文反身爲艮。兩馬爲乘，前所未聞；反身爲艮，尤爲荒忽。清乾嘉間小學昌盛如彼，而説經者乃率爾如此，吁可怪也！

周易引經通釋十卷 嘉慶甲戌年刊本

清李鈞簡撰。鈞簡字秉和。黄岡人。乾隆己酉進士，歷官卿貳，旋降編修，致仕。道光二年卒。是書大恉，以爲

〔一〕“似”，印稿訛“以”。據手稿改。
〔二〕“乘”，印稿訛“乎”。依吴校更正。
〔三〕“又云”，印稿無。據吴校增。

論語學易章後，繼言詩、書、執禮，易爲五經之原；夫子刪詩書，訂禮樂，修春秋，無往而非言易，後之學易者，其以羣經明之可矣。故依通行注疏本之次，博采書、詩、三禮、三傳、論語、孟子、國語、大戴記、爾雅、逸周書、山海經、家語之關涉象爻義類者，爲大字録之經傳本文之下，又自爲小注附於引書之下。字釋其詁，句釋其義，節釋其旨，以疏通而證明之此四句本其自序語。案六藝有五常之道，相須而備，而易爲之原，語本劉略班志，蓋謂易道廣大，與天地爲終始也。至若五經大義，體用各殊，文字音訓，師法自異〔一〕。清儒如惠棟、阮元、王紹蘭輩，所爲九經古義、詩書古訓、周人經説等，皆取羣書中異文遺義〔二〕，足以博本經之旨趣，校本經之文字者，還録於本經當文之下，以互相發明，誠不失爲探微索隱之一術。或者不揣本末，意爲牽引，義各有當者，乃比而同之，斯有類於誦詩斷章，非以經解經之謂也。是書於乾元亨利貞句下，前引中庸維天之命，於穆不已，天之所以爲天；次引禮記郊之祭大報天而主日；次引左傳天有六氣；次引書自作元命；次引儀禮始加元服；次引春秋元年公即位；次引書其惟王位在德元；次引禮記五官致貢曰享；次引周禮實水納亨；次引孟子故者以利爲本；次引論語貞而不諒；次引禮記天有四時；次引爾雅春爲發生一章；次引書一人元良，萬邦以貞。以天命不已證乾之健，近之；雜引報天、主日、六氣、五官、四時、致貢、納烹之等，欲以何明？如謂貢享、納

〔一〕"師"，印稿誤"而"。黄批云："師，依手稿校。祺注。"
〔二〕"義"，印稿誤"意"。依吴校更正。

亨,足以證享、亨、烹爲一字,則直據説文、蒼、雅可矣;繁稱飾説,無所發明,不亦迂闊而不切於事情乎?乾初九引洪範九疇初一曰五行[一],證六爻之首稱初;九二引書未見聖既見聖,證利見;九三引國語言敬必及天,證乾惕;九四引論語費畔子欲往[二],證或躍;九五引論語天不可階而升,證飛龍;上九引爾雅亢鳥嚨,證亢龍;用九引周禮交龍爲旂,證羣龍无首,皆荒遠不可理解。凡若此類,全書多有之。又引尚書不辨梅氏僞古文,引中庸不言出禮記,皆與俗學爲近。釋乾字,先據説文,次云:左旁從日,從上從丁,古上下字也;右旁乞,古氣字也。則又近於荆公字説矣。然其自序稱積思數十年,廣覽注家,博參經解云云,用力之久,輯録之勤,自可概見。治易者涉獵及之,資爲旁證,亦未始無補云耳。

古周易音訓二卷 式訓堂叢書本

清宋咸熙撰。咸熙字德輝,仁和人。先是,宋儒呂祖謙依漢書藝文志舊次,撰定古周易十二卷,音訓二卷,則其門人金華王莘叟之所筆受也。音訓首引各家説,以明篇卷名義、先後異同之故;其於經傳文字,則一以陸氏釋文爲主,而以晁説之所釋者附焉,朱熹嘗刻之於臨漳會稽 據直齋書録解題。熹後爲本義,不復撰音[三]。及其孫鑑,乃取音訓附刊於本

〔一〕“曰”,印稿訛“日”。據手稿改。
〔二〕“子”,印稿訛“予”。黄批云:“子,依手稿校。祺注。”
〔三〕“不”,印稿訛“下”。據手稿改。

義之後。明人修大全，以本義附於程傳，篇次不同，於是音訓遂佚不傳。今僅散見於董真卿周易會通中，則已非呂氏所授、朱氏所刊之舊矣。宋氏從董氏會通中，採摭音訓舊文，依呂氏上經、下經、彖傳、象傳、繫辭、文言、說卦、序卦、雜卦十二篇之次，用陸氏釋文之例，輯爲一書，復呂氏古易音訓之舊，一善也。晁氏生當北宋，多見古書，自漢訖唐，若孟、京、鄭、荀、虞、何妥、僧一行、陸希聲、陰弘道、張弧說，猶能徵引。晁書久亡，今得藉此考見先儒佚義，二善也。陸氏釋文，得此足以互勘，三善也。然晁氏所稱古文作某，或稱古文作某、篆文作某者，猶通稱古字云爾；如以爲費氏古文本之異於施、孟、梁丘、京者如此，則失之矣。宋儒自胡旦、胡瑗、王洙、呂大防、晁說之、程迥以訖呂祖謙〔一〕，皆規規然欲復漢易十二篇之舊弟，不知今文施、孟、梁丘，古文費、高本皆然，至鄭、王始合傳於經耳。故當正名爲古本易，不得泛稱古易，或古文易。此晁、呂輩所未能厝意者也。其文字異同，宋氏自序中舉八事，段玉裁跋文中舉三事，以訂正今本釋文，俱爲精審。此外，如大有匪其彭，姚云彭旁俗音同，是也；盧文弨改俗爲徐，失之。賁白馬翰如，鄭云白也，唐寫殘本釋文及王應麟輯鄭注本皆然；盧從雅雨堂本改白爲幹，說義近之而實非釋文之本真。復无祗悔，王肅、陸績作禔；盧校本無陸績字，此佚義之可貴者。无妄不菑畬，說文云三歲治田也，唐寫本同，是也；盧校改三爲二，失之。坎險且枕，古文作沈，直林反，薛同，謂薛虞與古文同也；盧校本無

薛同字，應據補。晉書日三接，徐息暫反[一]，唐寫本同，謂去聲讀也；盧校本作息慚反，則如字讀矣，又何煩作音乎？豐，鄭云豐之言俸，充滿意也，俸雖不見説文，或漢人自有作俸者，唐寫本亦然；盧校本改俸爲腆，近於專輒。繫辭下傳則居可知矣，鄭、王肅作其辭，唐寫本作鄭、王肅音基，云辭，足證音訓所引作其二字乃音基二字之譌；而盧校本僅云音基，視二本爲最下。舉此數事，音訓所引，皆足校補釋文，發正舊義。盧氏校刻陸書既失援引，宋氏專輯音訓乃亦無所發明，皆爲疏牾。嚴元照後序云：臧庸嘗據以校正釋文，而盧書已刻成，不可改，遂筆之於拜經日記。今尋經解本拜經日記古易音訓條下，僅有朋盍簪、繫于金柅兩事[二]。漢陽葉氏寫本拜經文集，有刻吕氏古易音訓序一篇，題下注云壬戌季春代，經解本亦有此篇，但非全文。與宋氏自序文同，末署嘉慶七年歲次壬戌春三月。然則宋氏僅執輯録之勞而已。段玉裁跋云：釋文一書，自成公所見，已譌舛特甚，何況今日？才如宋子，庶能一一諟正。今竟一無諟正，何邪？

易確二十卷道光十五年江寧刊本

清許桂林撰。桂林字同叔，一字月南。海州人，嘉慶二十一年舉人。居母喪時，讀禮之餘，遂專學易。自己卯仲冬

〔一〕"反"，印稿訛"及"。據手稿改。
〔二〕印稿有余嘉錫眉批云："案拜經日記有爲羊一條，亦據音訓所引鄭注，以校釋文虞作羔之誤。嘉錫。"

訖庚辰九月朔，編次學易所得，爲易確二十卷。卷首爲自序；卷一至卷六爲總論、易圖、易理、易數、易用、易表六篇；卷七至卷十八爲易說，一以本經爲次；卷十九爲餘論；卷二十北堂永慕記附焉。道光壬辰、乙未間，其弟子陶應榮等爲之校刊，陶澍、唐鑑等爲之序。是書大恉，以爲易道有三：一曰造化，陰陽是也；二曰學術，理欲是也；三曰治道，君子小人是也。觀象玩爻，舉不越此。故其爲書也，圖書、象數、占筮、律曆、算術、聲音、訓詁，心身性命、人事治道，罔不綜貫。於漢學取反對、爻變、互卦、爻辰、納甲、六日七分、世應游歸之術，謂荀、虞以降卦變爲不足郡；於宋儒河洛、太極、先後天之學，辨其是非真僞而節取之；於清儒易學，皆所博采，即校勘音讀，亦間一及之。自稱說經當以經爲師，不當分別漢、魏、唐、宋，荀、虞、王、韓、孔、李、程、朱。孰是孰非，合理爲是，違理爲非。此其著作本意也。夫易道廣大，圓轉多通，苟能持之有故，言之成理，雖通以九章算術，會以六書條例，亦足自名其家。至若穿鑿附會，持論不根，則君子所不尚也。許氏有云：易从日从勿。勿爲物之省，即乾陽物、坤陰物，萬物資始、品物咸亨之物；日者，衆陽之宗，離爲日，乾以離爲大用也。此據許書及荀義爲說，可也。謂坎有鳥象，鳥字上乚形爲月。巽有魚象，魚字上从人、中从仌、下从火；夏小正正月魚陟負冰，是魚生於寅，與人同氣，故从人；應陽而出，故字下从火、从仌在中。又謂秋字，古文从火从龜。冬字，古文从入从一从日。小字，以丨陽分八。大字，以入陽納八。八者陰數，丨陽制八爲小，入陽統八爲大。則誠不知其何説矣。又云：易生於數，數本圖書，八卦方位本於河圖，即太乙九宮之法，與大戴盛德篇二九四、七五三、六一八之文同是一物。後來陳摶、劉牧、朱熹所傳，唯此一圖爲眞。餘如先天、太極之等，皆曼衍無經，不可致詰。又據説文，衍，水朝宗於海也，八卦始坎終兑，坎水歸於兑澤，朝宗於海之象；坎數一一，兑數七七，一一如一，七七四十九，是爲大衍之數五十。説雖奇觚，亦足擴一義也。至謂漢藝文志神輸五篇圖一，此圖一者即九宮八卦圖，在施、孟、梁丘之前，即非伏羲所爲，亦必文王演易時所摹。並言河圖與洛書同實。圖畫之畫字，下體從⊞，中從十；十者五與五，囗象回轉，◌即六一八、五三四、九二七之數。洛書爲靈龜所負，故古文龜作❀，中從㸚，爻爲五五相乘，二爻即是大衍之數。以此證洛書與河圖爲一，分析文字，傅之怪迂，足與二人相交則生水、土乙力爲地諸緯説相比，此誠委港之野言，嚮壁之虚語也。許氏嘗治詩、禮、春秋，旁説説文音韻。至其爲易，雜博勝人，而穿穴過當，斯爲下矣。傳曰：夫乾，確然示人易矣。許氏以是爲稱，而附會出人意表，安在其爲確然乎？

易經衷要十二卷_{南海葉氏風滿樓本}

清李式穀撰。式穀字海匏。仁和人。道光十年吳榮光序稱：李氏於五經中，舉其理之精奧，説之岐出者，悉衷以御纂精義，間採舊説，得易、書、詩各十二卷，春秋六卷，禮記三十卷，原名五經題解。南海葉夢龍謀梓以傳，榮光因爲改名五經衷要。此衷要之第一種也。是書大抵以康熙御纂折中爲準，所引漢、魏、南北朝、唐、宋、元、明、清諸儒說，多本之折中，間亦旁採他說以爲佐證。尋其禮例，實爲科場舉業而作。今以乾卦言之，首條爲乾元亨利貞，次條爲九二見龍在田利見大人，次條爲君子終日乾乾夕惕若厲无咎，次條爲九五飛龍在天利見大人，次條爲大哉乾元萬物資始乃統天，次條爲大哉乾元，次條爲萬物資始乃統天。經傳自有次序，乃意爲取舍分合，明爲擬題而作，一也。所引諸家說與其自說糅雜無別，祇是敷衍，無所發正，二也。即引舊文，自宜轉錄，乃意爲增損，文句對耦，悉與經義八比同流，三也。於見龍在田條後出龍字，下注鱗蟲之長，形有九似云云；於天行健條下出天字，下注天有九重云云；於同聲相應，同氣相求下出聲、氣二字，其注文聲、氣相對，正與制義之兩比同。蓋與四書典林同用，四也。其旁引他義之異於折中御案者，每云載之以便取用，或云錄之以便好奇者，明爲臨文獺祭而設，五也。類此者尚多有之，志在射策決科，不與於經學專門之業。雖亦博引雜書，兼涉漢宋，皆羔雁之資耳，其是非又何足深辨哉？

易卦圖說六卷 清道光刊本

　　清胡嗣超撰。嗣超字鶴生，武進人。是書分六卷，卷一論序卦，卷二論河洛，卷三論先後天，卷四論太極、重卦、變卦、反對，卷五論消息、納甲、卦氣，卷六爲原易說、原卦說、元亨利貞説、吉凶悔吝説、卦互説、象辭舉例説、十翼説、太極圖説八篇，而以讀易雅言附焉。卷首自序署道光戊子，卷末太極圖説則署道光二十七年，蓋成書二十年後所補作也。胡氏治易，以爲易者，道、象、數合者也。離道而求象數者鑿，舍象數以言道者妄。言語名物，其象數也，苟遺棄象數以爲吾所云云者道耳，夫道則何但易哉！是故上自孟、京、荀、虞之十二辟卦、消息升降，易緯卦氣，下及陳搏、邵雍、朱熹之河圖洛書、伏羲圓圖方圖、文王圓圖、太極兩儀四象八卦相生圖等，先列舊圖，次節取漢、宋、元、明、清儒説以示所宗，次下己意以明中失。觀其粗迹，似欲兼綜漢宋，而實以宋學爲準。故其言消息、納甲，所援引者亦不外邵堯夫、朱子發、項平甫、朱元晦、李隆山、魏華父、胡雙湖之倫。於河洛先天諸圖，則主啓蒙十爲河圖、九爲洛書之義，凡陰陽老少、五行律呂、曆數元會，一切文致，以敷佐其説。此自鉤隱圖、漢上易以來所津津樂道，而清儒胡渭、焦循等已摧陷而廓清之者，胡氏生當嘉道間，猶嘵嘵讋咋，繳繞不了，是亦不可以已乎！所可異者，卷末有太極圖説一首，以太極爲太一，兩儀爲日月，四象爲四時，大衍之數其用四十有九爲虛一不用。並謂周子、朱子以一圈爲太極，━ ━━爲兩儀者，支離穿鑿，真不可解，虛無作論，假古授圖，自欺欺人，逞其臆説。偶得歸安吳隆元易注，有云虛一不用，是爲太極；兩儀四象，正指揲著。忽有觸發，得以闢千百年之謬，而改我相沿之過，何樂如之，何快如之云云。今案以兩儀四象爲揲著法，易傳大衍章有明文；以太極、兩儀、四象爲太乙、日月、四時者,本虞翻説;以四十有九爲虛一不用者,本王弼説。胡氏不揣其本,以爲出自吴隆元。<small>隆元號易齋,歸安人。著易宮三十八卷、易學管窺五卷,見四庫易類存目三。</small>疑其治經不自注疏入手,考覈之疏,殆所難免。顧念其服膺宋學,致力已多,書成既二十年,一旦發寤,毅然一反其向來之所崇信,視陳、周、邵、朱若土芥,改過不吝,老而彌厲,殆可爲有勇知方者也。即此一節,亦足以風世矣。

周易訟卦淺説一卷<small>頤志齋叢書本</small>

清丁晏撰。晏有周易述傳已著録。丁氏自稱少而讀易,自漢唐迄宋元明之注解,泛濫旁求,殆無所得。年逾六旬,篤嗜程傳,日翫一卦,深觀有得,撰爲述傳二卷。是編之作,在道光丙午之歲,時年五十有三,距其專研程傳,不逾十年。故其解釋經傳,大抵以王注、程傳、朱義爲宗;漢儒舊説,一所不用。名爲淺説者,以附近諸縣民,汩於俗染,好爲訟爭,因訟而失業、廢時、破産、喪命者時有所聞,而卒莫之悔,閔其迷誤不諭,故於治易之暇,作爲此篇,欲使人人易曉,庶幾爭訟可息,民安其生。亦儒者之用心也。志在藉經説以善俗[一],考核詁訓,自非所急。故於邑人三百户、三褫鞶帶之類,皆不詳釋云。

〔一〕“善”,印稿作“菁風”。依吴校更改。

周易通論月令二卷—經廬刊本

清姚配中撰。配中有周易姚氏學已著錄。是書大旨略
與姚氏學同，以元爲易之原。帝者，乾元也，出乎震，成言乎
艮，而元周八卦。古之王者，發號施令，每月異禮，所以順陰
陽、奉四時、效氣物、行王政，其著於錄略，謂之明堂陰陽。
是故月令者，大易陰陽之道施於政事者也。故於注易之暇，
會通其說，爲月令箋五卷。復探其微言大義，統而論之，自
成條貫，名曰周易通論月令，凡二卷。上卷用七八九六之
義，以與月令之五神、五蟲、五音、五味、五祀、五藏及幹支十
二律相比附，雜引大小戴記、洪範五行傳、淮南王書、春秋繁
露、律書緯候說、白虎通義以證之。下卷專以卦象說七十二
候，一依李溉所傳孟氏卦氣圖爲準，既以四正卦主四時，以
六十卦主六日七分矣，復取八卦用事各四十五日之說，錯綜
而參用焉。如云：立春艮用事，艮互震，震東方卦，坎陰凝，
陽風以散之，故東風解凍，卦氣成小過；艮互震坎，坎爲隱
伏，震動也，故蟄蟲始振，卦气成蒙；艮互坎，陽由坎中之上
成艮，故魚上冰，卦氣成益；艮爲狗，爲黔喙之屬，獺象之，土
獸也，而居於水，土制水，故獺祭魚，卦氣成漸；艮時止則止，
時行則行，候雁象之，艮爲背故曰北，故候雁北，卦氣由漸而
成泰。自此訖卦氣成臨，水澤復堅。由臨而之小過，于是而
歲更始矣。案易家以十二辟卦之七十二爻主七十二候，不
聞以六十卦主七十二候也；以八卦主八風十二辰，不聞以八

卦與六十卦重複錯雜而用之也；易家好以卦象解釋經傳，不
聞假借互體取象之法以説七十二候也。姚氏自命巧慧，左
右採獲，穿穴無所不通；加之博徵古義，旁引馬、鄭、荀、虞，
訓辭深厚，似若深有典據，宋翔鳳至以豪傑之士稱之。其實
乃漢學之末流，惠棟、張惠言之遺法，其違於皖南樸學之風
遠矣。又謂七八九六、陰陽老少爲四象，則竊自宋儒之先天
橫圖，非治漢易者所宜言。蓋猶删剟未盡者邪？

周易倚數録三卷 聚學軒叢書本

清楊履泰撰。履泰字子安。丹徒人。道光庚子年舉
人，生平邃於易學。嘗謂漢儒尚象，宋儒尚理，未有言數專
家。易之爲用，實兼象、理、數三者。乃取大傳參天兩地而
倚數之義[一]，取經傳中文涉數字者凡百事，參用數理，稽合
經文，釐爲二卷。其數之由算而見者，如積數、開方、勾股和
較、方圓相容、弧矢測量諸法，詳列圖式爲附録一卷。圖説
稿稍殘闕，後來茅肺山據算理補完之，即今本所自出也。是
書雜採孟、京、荀、虞舊義，凡消息、旁通、納甲、互體、半象及
坎離二用卦成既濟諸説，皆所取資。謂宋儒據五位相得而
各有合、數往者順知來者逆諸句，輒造河圖及先天方位爲不
可通。承胡渭、惠棟、張惠言之後者，自宜爾也。尋易家釋
大衍之用者，自京房、馬融、荀爽、鄭玄、董遇、王弼、姚信、崔
憬訖宋、清易家，説各不同。楊氏解參伍以變一節云：三三

〔一〕“兩”，印稿作“帀”。依吳校更改。

爲九,五五爲二十五,三五爲十五,五三亦爲十五,四者併爲六十四,乃八卦相重之數;若三其三爲九,五其五爲二十五,三其五爲十五,三者併爲四十九,乃筮法用蓍之數。誠所謂持論巧慧者也。此外釋數各條,其以卦象相比者,參用虞義爲多。謂周流六虛爲六甲孤虛之法,實亦發之虞氏。清儒治漢易者多宗之,而不明著出處,則近於忘本矣。又案震驚百里,今文師以爲建國之象,唯酈炎對事云:陽動爲九,其數三十六;陰静爲八,其數三十二。震一陽動二陰静,故曰百里御覽十三引。義近附會,要爲漢學家所不廢。楊氏乃謂:百數開方爲十,震三反爲艮七,故爲十,乘之爲百。既不師古,又牽合不可通。其説六爻旁通云:乾六爻五十四,坤六爻三十六,合之九十;六十四卦共數五千七百六十,倍之得萬有一千五百二十,與繫傳數合。案陽之策四九三十六,陰之策四六二十四,六十四卦三百八十四爻,陰陽策各半,都萬有一千五百二十。七、八、九、六,皆據揲四而言,未有以乾六爻爲五十四,坤六爻爲三十六者,此之得數同,而得數之法,則出於臆説也。其解六龍御天云:龍陽物,其脊三十六鱗,六龍則二百一十有六鱗,合乾策數。案鯉脊三十六鱗,語見齊民要術[一],龍無三十六鱗之説雜書或云九九八十一鱗。即有之,亦晚世妄言,安得以證乾策之二百一十有六乎? 其解終朝三褫之云:日暮爲終,終者卒也。卒字從衣,故象鞶帶;卒字從十,十,數之終也。楊氏云:卒字用柳翼南説。離析字形,展轉附會,襲荀、虞取象之末法,效荆舒説字之餘風,是亦不可以

〔一〕 "民",印稿訛"氏"。依吳校更改。

已乎！蓋易有七八九六之策，天地奇偶之數，參以五行、九宮、十二辰、律吕、月令等左右采獲，展轉多通，故以算術治易者，代不乏人，楊氏其一也。劉世珩跋文云，此作乃經生之算，非疇人之算也。斯言近之。

周易爻辰申鄭義一卷—鐙精舍甲部稿

　　清何秋濤撰。秋濤字願船。光澤人。道光二十四年進士，官刑部主事[一]。留心當世之務，尤究心邊防地理，著有北徼彙編、朔方備乘等書。說經之作，則有一鐙精舍甲部稿五卷，爻辰申鄭義其一也。先是，惠棟、錢大昕、張惠言等，於爻辰皆有撰述[二]，扶微起廢，其志足多；而王引之、焦循獨辭而闢之，抉摘不遺餘力。是編以爲爻辰之義必有所受，今所見者出於殘闕掇拾之餘，本非鄭氏之全，其是非已難具悉，即有迂曲，亦宜過而存之，不得以譌闕見棄。因揉合近人駁鄭之說，設爲十難而自答之。其謂十二闢卦以卦主月，與爻辰以爻主月，義各有當，無爲互忌。謂天厨、天弁之名，雖不見於天官書及天文志，然馬、班之書，於二十八宿皆闕東壁，不得因其偶佚而疑古無是星。謂十二禽之說，詳於王仲任、蔡伯喈，篆文巳似蛇、亥似豕，自倉頡以然，不得以鄭說巳爲蛇、蛇蟠屈象徽繩爲牽合。諸此辨析，似亦綽有理據矣。不知易道難知，而附會則易，自消息、闢雜、納甲、世應

〔一〕“官”，印稿誤“及”。依吳校更改。
〔二〕“撰”，印稿作“饌”。依吳校更改。

以下，苟可塗傅，皆足自名其家，爻辰特其一術耳。何氏雖辨，亦言鄭義不免有迂曲穿鑿之處，諸儒攻之，誠中其短。譬之納甲、卦氣，不可盡廢，而亦不可專用。以爻辰之說爲無與於經者，固矯枉過正，而欲强經義以從爻辰，亦皮傅之學。云云。蓋鄭說既見斥於王、焦之倫，義難强通，故爲此模棱兩可之論。以此申鄭，則所申者亦厪矣。何氏既審知爻辰不可盡信，乃謂大傳道有變動故曰爻，爻有等故曰物二語，即以爻直辰所由傲。夫等物之誼，廣矣大矣，安見其必爲十二辰乎？

周易消息十四卷_{嘉業堂刊本}

　　清紀磊撰。磊字位三，號石齋。烏程人，諸生。踵武惠、張，研精漢易，積思三十年，撰周易消息、虞氏易義補注[一]、周易本義辨證補訂、漢儒傳易源流等六種二十四卷，稿藏於家。越六十年，訖民國癸亥、甲子間，劉承幹爲之刊版行世。據紀氏自言，尚有讀易隨筆、周易集說、經文訂譌、朱子卦變考正等，今皆不可得見。或有亡佚，未可知也。紀氏易學，以周易消息一書爲其生平精力所萃，此外各種，皆其支流餘裔耳。卷首爲凡例及卦圖，卷二至卷十四則依經傳作注，大體用王弼本；而次文言於繫辭後說卦前，是又參用鄭玄本也。案陽息而升，陰消而降，姤、遯、否、觀、剝、坤爲消，復、臨、泰、大壯、夬、乾爲息，是謂十二消息卦。十二消息爲辟

〔一〕"虞氏"，印稿作"荀虞"。依黃校更改。

卦,其餘爲雜卦。坎、離、震、兌爲四正卦。以之占候,則以四正卦之二十四爻配二十四氣,以辟卦之七十二爻配七十二候,以辟、雜六十卦當期三百六十五日四分日之一,卦主六日七分,冬至起中孚,周而終頤,所謂卦氣也。以之説經,則雜卦由辟卦來,辟卦由乾、坤來,以是爲本,参之以旁通、反對、升降、往來、互體、兩象[一]、半象,更會之以爻辰、納甲,参伍錯綜,比類合誼,取象之途愈廣,則附會之道益多。清儒祖述孟、京,贊辨鄭、荀、虞氏學者,用心雖有精粗,其義據蓋不外此矣。紀氏書名消息,乃不用孟、京相傳之法。自謂雜卦一篇,爲文王所定而孔子述之。雜卦始乾、坤、比、師,歸妹爲女之終,未濟爲男之窮。乾變至夬,夬復變乾;坤變至未濟,未濟復變坤,循環不窮。此即古之卦變,而消息皆從此出。因據此以立體例,作卦圖,即據圖例以解二篇之經、十篇之傳。牽引穿穴,緜言不殺[二],似有理致而實違舊法。案雜卦自大過顛也以下,鄭注以爲錯亂失正,朱氏本義亦然,蔡淵嘗以意校改,終莫能定也。其解釋經傳文義,每以卦象爲準,如釋乾九三爻辭云:乾爲君,艮爲子,艮爲終,離爲日,三爲乾乾;坎爲夕,坤爲惕、爲厲、爲咎。以至乾爲包,坤爲犧,乾爲神,震爲龍,坤爲黄,震爲帝,乾爲堯,巽爲舜,坤爲顔,震爲子。不問詞性之種屬與名句文身之律令,苟可附會[三],一切以八卦之象説之。要之每卦皆有其消息、

〔一〕"兩象",印稿"象"下多"易"字。依吳校删。

〔二〕"緜",印稿訛"縣"。依吳校更正。

〔三〕"會",印稿作"合"。依黄校更改。

升降、隱顯、交易、反復之道，即無一卦不與他卦相關[一]，即無一語不與他卦之象相涉。而其爲象也，或比附説卦，或雜采漢儒説，或自出新意，多至不可勝窮。故籀其注義，幾無文理可言。若昔人所謂訓詁舉大義，與夫天道、人事、吉凶、悔吝、消長、善敗之理，則絶口不談。彼雖自稱黜京、焦之游歸[二]，斥鄭、虞之辰甲，卒之牽合迂晦，有似隱書，於易教究何所補益乎？又其所謂易圖，列六十一卦，而乾、坤、夬三卦不與焉。以爲乾、坤三百六十策，而夬爲乾之本，故以夬之六爻當六策，如此則三百六十六策，當周天之數。以視京氏卦氣、邵子先天，孰得孰失，必有能辨之者。斯真非常異義可怪之論矣_{互詳虞氏易義補注提要中}。夫孟、京之術，荀、虞之學，本與田何、楊叔、丁將軍異撰，至其所謂逸象，如乾爲百、坤爲姓、震爲帝、坤爲乙之等，流衍滋蔓，難可紀矣。是書獨以雜卦爲消息，事不師古，又廣爲塗傅，取象乃倍增於荀、虞。蓋欲兼綜舊聞，創通條例，以自名其家，而經訓字詁之學、審思明辨之力，遠下於焦循、姚配中。故其爲書也，似通而實拘，似博而實陋[三]，則姑視爲漢學之末流，易家之別子可矣。

虞氏易義補注二卷_{嘉業堂吳興叢書本}

清紀磊撰。磊有周易消息已著録。紀氏謂漢季易師，

〔一〕"不"，印稿誤"而"。依吳校更改。
〔二〕"稱"，下印稿脱"黜"字。依吳校補。
〔三〕"博"，印稿作"雅"。依黃校更改。

以虞氏爲巨擘,世傳孟學,又參考荀、馬、宋、鄭諸儒説,其所得者深,然其説支離瑣碎,非深思不得其用意所在。其注既殘缺,張惠言治虞氏學,不得不采他説以補之。蓋虞主納甲,本於參同契;鄭主爻辰,本自乾鑿度。今張氏每引乾鑿度文,則雖曰虞氏,而實非虞氏本然矣。故撰補注一卷,附録一卷,凡張氏引乾鑿度、稽覽圖以補虞義及其他立説未審者,皆駁正之。又以書張氏虞易消息後一篇附焉。案紀氏以虞主參同契,是也;謂鄭之爻辰本於乾鑿度,蓋襲取惠棟易漢學之説。錢塘以爻辰本月律,焦循則謂爻辰爲鄭氏一家之學,不本乾鑿度,亦不本月律。然則紀氏説亦未足爲定論也。張氏本治詞章,説經頗近惠氏,故好用易緯以釋虞義,附會所時有。其注繫辭河圖洛書、聖人則之云:河圖洛書,王者所以受命,聖人則之以立易軌,其説存乾鑿度。紀氏補注云:河圖洛書,虞注既闕,則亦闕之,則之以立易軌之説,亦不必存。尋乾鑿度以七八九六立軌數,以軌數推享國居位之長短,與水旱兵饑之厄會,乃術士之末法,河洛安得有此? 張謂立軌本於圖書,穿鑿殊甚。紀氏以爲不必存,蓋有合於不知蓋闕之義者也[一]。姤初六繫于金柅,張氏以説文絡絲跗爲説,近之。紀氏補注云:金柅,即繫豕之杙也,下云羸豕孚,宋氏注,羸,大索,所以繫豕者也;豕繫於羸,羸繫於柅,以宋注推之自明矣。案宋衷蓋讀羸爲纍,故訓爲大索。紀氏以柅爲杙,本於浦龍淵,舊無此義;金杙繫豕,更無證據。所謂沿譌襲謬,此類是也。又紀氏釋雜卦之義云:乾坤之策，三百六十，益之以夬之六爻，以準周天之數。案三百六十當期之日〔一〕，傳有明文。三百六十者，總九六之策數。益之以夬，又何以舍策數而用六爻？夬之策爲二百有四，三百六十加二百有四，爲五百六十四策。進不本傳，退不成義，則惠、張諸儒所不爲矣。

虞氏逸象考正二卷嘉業堂吳興叢書本

　　清紀磊撰。磊有周易消息已著録。虞翻世傳孟易，依經立注，以陰陽消息、六爻發揮、旁通、升降、上下爲宗，比物合類，取象益廣。其注久佚，今散見於李鼎祚集解中。惠棟撰易漢學，采擷虞氏逸象三百三十一事，視釋文所録九家逸象乃十倍之。張惠言撰周易虞氏義，録逸象四百五十六事，較惠氏約多百二十五事，考覈轉益精審〔二〕。是書取惠、張二家説，證其正是，辨其失違，又續蒐得逸象六十六事，以附於張氏書之後。雖有疏失，亦治漢易者所宜取資也。案紀氏專研易學，而聲音訓詁之術似非所長。其於他經，復多麤略，故説義拘滯，時亦有之。如乾爲介福，介，大也，此經傳之通詁，諸易家亦無異説。紀氏獨改訓爲分。乾爲久，惠云：不息則久。是也。紀氏乃以久爲坤象。乾爲大謀，惠云：乾稱大，故稱大謀。是也。紀氏以爲謀從言，當爲兌象。苟以偏旁爲準，則始字從女，將不得爲乾象矣。坤爲自、爲我、爲

〔一〕“六”，印稿誤“三”。依吳校更正。
〔二〕“覈”，印稿訛“竅”。依吳校更正。

躬、爲身，自、我、躬、身，一實也。紀氏乃以自、我屬乾[一]，躬、身屬坤。坤爲默，紀氏謂艮止爲默，不當屬坤。艮止近默，坤之柔靜獨非默乎？坎爲經，坎爲法爲則故爲經；經訓常，訓法，亦通義也。紀氏乃謂坤爲文，故爲經。此皆所見有殊，立義固與舊異。是非中失，猶難輒定。亦有義據顯白，無所依違，而持論不根，獨爲怪說，則適以形其鄙陋矣。既濟六二婦喪其髴，注云：坎爲玄雲，故稱髴[二]。詩曰鬒髪如雲。此謂髪色黑耳。惠云玄爲天色，是也。紀氏以俗本避清諱寫玄爲元，遂爲之說曰：乾爲元，故爲元雲。是讀爲元始之元矣。夬九四臀无膚。注云：坎爲臀。張云：隱伏有穴，故爲臀。近之。紀氏易之云：坎爲豕，故爲臀。豕何緣與臀應？殆誤讀臀爲豚邪？解有攸往夙吉，注云：夙，早也。離爲日爲甲，日出甲上，故早也。早之字爲日在甲上，此據字形爲說耳。紀氏云：日出甲上爲甲冑，故爲甲。離有弧矢、戎兵之象，或說離爲甲冑，亦足爲附會之一術。今云日出甲上爲甲冑，日出甲上何緣得爲甲冑？則非中智之所能測矣。惠、張之倫[三]，誠不免於穿鑿；若紀氏者，又穿鑿之拙者邪？

〔一〕"以"下，印稿脱"自"字。依黄校補。
〔二〕"髴"，印稿誤"髪"。依黄校更正。
〔三〕"倫"，印稿作"論"。依黄校更改。

九家易象辨證一卷_{嘉業堂吳興叢書本}

清紀磊撰。磊有周易消息已著録。尋陸氏釋文,稱荀爽九家集解本逸象有三十一,朱震、項安世、朱熹、吳澄等,皆有訓説。惠棟爲易漢學,取各家義而考其得失。紀氏又依惠書,略爲辨證,則是編所爲作也。乾之逸象四[一]:爲龍,項云:震之健也。爲直,項云:巽之躁也。爲衣,項云:乾爲衣,上服;坤爲裳,下服也。爲言,項云:兑之決也;震之龍,巽之繩,兑之口,皆以坤爻故也。紀氏謂:乾爲龍、爲衣,項説是也;爲直,則本於其動也直;言爲坤象[二],謂乾爲言者,誤也。夫易之取象,觸類多通,説卦所徵,已爲雜博,漢儒更推之於象、象傳辭,傅之以往來變互,則滋漫彌甚,難可統紀。治漢易者,各依鄭、荀、虞義而順説之,亦足自名其家。若據叢殘之逸文,依穿鑿之碎義,冀希得其條貫,無有瑕隙,安可得乎?且如乾之爲龍,本自爻辭,虞氏已明言之;爲直爲言,亦各有義,何煩取於震之健、巽之躁、兑之決?紀氏於龍象、衣象從項氏説[三],於直象、言象又自爲説,何邪?紀氏以乾之爲直,本之繫辭其動也直,然上文其静也專,何以棄而不言?果有説以處之乎?坤爲帛,由坤爲布而推廣言之;則震之爲王,亦宜如項氏説,由帝出乎震而推廣言之

〔一〕“逸”,印稿誤“易”。據手稿改。
〔二〕“言”上,印稿衍“爲”字。依黄校删。
〔三〕“龍象”下,印稿無“衣象”二字。據前後文意增。

也。紀氏云：王乾象，乾爲君，故爲王；至震則爲帝、爲公、爲侯，不取於王也。若乾既爲君，震又爲王，則漫無區別矣。今謂誠以君爲人君，則王、公、侯皆人也；苟以帝爲天帝，則公、侯亦非天也。且封建之世，有土者爲君，則公、侯皆君也。紀氏以項爲無區別，其自爲區別者又安在乎？兌爲常，九家注以爲西方神。蓋讀常爲商，商爲西方神，猶云木神則仁、金神則義矣。紀氏云：常，乾象，坤象傳後順得常，文言後得主而有常，蓋坤以靜爲常〔一〕，乾以動爲常；九家以兌爲常，非也。據其所言，乾、坤之分在動靜，安得以常專屬乾乎？凡此皆無以自持其説者也。然惠氏以逸象爲古易之遺文，紀氏則云：此爲漢經師釋易義訓，如虞氏逸象之類，集解乃誤入經中，朱子又從而信之，殊無謂也。斯説得之。但謂集解誤入經中，今集解並無此誤，殊不審其何據〔二〕。

漢儒傳易源流一卷劉氏嘉業堂吳興叢書本

清紀磊撰。磊有周易消息已著録。是書卷首小序稱：據朱彝尊經義考輯録，漢儒悉爲登載，魏晉以後見於釋文、正義及集解者著之，餘概從略。是爲隨手鈔撮取便省覽之書，故體例實多可議。陸氏釋文敍録稱：永嘉之亂，施氏、梁丘之易亡。隋志云：梁丘、施氏、高氏亡於西晉。今於梁丘

〔一〕“坤”，印稿訛“神”。依吳校更正。
〔二〕按項氏所云“集解”，殆指《荀爽九家集解》，似非李鼎祚《周易集解》。謹記録以備考。

賀條下引隋書云梁丘易亡於西晉,而施氏、高氏條下則闕而不言。敍録於子夏易傳下,引七略云:漢興,韓嬰傳。中經簿録云:丁寬所作。蓋劉歆以子夏傳爲韓嬰作,荀勖以爲丁寬作,文義甚明。今乃云韓嬰謂丁寬所作。隋志五行家有周易集林十二卷,京房撰,七録云伏萬壽撰。是阮孝緒謂萬壽僞託於京氏也。今乃廁伏萬壽於劉向之前,又不全録隋志文,以明原委。許慎説文序作於永元十二年,至安帝建光元年其子沖上之,慎時已老病。其仕履明審如此,今乃列許慎於嵇康後、虞翻前。序録稱:自謝萬、韓伯、袁悦之、桓玄、卞伯玉、荀柔之、徐爰、顧懽、明僧紹、劉瓛十人,皆注繫辭。蓋自晉、宋以來,王易盛行,輔嗣不注繫辭以下,故續注者多。今於王弼條下云:按王弼易有顧懽注,略例有邢璹注云云。諸此紕繆,皆足駭怪。蓋雜鈔經義考,不復原書檢照,而又意爲去取;間下案語,亦疏略無所發明。或聊爲輯録,未嘗視爲著述定本也。劉承幹跋語云:是書自兩漢下逮隋唐,師師相傳之緒,信者著之,疑者闕之,不附會以失真,抑亦求漢易師師承者所可徵信。斯真過譽失實者矣。

周易本義辨證補訂四卷 嘉業堂刊本

清紀磊撰。磊有周易消息已著録。先是,朱熹依吕祖謙本撰本義,及明人修大全,割裂之以傅程傳,遂致失真。惠棟以其沿僞來久,宜有刊正,故字或謬誤,則據陸氏釋文、吕氏音訓以正之;義有隱略,則採朱子語録及程傳以補之;

說有違異,則推漢、魏以來之舊義以廣之,撰爲辨證五卷。
紀氏稱辨證一書,從漢儒之象數,參宋儒之義理,剖析詳明,
有功朱子;惜尚有漏略處,故復疏證朱書,參訂惠注,續撰辨
證補訂四卷。依通行本先論圖書,次釋經傳,皆條舉朱、惠
原文,而自爲案語於後焉。尋本義十二辟卦與月相配,本孟
氏遺法,而惠氏則旁徵馬、鄭、荀、虞之消息升降,以與本義
相參。夫馬、鄭、荀、虞之義,朱氏不盡置信,辨證引之,所以
廣異聞也。是書每謂惠氏專尚漢學,故不免有偏執處,其言
近之。然紀氏所謂消息,則以雜卦之次爲準。如本義云泰
正月之卦,此本孟、京以還之通說。紀氏乃謂泰爲四月之
卦,而以十二辟卦爲不足信。又如本義以蹇自小過來,胡一
桂以爲自升來,或自既濟來。惠云:仲翔謂自觀來,未詳孰
是。紀氏斷言之曰:卦變之說,言人人殊,皆由於不知消息,
故致此耳。據雜卦,蹇自節來。彼徒拘一陰一陽之卦自某
來,二陰二陽之卦自某來之例,庸有當乎? 紀氏斥惠爲偏
執,猶偏執漢學耳[一],若其所偏執者乃其一家之學,非朱氏
情量中所能有,斯亦何責於補訂乎? 紀氏稱周公作爻辭,乃
出於孔穎達附會,未便可信,不然,何漢魏諸儒從無一言及
之者乎? 案易正義引馬融、陸績,左傳正義並引鄭興、賈逵、
虞翻,皆云周公作爻辭。是父統子業之說,遠起於鄭大夫、
賈侍中,流衍於漢、魏之際,非孔氏所能附會甚明。此又考
事之疏也。其於宋儒圖書之學,篤信河洛,謂一六、二七、三
八、四九、五十一圖,足以盡造化之秘,而斥先天方位爲不可

〔一〕“偏”,印稿訛“徧”。據手稿改。

信。又云：本義一書最可疑者，莫如不可便以孔子之説，爲文王之説二語；自朱子之言出，而人且疑十翼非盡夫子作，惑世誣民，莫此爲甚。案語類有云：須是伏羲畫底做一樣看，文王卦做一樣看，文王、周公説底彖、象做一樣看[一]，孔子説底做一樣看。蓋與前二語相應。然本義卷首九圖，乃後人依放啓蒙爲之，非本義所舊有，王懋竑考之審矣。紀氏撰辨證補訂時，或未見王氏書邪？

周易解注傳義辨正四十八卷清光緒間刊本[二]

清彭申甫撰。申甫字麗崧，長沙人。治易二十餘年，稿或三五易，或七八易。既成書，其友人李桓、李元度爲之刊版，時光緒十一年，年七十有九矣。是書全録李氏集解、王氏韓氏注、程氏傳、朱氏本義原文，博采陸氏釋文、孔氏正義及漢、魏、南北朝、隋、唐、宋、元、明諸易家説，近代若惠棟、張惠言、丁敘忠、俞樾等，其説足以敷佐李、王、程、朱四家者，皆輯録之，間下案語，以申己見。上下經每卦首經文，次彖傳，次象傳，象傳皆合彖象、爻象爲一[三]，次繫辭上下，次文言，次説卦，次序卦，次雜卦，自謂悉依鄭本，凡四十二卷。後附通書、定性書、西銘、鄭氏易贊、王氏略例，陸德明、李鼎祚、陳搏、程頤、胡一桂、何孟春之敘論，名爲集説，凡二卷。

〔一〕“底”，印稿作“的”。據手稿改。下句同。
〔二〕“傳義”下，印稿無“辨正”二字。黃批云：“辨正，依手稿增。祺注。”
〔三〕“彖象”下、“爻象”下，印稿皆多一“傳”字。黃批云：“依手稿删。祺注。”

又集漢儒卦氣、卦變、爻辰、納甲,宋儒河洛、先後天諸圖,及朱氏筮儀、蓍策等而詳辨之,名爲圖説辨正,凡二卷。合之卷首例言、徵引書目等凡二卷,都四十八卷。誠可謂旁搜遠紹,包羅弘富者矣。案易道廣大,無所不包,而舉其封略,要不外象數、義理二宗,陸澄、王儉等所稱玄儒之辨是也。孟、京之緒,鄭、荀、虞之術,漢、魏、南北朝、隋、唐間之遺説,莫具於集解;滌除象數,排遣拘滯,窮極理要,傅之人事,莫尚於王注、程傳;兼綜理、象,歸之玩占,莫備於本義。然而崇信陳、邵,繳繞於河洛先天之數,本宋儒之極蔽,非易學之通途;特以國家功令所定,爲習制舉業者所不能廢耳。清儒自胡渭闢宋學而河洛絀,自惠、張理漢術而卦氣、納甲復申。若撢其根極,則易本卜筮之書,名物爲象數所依,象數爲義理而設。輔嗣雖譏互體、變卦,然睽六二注用互體,損九二注用卦變,本不廢絕漢法。且説卦傳列象百有餘事,又尼父之明文也。學易者苟能用十翼説經之法,去漢、宋怪誕之談,擇善而從,斯亦足矣。彭氏生當清末,志欲兼治玄儒,故取四家書輯録而辨正之,兼收並畜,條理秩如。以視汪紱等之專宗朱子,張惠言等之偏主仲翔[一],焦循等之自闢蹊徑,誦説有法,雖或遜之,而臚列舊義,不名一術,亦一時之良書,學者所宜觀覽者也。若宋儒河洛之説,則宜分別觀之。本義卷首所附九圖,本非朱氏所自定。彭氏乃云:五十五數,本於河圖,邵子闢混沌而廓太虛,故朱子宗之。又謂:邵子稱天以一而變四,地以一而變四;四者有體也,一者無體

〔一〕“偏”,印稿訛“僞”。依吳校更正。

也。邵子之術，唯朱能精之，故以一語道破邵子以四爲體，發前人所未發。云云。其爲圖説辨正，力詆毛錫齡之仲氏易、胡渭之易圖明辨，又用近人萬淳所爲河洛圖，視本義、啓蒙所載者復有更革。並言從其師劉功亮口授納甲，珍秘勿洩，不敢筆之於書，後得萬氏圖，適與師説相合。皆近怪迂。此等齁言，恐爲全書之玷。其徵引書目中，列有孟氏章句一部，此書亡佚久矣，彭氏似若親見之者，亦其疏也。

周易釋爻例一卷續經解本

　　清成蓉鏡撰。蓉鏡字芙卿。寶應人，縣學生。光緒初，曾主講長沙校經堂。光緒九年卒，年六十八[一]。是書通考彖、象傳文，録其釋爻之辭，比輯異同，著爲通例。如立二、五爻稱中爲例，取乾文言龍德正中[二]、坤文言黃中通理及各卦彖象傳釋二、五爻義爲中者，計五十四事，繫於本例之下。二、五爻稱中，亦稱中正，亦稱正中，亦稱正，亦稱中直，亦稱中道，亦稱中行，亦稱黃，並輯録傳文以爲證，與上例同。舉例既竟，乃雜引他經典言，推明字訓，申説經義，以觀其通。如云中、正、直聲義相轉，中道即是中行。持論平易，不煩牽引，而謙然理解，無所疑滯。其釋三、四爻稱際之例云：泰九三天地際，謂外坤內乾之間也；宋衷以謂位在乾極，應在坤極，如其説，則是天地應，非天地際，失之矣。其釋初

────────────

〔一〕"光緒九年卒，年六十八"，印稿無。據手稿補。
〔二〕"取"下，印稿脱"乾"字。據手稿補。

爻稱足、稱止、稱履之例云：傳曰近取諸身，足於身爲最下，故剥初六曰剥牀以足，牀足猶人足也。說文止爲下基，止古趾字，噬嗑、賁、大壯、夬、鼎、艮初皆稱趾，猶剥之稱足矣。在足謂之履，履所踐亦曰履。荀慈明、虞仲翔輩不知此例，而於離初九曰，火性炎上，故欲履錯於二[一]；於歸妹初九曰，初無應，變成二，坎爲曳，故跛而能履。鑿矣。駮舊義以自成其說者如此。夫清儒若惠氏父子及張惠言之倫，喜言漢學，尋孟、京之墜緒[二]，理荀、虞之逸文，用力甚勤[三]，猶多牽附。成氏不以易名，而以傳解經，實與費氏家法爲近。據其所述，荀爽、宋衷、虞翻等，以往來升降爲說者，率多穿鑿矛盾之辭；而王弼說義，每與傳合，此象數之所以絀於玄言者邪？所可惜者，上爻稱終例下祇録傳文，按語已佚，此下尚有例文若干亦不可知。苟爲完書，加之精審，或足與凌廷堪禮經釋例相次云。

周易故訓訂上經一卷清光緒間唐文治刊本

清黄以周撰。以周字元同，號儆季。浙江定海人。同治八年舉人[四]，歷官縣府訓導教授。主講南菁書院十五

[一]　"二"，印稿作"三"。兹依李鼎祚《周易集解》引荀爽注校。

[二]　"尋"，印稿作"繼"。黄批云："尋，依手稿校。祺注。"

[三]　"用"，印稿訛"周"。依吴校更正。

[四]　"年"下，印稿多"中式浙江"四字。按余嘉錫先生眉批云："中式浙江四字，似可省略。清制生員初舉鄉試稱中式第幾名舉人，而進士之未應殿試者亦稱中式舉人。若泛舉仕履，但云某科舉人而已。嘉錫注。"兹據删。

年,光緒二十五年卒,年七十二。以周承其父式三學,尤邃於易、禮,有禮書通故百卷,精深博大,足與杜氏通典比隆,而校覈異義過之。年十九,爲十翼後録,復約其説爲周易故訓訂,咸豐五年自爲之序,時年二十有八。其後又揉爲周易注疏,後録尚藏於家。故訓訂僅成上經[一],注疏僅成乾、坤、屯三卦,其弟子唐文治爲刊行之,皆非完書也。是編經傳次弟,似以鄭本爲據,故乾、坤二卦不録文言,蓋退在繫辭後也[二]。自序稱:學者必廣搜古注,互證得失,務求其是。若夫舍古求是,詎有獨是? 然學必求古,古亦未必盡是,亦惟擇是而從,勿矯異,勿阿同,斯爲善求古、善求是已。故其審定文字也,以陸氏釋文、李氏集解爲據,詳列異同而不輒改;其説義也,不分漢、宋,不偏主義理與象數,雜采古義而折衷以己意。由漢、魏訖清,自馬、鄭、荀、虞、王肅、王弼、董遇、干寶、侯果、崔璟、孔穎達、李鼎祚、朱震、張載、程頤、朱熹、楊萬里、趙汝楳、項安世、俞琰、吳澄、來知德、焦竑諸家,近儒若惠氏、王氏父子、任啓運、段玉裁之倫,不下七十人,皆節取其説經傳之通義、明文字之訓辭者而集録之,又旁摭史、漢、説文、釋名、廣雅諸書,以爲佐證。其以坎、離釋雲行雨施,以亥月卦釋履霜堅冰,以乾爲衣、坤爲裳釋黄裳元吉,以乾陽生於坎子、坎水生於天一釋天與水違行,蓋亦參用互體、卦氣、逸象、五行諸説。至如漢儒以卦氣、爻辰、納甲、飛

〔一〕“僅”,印稿誤“謹”。依吳校更正。
〔二〕“蓋”,印稿訛“益”。依吳校更正。

伏、世應，宋儒以先天太極、河洛書數爲一經通例[一]，及宋、元、明人之推明陳、邵，清人之敷釋孟、京者，則一切滌除。以視惠、張等之專申漢學而拘滯鮮通，焦、姚等之自名其家而附會時有者，區以別矣。綜觀全書體例，有若集注；而題爲故訓訂者，謂平議舊義，擇善而從，實事求是，無所偏執。斯漢書儒林傳所謂訓詁舉大誼者邪？頗疑以周以十翼後錄爲少作[二]，故約爲此編。又因專研禮書，無暇兼顧，僅訖上經而止。本未寫定，故援引稱號未能一致，既云王景孟、俞玉吾、王引之，又云王童溪、俞石澗、王伯申。又天行健下引趙汝楳云：集韻乾或作健，當是健譌健。檢今本集韻，並無此說，唯見於五音集韻。晚書本不足道，乃與釋文、集解等視，又不辨其形義是非。諸此小失，蓋無傷於大體耳。

周易注疏賸本一卷　清光緒間唐文治刊本

　　清黃以周撰。以周有周易故訓訂已著錄。故訓訂自序，在咸豐乙卯之歲。此書即約故訓訂而成，僅及乾、坤、屯三卦，乾、坤不錄文言，似亦上規鄭本。光緒戊子，始出之以示唐文治，則注疏作於故訓訂之後可知也。注用子夏傳、馬融、鄭玄、荀爽、宋衷、虞翻、九家、黃穎、干寶、蜀才、盧氏諸家說，如有隱略異同，則自下己意，放鄭注周禮之例，以周謂云云別之。疏則雜引書傳、漢宋儒言以申注義。揣其用意，

〔一〕“數”下，印稿脫“爲一經通例”五字。依吳校補。
〔二〕“以周”，印稿作“周氏”。余嘉錫先生批曰：“當作以周。”茲據改。

似謂王注是玄非儒，有違舊式，而漢魏易注又俱亡佚，若張
惠言等之專明虞氏學者，徒姝姝然守一先生之言，事不足
邵。故方物江聲尚書古今文集注音疏之例，作爲此書。假
令經傳畢訖，誠易家之偉業也。觀其所輯各注，字詁一依雅
訓，注釋爻象[一]亦用荀、虞升降旁通諸例以明取象所由，而
爻辰、納甲、世應、飛伏之等，皆所不用。是其著作大旨。及
援引各家易義，皆與故訓訂略同。唯彼隨文作解，故雜用
漢、唐、宋、清儒言；此名注疏，體例有殊，故注則一準舊説以
簡要爲歸，疏則雜引諸家以辨析爲職，斯其異也。乾象雲行
雨施注引虞氏上坎爲雲，下坎爲雨云云，並引荀説乾升坤曰
雲行，坤降乾曰雨施一節，以爲參考。疏曰：虞氏自言五世
傳孟氏之學，其發明經義，有過諸儒，而支離穿鑿亦特甚焉。
近惠氏力持其説。而王引之斥之，謂月體納甲本丹家附會
之説[二]，其説爻之象舍本卦而求旁通[三]，剛爻而從柔義，
消卦而以息解[四]，適滋天下之惑[五]；今世言易者，多宗虞
氏，不察其違失，非求是之道。王氏此説，爲惠疏發，惠氏疏
專以虞義爲宗，好古不好是，誠有如戴氏所譏者。然虞注自
有不可没者，要在學者自擇之也。其取舍之志，實事求是之
誠，見於此矣。當黃氏以此稿本授唐文治，而語之曰：讀此，
則於易例得過半矣。按易道廣大，自立凡例以名其家者，古

〔一〕"注"，印稿訛"消"。黃批云："祺案，消當作注。"茲據改。
〔二〕"月"，印稿訛"日"。依吳校更正。
〔三〕"象"，印稿訛"象"。據手稿改。
〔四〕"息"，印稿誤"消"。據手稿改。
〔五〕"適"，印稿訛"邁"。據手稿改。

今多有，要以大傳釋經者最爲近之。此爲集注體，易例在是，恐不盡然。然廣蒐佚義，擇善而從，並自爲疏證以考辨之，誠治易者之一術。後生有作，所宜矜式。書雖不具，固應過而存之。

易經通論一卷 思賢書局本

清皮錫瑞撰。錫瑞字鹿門。善化人。舉人，光緒三十四年卒。治經宗今文，頗持孔子改制之説，著述甚富。晚年教於鄉校，初爲經學歷史以授諸生，猶恐語焉不詳，學者未能窺治經門徑，更纂經學通論。自序署光緒丁未，爲其卒之前一年，是爲晚年定本。易經通論，即其一也。是書分三十章，首標明論旨，體例與閻若璩尚書疏證相似。自三易名義、畫卦重卦、文周繫辭、孔子作傳、漢宋家法、古今宗派，以訖清代各家，皆能考其流別，辨其中失，斷之己意，以示學人治易之術。大旨以漢初易説皆主義理，以施、孟、梁丘章句之學爲正傳，焦、京之陰陽災變則爲易外別傳，即孟之卦氣、鄭之爻辰，亦別傳也。虞翻自言五世傳孟氏易，引參同契日月爲易以明坎離之用〔一〕，又言夢道士飲以三爻，則其學雜出道家，不爲典要。且漢儒言六十四卦直日用事者，何以震、離、坎、兌四卦不在其内？乾、坤爲諸卦之宗，何以與諸卦並列？似未免削趾適屨，强合牽附之嫌。宋自陳、邵以還，圖書之説霧塞一世，朱子雖依違其間，而本義九圖及啓

〔一〕 "日"，印稿訛"曰"。依吳校更正。

蒙所載雜出於其門人，非爲定論。俞琰明言圖書爲丹家之書，養生之切務，彼既自認不諱，吾儒猶據以説易，斯可謂大惑矣。是故魏之王輔嗣有摧陷廓清之功，宋之程伊川有卓然不惑之識。且程傳不雜以老莊玄言，説理尤爲精切，則又勝於王氏。此之持論，蓋雜采黃宗羲、顧炎武、胡渭、錢大昕、焦循、王引之等之善言而折衷至當者也。皮氏於清儒易學，獨舉張惠言、焦循二家，以爲治易之法。焦本自名其家，張則專述虞氏。既以虞爲外道矣，復謂張氏所發明，得存漢學之什一於千百，視前此所述，不無矛盾。又引姚配中之説，謂以傳附經，始於費直。案魏志高貴鄉公紀載淳于俊之對，語意甚明，漢博士十二篇之舊次，自鄭玄始附彖、象傳於經，自王弼又附文言於乾、坤之後。事狀明審，無可致疑。宋儒規復古易者，間有誤説，迄於清代，悉已辨正。今乃信姚氏之誣言，亂已往之定論，亦疏漏之一端也。雖然，持論考事，違失人所時有，未爲大過。獨謂卦爻之辭皆孔子作，於文、周無與，則嚮壁虛造[一]，振古所無有也。近餘杭章君作駁議一首，舉十二證以明其誣，學者庶幾不爲所惑乎！統觀皮氏此書，凡論經傳緣起者，時有愚誣之談；評漢宋學術者，頗多持平之論。不以彼一害此一，亦初學者所宜參考也。

易漢學考二卷 廣雅書局本

清吳翊寅撰。翊寅，陽湖人。生平邃於易學，有易訓故

〔一〕“壁”，印稿訛“璧”。依黃校更正。

述六卷、彖傳大義述一卷、爻例一卷、易漢學考二卷、易漢學師承表一卷、漢置五經博士考一卷,計六種〔一〕。易漢學考及彖傳大義述自序〔二〕,皆署光緒癸巳,即以癸巳、甲午間,刊版於廣州,易訓故述不與焉。清儒治漢易者,惠氏父子開其先。惠棟撰易漢學八卷,所考者爲孟喜、虞翻、京房、鄭玄、荀爽五家;其後張惠言專述虞氏學,以名其家,皆爲時人所宗仰。是書大恉,謂西漢易學凡四派,曰訓故舉大義,周、服等是也;曰陰陽災變,孟、京是也;曰章句師説,施、孟、梁丘、京博士之學是也;曰象象釋經,費、高是也。至東漢則馬融、王肅等爲費氏學,陸績爲京氏學,鄭、荀本京易而參以費氏,虞翻本孟易而更以參同契。惠氏考之不審,謂虞易即孟易,不知虞以道家之言,改定師法,爲易外別傳;謂孟、京卦氣,大體從同,不知京用六日七分〔三〕,較孟爲密;謂鄭之爻辰,合於律呂相生,不知其不可强合;謂荀、虞皆以乾坤升降主坎離成既濟言〔四〕,不知荀本乾鑿度,虞本參同契。因依易漢學之例,首述兩漢師承,次考孟氏、京氏、鄭氏、荀氏、虞氏五家之學,後附易緯考二篇,爲一卷。復用惠氏易例之例,首曰重卦考,辨其非自伏羲也;次曰三易考,辨其爲夏、殷、周三統也;次曰名義考,辨簡易之當爲佼易也;次曰消息

〔一〕“計六種”,原在後文“刊版於廣州”下。黃批云:“案手稿無‘計六種’三字,此本有之,但宜移於總敍六種著述之後。”兹據移置。
〔二〕“學”下,印稿脱“考”字。依黃校補。
〔三〕“日”,印稿誤“行”。依吳校改。
〔四〕“成”下,印稿脱“既”字。依吳校補。

考,辨十二辟卦爲主[一],於雜卦無與也[二];次曰之變考,辨爻位、升降及爻變也;次曰元亨利貞考,辨虞氏乾坤諸卦成既濟之非也;次曰七八九六考,辨陰陽老少説之非古義也,凡七篇爲一卷。析流別之異同,正義訓之譌失。徐紹楨序贊之曰:洞達貫穿,求之經傳,若合符節,其與惠、張二家,孰得孰失,後世必有能辨之者。雖近溢美,要之視惠、張等好古不好是者,誠有閒矣。唯其崇信緯書,謂孟、京、鄭、荀之學,皆自緯出。夫緯始哀、平,漢人通説;且孟、京佚義今所傳者,非盡漢師之舊。謂卦氣與緯候相參,可也;謂孟、京悉出於緯候,不可也。易名義考又云:乾鑿度曰,易者,易也,變易也,不易也,光明四通,佼易立節。參同契云,離戊日精,坎己月光,日月爲易,剛柔相當。則名易本義,當取日月往來、陰陽消息而言,故曰佼易立節。鄭易贊首云簡易,非其定論,六朝、唐人鮮有知其誤者。案易贊三義,適與緯説相應,省言易,具言爲簡易;若佼易,猶變易耳。日月爲易,蓋與土乙力爲地、二人相交則生水諸字説同比,安足取正? 吳氏既以參同契爲外道,乃引以説伏羲、文王之書之名稱邪? 吳氏又云:虞注易爲乾息,簡爲坤消,是易簡二字,不能改爲簡易。夫言各有當,虞注正釋傳文,鄭贊泛説名義,不煩捆爲一談。如此類者,辭有枝葉,徒爲繳繞,亦宜分別觀之。

〔一〕“二”下,印稿脱“辟”字。依吳校補。
〔二〕“於”,印稿作“而”。依吳校改。

易象傳大義述二卷_{廣雅書局本}

清吳翊寅撰。翊寅有易漢學考,已著録。是書專釋象傳,依上下經二篇之次,故亦分爲上下二卷。大旨以其所撰易爻例爲據,謂乾坤爲易之本,十二消息卦又爲諸雜卦之本。復一陽五陰,遘一陰五陽,皆消息卦也。復初、二升降則爲師,初、四升降則爲豫;遘初、二升降則爲同人,初、四升降則爲小畜。蜀才以師自剥來,上與二相升降,吳氏以爲非是。唯胡秉虔卦本圖,以爲師本復卦初、二互易,適與吳氏爻例相合,故斥蜀才而用胡氏。若胡氏説與其爻例異者,亦不悉從也。雜卦既由辟卦消息升降而來,故即以消息升降之理發揮象傳大義。而自荀、虞、蜀才、侯果、盧氏及清儒張惠言、胡秉虔等言某卦自某卦來者,頗多雜蕪,不能自成其説,今一斷之以律令,去取有定,條理秩如。説義則雜取集解所引各家,以己意定其得失。蓋本之孟氏消息之例,而以己意足成之,誠治漢易者所宜取資也。其解釋文字,一據許書,誠爲知本,然亦有穿鑿不經者。如云剥卦之剥當作彖,彖古文克字,克亦作剋,故彖亦作剢;剢與剥形近而誤,傳以剥釋彖,故云剢,剥也。按以剥訓剥,與蒙者蒙也,比者比也同例,亦聲訓之常。今謂剥爲克之誤,妄改卦名,卽爲專輒。又謂:萃,聚者,聚從采從取,五剛居中以取坤采,羣陰順説而往歸之，故萃訓聚也[一]。又云：革從三十，三十年爲一世而道更；革卦自大壯來，大壯乾二在下，坤五在上，三乾數，十坤數，今二五升降[二]，相隔三爻爲三十年，乾道改革，君臣易位，故卦名曰革。以聚爲取釆，用王氏字説之法，以破六書形聲之例；以革從三十爲本於卦象，而卦象又由升降而來，而升降之例又爲彼所自定。附會若此，將何所底止乎？

易漢學師承表一卷 廣雅書局本

　　清吳翊寅撰。翊寅有易漢學考，已著録。是書略依洪亮吉傳經表例，分易家爲楊何、施讎、孟喜、梁丘賀、京房、費直六派[三]，根依史傳，博採雜書，題別姓名，詳其出處，並爲案語以疏通證明之，視洪氏更爲詳審。然亦有可議者數事焉：易博士始於田王孫，儒林傳贊所謂易楊者也；楊何元光中徵爲中大夫，未嘗爲博士。此云楊何爲博士，元朔中以田王孫代之，似爲無據。一也。所謂子夏易傳者，不見於班志，劉向、荀勖、張璠、陸德明等，説各不同，要非卜商所爲可知也。此云商瞿傳易在先，子夏設教西河，復發明章句以授馯臂子弓，六傳至田何，七傳至丁寬，寬作章句，韓嬰亦推易意而爲之傳。非疑事勿質之義。二也。自韓嬰以下訖周爕等二十人，以爲不詳何家，故附列楊何派中。此表既以師承

〔一〕“訓”，印稿誤“順”。依吳校更正。
〔二〕“二”，印稿訛“五”。黃批云：“按手稿作‘二五升降’，是也。祺注。”兹據改。
〔三〕“六”，印稿作“五”。黃批云：“按五當作六。祺注。”兹據改。

爲準,其師承無考者,應別爲表,無取混淆以亂大例。三也。
儒林傳稱京房受易焦延壽,延壽自云嘗從孟喜問易,會喜
死,房以延壽易即孟氏學,翟牧、白生不肯,曰非也。故劉向
考易説,以爲諸易家説,皆祖田何、楊叔、丁將軍,大義略同,
唯京氏爲異,儻延壽獨得隱士之傳,託之孟氏。此向、歆、班
氏之微言也。今列焦贛於孟易下,而於孟、焦、京氏授受闇
昧之事皆諱而不言,此亦清儒治漢易者之通病矣。四也。
古文易爲費、高二家,高氏一傳而亡,其説義雖不可知,亦當
與費氏分立。隋書經籍志云:費直授王璜,璜授高相,相授
其子康及毋將永〔一〕,故有費氏之學行於人間而未得立。此
説不見於藝文志及儒林傳,陸氏敍録亦無此言,明爲隋志傳
聞之誤〔二〕。而吳氏據之,遂謂高相所傳亦費氏易,而以高
附於費,斯輕信之失也。五也。陸氏敍録,張璠集解中有荀
煇,字景文,晉太子中庶子,爲易義云云。按魏志荀彧傳注
引荀氏家傳云,閎從孫煇,字景文,太子中庶子,與賈充共定
音律,又作易集解。考其世系,煇爲爽之玄孫行,彧之曾孫
行,與彧之子名惲字長倩者非一人。此列荀煇於管輅之前,
亦考之未審耳。六也。吳氏專治漢易,所得甚多。考據之
事,偶失檢照,固無傷於大體已。

〔一〕“毋”,印稿誤“母”。據手稿改。
〔二〕此處有余嘉錫先生眉批云:“案費直授王璜及高相授子康云云,皆漢書儒
　　林傳之文,惟璜授高相一語爲隋志所杜撰,似宜分別言之。但據儒林傳,
　　高氏自言出自丁將軍,傳至相,以明不出於費氏可矣。嘉錫僭注。”

易爻例一卷_{廣雅書局本}

清吳翊寅撰。翊寅有易漢學考，已著録。是書首列消息升降爻例，次據上下經自乾訖未濟以證明之，次列消息升降卦本圖，次列旁通反對卦變圖。大恉以乾、坤爲衆卦之祖，十二消息卦皆乾、坤所生，五十雜卦皆消息所生。復爲下一陽上五陰之卦，乾息坤消；遘爲下一陰上五陽之卦，坤息乾消。一陽五陰之卦自復來，一陰五陽之卦自遘來。復初、二互升降爲師，初、四互升降爲豫；遘初、二互升降爲同人，初、四互升降爲小畜。推之臨、遯、泰、否、大壯、觀、夬、剝皆然。唯中孚、小過爲乾、坤所交，亦與消息卦同，能生雜卦而不爲他卦所生也。十二辟卦，是曰消息，消、息卦各六。陰陽相反，是曰旁通。雜卦爻與十二辟卦陰陽交易者，是曰升降。雜卦爻陰陽自相交易者，是曰反對。五十雜卦自辟卦來，辟卦自乾、坤來，是曰卦本。吳氏所謂卦本正則爻例定，爻例定則易義明，六十四卦若網在綱，而變易、不易、易簡之理得矣。先是李之才、朱震、朱熹、張理等，皆有卦變圖，繘複錯雜〔一〕，未爲精審。胡秉虔始撰卦本圖，備采鄭、荀、虞、姚、蜀才、侯果及宋、清易家説以明所自，並考覈舊義，求其折衷，足訂羣儒爻例之舛。吳氏以爲卦本不明，不可治易，故繼胡圖而作消息爻例，據彖傳〔二〕，依京、鄭、荀十

〔一〕　“雜”，印稿作“互”。黄批云：“雜，依手稿校。”
〔二〕　“據彖傳”，原無此三字。依吳校補。

二辟卦而參以虞氏中孚、小過之説，以復孟易消息之舊，與其所撰象傳大義述相爲表裏焉。

易經宗翼二十九卷清光緒初刊本

　　清天門默希老圃撰，衹著鄉貫，不署姓名。據二十九卷自稱，粵匪倡亂，武昌失陷，寄居湘南，專心竺學[一]。由壬戌年起，力主十翼，學易先從説、序、雜三傳下手。又云：宗翼之作，於乙亥冬脱稿，丁丑夏付梓。由是可知其草創於同治元年，寫定於光緒元年，刊本於三年也。是編卷一至卷二十二，依通行經傳作注，卷二十三至二十七爲筮儀及圖説，卷首及卷二十八、二十九爲自序、凡例、雜説，而以補遺終焉。觀其解釋象爻，敷陳象數，參用辟卦、消息、納甲、世應、飛伏、坎離二用及宋人先後天河圖洛書諸説，並分六十四卦爲錯綜二門，以乾、坤、坎、離、大過、頤、小過、中孚反之仍爲一卦者爲錯，餘五十四卦反之即爲他卦者爲綜。尋上下經皆十八簡之説，本於林黃中、朱元晦、税巽甫、俞玉吾諸君，而明人來矣鮮之爲集注，始以錯綜其數一語附會之，此又取之來氏者也。夫出入於陰陽奇偶、幹支五行之數[二]，繳繞於乾南坤北、十圖九書之間，其術甚多，其事亦易。晚世易説，類此者衆，是非不足深辨。是編之陋，在於不考本始，不明法式，不知流別，而妄爲説耳。書名宗翼，乃以説卦爲第

〔一〕“竺”，印稿作“筮”。依吴校改。
〔二〕“幹”，印稿作“榦”。據手稿改。

一翼,序卦爲第二翼,雜卦爲第三翼,文言爲第四翼,上彖傳、下象傳爲第五、第六翼,大象、小象爲第七、第八翼,上繫、下繫爲第九、第十翼。又謂易象爲書契之主,字畫皆本於卦畫:恒字左從立心,右從亘者,柔中爲日,離中虛,是以中從日也;明夷上坤下離,離爲兵戈,坎爲弓矢,故夷字從弓從戈;大衍字從行從水,開闢之初,天一生水,從水者坎水也,從行者天行也。又謂先後天諸方圖、圓圖,皆孔子所作。又謂西漢易家始以十翼分名,漢儒以爻小於卦,因名爲小象;唐孔氏以王注勒石太學,同時陸德明作釋文,删改易之經傳。諸此荒陋,更僕難終。致力一紀而錯亂若此,意者僻陋在野,尟見通人,馮臆妄談,無所取正,故終身困蒙而不自覺邪?唯二十七卷身象解云:艮之六爻,初象趾,二象腓,三象限,五象輔,上象敦,而六四則以身象。象傳艮其背不獲其身,以背對身言;論語稱寢衣長一身有半者,謂下可蔽膝,與易艮象相合。而宋儒乃解爲長一人有半,且謂以半覆足,誤矣。案喪服記稱衣二尺有二寸,注云:言衣者,明與身參齊。正指頸項以下髖髀以上言之。寢衣長一身有半,長一身者,所謂與身參齊也;長一身有半者,即既夕記所謂明衣長下膝也。身衣相齊,本是通義,故艮六四王注亦云中上稱身,是也。身象解不引輔嗣本注,雖爲失考,而以此爻之身,證鄉黨寢衣之長僅蔽膝,可謂碻解。固不得因其全書之陋而忽之。

周易漢讀考三卷_{春暉雜稿本}

　　清郭階撰。階字子貞。蘄水人〔一〕。少受業於儀徵劉
毓崧之門。校閱漢易異同，根依其師通義堂文集、筆記等
書，方物段玉裁周禮漢讀考之例，取馬季長、鄭康成、荀慈
明、宋仲子、陸公紀、虞仲翔、姚德祐七家音讀之見於陸氏釋
文、李氏集解者，計七十六事，條舉件繫，稽之衆説，折以己
意，爲周易漢讀考三卷。爲之序贊者，若丁晏及其師毓崧、
壽曾、貴曾父子、張文虎、莫友芝輩，皆一時聞人也。清代自
惠氏父子專理漢學，鉤沈索隱，其道大光；加之戴、錢、王、段
諸師，通以聲音詁訓，惟是之從，向來危疑皆隱栝以就繩墨。
郭氏生咸、同間，因惠、張之所鉤稽，戴、段之所校理，取精用
弘，名理日出，每説一事，皆有義據，亦固其所。謙六四：撝謙。
鄭注：撝讀爲宣。郭氏云：撝之本義爲裂，由裂引申爲離。馬
訓撝爲離，義爲溥散，未免周折。荀訓爲舉，王訓爲指，皆未融
洽。蓋撝與宣乃一聲之轉，宣通則無不利。京氏傳所謂上下
通，足以證鄭君宣謙之説。按撝、宣爲歌、寒對轉。漢上易引
子夏傳云：化嗛。撝之爲化，猶譌言之爲吪言；撝之爲宣，猶華
表之爲桓表，和布之爲宣布矣。然則此之鄭讀，蓋本之京氏傳
及子夏傳者也。然而箋疏之敝，每失之支離；音讀多通，或流
於附會。坤初六：履霜堅冰至。鄭注：履讀爲禮。郭氏引劉氏

〔一〕"蘄"，印稿作"鄿"。依黄校改。

通義堂集云：禮、履音相近，而又皆有行義，此爻禮是正字，履是假字。虞氏逸象云坤爲禮[一]，又云坤爲事，又云坤爲致。乾與坤旁通，乾爲神，又爲福[二]。乾爲神而坤事之，乾爲福而坤致之，與説文訓禮爲事神致福，其事正同。荀氏文言注云，霜者，乾之命令。是霜爲乾象，而禮爲坤象，禮霜爲祭霜。所謂禮霜，與大宗伯之禮天地四方[三]，儀禮之禮日月四瀆山川丘陵，文義正同。鄭之讀履爲禮，固洞澈乎消息往來之例，而非獨聲音訓詁之精矣。按禮霜之典，經傳無文；荀、虞逸象，鄭所不用。臧庸校云：鄭本經文當作禮，鄭注之云禮讀爲履；後人依注改經，又依經改注。説雖無證，理似近之。至若學人好怪，妄爲穿穴，苟會之以聲音，通之以取象，參之以禮説，易無達占，牽引多通，如涂涂附，則滋蔓又安所底乎？且馬季長、宋仲子爲費氏學，陸公紀爲京氏學，鄭、荀本京氏而參以費氏，虞氏本孟氏而推以參同契，流派本不盡同。今合七家爲一書，較段玉裁、俞樾之於三禮俞樾在郭氏後，胡承珙之於禮儀今古文，專治鄭氏一家之學者，殆所謂貌同心異者也。又如乾象傳：大人造也。釋文云：鄭徂早反，爲也；王肅七到反，就也、至也；劉歆父子作聚。正義云：姚信、陸績之屬，皆以爲造至之造。可知子雍之義同於陸、姚，輔嗣之意，本之鄭讀按正義意如此。何意郭氏專明漢讀而

〔一〕"逸"，印稿作"易"。黄批云："手稿易作逸，據校。"
〔二〕"爲"下，印稿多一"神"字。黄批云："祺案，神福之神爲衍文。宜删。"兹據改。
〔三〕"天"，印稿訛"矢"。據吳校改。

置之不録，意爲取舍，將何以明？是皆可議者也。郭氏自序
云：咸豐辛酉夏，校閲漢易異同，裒集音讀。繼云：是書始於
弱冠，成於今歲，雖不敢附著作之林，然數十年之用心，亦良
苦矣。末署同治三年甲子。劉序署咸豐辛酉，丁序、莫序署
同治紀元，並有郭氏年甫弱冠之語。則是書屬稿於辛酉，寫
定於甲子，首尾四稔〔一〕，郭氏年僅二十餘耳。乃云用心數
十年，何邪？

霜菉亭易説一卷玉津閣叢書本

　　胡薇元撰。薇元字孝博，號詩舲，別號玉津居士。山陰
人，寄籍大興。清光緒三年進士，歷官陝西、四川守令。民
國興，隱居蜀中，著玉津閣叢書二十餘種，詞章短書爲多，有
關經術者唯易義及詩緯、四書耳。是編易義三十九條，殷列
舊説，折以己意。大抵敷陳象數，旁涉名物訓詁，或及史書、
法戒，以明吉凶悔吝所由。而宋、元以來河洛、太極、先後天
之説不與焉。然好言漢學，而條理未明；好言考證，而疏略
時有。援引舊説，似皆展轉鈔襲，不據本書，故謬誤乖剌，殆
難理解。如安貞吉條，引馬融、荀爽義，本自虞翻注，而妄爲
刪易，幾無以別其主客是非。拔茅茹條，引虞注云：茹，根
也；征，進也。茹、根已不成文，征、進更非虞義。雷出地奮
豫條，引虞注祭法云云。虞氏絕無此文。盥而不薦條，引虞
注：薦，羞牲也；盥，謂祭時洗手也。祭時洗手，義同而文異。

〔一〕"稔"，印稿訛"捻"。黄批云："稔，依手稿校。"

翰如條,引王輔嗣云:翰,幹也。引正義:幹,安也;翰如,安如也,徘徊待之,安敢輒進也。案翰之訓幹,詩傳、爾雅及鄭注本經皆然。翰之爲安,則古今故訓所無有。此經王注云:鮮潔其馬,翰如以待。孔疏云:鮮潔其馬,其色翰如;徘徊待之,未敢輒進。翰訓白色,故云鮮潔。正義申注,例無異辭。彼所引據,不知何本〔一〕。先張之弧後説之弧條,引鄭、京、馬、翟、虞諸家,説讀作税,置也。釋文祇云:説,一音始鋭反。未言諸家皆讀作税也。莧陸條,引荀氏謂:莧從𦫳,不從艸〔二〕,胡官反,山羊細角者也;陸,平原也。荀義具於集解,明言莧陸皆取葉柔根堅。今云山羊細角,誤以孟氏説爲慈明説矣。又謂:連山,今之形家言也;歸藏,三元一氣之説也。必謂劉炫僞造,何以太卜三易,即有連山、歸藏、周易之名邪?不知劉炫作僞,史有明文,前有薛貞注本,後有毛漸僞文。乃以周禮證劉書之真,誠所謂癡人説夢矣。又謂少時聞之湯竹卿言,同人九三爻辭,應有逸文不盈其道,不恒其德,雖高必崩三句,見於鹽鐵論。夫郭京已不足恃,何有於湯竹卿?又謂鄭衆、賈逵以爲卦下之辭,象傳也,文王作之。以卦下之辭爲象傳,將置孔子之傳於何地邪?又有一條,以一陰一陽之謂道,繼之者善也,成之者性也,成性存善,道義之門二十五字爲題,殊不審其據何經本。諸此荒陋,蓋學僮之所不爲,而自命説經者,乃筆之書以傳於世,抑又何邪?其説純粹精也,謂純有屯之象,粹有萃之象;坤成

〔一〕“知”,印稿誤“書”。據手稿改。
〔二〕“不从艸”,原無。黄批云:“依手稿增。”

屯通鼎,鼎成咸亦萃也。以聲訓附會卦象,雖涉牽合,稍有
義據。所謂屯通鼎者,似謂旁通;所謂坤成屯,鼎成咸亦萃,
猶無以言也。要而論之,學無根柢,雜糅成説;引書考事,豪
不檢照,殆非清代經生之緒業也。

漢易十三家二卷玉津閣叢書本

薇元撰。薇元有霜菉亭易説,已著録。是書輯録韓嬰、
蔡景君、施讐、孟喜、梁丘賀、古五子、淮南九師、京房、費直、
馬融、劉表、宋衷、荀爽十三家易義,分爲上下二卷,首尾財
二十九葉耳。此十三家佚文,皆爲臧庸、張惠言、孫堂、馬國
翰、黃奭等所已撰具,鉤沈索引,蒐討略備。今檢馬輯施氏
章句十二條,胡氏僅七條;馬輯孟氏章句百二十餘條,胡氏
僅十二條;馬輯梁丘氏章句十七條,胡氏僅四條;馬輯馬融
注百六十餘條,胡氏僅二十一條;馬輯劉表章句二十五條,
胡氏僅九條;馬輯宋衷注四十八條,胡氏僅十三條;馬輯荀
爽注三百五十餘條,胡氏僅二十三條。此外古五子、淮南九
師、京房、費直四家,視馬本亦有刪節。夫遺文軼義,潛伏閒
見,爲儒先所未發者,事所時有。後生博覽,存意補苴,即寥
寥短章,自足葆貴。顧胡氏所録,無一事出自馬氏外者,於
清儒輯本或十分取五,或百分取十[一],出入從心,豪無準
的。且所爲十三家敍録,大抵節鈔馬氏原文,而略易其文
句。如馬氏孟喜章句敍録,首述孟易原委,次述圖説所自,

[一]"十",印稿誤"一"。黃批云:"手稿本一作十,是也。宜據校。祺注。"今據改。

而總結之曰:其説精微奥衍,於陰陽消息獨見發揮,雖斷簡殘編,而田何一線之傳藉以不墜。胡氏轉録,乃云:十二月配七十二候,精微奥衍,孔門一線之傳賴以不墜。彼所謂精微奥衍者,指孟氏之全體大用言;所謂田何一線之傳者,指漢今文家言。胡氏隨意删改,遂謂一行大衍之術,即仲尼五十學易之真傳,其魯莽滅裂爲何如乎?其以虞翻所稱彭城蔡景君,即漢志之蔡公二篇,亦本之馬氏,姚振宗已明其非。若所謂韓嬰易傳者,祇蓋寬饒封事所舉五帝官天下,三王家天下二語爲得其實。今采韓詩外傳中旁及易義者,以爲韓氏易傳,雖似有據,然詩傳究非易傳也。且韓詩外傳卷三有昔者舜甑盆無膻一條,卷八有齊崔杼弑莊公一條,皆關涉易義者,又遺挩不録,何邪?又易九戹一條,僅云劉淵林注,不言文選吴都賦劉淵林注。費氏易中,馬本用晁説之、吕祖謙所出古字,今轉録之,悉不著出處。鋪觀胡書大體,直是疏忽過人,未可諉過於寫書刻梓者也。而其門人范太沖跋云:多方掇拾,補其遺漏,手自鈔録,繫以論斷,成漢易十三家二卷,誠否姤之苞桑,晚近之絶學已。剽竊未就,遑言拾遺?編録已疏,遑言論斷?師弟子之閒,大言無靦,真匪夷所思矣!

易義來源四卷刻鵠齊叢書本

清金士麒撰。士麒字仁甫。武進人。自序稱:隻身宦粤,三綰篆,不名一錢。而吉凶悔吝之理,皆寓於易,故童而習之,於義難識,於象可求。兹集象數言之,而約其旨於瞿塘來氏,故即顏之曰易義來源,挹彼注兹,庶不致茫無所得。序末署光緒乙未。越二年,其弟子胡念修爲之印行焉[一]。尋來知德周易集注,專取繫辭中錯綜其數一語以論易象。一左一右謂之錯,如乾錯坤、坎錯離,伏羲先天圖是;一上一下謂之綜,如屯與蒙、需與訟、師與比,反覆視之各爲一卦,即文王序卦圖是。其論象,有卦情之象,有卦畫之象,有大象之象,有中爻之象,有錯卦之象,有綜卦之象,有爻變之象,有占中之象,比附參合,自成一家,頗爲當時所推重。是書卷首,除自序及凡例外,有圖説一卷,列河洛、太極、先後天、篇義、字義、筮儀、占法等,凡十六篇。河洛、太極、先後天諸圖沿用朱子啓蒙及元、明人舊圖,以先天爲錯,後天爲綜,則一準來氏。卷二、卷三爲上下經,卷四爲繫辭以下。依文釋義,首明卦象,間涉舊來訓義,旁及史書善敗。觀其大體,蓋欲兼綜象數與義理者,亦宋、元易説之支流也。唯以錯綜取象,則獨本於來氏。夫説卦所列,義據多門,加以互體、卦變、爻辰、納甲,穿穴牽復,取象益廣。如九家逸象及近人所輯虞氏象,數已增倍,今又取之錯綜,則巧偽益甚矣。且先天、後天之義,本之陳摶、邵雍;上下經各十八簡之説,本之林栗、朱熹、税與權、俞琰等,亦非來氏所獨創。要皆宋儒之飾説,非舊義所宜有。來義已不足邵,況祖述來義者乎? 金氏所述凡例,不過四條,條皆寥寥數語,無所發揮。以乾、坤之象傳爲十翼之一,餘卦象傳爲十翼之二,尤古所

〔一〕“焉”,印稿作“云”。據手稿改。

未聞。圖説中以天地生成數爲馬背之旋毛,九宮數爲龜甲之坼文,於古太極圖直言伏羲所作。明人僞妄之言,一往崇信,更不明著出處,亦足徵其荒陋矣。

易説求源六卷 排印本

武春芳撰。春芳字運隆。樂亭人,清縣學生員。中歲授讀之暇,潛心學易,凡有所見,隨筆記識,黏附於經傳之後。積四十餘年,始依卦次,編爲此書,至民國七年印行,時年八十有七矣。是書首卷爲讀易芻言、圖説、總論、自述四首,次上下經四卷,次繫辭、説卦、序卦、雜卦傳爲一卷。經傳先後章次,一以俗間所行朱子本義爲歸,蓋據科舉時通行本也。自序稱易之大義在於陰陽,陰陽之符見於君臣、父子、夫婦之三綱。而要其歸於正心誠意、修齊治平,爲自古帝王之心法,萬世相傳之道統,而先天後天、河圖洛書,乃作易之源,又爲道德綱常、心法道經所自出,則尤致意焉。故其依經釋義,以義理象數爲主。然所謂理義者,天人理欲之説;所謂象數者,河洛先天之談。亦頗雜採程傳、朱義及劉牧、邵雍、郭雍、鄭東卿、朱震、王申子、胡瑗、蘇軾、耿南仲、項安世、鄭汝諧、馮椅、楊簡、王宗傳、丘富國、陳埴、蔡淵、吳澄、俞琰、胡文炳、楊啓新、蔡清、李舜臣、吳曰慎諸家説以爲證明。於文字異同、名物訓詁,似皆不甚措意。要亦宋易朱學之末流,以視惠棟、張惠言所樂道,若孟、京、荀、虞之學,則概乎未之有聞者也。竊疑武氏久居鄉曲,不見通人,故其引尚書多據僞孔二十五篇,似不聞有閻若璩辨證之書者。又以天地生成數爲河圖,九宮數爲洛書,且謂河圖十數爲洛書九數所自出;河圖即太極,太極之理即人心之理。又將宋人所傳先天八卦橫圖,改爲太極圓圖。不知劉牧、朱震皆以九爲河圖,十爲洛書,自朱、蔡等乃互易之。而太極一圖,自明初趙撝謙始傳於世,不獨不關河、洛,且爲朱子所不得見也。此外附會之說,亦所時有。如云:乾之三畫,有一日三時之象^{一日三時亦於經傳無據〔一〕},初畫爲朝,中畫爲日中,三畫爲昃,故九三曰終日,曰夕惕。又解訟卦辭不利涉大川云:訟上互巽爲陰木,如舟底,下互離如舟面,舟底在上、舟面在下,互於下卦坎水之中,非舟覆於水中之象乎?大壯上六羝羊觸藩,不能退,不能遂〔二〕,升六四王用亨於岐山,皆以陰爻畫拆,故其象爲岐路,爲岐山。其曲解有如此者。然戴師愈之麻衣正易心法,林光世之水村易鏡,分析爻畫,穿鑿不經,且有甚焉。易家流弊,勢所必至,於武氏何足多責?

周易說十一卷_{光緒丙午湖南刊本}

王闓運撰。闓運字壬秋,號湘綺。湘潭人。清咸豐補壬子乙卯科舉人,光緒末特授翰林院檢討。入民國,卒官國

〔一〕"一日三時亦於經傳無據",印稿作大字正文。黃批云:"當作小註。祺注。"茲據改。
〔二〕"遂",印稿誤"逐"。據阮刻《周易正義》改。

史館長。文章斐然，撰述甚富。復徧注五經[一]、論語、爾雅，好爲華辭，糅雜誇誕，不出文人說經之域，與樸學殊科。是書名爲周易說者，節取李氏集解爲本注，而以己意說之。上下經六卷，繫辭傳上下各一卷，說卦、序卦、雜卦各一卷，爲十一卷。乾、坤二卦，依集解本，附文言於象傳後，而謂文言爲弟子附記孔子之言。自屯卦以下，則首列卦爻辭，次列象傳、大小象傳，又與集解本異，亦糅雜之一端也。王氏解釋經傳文義，每據互體、旁通之例，以明取象所由。其說无妄之疾，勿藥有喜云：妄，望也。望爲月滿，无爲元氣通，離爲大腹，氣通腹滿[二]，孕妊之象，若有疾也。藥，治病草也。震爲草，互坎疾，故象藥。說雖怪誕，猶可諉爲荀、虞之遺法。以黃裳爲襌服，顯比爲曾祖母祭號，包荒爲柩飾，包羞爲加豆，參以禮制，似與鄭注爲近。諦否且置不論，要皆漢學之支流餘裔也。至於分析文字，效荆舒之野言；附會俗說，拾遠西之餘唾，易家末流雖多怪迂，蓋未有若斯之甚者也。如謂易爲龍馬負卦圖者，故因以名其書；乾爻六龍當爲䮘，天子之馬高八尺者，非蛟龍之字；泰當爲夳[三]，从二大，二大即天地，地行天上，爲宣夜之學；魂從云，云者雲氣，故魂氣無不之；鬼從人、由、私，人所由以生而各私，非公，謂父以上昔生今死者，許說陰氣賊害人，由爲鬼頭，可哀也。此說字解經之例也。如謂火者日之煊氣，能使地行，故言

〔一〕“注”，印稿誤“著”。據吳校改。
〔二〕二“腹”字，印稿均訛“復”。據吳校改。
〔三〕“夳”，印稿誤“太”。黃批云：“夳，依手稿校。祺注。”兹據改。

天家有宣夜。宣,煗也;夜,掖也。以煊氣掖地行爲天,故
天與火乃同人。謂澤滅木大過者,大澤之中時有大木蕹
偃,死而不腐,今謂之陰沈木,因法之以制棺椁爲大窀。謂
質,本體不可變,不相同者;萬物唯六十四原質,故以六十
四卦象之,故曰天下之能事畢,又曰原始要終以爲質,指謂
此也。又謂外夷書數十種,皆結繩之象。此附會俗説以解
經之例也。瞀亂乖剌,若此者衆。唯其屬辭立義,貌爲簡
奧,又王注、程傳及以先天河洛諸義皆所擯斥,足以貽誤後
生,故辭而闢之如此。

易學羣書平議

黃壽祺　撰

張善文　校理

易學羣書平議校理弁言

　　《易學羣書平議》七卷,先師黄壽祺教授撰。此書所收,皆先師早年讀易提要彙編。蓋先師當時遊學北平,師事尚秉和、吴承仕二先生,因承二老推薦參與撰寫《續修四庫全書提要》詳前《易説評議校理弁言》,故書中各篇大多彼時所作。卷一論唐以前人易著,卷二至卷六述明清及近代人易著,卷七爲緯書之屬。書首載尚秉和先生及閩儒陳遵統先生序各一首[一],並作者自敍、凡例等。卷後附作者自撰《易學羣書平議提要》、丁超五先生《與邱竺巖丈論易學羣書平議札》及包樹棠先生《六庵叢纂序》。名書之旨,據作者《凡例》稱,本清儒俞樾考論羣經諸子之意,命之曰“平議”。

　　先師字之六,號六庵,學者稱六庵先生。1912 年生於福建霞浦,1990 年卒於福州,享年七十有九。先師幼承家學,早年受業北平中國大學國學系,畢業後執教北平嵩雲中學、華北國醫大學及母校國學系。所師事者除尚節之、吴檢齋二先生外,又有馬振彪、高步瀛、楊樹達、余嘉錫、朱師轍等

[一] 嘗聞先師云,閩籍學者嚴靈峰先生亦賜一序,原在舊稿本中。“文化革命”
　　期間,因故抽出,遂佚。亦一憾也。

國學名師。寓身北平十載有奇。南旋返閩後，長年執教福建各高校。自 1952 年以降，歷任福建師範學院、福建師範大學中文系主任教授，福建師範大學副校長等職。先師學說，有家傳，有師承，更有獨自創獲。學術廣涉羣經子史、詩文詞賦，而尤精於《易》。治《易》主張兼宗漢宋，網羅古今，辨源流宗派，知家法師承，明主賓本末。畢生潛心治學育人，著述甚富。所成治《易》主要專書，另有《六庵易話》一卷、《歷代易家考》五卷佚、《歷代易學書目考》一卷佚、《尚氏易要義》二卷佚、《周易要略》一卷、《漢易舉要》五卷存首卷等。惜時局維艱，頗多散佚。先師晚年又偕我合撰《周易譯注》，彙編《周易研究論文集》等書，使我蒙教深厚，獲益終生。

先師生前，嘗命我點校《易學羣書平議》原稿，1988 年 6 月北京師範大學出版社印行。今重加董理，深媿當時疏舛仍多，誠未敢委責於校對之役也。因再逐篇覆覈，逐字詳考，並取中華書局 1993 年版《續修四庫全書提要》排印本簡稱"排印本"，詳前《易說評議校理弁言》參校，務使全書儘可能精確可靠，庶將有以告慰於先師也。

此書所收歷代易著提要一百三十四篇，其中一百二十九篇收入中華本《續修四庫全書提要》中，五篇未收入[一]蓋有當時未付用者，有後來續撰者。惟當年先師隨尚先生參撰"續修提要"時，頗有代師撰述而署尚先生名以繳稿者，後遵師囑，皆返歸先師個人著述中。緣此足可遙想當年師弟間令人嚮

[一]　此五篇爲《周易釋文一卷》（卷一）、《河洛精蘊九卷》（卷二）、《揲蓍演易備考六卷》（卷三）、《周易集解纂疏十卷》、《孔易闡真二卷》（卷四）。

往之學術風誼_{詳前《易説評議校理弁言》}。唯排印本依"續修提要館"舊打印稿整理,故先師文稿載於排印本者,凡三十篇署先師名,餘九十九篇仍署尚先生名,今皆於各篇下注明之。

先師哲嗣黄高憲師兄,教授福建閩江學院,校務殊繁,然仍撥冗校閲此書,匡正良多。福州風雅頌電腦工作室章夏、陳華、連玲玲全力協理校事,葉生友琛、蔡生清德、吳生章燕亦頗參與,是皆宜志焉者也。

今於先師辭歸道山十有五載之後,再校吾師六十餘年前著述,不勝感慨良多。唯思於校理中,重温遺訓,追尋當年如沐春風而今難以再遇之榮幸感也。

　　　　　　　　　　　弟子張善文
　　　　　　　　謹識於福建師範大學易學研究所
　　　　　　　　公元二〇〇四年十二月

易學羣書平議敍一

最多者易解,總五經之注,不如易一經之多。而最難者易解,鄉僻之士,據有明以來高頭講章,著爲空泛之說,栩栩自得,輒刊行以淆亂耳目,其間求一能見漢魏古注以資商榷者已稀如星鳳。又或傾嚮漢學,見黃梨洲、毛西河斥邵子所傳先天卦象,不加深考而盲從之。豈知先天象與易合。左氏爲最古之易師,已於内外傳一再演繹。鄭康成注月令,於未月且明言巽在未方;荀爽與九家注同人,皆言乾舍於離,同日而居;九家注易繫,且言坤舍於坎,同月而居。不此之察,至以言先天象爲大戒,其貽誤後學與空演義理等矣。苟非真知灼見之士,爲揚榷其是非,釐訂其得失,後學將胡所適從哉? 吾友黃君之六,從余遊十餘年,於易攻研最久,所得亦最深,嘗匡正余之不逮。又嘗慨易注之濫,作易學羣書平議,凡解易之書經黃君商訂、解剖,其是非得失,判然立明,如鏡之鑒物,妍媸好醜,毫無遁形。學者苟由其說以求之,絕不至有面牆之歎、歧途之入也。豈不懿哉! 中華民國三十有六年九月二十三日,槐軒老人行唐尚秉和節之甫識於北平,時年七十八。

易學羣書平議敍二

八索之學，在吾國羣學中實爲最古。當夫渾渾噩噩之世，有聖人者出，思有物焉以表著天地間之現象與其定理，由是卦爻生焉。後之人踵此而推闡之，擴充之，以誕生形上、形下之道與器，而霑丐數千年來之文物。故吾嘗以吾國古代進化史目周易，非河漢也。顧易學在羣學中爲最難，而解易者亦最多而最雜，藉非綜合衆製，有以梳剔而抉擇之，則羣言淆亂，無所折衷，而先聖之精神幾於不可見矣。黃君之六學術湛深，尤邃於易。統長協和大學文學院時，嘗引與共事，而君以事不果至。近者執教福建師範專科學校，乃獲昕夕相見，而讀其所著易學羣書平議，書中搜羅弘富，辨析精確，洵足以補提要之缺略，作後學之津梁。誠能本此以治易，徘徊歧路不得其門之患，庶可免矣。其嘉惠士林，恢張吾學，豈在小乎？歲中華民國三十六年十二月二十五日，陳遵統易園識於福州，時年七十。

易學羣書平議自敍

　　先君子早歲嘗治易,趨庭之際,略聞緒論,然其時方肄
業中小學,未暇研習也。年十八,遊學北平,始慨然以爲家
學之不可以失墜而立身之多愆尤也,遂立志學易。且執贄
於河北名儒行唐尚節之先生之門,昕夕請益者十有餘年,所
讀易注亦殆數百種。初未嘗有所札記,戊寅以旋,自維年齒
漸長,人事日繁,不有札錄則所讀之書幾何不爲過眼之煙
雲?爰倣古人別錄之法,凡讀一書訖,即撰提要一篇,十年
之間凡成稿一百三十有四篇。繕稿既訖,釐爲七卷,名之曰
易學羣書平議。非敢議論前賢,聊輯見聞以備省覽,且以志
家學與師承,示不敢忘云爾。中華民國三十六年歲在丁亥
九月之望,霞浦黃壽祺記於福州。

易學羣書平議凡例

一、此書依據四庫全書總目提要之例，每篇皆先述書名、卷數、版本、著者爵里，如一人而著數書者，其爵里惟見於第一部，後但云某人有某書已著錄。次述全書内容，最後論其是非得失，爲重點所在。故本德清俞氏考論羣經諸子之意，名之曰平議。

二、此書頗欲補四庫全書總目提要之所未備，故其取材大抵以四庫所未收者爲限。若四庫已收而版本不同者，亦間爲論列。

三、編次先後，略依著者登第之年、生卒之歲，爲之排比，或據所往來倡和之人爲次，無可考者則附本代之末。釋、道之流亦各從其時代，不復區分。

四、託名之書往往以贋作之人難以質言，則仍從其所託之時代爲次，而於文中辨明之。

五、輯佚之書仍從其原書之時代爲次。

六、古三墳及易緯等書，四庫全書總目提要附錄於易類之末，兹仍其例，編列於最後一卷。

七、前賢之著作有其目而未見其書者，則闕而不論，以俟異日。生存人之著作雖見其書，亦存而不論，以俟後賢。

八、本書論象凡引及焦氏易林者，皆依本師行唐尚節之先生秉和之說。先生所著易注，有周易尚氏學、焦氏易詁、焦氏易林注、周易古筮考、左傳國語易象釋、易說評議、學易偶得錄、周易導略論、時訓考、卦氣考、太玄筮法正誤等十餘種，讀者所宜參考。又本書每篇均承先生詳爲審定，正訛糾謬，微顯闡幽，獲益良多，尤當永矢弗諼。

丁亥重九節黃壽祺謹識

易學羣書平議卷一

周易丁氏傳二卷_{玉函山房輯佚書本}[一]

馬國翰所輯。載玉函山房輯佚叢書中。丁氏者丁寬，寬字子襄，梁人，景帝時爲梁孝王將軍，事蹟具漢書儒林傳。寬受易於田何，又從周王孫受古義，傳同郡碭田王孫。傳稱寬作易説三萬言，訓故舉大誼而已。藝文志易家，丁氏八篇，隋志不著録，蓋佚已久。國翰因陸德明經典釋文序録子夏易傳下引荀勖云：丁寬所作，謂丁傳必本子夏而成，或如毛萇之於詩傳，故既輯録子夏傳，又以子夏傳爲丁氏易傳。今案，釋文於子夏易傳引七略云：漢興，韓嬰傳。文苑英華載唐司馬貞議云：王儉七志引劉向七略云，易傳，子夏韓氏嬰也。明嬰字子夏，故曰子夏韓氏嬰，以別於卜子夏。又漢書藝文志易十三家，有韓氏二篇，注名嬰，是韓氏二篇即子夏傳。故臧庸拜經日記據七略、漢志斷爲韓嬰撰。荀勖，晉

[一] 此篇排印本署尚秉和先生名，已遵尚囑歸返黃著。

人，時代遠後於劉向，乃國翰不從向說，徒據荀勖一語，遽以子夏傳屬之丁氏，殊爲未審。況張璠嘗云：子夏傳或馯臂子弓所作，又可以子夏傳爲馯臂子弓易乎？又唐司馬貞謂：今秘閣有子夏傳，載薛虞記。推國翰之意，則又可以子夏傳轉屬之薛虞矣！捨西京大儒之説而不從，反從後來模糊影響揣測之語，亦徒見其疏陋而已。觀孫堂所輯漢魏二十一家易注，及黄奭漢學堂叢書所輯易注，於西漢祇輯子夏傳及孟、京，皆不及丁氏，誠以其無可輯也。無可輯而强以子夏傳充之，抑何可笑！國翰字竹吾，歷城人，道光進士，輯宋以前佚書凡六百餘種，爲世所重。獨此丁氏傳及周易韓氏傳頗涉虚妄，而丁氏傳尤甚。恐惑後學，故并辨而駁之。案，宋翔鳳過庭録雖定子夏傳爲韓嬰之孫韓商所撰，而商傳其祖之學，商之説亦即嬰之説，故子夏易傳當屬韓氏無疑。

京氏易八卷木犀軒叢書本

漢京房撰，清王保訓輯。保訓，無錫人。嘉慶庚申舉人，充實録館校録、候選知縣。按漢魏叢書有京氏易傳三卷，王氏於三卷外採録遺文，著爲是書。凡分八卷：卷一周易章句，卷二易傳，卷三易占上，卷四易占下，卷五易妖占、易飛候，卷六别對災異、易説、五星占、風角要占，卷七外傳，卷八災異後序、周易集林、易逆刺、律術。卷首自目録外，附載序録、傳述、論證三篇。共約四萬餘言，凡京氏易之遺文散見者，大都具於此矣。尋舊史所載，孟喜受易家陰陽，立十二月辟卦，其説本於氣，以準天時、明人事，授之焦贛。焦贛又得隱士之説五行消復，授之京房。房兼而用之，長於災變，布六十四卦於一歲中，卦直六日七分，迭更用事，以風雨寒温爲候，各有占驗，獨成一家。孝元立博士。迄東漢末，費直行而京氏衰。晉代猶有傳習者。至隋志亡段嘉十二篇，唐志又亡災異六十六篇之四十三篇；歷宋明，而漢志之八十九篇僅存三卷，蓋京氏學久廢絶矣。此由士夫隨俗，好言禎祥，諱言災變，占候非利禄所需，故古書日亡，即存亦置不省覽，積漸使然也。然而洪範演五行，周官設眠祲、馮相、保章，左氏載魯梓慎、鄭裨竈、晉卜偃、宋子韋之言機祥禍福，著乎天而應乎人，人主因之恐懼修省。占候廢則天變不足畏，人言不足懼矣。易道至大，無所不該，王弼以道家言解易，楊簡以佛家言解易，尚得名家，況京氏爲漢易之宗，聽其廢絶，不可惜哉！今王氏輯易傳、易占、飛候、五星、風角等篇，雖京氏占候不盡此，亦大端具矣。其世應、飛伏、建積、互、遊魂、歸魂之説，晁説之能言之，據叢書本三卷亦略可尋求。至六日七分之法，見漢書本傳孟康注、僧一行大衍歷議，則雖謂京氏易亡而不亡可也。惟此書雖輯自王氏，實則經嚴氏可均理董，正訛補闕，始成定本。嚴氏且爲之序，其文載鐵橋漫稿卷五中。德化李氏既刻此書，而竟漏刻嚴氏之序，使後人莫知其爲嚴氏之所校補者，亦其疏矣。

王肅易注無卷數_{漢學堂叢書本}^{〔一〕}

　　王肅易注,甘泉黃奭輯。載漢學堂經解中。肅字子雍。歷官侍中,遷太常,後遷中領軍加散騎常侍,事蹟具見魏志本傳。陸德明經典釋文序錄云:子邕,東海蘭陵人,善賈、馬之學,而不好鄭氏;采會同異,爲尚書、詩、論語、三禮、左傳,又撰定父朗所作易傳,皆列于學官。其易傳,隋書經籍志、唐書藝文志均作十卷,崇文總目作十一卷。王應麟困學紀聞云:王肅注易十卷,今不傳。是其書至南宋已亡。清馬國翰嘗就正義、釋文、集解、文選注、御覽諸書,輯周易王氏注二卷。又以釋文序錄云:爲易音者三人,王肅、李軌、徐邈。定王氏當另有周易音。因就釋文所引王氏音訓別作周易王氏音一卷,均載玉函山房輯佚書中。然其書實甚疏略,較之孫堂漢魏二十一家易注中之王肅周易注不逮遠甚。蓋堂所輯較馬氏多二十餘事,所引據之書亦多二十餘種。後甘泉黃奭復就孫本輯之,而又據一切經音義、鄭剛中周易窺餘、熊過周易象旨決録、陳士元易象鉤解四書增補考訂,故尤密於孫堂。孫堂云:北史儒林傳稱鄭玄易大行於河北,王肅易亦間行焉;河南儒生講王輔嗣所注,師訓蓋寡。由斯而言,肅雖不好鄭氏,而其易學固異於輔嗣,而不遠於鄭者也。今案肅注,如噬嗑九四云:四體離,陰卦,骨之象;在乾,肉脯之象。剝六四剝床以膚云:坤以象牀,艮以象人。暌上九後

〔一〕此篇排印本署尚秉和先生名,已遵尚囑歸返黃著。

説之壺云：三五離大腹似壺。中孚乘木虛舟云：中孚之象，
外實内虛，有似可乘虛木之舟。既濟六二云：離爲翟弗。
皆本象以立説，且不廢互體，與左傳合，較輔嗣之掃象廢
互，只演空理者區以別矣。至其書之文字與各家異同者，
就今所見且四十事。如乾文言上其唯聖人乎，聖人作愚
人；需雲上于天，作雲在天上；比六三比之匪人，人下多凶
字；觀盥而不薦，不薦作不觀薦；益六三告公用圭，作用桓
圭；漸女歸吉也，作女歸吉利貞也。又繫辭上傳迄於襛卦，
皆有傳字；説卦巽爲臭，作爲香臭。其義往往勝于各家，不
獨足資考訂已也。

周易王注殘卷 上虞羅氏影印燉煌石室唐寫本 [一]

　　周易王弼注第三、第四兩卷，鈔寫本。出燉煌石室，上
虞羅氏振玉影印，列古籍叢殘中。第三卷存噬嗑後數行訖
離，第四卷存解至益，並有後題。卷三虎字缺筆，民字則否，
乃唐高祖時寫本；卷四民字缺筆，則繕寫略後，然亦初唐人
筆也。今以較釋文、開成石本及宋以降諸本，有與釋文本合
者。賁，觀乎人文，以化成天下，注：解天之文，則時變可知
也；解人之文，則化成可爲者也。兩解字，閩、監本並譌作
觀。阮刻十行本亦誤，瞿氏藏本不誤。而釋文出解天二字，知陸本亦
作解。剥，剥无咎，開成本以下均作剥之无咎。釋文出剥无
咎，注：一本作剥之无咎。是陸氏正本亦無之字。復，无祇

〔一〕此篇排印本署尚秉和先生名，已遵尚囑歸返黃著。

悔,岳本、十行本、閩、監、毛本衹均作衹,釋文盧校本亦作
衹,唐寫本作衹。釋文言王肅作提,古氏、是通,可證衹從氏
非從氏也。有災眚,災諸本均作災。釋文出有災,是陸本亦
作灾。大畜,煇光日新其德,諸本煇作輝。釋文煇,音輝,是
陸本作煇也。不犯災也,注:故能已也。諸本能下有利字。
釋文出能已,是陸本亦無利字。頤,觀我朵頤凶,注:而闚我
寵禄之競進。諸本作闚我寵禄而競進。釋文出而闚,與此
本合。大過,枯楊生梯,梯諸本均作稊,釋文盧本同。唐寫
本作梯,大戴記夏小正柳稊宋本亦作梯,知古本從木旁作梯
也。棟橈凶,注:宜其淹溺而凶喪矣。十行本、閩、毛本均作
淹弱,喪矣作衰也,釋文出淹溺及喪字,盧本不出喪字,唐寫本有。
是陸本亦作溺,亦作喪。坎,入于坎窞凶,注:最處欿底。欿
諸本作坎。釋文出處欿,是陸本不作坎。象曰樽酒簋,諸本
簋下有貳。釋文出象曰樽酒簋,注一本有貳。是陸氏正本
無貳。衹既平,十行本、閩、監、毛本並作衹。釋文作衹。
解,而百菓草木皆甲坼,閩、監、毛三本坼作拆。釋文作坼。
拆、坼古今字。益,偏辭也,注:求益無已,心無恒者也,無厭
之求。三無字諸本作无。釋文出無厭,是陸本不作无。此
均與釋文本合者也。有與釋文一本合者。復,反覆其道,諸
本覆作復。釋文,反復,本又作覆。无妄,不耕而穫,諸本無
而字。釋文,或依注作不耕而穫,非。頤,居貞吉,注:得順
之吉也。順諸本作頤。釋文,得頤,一本作得順。大過,老
夫得其女妻,注:心無持吝。諸本持作特。釋文,特,或作
持。坎,來之坎坎,注:出則亦坎。諸本亦作之。釋文,一本

作出則亦坎，誤。益，徧辭也，諸本徧作偏。釋文，偏，孟作徧。此與釋文一本合者也。有與孔氏作正義所據本合，今本注文經後人妄改，而正義中尚不失孔本之舊者。大畜，不犯災也，注：未果其進者也。諸本進作健。疏云：不須前進。則孔本本是進。益，王用享于帝吉，注：居益以沖。十行本沖作中。正義：居益而能用謙沖。是孔本實作沖。此與正義本同者也。其有與諸本皆異，而此爲長者。若賁，故小利有攸往，注：剛上而文柔。諸本奪而字。賁其須，注：二俱无應而比焉。諸本奪二字。吝終吉，注：故施賁於束帛。諸本奪施字。剝，剝牀以辨，注：牀轉欲滅。諸本奪牀字。剝牀以膚，注：豈唯消正。消諸本作削。无妄，不可試也，注：藥攻於有妄者也。諸本無於字。頤，節飲食，注：言語飲食。諸本奪語字。居貞吉，注：以陰而居陽。諸本奪而字。上九由頤，注：故物莫不由之。諸本奪物字。大過，枯楊生梯，注：老夫更得其少妻。諸本奪其字。无咎无譽，注：而以陽處陽，以陽處陽未能拯危。諸本奪以陽處陽四字。過涉滅頂凶，注：過之甚者也。諸本奪者字。坎，來之坎坎，注：出則無所之，處則無所安。各本奪兩所字。凡此者，皆以此爲長，可據以是正今本者也。振玉嘗作校勘記，論列綦詳。茲摘其大要於此，後之君子其知所寶焉。

薛虞易音注無卷數漢學堂叢書本[一]

清甘泉黃奭輯。奭所輯王肅易注已著録。虞字及爵里均無考,亦不知爲何代人。晉張璠於子夏易傳云:或馯臂子弓所作,薛虞記。歷城馬國翰據是定爲係漢魏間儒生,其説未爲有徵。其書漢書藝文志、隋書經籍志均不著録,陸德明經典釋文引其説亦不詳其著書卷數。正義引子夏傳下又言,薛虞記,如今注疏之例。似其記原附子夏傳内。而釋文各引之,又似子夏之傳、薛虞之記,判爲兩書。當是其書在唐已佚,釋文、正義第從向所徵引者間採之,其詳不可得聞矣。初馬國翰嘗就釋文、正義二書所引,得十一節,輯爲一卷,名曰周易薛氏記。奭又就熊過周易象旨決録等書增輯,凡得十三節,較馬氏多離大耋之嗟凶及井九三井渫不食兩節,稍爲加密。今觀其注,剥牀以辨云:辨,膝下也。似優於諸家之望文生義。以杞包瓜,言杞柳可爲栲栳以盛瓜,而薛謂杞柳柔韌宜屈撓似匏瓜,則誤矣。至易音注之名,蓋本之釋文。惟胡一桂啓蒙翼傳誤引此書作虔薛周易音注,朱彝尊經義考又誤據胡氏而別列虔薛一家,可謂以訛承訛矣。

〔一〕此篇排印本署尚秉和先生名,已遵尚囑歸返黃著。

向秀周易義一卷漢魏二十一家易注本[一]

清孫堂輯。秀字子期。河内懷人，官至黃門侍郎散騎常侍。事蹟具晉書本傳。秀嘗注莊子，復注易。今所注莊子郭象竊爲己有，世傳郭象莊子注，是向之本書。而易則罕傳，隋、唐志皆不著録。張璠採二十二家易爲集解，依秀爲本，亦入傳者絶少，唯正義、釋文及李氏集解間有徵引，堂輯爲一卷。其書採拾精審，較之馬國翰所輯周易向氏義殊勝。蓋馬氏之弊，在貪多務得，往往不免濫取。如謂：諸凡引張作某字者，蓋即向本，故亦復向義中。此何足據？又如解益卦注，誤引正義語作向注，尤爲紕繆。最後有甘泉黃奭輯本，載漢學堂經解，異于馬而同于孫，可謂知所去取矣。按晉書稱秀清悟有遠識，雅好老莊之學。今觀其解大過棟橈云：初爲善始，末是令終，終始皆弱，所以棟橈；益利涉大川云：明王之道，志在惠下，故取下謂之損，與下謂之益。其説頗類王弼，故於象數之學獨少發明云。

干寶周易注一卷漢魏二十一家易注本[二]

清孫堂輯。堂所輯向秀周易義一卷已著録。寶字令升。新蔡人。晉元帝時爲著作郎，領國史，出爲山陰令、始

安太守,王導以爲司徒右長史散騎常侍。事蹟具見晉書本傳。其易注十卷,見釋文序録。隋志又有周易爻義一卷,又云梁有周易宗塗四卷,亡;册府元龜又載周易問難二卷、周易元品論二卷,並干寶撰。今皆散佚。元時有屠曾者,始輯其佚,明正德間其孫勳重訂其書,刻在鹽邑志林,即今孫堂漢魏二十一家易注所據而補訂之本也。明時姚士粦又別輯干常侍易解三卷,清歸安丁杰補訂,武進張惠言梓入易義別録;歷城馬國翰又據而參校習刊之,載玉函山房輯佚書中。孫、馬二家輯本互有詳略,然馬多者一事,孫多者九事。較其得失,孫本爲優。史稱寶好陰陽術數,留心京房、夏侯勝之傳。故其注易,盡用京氏占候之法以爲象,而援文、武、周公遭遇之期運一一比附之。謂易道猥雜,實自此始。張惠言更發揮其説,以爲干氏之易,非京氏之易,斥其以干支納卦爻而生五行、四氣、六親、九族、福德、刑殺之説爲顛倒乖舛,又斥其比附周家之事則是以易爲讖數之言、妖妄之紀,詞甚嚴峻。平情論之,干氏之注,如蒙初爻戊寅當平明之時,誠爲龐雜,然納甲爲漢儒所通用。五行坎水、離火、坤土、震巽木,象象且明言;又經文於泰言帝乙,於蠱、巽言先甲後甲、先庚後庚,於革言己日,是以干支、五行説易未足爲干氏之病。惠言所斥,不爲盡公。獨其擇言不雅,遇卦則比附殷、周故事,怪誕支離,浮泛少當。除以尋爲花朵,恰合震象,與易林相同外,餘可取者甚少也。

翟子元易義無卷數 漢學堂叢書本[一]

　　清甘泉黃奭輯。奭所輯王肅易注、薛虞易音注均已著錄。陸德明經典釋文序錄云：荀爽九家集解有翟子玄，子玄不詳何人，爲易義。張惠言云：李鼎祚集解有翟元，翟元蓋即子玄，李書諱玄爲元，鄭玄字亦如此。馬國翰云：古人多有名與字同者，如韓伯字康伯之類，或元字子元歟？依張、馬二氏之説，以元名，子元字。然九家於京房等皆稱名，不應元獨稱字，似亦不協。惟九家次第，翟在姚信之後，則元蓋亦魏、晉間人也。至其書卷數，自隋、唐已不能詳。清儒皆就釋文、集解二書輯其遺説，張惠言所輯載易義別錄，孫堂所輯載漢魏二十一家易注，馬國翰所輯載玉函山房輯佚書，黃奭所輯載漢學堂經解。較諸家優劣，惟黃本能據鄭剛中周易窺餘、熊過周易象旨決錄、魏濬易義古象通諸書增補考訂，所獲爲多。子元之生平既不詳，而其書又早亡，無由觀其會通。第就今所見言之，如説隨象君子嚮晦入宴息云：雷者陽氣，春夏用事，今在澤中，秋冬時也；故君子象之，日出視事，其將晦冥，退入宴寢而休息也。其義最精。餘如説終朝三扲云：上以六三錫下二陽，羣剛交爭，得不以讓，故終一朝之間，各一奪之。説革言三就云：言三就上二陽，乾得共有信，據于二陰，故曰革言三就。皆俚俗無理，棄之亦無可惜也。

〔一〕此篇排印本署尚秉和先生名，已遵尚囑歸返黃著。

周易王氏義一卷_{玉函山房輯佚叢書本}〔一〕

王嗣宗撰,清馬國翰輯。載玉函山房輯佚叢書中。嗣宗
不詳何人,徧考歷代史志亦均無嗣宗易注之目。祇陸德明經
典釋文引其離卦音訓三節。於日昃之離云:日昃,王嗣宗作
仄,音同。又出涕沱若云:出,敕類反。又離王公也引梁武帝
云:離,方智反,王嗣宗同。以嗣宗與梁武並稱,疑嗣宗或是齊
梁之間人。惟馬國翰謂:張璠集解序二十二家,有王宏字正
宗,弼之兄,晉大司農,贈太常,爲易義。疑嗣宗或正宗之別字。
弼字輔嗣,或緣此取義。雖無確徵,存之亦足以備一說焉。

周易王氏注一卷_{玉函山房輯佚叢書本}〔二〕

王凱沖撰,清馬國翰輯。載玉函山房輯佚叢書中。凱
沖不詳何人,隋書經籍志不著錄,唐書藝文志有王凱沖注十
卷,疑凱沖或是隋唐間人。其書久佚,李鼎祚集解所引凡四
節。其說顯諸仁,藏諸用云:萬物皆成,仁功著也;不見所
爲,藏諸用也。又說富有之謂大業,日新之謂盛德云:物無
不備,故曰富有;變化不息,故曰日新。甚有理致。又天玄
而地黄及知周乎萬物而道濟天下故不遺二則,亦演義理。
馬氏謂其蓋宗王弼而衍暢其義,殆可信云。

〔一〕此篇排印本署尚秉和先生名,已遵尚囑歸返黄著。
〔二〕此篇排印本署尚秉和先生名,已遵尚囑歸返黄著。

周易朱氏義一卷玉函山房輯佚叢書本〔一〕

周易朱氏義,朱仰之撰。清馬國翰輯。仰之之名,見於
李氏集解,而隋書經籍志、唐書藝文志均無其目。陸德明經
典釋文序録荀爽等九家集解,注内有張氏、朱氏,並不詳何
人。仰之是否即其人,疑莫能明也。今觀集解所録二則,其
説人謀鬼謀,百姓與能云:人謀,謀及卿士;鬼謀,謀及卜筮
也。又謀及庶民,故曰百姓與能。以鬼謀爲謀及卜筮,已高
出諸家。又解説卦傳其於地也爲剛鹵云:取金之剛不生也,
剛鹵之地不生物,故爲剛鹵也。以兑之剛鹵爲不生物,深合
毁折之義,較之許慎、虞翻以鹵爲鹹者,其説殊勝。蓋剛者
地不柔和,鹵者磽确,皆不生物。左傳襄三十五年,楚子木
使表淳鹵,注:淳鹵,埆薄之地。釋名:地不生物曰鹵。又焦
氏易林讀鹵爲魯。仰之説悉與之同,許、虞誤也。惜祇此二
則耳。故表而出之,使學者知此零詞賸語,於經義所關有極
重者,且以見李氏集録之精焉。

講周易疏論家義記殘卷日本京都
帝國大學文學部景印舊鈔本〔二〕

此書爲日本奈良興福寺所藏,僅存釋乾、釋噬嗑、釋賁、

釋咸、釋恒、釋遯、釋睽、釋蹇、釋解九卦。而釋咸條題曰講周易疏論家義記釋咸第十，知即書名。而卷數與撰人名氏則不可得而知。其書釋義，分設科段，頗類釋家疏論體，而書中又往往用佛經中語。考孔穎達周易正義序云：江南義疏十有餘家，皆辭尚虛玄，義多浮誕。若論住内住外之空，就能就所之説，斯乃義涉於釋氏，非爲教於孔門也。案沖遠所斥，殆即指此類者而言。又其獨詳於釋乾，噬嗑以下則較簡略。一書之體不應如此，疑係節録，非其全本。又鈔胥無識，文字訛奪幾無行無之，致甚難讀，至爲可惜。惟書中所引先儒子夏、京房、馬融、二王、韓康伯之外，疏論之家尚有四人，曰沈居士、曰劉先生、曰朱仰之、曰僕射。此書僕射誤僕則，若僕射。案沈居士指驎士，劉先生指劉瓛，南齊書均有傳。朱仰之事蹟則已不可考。至所謂僕射者，乃指周弘正。據陳書弘正傳，其授尚書右僕射，在陳太建五年，而先儒諸儒及周氏之説經，沖遠芟除者多收在書中，則其成疑在陳、隋之間，蓋猶不失爲六朝舊帙，不得以隋、唐二志不載少之。況書中經注文字，有與今本不同，往往合於釋文，若其所謂一本者。若乾大象，天行健君子以自强不息，强字釋文出自强，唐石經初刻彊，後改强，注疏閩、監、毛本則亦作彊。此書作强，與釋文合。噬嗑九四，噬乾胏，得金矢，利艱貞吉。釋文引字林云，胏一曰脯也，子夏作脯。此書亦作脯。咸象辭，咸，亨利貞，取女吉。釋文：取，亦作娶，音同。此書亦作娶。均與釋文一本合。是也。有於釋文無徵者。若恒，亨无咎，利。王注：恒而亨，以濟三事也。此書引王注，以作能。繫辭傳，象者，言乎象者也。韓康伯注：象，總一卦之義也。此書釋乾引韓注，一卦之義作一卦之德。是也。至所引子夏易傳，馬融易注，沈、劉、朱、周四家易説，多前人所未知，足以補馬、黃、孫諸家輯本之闕，裨益學者。是則其可寶貴，亦不特舊鈔之故矣。日本學者狩野直喜嘗跋是書，論列頗詳。兹擷其要著于篇。

周易釋文一卷 上虞羅氏影印燉煌石室唐寫本[一]

　唐陸德明撰。德明名元朗，以字行。吳縣人。官唐國子博士兼太子中允、贈齊州刺史吳縣開國男。事蹟具新舊唐書本傳。此本出燉煌石室，後有記五行，記此卷寫于開元二十六年，又記明年校勘，及于晉州衛杲本寫指例略。則此書係唐玄宗時寫本無疑。近人上虞羅振玉影印，列入鳴沙石室古籍叢殘中。今按此書起大有至卷末，前佚乾至同人十三卦。取校今本，異同詳略甚多。凡此本所有，爲今本所無者，如謙卦多所惡，烏故反。豫卦多剛應，應對之應也。噬嗑卦多於著，張慮反；不重，直勇反。剝卦多强，其良反；冗，莫浪反；覆，芳富反。復卦多不省，悉井反。无妄卦多不造，曹早反；自復，服也。大畜卦多畜己，紀；猰，于八反，又音骨，剛突反。頤卦多履，夫、符；羨，息練反；嵊，音踈。大過卦多喪，如字。咸卦多受人，如字，時冑反。大壯卦多不

長,直良反。蹇卦多碩,音石。夬卦多孚號,胡報反。革卦多己日,上以下越;治曆,直吏反。豐卦多通夫,符,下同。旅卦多而當,丁剛反;於難,諾安反。巽卦多令着,張慮反;其資,作齋者多。渙卦多大號,呼報反。節卦多制數,色具反;則嗟,如字,苟作差。中孚卦多勝,升證反;物挍,交兒反。小過卦多鳥離,力知反。既濟卦多之要,於兆反。未濟卦多捄難,乃旦反。繫辭上多往復,服之;差,楚佳反;散,蘇旦反;極數,色具反。繫辭下多覆,芳富反;以斷,都亂反;揉木,如九反,京、姚作柔,説文作煣,云屈申木也;典要,於妙反,有音要者。雜卦多燥,悉早反;整洽,升食反。略例上明象章多不見二字。明爻通變章多非數,色具反。辯位章多不説,如字。略例下多以勝,升證反。等是。凡今本所有,爲此本所無者,如隨卦無而天下隨時、隨時之義注。蠱卦無後甲、施令、育德、當事、盡承注。觀卦無而不薦、省方、觀國之光、居近注。噬嗑卦無械、未盡、未光大也、何校注。无妄卦無茂對時、稼、穡注。大畜卦無日新其德、夫能、剛暴注。頤卦無虎視、而比注。大過卦無相過之過、老夫、滅頂注。坎卦無險陷、處欲、出則之坎、承比、象曰樽酒簋、盡平、徽、叢、法峻注。離卦無畜、日昃、凶、逼近、王用出征以正邦也注。咸卦無各亢注。恒卦無而分注。遯卦無夫静、亢注。晉卦無未著、聞乎、得、失夫注。明夷卦無文王以之、然後而免也、去闇注。家人卦無以著注。睽卦無自復、元夫注。蹇卦無之長注。解卦無解之爲義、咎非其理也、所任、斯解、將解、以解注。損卦無偕行、遂長、尚夫注。益卦無用圭、不爲注。升卦無允當注。困卦無固窮注。井卦無注下注。鼎卦無尊卑序、塞注。震卦無笑言、怠、恐致、視、被動故懼注。歸妹卦無所歸妹也注。豐卦無藏注。旅卦無不快、斫、所嫉注。渙卦無用拯、逃竄、險爭注。中孚卦無乖爭注。既濟卦無曳注。繫辭上傳無盡衆、自造、則盡、咷、可重、當、聖人之道注。繫辭下傳無貞觀、易窮則變變則通通則久、則爭、喪期、無數、棺槨、而治、書契、象也者像也、蔟、藜、其方、能循、其要、貫之、而上注。說卦傳無天、矯、爲薄注。序卦無爭興、所比、所畜、以否注。略例下無拯弱、遯浸、長、難在、亨在、大壯觸、蕃、明夷最遠、最近、而難、能溺注。等是。凡此本所有，而足以證明今各本之是非謬誤者，如大有用亨注，各本皆作：干云，亨，宴也。惟宋本、盧本亨作享。今按此本作饗，饗、享字同，足證宋本、盧本是而各本非。蠱不累注，各本作：力僞反。惟監本、盧本作劣僞反，與此本合。噬嗑噬字注，各本作：市利反。惟宋本、盧本作市制反，與此本合。賁其須注，監本作：水邊作須非。各本非上皆無須字，與此本合，足徵監本之非。翰字注，各本均作：鄭云，白也。與此本合。獨盧本白作幹，與此本異。則作白者是，作幹者非也。剝貫魚注，各本或作：徐音宮；或作：徐音館。獨宋本、盧本作：徐音官。與此本合。足見作宮、作館者之誤。復卦復字注，各本作服，與此本合。而閩本作音復，監本作音覆，皆非。无祇，各本均作祇。獨宋本作祇，與此本合。足徵宋本是而各本非。无祇注：九家本作多。各本皆與此本合。獨盧本多作敊，與此本異。足見釋文原作多不作敊

也。大畜篤實輝光,各本均作輝。獨宋本、盧本作煇,與此
本合。則作煇者是也。其注各本皆作音揮,獨宋本作音輝,
與此本合。則作音輝者是也。輹字注,各本均作:伏菟上
軸,上似之。惟盧本上軸作在軸,與此本合。可證盧本是而
各本非。良馬逐注,各本均作:兩馬疋也。監本疋又作是。
獨盧本疋作走,與此本合。險陁注:於厄反。各本均作厄。
獨宋本、盧本厄作革,與此本合。頤朵字注:京作揣。揣各
本均訛作瑞,獨盧本與此本合。坎枕字注:徐,舒鳩反。各
本均作舒。惟宋本、盧本舒作針,與此本合。祇字注:又上
支反。各本均作上。獨監本作止,阮元謂作止者是。按之
此本,仍作上不作止,則作止者未必是也。離牝字注:又抉
死反。各本均作死,與此本合。獨監本死作允,與此本異,
則作允者非也。涕字注:徐,他米反。各本米或作木、或作
李。遯字注:匿迹避時。各本迹訛亦。此二處獨宋本、盧本
與此本合。明夷左股注:日隨天左旋也。旋各本或訛音,或
訛行。獨補盧本作旋,與此本合。家人愛樂,各本愛字均訛
樂。睽字注:目不相聽也,各本均訛聽爲視。損字注:虧減
之義也。又序卦云:緩必有所失。各本多訛虧作省、緩作
損。此三處獨宋本、盧本與此本合。徵字注:蜀才作澄。各
本皆訛作證。盧本作澂,云舊本作澄,阮元論當作澂。而此
本與盧本所引之舊本合。夬字注:決也。各本訛決作快。
次字注:鄭作越。各本訛越作趀。此二處獨宋本、盧本與此
本合。姤以杞注:馬云,大木也。木各本誤作本。升冥字
注:覓經反。各本覓誤見。此二處獨盧本與此本合。困株

木注:張愚反。愚各本或誤一、或誤于,盧本一作慮。獨宋本作愚,與此本合。則作愚者是,而作一、作于、作慮者皆非也。數歲注:色柱反。各本皆與此本合。獨盧本改柱爲主,與此本異。刪字注:五刮反。各本五或誤方、或誤王、或誤於,獨盧本與此本合。則盧本是,而作方、王、於者誤也。井以勞注:力報反,注同。注各本或誤二、或誤下。獨補宋本、盧本作注,與此本合。甃字注:本云以甎壘井曰甃。本字難通,宋本、盧本作干,謂干寶。而此本則作才,謂蜀才。鼎雉膏注:食之美者。者各本多訛作也,獨宋本、盧本與此本合。震以成,成各本或作威。獨宋本作盛,與此本合。漸衍衍注:馬云饒衍。各本或誤作讒衍、或誤饒行,均不可通,賴此本得解。歸妹知弊注,各本作:釋也反。補盧本作:婢世反。而此本作:婢勢反。世、勢音同,則可證明作釋也者非。以須注:荀、陸作嬬。嬬各本多訛作孺,獨宋本、盧本與此本同。豐則溢注:本或作方溢者非。各本方或誤云、溢或誤益,賴此本得正。中孚爾靡注:亡彼反。各本皆與此本同。獨宋本彼作波,則宋本誤也。繫辭上傳繫字注:徐胡詣反。各本詣或誤請、或誤計,惟盧本與此本合。震无咎注:周云救也。各本誤救作威。功贍注:涉艷反。各本誤涉作先。此二處惟宋本、盧本與此本合。而知注:明僧紹音智。各本誤紹爲知,惟補盧本與此本合。成象注:蜀才作盛象。各本多誤才爲本,獨宋本、盧本與此本合。典禮注:姚作典體。各本均誤體爲禮。議之注:陸、姚作儀之。各本陸均作鄭。此二處獨補盧本與此本合。子和注:胡臥反。各本胡均作明,補盧本又作和,皆與此本不同。期字注:音基。各本均誤基爲朞。繫辭下傳盡會注:津忍反。各本均作丁迴反。隕然注:大回反。大各本均作人。此三處惟補盧本與此本同。氏字注:庖犧氏太皞。氏各本多訛取。下治注:章末同。各本章末多訛草木。暴客注:鄭作虣。虣各本多訛軷。此三處獨宋本、盧本與此本同。介于注:衆家作砎。各本多誤砎爲介,獨宋本與此本同。數也注:色主反。各本均訛主作柱,宋本又作拄。獨補盧本校改作主,與此本合。説卦水火不相逮注:一音大計反。大各本均作七。少男注:詩照反,下少女皆同。各本詩照訛許黨,少女訛必之,皆不可通。此二處亦惟補盧本與此本合。駁,各本多訛駓。獨宋本、盧本與此本合。爲羃注:鋪爲花皃,謂之藪。皃各本或誤作泉、或訛作朵,藪各本多訛作敷,均賴此本得正。頯字注:的頯,白顛。白各本多訛曰。反生注:麻豆之屬。麻各本或作豌。此二處惟宋本、盧本與此本合。乾卦注:古丹反。丹或訛作兔、或訛作完,獨補宋本、盧本與此本合。蟹:户買反。買各本訛作賣,獨監本、盧本與此本同。爲羊下注:爲直、爲牝、爲牝牛。各本多訛直爲首,牝爲作,牝牛爲此字。獨補盧本與此本合。爲楊或訛爲揚,爲可或訛爲河,爲叢棘或訛爲叢梗,亦賴此本證明其誤。亦有今本不誤,而此本鈔寫顯然錯誤不可從者,如蠱卦復始,誤作復洽。又復卦最比,誤軍比。恒卦振恒,誤作振怖。夬卦莫夜注:鄭云無夜非一夜。非一夜誤作悲夜。豐卦鄗,誤作彰。又有今本與此本先後次序不同者,如今本賁卦皤、翰、媾等字,在其趾、舍、車之下，此本則反在其上；今本姤卦包有注先鄭、次虞、次荀，而此本先荀、次鄭、次虞，皆與今本序次異。又此本引用人名書名，往往簡省，至與今本異者。如此本引子夏傳多省作夏，王肅多省作肅，蜀才多省作才，荀柔之多省作荀，陸績之陸時寫作六，廣雅多省作廣，志林多省作志。其他今本與此本俱有之文，而彼此先後顛倒異同詳略之處，尤不勝臚舉。夫古籍淪亡，不可勝數，雖宋、元鐫本，今已寥寥不易多覯，況此唐人手寫之本，竟歷千餘年而獨幸存，且又足資考證如是？真經苑之秘籍，藝林之鴻寶已。

周易釋文一卷_{上虞羅氏}

影印燉煌石室唐寫本〔重作節前篇〕〔一〕

　　唐陸德明撰。德明名元朗，以字行。吳縣人。官唐國子博士兼太子中允、贈齊州刺史吳縣開國男。事蹟具新舊唐書本傳。此本出燉煌石室，後有記五行，記此卷寫於開元二十六年，又記明年校勘，及於晉州衞杲本寫指例略。則此書係唐玄宗時寫本無疑。近人上虞羅振玉影印，列入鳴沙石室古籍叢殘中。今按此書起大有至卷末，前佚乾至同人十三卦。取校今本，異同詳略甚多。凡此本所有，爲今本所無者，計四十餘則。其中最要者，如繫辭下出：揉木，如九反，京、姚作柔，說文作煣，云屈申木也。諸本皆無此文，而此本獨有。凡今本所有，爲此本所無者，計一百二十餘則。

〔一〕此篇排印本署尚秉和先生名，已遵尚囑歸返黃著。

如隨卦不出而天下隨時及隨時之義注，坎卦不出出則之坎
及象曰樽酒簋注，離卦不出王用出征以正邦也注，明夷卦不
出文王以之及然後而免也注，歸妹卦不出所歸妹也注，繫辭
下不出易窮則變變則通通則久及象也者像也注。此皆諸本
所有之文，而此本獨無。又凡此本所有，而足以證明今各本
之是非謬誤者。如剝貫魚注，各本或作徐音宮，或作徐音
館。獨宋本、盧本作徐音官，與此本合。足見作宮、作館者
之誤。復无祗，祗各本均從氏，獨宋本從氏，與此本合。足
徵宋本是而各本皆非。大畜輹字注，各本均作：伏菟上軸，
上似之。惟盧本上軸作在軸，與此本合，可證盧本是而各本
非。明夷左股注：日隨天左旋也。旋各本或訛音、或訛行，
獨補盧本作旋，與此本合。漸衎衎注：馬云饒衎。各本或誤
作譀衎、或誤作饒行，均不可通，賴此本得解。說卦少男注：
詩照反，下少女皆同。各本詩照訛許黨，少女訛必之，皆不
可通。惟補盧本與此本合，足證補盧本是而各本皆非。又
爲羊下注：爲直、爲牝、爲牝牛。各本多訛直爲首，牝爲作，
牝牛爲此字。獨補盧本與此本合。爲楊或訛爲揚，爲可或
訛爲河，爲叢棘或訛爲叢梗，亦賴此本證明其誤。若此之
類，可七十餘條，最爲可貴。亦有今本不誤，而此本鈔寫顯
然錯誤不可從者。如蠱卦復始，誤作復洽。又復卦最比，誤
軍比。恒卦振恒，誤振恤。夬卦莫夜注：鄭云無夜非一夜。
非一夜誤作悲夜。又有今本與此本先後次序不同者。如今
本賁卦皤、翰、媾等字，在其趾、舍、車之下，此本則反在其
上；今本姤卦包有注先鄭、次虞、次荀，而此本先荀、次鄭、次

虞，皆與今本次序異。又此本引用人名、書名，往往簡省，至
與今本異者。如此本引子夏傳多省作夏，王肅多省作肅，蜀
才多省作才，荀柔之多省作荀，陸績之陸時寫作六，廣雅多
省作廣，志林多省作志。其他今本與此本俱有之文，而彼此
先後顛倒異同詳略之處，尚不勝臚舉。夫古籍淪亡，不可勝
數，雖宋、元鐫本，今已寥寥不易多覩，況此唐人手寫之本，
竟歷千餘紀而獨幸存，且又足資考證如是？真經苑之秘籍，
藝林之鴻寶已。

周易釋文一卷明初刻八行大字本[一]

　　唐陸德明撰。此本附明初刻八行大字本周易正義後，
首末完具。取校今本，頗有異同，其優劣可得而言。其劣於
今本者，則訛譌之字過多。如乾卦以辯注：辯，便免反。便
誤扶。屯卦得主則定注：本亦作則寧。寧字上脫則字。又
相近注：下近五同。五誤王。又君子幾注：徐音祈。音誤
者。之易注：以豉反。博施注：式豉反。兩豉字均誤作鼓。
訟卦惕字注：皆通。皆誤旨。比卦有它注：本亦作他。他誤
它。履卦跛字注：依字作㾊。㾊誤破。泰卦否道注：備鄙
反。反誤又。同人卦物黨注：物或作朋。朋誤明。大有卦
注：包容豐富之象。包誤句。用亨注：衆家並香兩反。家誤
蒙。謙卦撝字注：鄭讀爲宣。宣誤宜。豫卦注：備豫也。也
誤屯。殷薦之殷誤毁。簪字注：埤蒼同。埤誤睥。王肅又

祖感反，又誤人。隨卦未正中也，未誤位。噬嗑卦有間注：如字。字誤宏。臘肉注：睎於陽而煬於日曰臘肉。肉誤內。肺字注：荀、董同。董下脫同字。復卦頻復注：鄭作顰。顰誤卑。有災注：本又作災。災誤灾。无妄卦不祐注：鄭云助也。鄭誤馬。大畜卦輹字注：輹似人屐。輹誤輾。之牙注：鄭讀爲互。互誤玄。離卦日昃注：王嗣宗本作仄。仄誤反。咸卦腓字注：鄭云膞腸也。腸誤膞。滕字注：鄭云送也。送誤迸。睽卦相比注：毗志反。毗誤略。解卦之稱注：尺證反。尺誤反。益卦用亨注：許庚反。庚誤夷。夬卦頄字注：面顴。顴誤觀。牽羊注：子夏作掔。掔誤挈。姤卦蹢字注：一本作躑。躑誤擲。萃卦一握注：握當讀爲夫三爲屋之屋。夫誤去。井卦射字注：徐食夜反。食下脫夜字。甕字注：㽍水器也。㽍誤亭。鼎卦以木巽火亨注：本又作亯。亯誤宮。豐卦沫字注：鄭作昧。昧誤妹。旅卦所嫉注：字林音昔。昔誤自。渙卦注：離宮五世卦。五誤三。繫辭上注云：王輔嗣止注大經。大誤六。鼓之注：虞、陸、董皆云，鼓，鼓動也。董誤薰。天下之道注：一本作天地。天誤大。也專注：陸作摶。摶誤專。以言者注：下三句無以字。以誤一。繫辭下包字注云：白交反。白誤曰。剡木注：字林云，銳也。林上脫字字。爻繇注：服虔云，抽也。抽誤袖。因貳注：鄭云，當爲式。式誤貳。則居注：王肅音基。基下衍辭字。說卦蓍字注：士三尺。士誤十二。毛詩草木疏云，似藾蕭。似誤以。發揮注：鄭云揚也。揚誤楊。六位而成章注：本又作六畫。畫下衍一字。爲亞注：王肅去記反。去誤云。爲羊注：

乾爲直。直誤宜。不同故記於此。同誤周。序卦之縕注：
本又作蘊。蘊誤縕。褰卦上升注：下文離上並注同。文誤
女。略例明象動不能制動注：一本作天地不能制動。本上
脫一字。明象在兔注：字又作菟。菟誤冤。卦略明昧注：皆
末貝反。末誤夫。又干寶之干盡誤作于，凡无字均誤作無。
凡此，皆謬誤無當，劣於今各本者也。其勝於今各本者，如
坤括字注：方言云，閉也。閉各本多誤閑。大過弱字注：下
救其弱。弱各本多誤二。家人愛樂，愛各本多誤樂。損：孫
本反。孫各本多誤豫。夬：決也。決各本多誤快。漸衍衍
注：馬云饒衍。饒衍各本或誤讒衍、或誤饒行。歸妹承筐
注：鄭作匡。各本鄭多訛郊。豐沛字注：鄭、干作帯。帯各
本或誤常、或訛帯。繫辭上盡聚，各本聚多訛衆。功贍注：
涉艷反。涉各本或訛先、或訛失。而知注：明僧紹音智。紹
各本多訛知。成象注：蜀才作盛象；不德注：蜀才作置。兩
才字各本多訛作本。說卦少男注：時照反，下少女皆同。各
本時照多訛許黨，少女多訛必之。爲甹注：鋪爲花兒謂之
藪。各本兒多訛泉，藪多訛敷。反生注：陸云，阪當爲反。
各本多訛阪爲反。而此本均與阮校所定之字合。此其優於
今各本者也。校其得失，瑜不掩瑕。故詳爲論列，俾後之君
子有所抉擇焉。

易學羣書平議卷二

參兩通極六卷_{洧上崇信堂刊本}〔一〕

明范守己撰。守己字介儒,號岫雲。河南洧川人。萬
歷甲戌進士,官至兵部侍郎。著肅皇外史四十六卷,四庫提
要列史部襍史類存目;又御龍子集七十七卷、郢堊集十二
卷,四庫提要均列集部別集類存目。參兩通極六卷,即係御
龍子集中之一種,清光緒己丑邑人姚勳爲重刻單行本傳世,
即此本也。其書乃摹倣太玄、潛虛、皇極經世諸書而作。所
以謂之參兩通極者,蓋取説卦參天兩地以倚數之義。卷首
有數原、乘原、位原、七十二乘總目、著法等五篇,及疇卦圖、
參兩通極圓圖、八經九緯圖、九經八緯圖、疇卦九變圖等五
圖。卷一至卷六則皆通極正文,最末附有音釋一篇。大意
謂天之道盡于九,地之道盡于八,九八合而歲功成,是爲數
原。於八卦之外別立元、息、進、隆、中、消、殺、沮八卦名,以
八卦與九疇相乘爲七十二乘,以當七十二候;乘有五位,合

〔一〕 此篇排印本署尚秉和先生名,已遵尚囑歸返黄著。

三百有六十，以應一期之數，是爲乘原。初下終上，初二三曰奇曰偶，爲卦之儀，四上曰少曰壯曰老爲疇之序，是爲位原。又以圖以積數五十有五，書之積數四十有五，總之爲百，故蓍用百莖。變大象曰繹，變象傳曰奡，變小象曰縣。末又爲源索、撰索、元索、曜索、韞索、用索、頤索、筮索等索辭八篇，以擬繫辭。明神宗嘗襃守己爲學貫天人，而修四庫之館臣於御龍子集提要中，則譏此書爲在僭經諸書之下。要之，自子雲作太玄以擬易，世之論者即非一端，譽之者或憾不及見其傳，或以爲過於周易；毀之者或以爲將覆醬瓿，或比之吳楚之稱王，或以爲以艱深之辭文膚淺之理。見仁見智，存乎其人。守己之作，雖上不足以與楊子太玄等量齊觀，要不失爲偏關朗洞極、司馬氏潛虛、邵氏皇極經世、蔡氏洪範皇極諸書之支流餘裔。獨怪其陰師諸書之意，陽變其貌，而乃妄自稱許，出言誇大，自詡其識足以補千古所未備，竟歷詈子雲、子明、君實、堯夫、九峰之書，一若無一可稱者，何其不知量也！

問易補六卷續録一卷山草堂本[一]

明郝敬撰。敬京山人，字仲輿，號楚望。萬曆己丑進士，官永嘉、縉云二縣知縣，累遷户科給事中，降宜興縣丞，移知江陰縣。明史文苑傳附見李維楨傳。敬於九經皆有著述，於易尤多，有周易正解、易領、談易、問易補、學易枝言

〔　〕此篇排印本署尚秉和先生名，已遵尚囑歸返黃著。

等。問易補凡六卷,續録一卷。據其自序,其甥田文宰以諸生學易,取其易解字比句櫛,摘疑義若干條請益,屬諒闇廢業久之,溫故補其闕略。然則此書之作,乃由其甥之問,因著論以補周易正解之闕,故曰問易補也。其序又言:余幼授毛詩,疑朱傳淺率,與同學聽受易者説易,其淺率尤甚於詩。敬蓋深不滿於程傳、朱義之空言義理者。故此書雖有議論,而頗知注重象數。惟其於象數用力仍淺,漢魏古注亦未涉覽,故所言每多支離穿鑿。如説蒙九二納婦子克家云:易道尚變,卦體伏澤火革,反下成睽,睽自家人來,家道首善,故尚蒙,家人之蒙莫如婦子,故其象如此。夫説蒙卦之義,乃舍蒙卦本象不説而求之於伏卦革,已屬不當;求之伏卦革又不得,再求之革之反象睽,本無是理;不意求之睽尚不可得,更須求之睽所從變之卦家人以成其象,其爲迂遠,不已甚乎!書中如此取象者甚多,舉一以概其餘。然敬於象數雖疏,於易理則頗有所入,間有善言可採。如云:貞在人爲智,在天爲冬,在氣爲水;水爲生物之源,知爲作聖之本,冬爲生物之根,萬物至冬收斂歸藏,元氣堅凝,故曰貞固。此疏貞義尚爲明晰。又釋謙天道下濟云:濟,止也,艮之德也,與霽同;雨止曰霽,風止曰濟,莊子云厲風濟,衆竅爲虛是也。以濟爲霽、爲止,説與艮義密合,較舊説有進。又駁先儒讀坤象以先迷後得句、主利句之非,謂主即乾,坤以乾爲主,主當屬上讀。不襲程、朱之誤解,在明儒中固不失爲不隨流俗者也。

學易枝言四卷山草堂集本[一]

明郝敬撰。敬著問易補已著録。此編名曰學易枝言者,據其自作題辭云:經曰中心疑者其辭枝,余學未忘疑,道其實而已矣。則是所謂枝言者,乃心有所疑之意。全書雖是四卷,實則敬自撰者僅前兩卷,其後兩卷則附刻其友鮑士龍之易説。士龍字觀白,永嘉郡博士,精於易,敬官永嘉時嘗就問易者也。今觀敬所著前兩卷,卷之一凡五篇,曰易理、曰易數、曰陰陽、曰動静、曰五行;卷之二亦五篇,曰人身、曰易畫、曰易卦、曰易象、曰易學。其書前後之説多相矛盾。如易理篇論易道神化、易道通變、易道易簡,力駁周濂溪主静之説,謂中正仁義盡之矣,必曰定之,必曰主静,則聖鮮言焉,故論語二十篇不言主静。此顯然不以濂溪主静之説爲然。然陰陽篇又云:聖人主静,寂然不動,感而遂通天下之故,則無偏枯之疾,可以贊天地之化育,可以與天地參,此聖人之真修,生生不已之大道。觀此論,則是極贊主静之功,與前駁濂溪説正相反,矛盾之甚。又如陰陽篇先謂聖人崇陽抑陰,以三才不可一日無陽;其下又言先儒謂易尊陽貴剛,此學術所以差也。易學篇亦謂:先儒説易最差者,以易道用剛。夫聖人既是崇陽抑陰,陽剛陰柔,則先儒謂易道尊陽貴剛又有何差何誤乎?此亦具見其前後之矛盾矣。又書中屢詈管、郭之占筮,並謂朱元晦以易爲卜筮之書,蓋惑於

〔一〕此篇排印本署尚秉和先生名,已遵尚囑歸返黄著。

襪家隱怪之説。夫筮人之職立於周官,尚占之辭明見繫傳,而占筮之驗則春秋内外傳載之尤詳,及秦焚書而易且以卜筮獨存,朱子又何隱怪之惑乎? 若以朱子尊信經傳舊聞猶爲惑於隱怪,則書中人身、易卦諸篇多論養生家提咽之術,明出道家,不尤爲隱怪乎? 信矣其爲枝言也! 至後半所附鮑子易説,大旨發揮致良知良能之學説,而多襪道家之言,蓋敬人身、易卦諸篇之所本也。

劉子易屬五卷明刻本[一]

　　此書祇題劉子易屬,而不著其名字官職。惟前有一序,末署萬曆庚辰冬十月辛亥弟伯爕頓首書,知其爲明末人劉伯爕之兄。又據所述而知其書爲伯爕子廖所筆録,本係未竟之書。所以謂之易屬者,取其可行之意。案此書明史藝文志不載,惟傳是樓書目云明劉伯生撰。張仲炘湖北通志卷七十七藝文一經部云:伯生,安陸人,文學有傳。注云:案是書孝感志作易屬素言,安陸志作易屬瀹言,幾莫辨其當何屬。惟傳是樓書目云劉子易屬五卷,列易類論説門,其素言、瀹言亦各自爲書,屬子部儒家、襪家兩類。今考此書,書名卷數皆與傳是樓書目相符,當爲劉伯生撰無疑。又案湖北通志卷一百五十一文學傳云:劉伯生,字大鶴,孝感人。原注:安陸縣志亦載之,今據太學題名碑定爲孝感人。嘉靖乙丑進士,授上蔡知縣,擢南京吏部主事。以母老乞歸,讀書養親,著述日

[一] 此篇排印本署尚秉和先生名,已遵尚囑歸返黄著。

富。初與弟伯燮同舉於鄉。云云。又卷一百三十五列傳三
云:劉伯燮,字元甫。隆慶戊辰進士,爲御史,有直聲,萬曆
間出爲雲南提學副使,遷廣東按察使,以母老不赴。子廖,
字子聚,性慷慨,好周人急,後貢太學不仕。所言皆與序合,
益足證爲伯生作矣。其書不列經文,祇有講解論説。自卷
之一至卷之四釋上經三十卦及下經十二卦,至益而止,以下
各卦並繫辭、文言、説卦、序卦、襍卦之屬皆闕,與序中稍未
竟之言合。其末一卷則襍論太極、陰陽、奇偶、易象、卦爻並
同人、无妄諸卦之義,襍亂無次,似湊集以充卷者。全書多
設問答,大抵演繹義理,於心性理氣之學略有窺尋;若於易
則空泛虛浮,少當於經旨。蓋自王弼掃象以空談演易,至唐
而揚其波,至宋而極其弊,宋、元以後學者漸不識易爲何物。
根本既差,浮僞愈甚。故易屬自始至終無言象數者,斯乃風
氣之使然,末流所必至也。所幸劉氏空言義理,尚未哆口談
禪,如明人之放縱無忌耳。觀伯燮之所序,隱然以程伯子兄
弟相比儗,蓋宗仰程氏而不得其正者歟?

易問二卷 九公山房類稿本[一]

明郝錦撰。錦字絅卿,號于庵。六安人。崇禎丁丑進
士,授江西豐城令,內陞福建道監察御史,侃侃稱諍臣。已
而謝病歸,結盧九公山下,有薦者,力辭之。有九公山房集、
毛詩偶釋、尚書家訓、九公山房帖及易問行世。易問上經爲

〔一〕此篇排印本署尚秉和先生名,已遵尚囑歸返黃著。

一卷，下經又爲一卷，至繫辭、説卦、序卦、襍卦之屬皆闕。
蓋如任天成序所謂有問而後有答，卦不必賅，爻不必備，隨
其所問而答之之意也。全書演繹義理，大抵以程傳爲宗，然
間有言象學而取古義者。如云：泰不富，指六四説，坤中虛
爲不富。此本虞翻説。大有，大車以載積中不敗，云：乾爲
大車。此本集解盧氏之説。震六二億喪貝，云：坤爲喪，三
動成離，離爲蠃蚌，爲貝。亦本虞翻之説。此其未明言者
也。其已明言者，如釋大有威如之吉，引九家易云：六五爲
卦主，有威不用，唯行簡易，無所防備；物感其德，翻更畏威，
威如之吉也。案集解此本侯果説，郝氏指爲九家，不知其何所據。釋復
六五敦復无悔，中以自考云：能自考者，則動不失中順之德，
故敦復，故无悔也。自言主侯果説。此足見郝氏不拘于一
先生之言者也。郝氏又明于陰陽爲朋友及陰遇陰、陽通陽
則阻塞之理。如釋損六三云：陰陽偶合，便得其友，陰不疑
陽，陽不疑陰。陽與陽疑，陰與陰疑。釋節初九不出戶庭
云：二陽蔽于前，雖欲出而不能。此皆通乎陰陽感應之故，
發前儒所未發者也。至如釋鼎象云：下陰爲足，二、三、四陽
爲腹，五陰爲耳，上陽爲鉉，其製作形模，法象尤備。説與來
知德同，頗爲可取。其不可取者，如釋蠱初六幹父之蠱，謂
初應四，而四柔，柔非父，故以艮爲父。困有言不信，謂二爲
坎主，上爲兑主，坎遇兑而成困，則二體居不相謀之地，故兑
有言而坎不信。夫艮之爲祖，焦氏易林每用之，至爲父則漢
魏諸儒所未有，不宜臆造也。又易之言有言不信者非一，何
獨困卦兑有言而坎不信？是不可盡通。故分別其是非而詳

辨之。

鄭氏易譜十二卷道光丙戌鄭永謀刻本[一]

明鄭旒著。旒字承袞。廣東順德人,崇禎庚午歲貢生。其書前有崇禎六年御史梁元柱、司勳郎李廷龍二序。梁稱其童年即有易癖,篝燈面壁者幾四十年,是編壽梨梓而易無餘蘊。李稱其生平著作如易髓、詩文草、太平中興略、哀窮民賦、楚辭白及素問圖鏡諸書,皆大有裨于人心世道者;而易譜尤爲理道之大原,百家之鼻祖,君子謂其尤精博。云云。又有自序一首及道光丙戌梁廷枏一跋。跋稱:易髓、中興略、楚詞白、素問圖鏡皆佚,惟易譜尚行世,文孫永謀重刻之。即此本是也。全書多設青松問、環中子答,故書名或著錄作青松問。凡十二卷,卷一述河圖、洛書及龍虎、五運諸圖;卷二述伏羲八卦次序及範圍數略,附蜀傳天地自然圖;卷三述伏羲八卦方位,及月體明魄、潮水應月諸圖,並及內鍊之法;卷四述伏羲六十四卦次序及互卦歸根圖、邵子三十六宮詩;卷五述伏羲六十四卦方位,及羲皇全圖氣朔正閏定象、世運治亂定局、四層包裹圖、四角圖、先天六十四卦直圖等;卷六述文王八卦次序、方位,並乾知坤作、仰觀俯察諸圖;卷七論周易象辭卦變來歷,舉陳希夷傳授李挺之圖,以參正卦變,又總說易象,分卦名、卦德、卦體、卦象、爻象五略;卷八論正體象、互體象、變體象、似體象及占法;卷九論

[一] 此篇排印本署尚秉和先生名,已遵尚囑歸返黃著。

蓍龜、策數、卦變次序及上下繫、襍卦諸説;卷十述邵子經世衍易諸術,以推算歷代帝王即位陰陽應驗,並及算帝王國祚長短例、算事物成敗聲音起卦例;卷十一論連山易曆法、京氏卦氣圖、納甲、飛伏,以及丹家坎離升降、火候諸圖;卷十二則載其用河洛範圖數驗,内分爻辭神驗、易象趣驗二類。中間惟卷七五略、卷八四體像象,頗合經旨外,其餘諸卷立義膚淺,鑄詞鄙俚。舉凡先後之位、河洛之數、推算之法、爐火之術,以及日月之運行、江海之潮汐,莫不濫廁其間,因而演爲黑白方圓,圖爲縱橫順逆。乍觀之,莫不疑爲奕譜、算經。又立怪誕名目,如參兩數具見天地影子、神關轉鬼、鬼關轉神、人間大古今、艮中玄秘、易道在人一轉之類。蓋易書之悖妄乖謬,至此而極矣。而其書卷首列參訂姓氏,乃至百五十餘人,若孫慎行、顧錫疇、劉宗周、黄道周、史可法、方以智、黄宗羲諸君子皆在其列。豈鄭氏自知其醜陋,而欲引並世名賢以自重邪?梁元柱、李廷龍二序既爲妄嘆,而元柱之孫廷栤爲之跋:始則譏爲歧中之歧,謂不知當時諸先達何以取此,末又謂其別生枝節,終以爲可删。烏虖!若廷栤者,真可謂篤論君子哉!故其書雖以易名,似宜退而列之於術數中焉。

周易禪解十卷民國四年金陵刻經處刊本

明釋智旭撰。智旭,字蕅益,自號北天目道人。崇禎間住持江浙各地,著述頗多。此書凡十卷,卷一至七解六十四

卦,卷八解繫辭上傳,卷九解繫辭下傳及説、序、雜三篇,卷
十則附圖説八篇。其自序謂以禪入儒,務誘儒以知禪,故其
通釋卦爻,皆援禪理以爲解。按四庫提要論楊氏易傳謂:自
漢以來,以老、莊説易始魏王弼,以心性説易始王宗傳及簡。
至於明季,其説大行,紫溪蘇濬解易遂以冥冥篇爲名,而易
全入禪矣。又簡等專明此義,遂流恍惚虛無。其論童溪易
傳亦謂:明萬曆以後,動以心學説易,流別於楊簡及宗傳二
人。據此所論,則智旭之易似遠源於楊、王二人,爲易家之
別派。今考其書,援引禪理,間雖不免傅會,然亦頗有可取
者。如論乾坤云:乾,健也,在天爲陽,在地爲剛,在人爲智、
爲義,在性爲照,在修爲觀,又在器界爲覆,在根身爲首、爲
天君,在家爲主,在國爲王,在天下爲帝。或有以天道釋,或
有以人道釋者,皆舉一偶耳。坤,順也,在天爲陰,在地爲
柔,在人爲仁,在性爲寂,在修爲止,又在器界爲載,在根身
爲腹、爲腑臟,在家爲妻,在國爲臣。釋用九云:若約佛法釋
者,用九是用有變化之慧,不用七之無變化慧也。陽動即變
爲陰,喻妙慧必與定俱。又統論六爻表法,通乎世出世間,
歷舉若約三才,若約天時,若約欲天,若約三界,若約地理,
若約方位,若約家,若約國,若約人類,若約一身,若約一世,
若約六道,若約十界,若約六即等,以證明其義。又總論之
曰:以要言之,世出世法,若大若小,若依若正,若善若惡,皆
可以六爻作表法,有何一爻不攝一切法? 有何一法不攝一
切六爻? 按以上諸條,立説皆非盡恍惚虛無。書中類此者
多,未可以其援禪入儒而悉非之。

逸亭易論無卷數_{檀几叢書二集本}〔一〕

　　明徐繼恩著。繼恩字世臣。錢塘諸生。甲申後晦迹爲浮屠,名止嵒,字齋堂。爲詩清麗,不落凡近,爲王漁洋所稱。是書凡八篇,首曰河圖説,明作易昉於河圖之義也;次曰洛書説,明作易則于洛書之義也;三曰先天八卦圖説,明乾南坤北、離東坎西之方位,乃卦象之自然者也;四曰後天八卦圖説,明後天八卦乃準河圖者也;自第五篇以下至七篇止,則皆卦序説,明六十四卦相次之序也;末曰策數説,明策數有體有用也。大旨在闡明邵子之學,而頗多穿鑿臆説。如云:作易者取則于河圖,其説安在?孔子不云乎,易有太極,是生兩儀,兩儀生四象,四象生八卦。兩儀、四象、八卦,夫人而知者也,太極則茫乎不知所指。嘗覽河圖而得之,夫太極者,中五也。依徐氏之説,是以河圖中五爲太極,聖人則河圖,即則其中五之太極。聖人果如是乎? 徐氏又言:洛書陽嘗處于四正,陰嘗處于四隅,明以八方者示八卦之義,聖人作易因而圖之,此取則者也。是徐氏之意,又以聖人作八卦,乃則洛書之八方也。亦有是理乎? 他如論卦序謂:天地定位,故首乾坤;天一生水,坎宜繼者也,屯以水雷,蒙以山水,皆水也。云云。説雖巧合,仍無當于經旨。蓋聖人作易,仰觀俯察,近取遠取,極深研幾,幽贊神明,而後作卦爻,

---

〔一〕 此篇排印本署尚秉和先生名,已遵尚囑歸返黃著。惟篇首作者事略,蓋後又重爲考訂增詳。故排印本依原稿題"清徐繼恩",兹已改題明人。

垂象數。河圖洛書,亦其取則之一耳。至其所以取則之方,殆不可知。後儒必欲紛紛推測,要之非誣則妄,如徐氏者亦其一也。至如六十四卦相比次之義,序卦言之已詳,而徐氏又欲文飾傅會,以神其說,不亦索隱行怪,爲夫子所弗爲者乎?是不可以不辨也。

擬易無卷數快書本〔一〕

　明張武略撰。武略,不詳何人。據其自序謂:嘗讀易至天山遯、地山謙,深繹其義,無非戒占者以退讓謙下之道,爲明哲保身之機,其理淵微,難於訓族。偶閱舊史,有以退、忍、默、恕爲卦說者,爲取天山遯之爻象,配退以畫卦。蓋取天在上而行健,山在下而形高;行健而能退,處高而能卑。此人情所難,必忍人之所不能忍者斯有之,故又廣之以忍,畫卦象離,取諸中虛能受之道。未也,或忍于勢,而不免動于內,則失之矯,此能退能忍者,又當處之以默。默之道靜,畫卦象坤,取諸順以承之道。噫!自退而忍而默,則性理靜定,物我忘機,尋至乎聖賢恕己功夫,一言而可以終身者乎!易曰乾者健也,天行健,君子以自强不息。恕諸己者,無往而不利,即君子自强之道也,故以恕畫卦象乾,亦取諸天之大也無所不容。云云。其全書之大旨畢見於是。故其所擬祇四卦:一曰退,二曰忍,三曰默,四曰恕。以退擬遯,以忍擬離,以默擬坤,以恕擬乾。卦有卦辭,爻有爻辭,亦有象傳

〔一〕此篇排印本署尚秉和先生名,已遵尚囑歸返黃著。

及大象小象。然易之爲書,有象、有數、有理,三者俱備,無所偏廢。即後之擬易者,太玄、潛虛之流,亦皆象、數、義理俱備。兹篇所擬,惟擬其辭,以寓憂危惕厲之意;至於象、於數,皆無根據。似此之文,直作箴銘可耳,又何用擬易乎?斯蓋明人摹擬剽竊之陋習,固無當於大雅之所爲也。篇末又附莊語十餘條,類似講學家之語録,其中頗有善言,然於易亦無與也。

通宗易論無卷數唱經堂才子叢書本〔一〕

清金人瑞著。人瑞,長洲人,本氏張名采,後改氏金名人瑞,又名喟,字聖嘆。爲人狂傲,評點演義小説,頗爲世俗所稱。清初以抗糧哭廟案被誅。是書凡六篇。首篇題曰易鈔引,有訂定卦位歌一首,先師大哉至哉結制解制圖一首,圖之上題曰:富機學者,篆書大至二字。注:大頂曰真,至足曰假,大中曰悟,至中曰證。大至之左爲其静也專,其静也翕;右爲其動也直,其動也闢。圖之下題曰:第十六講座。語既荒唐,至謂乾内一筆爲電光三昧,坤内一筆爲首楞嚴三昧,尤怪誕謬妄。次篇論義例,謂羲文例在乾坤二畫,周公例在用九、用六,孔子例爲陰陽、剛柔、仁義,其言尚近於理。至謂易中有樓閣卦、有光影卦、沐浴卦,則又不知其所謂。第三篇論五十之數,謂五十合一,即是世尊胸前卍字輪。第四篇論乾坤之義,謂讀周南、召南而能事畢。第五篇論乾、

〔一〕此篇排印本署尚秉和先生名,已遵尚囑歸返黄著。

坤、震、巽、坎、離、艮、兑、否、泰、損、益、咸、恒、既、未濟十六
卦之義，謂大雄氏有十六觀經，尚書有十六字，妙法蓮華經
有十六王子，其義一也。末篇謂屯、蒙卦，達磨遇神光時也；
需卦，香巖辭潙山時也。又謂達磨大師東來，只爲得一屯
卦；一部五燈會元，都是弄粥飯氣。凡此各篇，時或引詩、論
語、孝經以相參證，時或引佛書禪學以相比附，支離轇轕，語
無倫次，苟非病狂者，決不至此。其書本不足論，恐俗士不
識，詑爲奇妙，故具詳之。

易義選參二卷_{翠微峰易堂刊本}[一]

　　清寧都三魏著，邱維屏評選。三魏者，魏伯子際瑞、叔
子禧、季子禮是也。際瑞初名祥，字伯善，明諸生，有伯子文
集及雜俎。禧字冰叔，號裕齋，又號勺庭，明末棄諸生結盧
翠微峰下，與兄際瑞、弟禮皆以文章稱，而禧才尤高，康熙中
舉博學鴻詞，以疾辭，有詩文集及左傳經世。禮字和公，性
慷慨，工詩文，有季子文集。維屏字邦士，亦寧都諸生，爲易
堂九子之一，而三魏之姊壻也，精泰西算法，有周易剿説、易
數及文集。初，三魏於易各有論著，維屏因綜合採輯而爲是
書，且加評點，稿未刊行。至光緒二年，魏氏之孫吉謙字松
園者，始爲鋟版行世。其書僅上下二卷，祇釋六十四卦卦爻
辭，而十翼之辭則闕焉。其注頗留心易象，惜未能根據説卦
及漢魏諸儒所傳逸象，往往以臆推測，致漫衍無經。如伯子

〔一〕此篇排印本署尚秉和先生名，已遵尚囑歸返黃著。

釋履虎尾云：互離爲虎。解上六公用射隼于高墉之上云：互離爲公，爲墉。萃初六若號云：變震故號。豐上六豐其屋云：離爲宮。又叔子釋屯六三即鹿无虞云：坎象鹿。訟上九或錫之鞶帶云：乾圜爲帶。比九五失前禽云：坎爲禽。大畜六五豶豕之牙云：震爲決躁，故有豕象。解九二田獲三狐云：震爲獲。困九二朱紱方來云：離爲朱。井改邑不改井云：離爲市邑。未濟六三利涉大川云：互離爲舟。以及季子釋訟九二三百户无眚謂：離，户象。釋噬嗑初九屨校滅趾謂：震，木校象。上九何校滅耳又謂：離，木科槁，校象。困六三困于石謂：剛鹵有石象。皆不言根據，信口臆造，不惟與説卦違，與漢魏諸儒所言逸象亦無一能合。又每因求象不得，而使當位之爻變以成其象，蹈虞翻之故轍，斯皆于易義爲未審者。蓋易自元明以來皆空談心性，循至流于狂禪。其能鉤稽象學者，自吴澄、熊過、陳士元、來知德、魏濬數家外，鮮知窮究。三魏兄弟，極知其弊，而思有以匡正之，其用意則可嘉，惜其用力太淺耳。至若叔子釋發蒙利用刑人，爲利用可儀型之人；伯子釋剥牀以足蔑貞凶，以貞爲楨幹之楨，斯雖偶出新義，要無悖於故訓。又其於損、益、否、泰之際，吉、凶、悔、吝之詞，往往闡發義理，抒其憂勤之意，忠愛之誠，斯蓋志士之用心，抑亦文家之能事也已。

周易本義正解二十二卷卷首一卷

康熙癸酉賜書堂刊本〔一〕

　　清丁鼎時、吳瑞麟撰。鼎時字九疇，號柯亭，丹陽人，廩
貢生，文名噪一時，爲吳偉業所識拔，又與魏禧、陳維嵩、汪
琬、姜宸英等爲友，有文在之選，著新硎、驪珠等集。瑞麟字
南驤，亦丹陽人，諸生。考是書，前有瑞麟自序，言學者但究
心本義，而易之理已無餘蘊。又云：余悉屏衆説，一以本義
爲宗，故書名本義正解。又考瑞麟所作凡例，則此書實係瑞
麟一人所著，兼採鼎時之説，因題其名同撰。卷首先載序
例，序例之後次之以周易類句辨異，又次列程子原序、上下
經篇義、朱子易説綱領、五贊，又爲圖一十有八，發明先後天
河洛之義，並録筮儀、啓蒙明占法、易學源流總論、卦歌等。
卷之一至八釋上經，卷之九至十六釋下經，卷之十七至二十
一釋繫辭，末卷則釋説卦、序卦、雜卦。其注釋之法，首疏解
本義注文，雜採胡廣大全、蔡虛齋蒙引、林次崖存疑、潘友碩
廣義、蕭山來會解諸書之説，以疏證朱子之義；次列衍義，以
串講經傳之辭，敷暢其文義；又次列發明，推求經文逐字逐
句之意義，前後照應之脈絡，以發明經旨。若乾、坤諸卦，尚
有六爻合旨、象象合旨、文言傳合旨等名目。疏釋似爲詳
盡，然空泛敷演，辭多枝葉，仍不脱講章習氣。又易源流論
有云：李鼎祚集解取鄭舍王，陸德明釋文宗京尚數。夫鼎祚

〔一〕　此篇排印本署尚秉和先生名，已遵尚囑歸返黃著。

自謂刊輔嗣之野文，補康成之逸象，崇鄭黜王，事誠有之。若德明釋文，兼載諸儒之訓詁，證各本之異同，若以其卦首列某宮某世卦，概其全書爲宗京尚數，有是理乎？瑞麟取此，其於考據之疏，可概見矣。

周易彙統四卷 康熙壬午刊本[一]

清佟國維撰。佟國維，滿洲鑲黄旗人，襄勤公佟圖賴之子，忠勇公佟圖綱之弟。初任一等侍衛，康熙九年授大臣，廿一年授領侍衛大臣，尋列議政大臣，廿八年封一等公。五十八年薨，雍正元年贈太傅，予諡端純。是書自序於康熙壬午，有云：余少習武事，未嘗讀書，偶於周易傳義大全採取伊川先生及宋諸儒説中精粹而易明者，稍加融貫，彙集成帙。故此書一以程、朱爲主。卷首仍列本義九圖及八卦取象等歌。經文註釋全取程傳者十之四，全取本義者十之二，傳義參合者十之二，其餘十之二多採建安丘氏之説。按丘氏，名富國，字行可，朱子門人，著周易輯解、經世補遺、易學説約等書，皆發明朱子之旨。於丘氏之外，惟大有卦取誠齋楊氏説一條，无妄卦取雲峰胡氏説一條，睽卦取縉雲馮氏説一條。自序所謂採取宋諸儒説者，如是而已。書名所謂彙統者，實只程、朱、丘三家義合參而已。若縉雲馮氏與雲峰胡氏，固與三家義毫無異撰，即誠齋楊氏最喜引史證經，而此書所引亦意不在彼。故此書可謂純乎墨守程、朱之説，而略

〔一〕此篇排印本署尚秉和先生名，已遵尚囑歸返黃著。

撮抄周易大全以成者。夫程傳、朱義在明初即已爲功令所必習、家絃户誦，大全所輯宋、元儒者之説雖云未備，然此書以言精要不如程、朱、丘原書，以言詳備則不及大全，而己又毫無所發明，復何貴乎？

河洛精蘊九卷 乾隆甲午蘊真書屋刊本[一]

清江永撰。永字慎修，安徽婺源人，歲貢生。永所著書，四庫提要多已著録，此書乃永耄年所著。據其自序，時年已七十有九。全書凡九卷，分内外兩篇。内篇三卷，外篇六卷。内篇爲河洛之精，外篇爲河洛之蘊。計第一卷自河圖起，至圖書八卦餘論止，共十三條。第二卷自論後天八卦未必始于文王起，至圖説止，共十七條；第三卷自大衍之數五十説起，至變占餘義説止，共九條，是爲闡明河洛之精者。第四卷自河洛未分未變方圖起，至總説止，共二十五條；第五卷自變卦説起，至總論止，共二十四條；第六卷自勾股原始起，至六乘方至十一乘方止，共二十二條。第七卷自律吕聲音本於河圖洛書説起，至五十音應大衍之數圖止，共十九條；第八卷自河圖爲物理根源圖起，至紫白洛書説止，共三十條；第九卷自納甲説起，至傷寒傳足不傳手説止，共十六條，是爲闡明河洛之蘊者。蓋永潛心宋儒之學，而篤信朱子，故從朱子以十爲河圖、以九爲洛書。又本周子聖人之精畫卦以示，聖人之蘊因卦以發之語，故名其書爲河洛精蘊。

[一] 此篇排印本未收入。所收同書提要係高潤生撰，非此文也。

其自序有言：余思之，易前似有易，陳希夷之龍圖是也；易中復有易，中爻之十六互卦是也；易後又有易，焦贛之易林及後世火珠林占法是也。更舉圖書卦畫同源而共流、旁推而交通者，若算家之勾股乘方，樂家之五音六律，天文家之七曜高下，五行家之納甲納音，音學家之字母清濁，堪輿家之羅經理氣，擇日家之斗首奇門，以至天有五運六氣、人有經脈動脈，是爲醫學之根源、治療之準則者，亦自圖書卦畫而來。信乎！天地之文章萬理於是乎根本，聖人之文章萬法於是乎權輿。精固精也，亦何蘊之非精哉？云云。故其爲書，内而卦畫、方位、蓍策、變占，一一説河洛而抉其精；外而天文、地理、人事，一一從河洛而闡其蘊。其中如大衍之數五十説、參天兩地以倚數説、揲蓍説、變占説、占法考、互卦説、卦變説、卦變考、卦象説等篇，均抉擇精詳，論列允當，足以津逮後學。其他各篇雖其所論間或失之，廣泛龐雜，然亦藉此可以悟術數之所自始，而得萬法之權輿。固非殫見洽聞、學殖深邃者不能爲也。

易經徵實解無卷數排印本

清胡翔瀛撰。翔瀛字嶧陽。即墨人，康熙間歲貢生。所著有易象授蒙等。此書稿存胡氏家歷二百六十餘年，未經鋟版，故世人知者絶少。至民國六年，其裔孫鵬昌，字海雲者，始以活字印行。沈菴抑鬱，久而後彰，亦云幸矣。其書取全易卦爻辭之爲吉、爲凶、爲悔、爲吝者，徵以事實，溯其成敗,部列而條比之,故曰徵實解。按易經文中,如帝乙歸妹,以祉元吉;康侯用錫馬蕃庶,晝日三接;箕子之明夷,利貞;高宗伐鬼方,三年克之之屬,原與史事相涉。傳文中,如文王以之,箕子以之,顏氏之子其庶幾乎諸條,已開引史證經之先河。漢晉古注,今可考見者,如鄭玄、干寶之徒,亦時以史事比附經文。論者謂至宋李光、楊萬里,參證史事,易遂日啓其論端。實則啓論端者非自李、楊,特李、楊爲甚耳。然李、楊之引史證經,亦未卦卦爻爻悉如是也。至翔瀛此書,則六十四卦三百八十四爻,幾無一不引史事以實之,則又本李、楊之術而加厲者也。夫易之爲書,天道人事,古往今來一切萬事萬物之理,無所不賅,無所不包,故能成其大。若徒以史事證之,則易辭與史例無異,而易小矣。況乎翔瀛之比附,盡有不切者。如釋坤上六龍戰于野,其血玄黃,引王莽殺何武、鮑宣,王甫殺李膺、范滂;釋小畜上九既雨既處,尚德載婦,貞厲,引秦檜懷奸;釋泰九二包荒,用馮河,不遐遺,朋亡,得尚于中行,引辛壬癸甲而弗子呱呱;釋蠱之先甲後甲,謂先甲如武之反商由舊,後甲如成之制治保邦;釋賁六二賁其須,引黃霸受經於夏侯勝,茅容從學於郭林宗;釋大畜上九何天之衢,引傅說舉版築,膠鬲舉魚鹽;釋坎六四樽酒,簋貳用缶,納約自牖,引觸左師及田千秋事;釋睽六五悔亡,厥宗噬膚,往何咎,引先主三顧草廬;釋鼎九三鼎耳革,其行塞,引馬援、王猛事;釋歸妹九四歸妹愆期,引費貽、尹和靖事:凡此諸條,經文之義,與所引史事,均渺不相涉,而胡氏必欲强合之,故終不免於傅會矣。

大易札記五卷^{濠上存古堂刊本}〔一〕

　　清范爾梅撰。爾梅字梅臣，號雪庵。洪洞人，雍正間貢生。嘗著讀書小記三十一卷，四庫提要列子部儒家類存目。是書凡五卷，實係讀書小記之一種。卷一論朱子本義九圖及八卦取象、上下經卦名次序、上下經卦變等歌，大體雖崇朱子舊説，而頗不盡以爲然。如卦變圖條下註云：朱子此圖令人目迷，竊以象言卦變，乃序卦反對，其理至易至簡，眼前便是，何事外求？明儒亦多不取此圖。似此尚能決絕依附，不阿所好。自卷二以下，皆係經注，然其注不全列經文，不字解句釋，祗舉某卦某爻某節，總論其大義，意在推闡心性理氣之學，而多引史事以相參證，其間比附頗多不切。如釋比初六有孚盈缶，終來有它吉云：春秋蕭、魚之會，東漢蕭、王之推心置腹，羊叔子之不酖人，郭汾陽之單騎責回紇，皆盈缶它吉之實效也。説泰六四翩翩，不富以其鄰云：宋高太后謂官家別用一番人，而楊畏果疏章吕等，真翩翩矣。若此之類甚多，實皆與經義相去甚遠而强引以爲説，已不足取。其最僭妄者，則莫若倣繫辭、説卦之文，而作諸論説。如先天小圓圖論云：陽卦四，陰卦四，四位相得而各有合，三變而三合。先天大圓圖論云：陽卦三十二，陰卦三十二，三十二位相得，而各有合，六合而六變，此所以神變化而行鬼神也。全倣繫辭天數五，地數五，五位相得而各有合之文。又作先

〔一〕此篇排印本署尚秉和先生名，已遵尚囑歸返黄著。

天說云:帝出乎離,齊乎兌,相見乎乾,致役乎巽,悦言乎坎,戰乎艮,勞乎坤,成言乎震,此則順往逆來之義也。全倣帝出乎震一節之文。凡此皆師心自用。故無知妄作若是,而爾梅尤詡詡然自鳴得意。吁!可怪也!

易卦考一卷濠上存古堂刊本[一]

　　清范爾梅撰。爾梅有大易札記五卷,已著錄。此書亦係爾梅讀書小記之一種。首論河洛,謂河洛四位之相合,與羲卦四象之相合,其數歷歷不爽,故聖人因圖書而作易。次考先天卦變,謂京氏之八卦分宮次序,乃後天之卦變,臨尾二卦遊魂、歸魂之術爲補湊不安。因改定八宮次序,縱橫皆按乾一兌二之次排列,首乾宮、次兌宮、次離宮、次震宮、次巽宮、次坎宮、次艮宮、最後坤宮。本宮中亦首乾、次兌、次離、次震、次巽、次坎、次艮、次坤。例如乾爲天,天風姤,天山遯,天地否,風地觀,山地剝,火地晉,火天大有之文,則改爲:乾爲天,澤天夬,火天大有,雷天大壯,風天小畜,水天需,山天大畜,地天泰。地天泰之後則接兌宮,其文爲:天澤履,兌爲澤,火澤睽,雷澤歸妹,風澤中孚,水澤節,山澤損,地澤臨云云。其餘依此類推。夫古者河圖之篇有九,洛書之篇有六。既有其篇,當有其文,蓋不徒一、二、三、四之數而已。若宋儒所謂河洛,則天地生成數與太乙下行九宮數耳,非真河圖、洛書也。而爾梅不察,恣意牽合,以爲羲皇畫

────────

[一] 此篇排印本署尚秉和先生名,已遵尚囑歸返黃著。

卦必出於是,謬已！又京氏八卦分宮次序,乃所以求世應之
爻,便占筮推斷,夫何預乎先天、後天？而爾梅强名之曰後
天卦變,而又自作先天卦變以補之,用力愈勤,亦愈見其愚
誣而已。末後尚附有象傳卦變考一首,衹述經文,無所發
明。其他若八卦變六十四卦圖、八卦之交又成八卦圖、在人
之易圖、乾坤六子聯珠圖、生生圖、先天六畫卦變圖、羲文錯
綜全圖、卦變相得有合圖、卦變十二輪周流六虛反對圖、先
天洛數錯綜全圖、先天生數錯綜全圖等,皆繚繞于河洛先後
天之數位,爲説愈繁,而愈不可究詰。爾梅譏朱子本義所載
卦變圖令人目迷,若觀彼自所爲圖,豈但目迷？是真所謂謬
妄無識之尤已！

婁山易輪一卷濠上存古堂刊本^{〔一〕}

　　清范爾梅撰。爾梅有大易札記五卷,易卦考一卷,已著
録。此書亦係讀書小記之一種,實係撮抄未定之書,故與易
卦考之文頗多重複,宗旨亦大同小異。所以謂之易輪者,據
其自序:余爲此圖,其法止于一闢一闔,而惟變所適,足以撥
轉六十四卦,使之周流六虛,往來不窮,而旋轉如輪。則是
所謂易輪者,乃取易道周轉不息之意。書中最要者,爲前四
圖:一曰小生生圖,明先天易八卦生卦之序自下而上,有經、
有緯、有合、有分,凡三變而成卦也;二曰小卦變圖,明卦變
圖之用,與生生圖同一經緯變化之用,第卦畫未生則見爲

生，卦畫既成則見爲變，三變之後周而復始也；三曰大生生圖，明八卦以變而生，因而重之，六十四卦亦以變而生也；四曰大卦變圖，明八卦六爻合而生六變也。凡此四圖，皆以河圖相得有合之義，與洛書旋轉之法，衍出陰陽之交，以明易之神變化而行鬼神。其支離無當，與易卦考諸圖同。又末後所附卦變錯綜圖、卦變十二輪圖、卦變三百八十四爻相得有合圖及六合説，或與易卦考圖複，或無深奧之意義，均在可有可無之列。最末有八卦變六十四卦説，改京氏所傳八卦分宫次序，蓋即易卦考中之先天卦變圖，尤無意義。前已具論其妄，兹不復贅。

政餘易圖説六卷<small>乾隆己丑刊本</small>[一]

清劉思問撰。思問字裕庵。河北趙州人。<small>原書題慶源人，按慶源即河北趙州。</small>雍正十三年乙卯舉人，官陝西扶風知縣，改山西馬邑知縣。是書題曰政餘易圖説，實則圖説祇一卷，其自卷二以下皆注釋經文者，亦蒙圖説之名，殊嫌未當。又此書計卷一至卷六而止，實則卷六以下尚有一册釋繫辭、説卦、序卦、雜卦者，不計卷數，不譣何故。其著書之大旨備見於自序。序云：觀象以繫辭，揲蓍以用卦，易之能事盡乎此矣。而要皆源於河圖。先天八卦之方位，河圖之四面也；八卦所由生，河圖之中宫也。後天八卦，則河圖奇偶之大進大退；揲蓍，則河圖生成之小進小退。又云：能細玩先後天卦

〔一〕此篇排印本署尚秉和先生名，已遵尚囑歸返黄著。

圖，則易辭不難説；能細玩河圖，則先後天卦圖、揲蓍皆不難
説。故學易者於河圖尤當孜孜。蓋劉氏之重河圖如此。夫
河圖之爲何物，自古無能言其狀者。既不知其狀，則聖人所
以則之之意實不可見，不可見則不能强説。而宋人所謂之
河圖者，乃五行生成之數耳，非真河圖也。今乃强以五行生
成之數充河圖，而又以聖人所以畫卦生蓍以及先天後天種
種之説皆原於此，已屬誣妄之甚。而其所爲河圖太極圓圖、
河圖太極方圖、卦圖太極圓圖、卦圖太極方圖、因重卦圓圖、
因重卦方圖等等，立名取義即已無稽，所圖又非圓非方，或
白或黑，有圈有點，或以圖合數，或以方包圓，種種方式，奇
形怪狀，令人觸眼幾不辨爲何物。其注釋經文，亦毫無古義
可言。説義理，則皆襲取宋、元人膚泛不根之談；偶及象數，
又多竊來知德舊説而已皆無所發明。生乎有清雍乾之世，
而説易若此，蓋卑卑無足道矣。

易學羣書平議卷三

周易遵翼約編十卷_{乾隆丙午刊本}

清匡文昱撰。文昱字仲晦,一字監齋。膠州人,乾隆壬
午舉人。是書命名之義,據其自序謂:因傳以翼經,未嘗溢
詞於傳外,故曰遵翼。又謂:自十九歲有志於易,迄今三十
年餘,稍通其故,所著幾六七十萬言,無力不能壽梓,乃節其
要而約言之,故曰約編。今尋其書,每卦釋辭取象,均用爻
變及錯綜之法。如乾初爻云:此爻變姤,錯復綜夬。九二
云:此爻變同人,錯師綜大有。述此既竟,然後就此變錯綜
而闡其象數、義理,大旨蓋與來氏易相同。然其荒陋則有過
于來氏者。如釋震爲旉謂:旉必農器,蓋耒耜之類,去其金
以木入土而動于下者也。釋爲蕃鮮云:字從魚,巽也;從羊,
兌也。可以知錯綜之義,而六書皆本卦畫之意,信矣! 按
旉,虞氏易作專,謂:陽在初隱静,未出觸坤故專。釋文謂:
王肅音孚,干云花之通名。來氏疑旉當作車,説雖未當,然
震爲車國語尚有此象。至匡氏以旉爲農器,疑爲鎛之誤字,

則毫無根據可言。鮮字，説文云：從魚，羴省聲。以巽魚兌羊分屬之，亦屬不切。又匡氏釋游魂、歸魂謂：卦變則以之卦爲游，本卦爲歸；不變則以本卦爲游，錯卦爲歸。此與京氏八宮之旨甚不合，疑其於游魂、歸魂之所以然皆不知也。

易考二卷_{亘古齋刊本〔一〕}

　　清李榮陛撰。榮陛字奠基，號厚岡。江西萬載人。乾隆二十八年癸未進士，歷官雲南永興、嵋峨、呈貢等縣知縣。著有易考、易續考各二卷，周易篇第四卷，又有尚書考、尚書篇第、四書解細論、地理考、厚岡文集、詩集等書。易考全書皆筆記體裁。卷一多載圖説，内有定位圖説、序卦平較圖、序卦相錯圖、序卦相合圖、序卦右旋圖、襍卦歸乾圖、序卦分段説、襍卦分段説及爻辭通屬文王考、繫辭傳錯簡考、易傳子曰考三則，引徵皆有根據，論斷亦得其平。如考爻辭通屬文王，歷引易緯乾鑿度、史記日者傳、法言問神篇、漢書藝文志、魏伯陽參同契及三國志管輅語、晉書紀瞻語，以折馬融、陸績、孔穎達諸家生加周公而謂父統子業説之謬。如考繫辭傳錯簡，歷舉前漢律歷志、衞元嵩元包，以申程、朱之説。又考易傳子曰爲夫子之假辭別端，以袪歐陽修輩之疑。皆確然有見，不徇流俗。卷二彙考古易及後人易本，以明歷代易本之沿革。而有取乎費氏，謂其便于學者尋省。薈萃朱説，推闡經旨，以明卜筮不足以盡易道，謂本義、啓蒙等書，

〔一〕此篇排印本署尚秉和先生名，已遵尚囑歸返黃著。

其中亦多朱子未定之論。又如駁毛奇齡釋女子貞不字、覓陸夬夬，必尊漢儒而薄宋、元之非。及譏惠棟改荒爲康，而康義仍歸于荒；改庶爲遮，而遮義仍歸于庶；改圻爲宅，而宅義仍圻，則何不直就經文荒、庶、圻立訓，而故迂煩其讀，爲此紛紛乎？斯皆於先儒無所徧袒，亦能不失持平。獨其尊信顧炎武太過，竭力引申其卦爻無別象之説，以明易無互卦。夫互象明見於左氏傳，左氏之説若不可信，則其他先儒更無足言矣！此一蔽也。

易續考二卷亘古齋刊本[一]

清李榮陛撰。榮陛有易考二卷，已著録。先是，榮陛著易考未成而卒，其子光宬、光宸爲之編定，凡已脱稿者定爲易考，其未脱稿者則名爲易續考，以草本字別之，即此書也。書凡分兩卷，所考者八事。曰重卦，明重卦者之必爲伏羲也。曰生蓍，明太極兩儀以下俱以揲蓍言也。曰立卦，明六畫出于三極之自然，不能增減也。曰説卦，明説卦爲羲皇遺書，非占家後出者也。凡此皆在卷上者也。曰羲圖總考，明先後天方位之皆出于伏羲也。曰河洛考，明十爲河圖、九爲洛書也。曰定位圖考，明天地定位之爲先天也。曰出震圖考，明帝出乎震之爲後天也。末附河圖左旋右旋等九圖，反覆以明聖人則圖立卦之義。凡此皆在卷下者也。是書本係未定之稿，故往往臚列舊説，論而未斷。然其徵引有據，提

[一] 此篇排印本署尚秉和先生名，已遵尚囑歸返黃著。

撮得要,不爲門户之見,不爲苛刻之談,學不分漢宋,人不論今古,惟其是者而從之,可謂信心自立之倫。至如論説卦,謂羲皇僅發其凡,以一反三,存乎其人。又謂如伏羲説卦僅局此百十餘物,是八卦不能盡之物尚無算矣。謂文王繫辭仍局定説卦諸物,是書不盡言之意尚未通矣,惡足以窺兩聖日新富有之宏旨哉? 若此之論,蓋已深知卦象之重,及説卦之不足以盡易象矣。惜其書未成而卒,致未能於易象有所發明也。

周易篇第四卷亙古齋刊本^[一]

　　清李榮陛撰。榮陛有易考二卷、易續考二卷,已著録。此書專論周易篇第。首舉要,次上經,次下經,次繫辭、文言、説卦、序卦、雜卦。其著書之大旨,見于舉要:謂古易經傳别卷,註疏家逐卦分爲八節,各以彖、象傳附之,于文義多梗,不便習讀。求其折中之法,莫如取法費氏。漢費直本,逐卦先經後傳,不乖兩聖綴文之旨,其法具在正義乾卦,今從之。按榮陛以費氏易本即今正義乾卦式,其説本之晁説之。晁氏於考訂本疏,不讀高貴鄉公傳,謂始變易制者爲費直,大亂者爲王弼。弼用鄭本耳,非作俑者。至費直,班氏明言其無章句。班氏所本皆劉向,向最重費易,謂其與中古文同,可見費本仍十二篇也。設有變動,向早言之,其明證也。然費氏有易本而無解説,故班志有三家章句,獨無費

〔一〕此篇排印本署尚秉和先生名,已遵尚囑歸返黄著。

氏。章句且無,從何處知其亂經?乃李氏不知晁氏之陋,而
反從之,且以阮孝緒七錄爲據。七錄只記費氏章句四卷殘
缺耳,亦未言其經式如乾卦。是皆不詳考之過也。故夫改
六十四卦式盡如乾卦,俾小象韻語協適無礙,原無不可;謂
本之費直,則非矣。又其釋乾元亨利貞,以元亨爲亨之首,
訾四德乃占家恒言,穆姜先述之,夫子亦不遺之,因而議文
言乃易之外篇,非正解也。云云。斯則執於一說,而不知乾
健之德,不可名言,非再三釋不能畢其義蘊。苟必以文言爲
非正解,則象傳之訓宜若可從,然象傳以萬物資始釋元義,
以品物流形釋亨義,以大明終始,六位時成釋利義,以乾道
變化,各正性命釋貞義,是亦四德平列也。而榮陛膠于舊
解,謂象傳與文言異體,過矣。至於繫辭上下傳之分章,先
儒各不相同,故上傳正義從周氏分十二章,下傳正義從莊氏
分九章。朱子本義上下傳均分十二章。而先儒於上傳又或
分爲十三,或分爲十一,蓋無定則。而榮陛又分上傳爲六,
下傳爲五。要皆各安其意,無關大義也。

易義闡四卷_{乾隆乙酉光復堂刊本}

　　清韓松撰。松字雪亭。奉賢人,歲貢生。是書原名順
文顯義,意謂順經之文而顯朱子之義。其後改名爲易義闡,
亦謂所以闡朱子本義之意。然其書名爲闡發本義之旨,實
則全爲習制舉業者而作。故其自序及凡例,一則曰:學者閱
之,遂可以當口授,亦可以爲作文地步。再則曰:書雖淺陋,

以代高頭講章,或可爲作經藝者稍資一得。三則曰:是編乃講章也,非注也。四則曰:依文詮釋,使逐句逐字咸有指歸,雖助語虛字,必皆點入。五則曰:提綱絜要,起訖呼應,分説合説,各有條理。是其著書之大旨專爲作文,極其顯明。夫自南宋以後,朱學盛行,即以易一書而論,篤信本義者實繁有徒。如胡方平、胡一桂、胡炳文等父子祖孫,數世謹守朱義,不敢稍踰繩墨,尊之不可謂不至,然其意尚爲發揮易義而作,雖不免固陋,猶不失其真意。至松此書,專爲作文而作,名爲尊朱,實則去朱亦甚遠。時在今日,益不足觀已。

遜齋易義通攷六卷 手稿本 [一]

　　清紀汝倫撰。汝倫字虞惇。河間人。乾隆三十三年舉人,官滿城教諭,紀文達公之從子。此書據其朱書小識:某日病目衹書若干字云云,足證乃其手書。篇首附記丁巳九月輯起,第五卷末又有朱書小字跋云:戊午二月,奉宗伯公召赴京,觀天子臨辟雍禮,乃攜此五卷,並易述二十二卷,至京呈閲。然則此書曾經紀文達所審定。其第六卷末識云:戊午五月校完。據其所識,此書之成,期止九月。以時間論之,不可謂不速。然審觀其全書内容,大氐盡從朱彝尊經義

[一] 此篇排印本署尚秉和先生名,已遵尚囑歸返黄著。按,尚氏存稿亦有《遜齋易義通攷》提要一篇,與此篇名同而文異(詳前《易説評議》卷五),未收入中華書局排印本《續修四庫全書提要》。兩文互參,蓋可考見尚、黄師弟間昔年講習商搉之學術風誼,彌足珍貴。

攷節抄而成。惟經義考易類編次體例分三部,首列經、傳全注者,次列僅注十翼者,次列論説太極圖者。紀氏略變其體例,將三部之書歸併一處,惟以人爲綱,以時代先後爲次,不論其性質。又經義攷每類之書均注存、佚、闕、未見等字,紀氏於未見字皆删,存、佚、闕等字則照舊。其唐以前之書,紀氏均照抄,宋以後則删去甚多。其未删者,於彝尊所輯原書序跋,諸儒論斷,亦略有删節。至其所以去取之由,全未説明。又紀氏既纂此書,自始至終,除於孟喜周易章句、焦氏易林兩條眉上,據漢書添孟、焦二人列傳各一節外,其他處並無一字之論斷,或一語之是非,故其宗旨及其義例皆莫能明。然其時經義考業已刊行,則紀氏抄撮此書,別立名目,必有所爲。特今不可攷耳。

易經簡明集解無卷數乾隆間刊本

清李源撰。源字巨濤。山東利津人。乾隆己丑進士,官至台州府知府。是書無卷數,據其自序謂:説易諸家,紛如自訟,即程傳、朱義,與古注疏已互有異同。朱子語類等集,近人多未見,而專用本義未定之書,詞意未盡圓暢。初學惶惑,往往視爲苦難。用是廣集羣書,梳節字句,條貫宗旨,理歸平易,義取簡明,使讀者展卷了然,無蒙昧歧誤之患。大約遵程、朱者十之七八,而兼採諸氏以補其缺,偶引史事以顯其義,總以御纂折中、御纂述義爲圭臬,非獨尊王,亦求善解。至互卦、變象,易學必不可廢,然爲初學入門計,

恐滋繁亂，姑俟別爲一帙，以附其後，茲概不録。云云。綜
其大旨，蓋有四端：宗主折中、述義，兼採諸家以補程、朱之
闕，一也；偶引史事，以顯其義，二也；爲便初學，故取平易簡
明，三也；不廢互體、卦變，而另爲附編，四也。今考此本所
釋，至雜卦而止，未有附編。則其論互體、卦變者，後日未知
果有成書否。姑就其本編觀之，如其釋易名義，兼取日月爲
易之説；釋離九四，引隋煬帝江都筮案；釋大壯六五喪羊于
易，謂爲喪羊于平易之地。凡此諸義，皆爲程朱傳義所無。
又其徵引史實，則六十四卦三百八十四爻，殆有三之二。核
其實際，蓋與李光、楊萬里之易同流。李氏自謂遵程、朱十
之七八者，非也；謂宗主折中、述義者，亦非也；謂偶引史實
以顯其義者，尤非也。然其比附史事，義多確當；解釋卦詞，
亦屬簡明。又河圖洛書、先天後天一切繳繞之説，概行芟
夷，初學讀此，亦信易入門也。

周易大義圖説二卷_{嘉慶間刊本}

清鄭鳳儀撰。鳳儀字南榮，原名豹文。蕭山人，乾隆四
十二年舉人。是書凡兩卷。卷上載圖四篇，説三篇；卷下載
圖説凡九篇。末後附明道堂月課張之槎課卷一首，又鄭氏
自作紀夢詩一首。并卷端汪廷珍序一首，鄭氏自序一首，總
其全書不過兩萬言。核其大旨，蓋謂天尊地卑，乾坤既定，
乾六畫從陽升爲剛，坤六畫從陰降爲柔，謂之易縕。從易縕
推出，謂之易門、太極、兩儀、四象、八卦，即河圖、洛書也。

河圖從陰陽之無而有，洛書從河圖之有而無；升降卦變從河圖之無而有推出，升降卦氣從洛書之有而無推出。又謂：學易者必知太極爲乾初，兩儀爲坤上，推上爲陰、陽，推下爲一、二等升降之法，方爲能得其傳。按易之太極、兩儀、四象、八卦爲一事，河圖、洛書爲一事，卦氣爲一事，卦變又爲一事。鄭氏必欲混而同之，爲太極、兩儀、四象、八卦即河圖、洛書，而卦變、卦氣又從圖書有無推出。夫圖書究爲何物，已屬不可知；卦變之術，漢、宋儒者紛紛究辨，亦莫衷一是；孟喜、京房六日七分六十卦用事值日之法，明亦無預乎圖書：穿鑿比附，治絲益紛，不徒無益，而又害之。故鄭氏所作，如卦氣升降外不用從前從後隔六三爻卦二十四卦圖，卦氣升降外不用從前從後隔三隔四爻卦二十四卦圖等，皆支離破碎，無當經旨。至其末後所附明道堂張之槎課卷賦得河圖八卦五言八韵，既與此書無關；又其紀夢，自謂在國學夢見卜子夏，一若其書殆有神授：斯皆詭奇好異，尤不足取。

周易精義四卷<small>嘉慶八年刊七經精義本</small>^{〔一〕}

　　清黄淦撰。淦字緯文，號綺霞。杭州人，乾隆四十五年庚子舉人。所著有七經精義，易其一也。是書不列經文，不章句解釋，只就各家之説擇其可取者分條列舉，而註其姓名于末，無所論斷，亦不參襍己見，蓋純是集説之體例也。大

〔一〕此篇排印本署尚秉和先生名，已遵尚囑歸返黄著。

旨以宋儒爲主。故其自序有言：善乎，康節邵子曰晝前原有物，深得不傳之秘；至程傳、朱義出，而易理益明。予此編博採羣書，而于胡雲峰先生釋傳尤心折焉。云云。按雲峰者，元胡炳文也。炳文之祖方平著易學啓蒙通釋，父一桂著易本義附録纂疏、易學啓蒙翼傳，炳文又著周易本義通釋，一家三世皆爲朱子之學。淦心折胡氏，則其亦爲朱學無疑。故其書所集盡宋、元、明人之説，唐以前古注蓋不及百之一。淦所謂博採羣書者，如是而已。原其著書之意，要不過爲科舉時代士子學制義者綴文之用。故其友蕭山王宗炎爲之序，有吾懼夫世之菲薄制義、詡詡然號爲明通而支離輮輵、飾櫝衒玉者之衹見其褻也之語。觀宗炎之所論，則其書之價值亦可想見矣。

周易闡象五卷_{嘉慶庚申刊本}[一]

　　清蔡首乾撰。首乾字遜含。福建漳浦人，乾隆間諸生。據自序，其伯祖鼎嘗著易蔡，祖父愓園先生亦深通易理，首乾上承家學，因參互考訂，修明大道，作闡象五卷，辭存易蔡十之一，意則本互卦十之三。云云。今案，其書以闡象爲主，其闡象之法，有正對、有反對、有上下互、有總互、有移置上下等。故於每卦卦畫之下，必注云上互某卦、下互某卦、正對某卦、反對某卦、總互某卦、移置上下某卦。夫易者，象也，象不明則辭皆不能通。後世言易者多舍象言理，既已無

〔一〕此篇排印本署尚秉和先生名，已遵尚囑歸返黃著。

據；而或者談象，又往往不根於古，任意比附，致流於氾濫無歸：是二者皆未能無弊。今考蔡氏所謂正對，即虞翻所謂旁通；所謂反對，即虞翻所謂反卦；所謂移置上下，即虞翻所謂兩象易；所謂總互，即虞翻所謂體象。案虞注小過喪過乎哀云：體大過遭死。即謂二至四上下總互大過也。若互卦，明見左傳，爲尤古。則是蔡氏闡象之法，立名或未師古，其實春秋、漢、魏間人古法，非臆造。又不空談義理，較其伯祖之易蔡爲有進矣。然其間謬說亦復不少，如說師卦之義云：四偶居前，八陣圖也；一奇居中，九宮也；初偶處後，游騎也；一陽居內之中，大將主旗鼓號令也。觀於師之象，而握奇之陣、奇正之法，已瞭然矣。此則穿鑿無理。又說乾、坤而後屯、蒙、需、訟、師、比皆有坎之一義云：乾、坤本於太極，太極之形象如雞子，自乾至履十卦，羲皇之天下，如未出殼之雞子，天真未漓，不見天日。故天地定位，六子致用，多遇坎陷而不見離明也。此則鄙俚不經。又如說履卦武人爲于大君謂于爲干之誤，說謙上六鳴謙志未得謂未爲末之誤，說姤九五有隕自天謂隕爲員之誤，說鴻漸于陸疑陸爲阿之誤：凡此皆妄疑經文，而未有當。又釋剝貫魚以宮人寵謂：貫魚者，從姤之包有魚、包无魚而直貫之也。亦支離不合。其他若釋習坎之習云：鳥之飛也，羽下見白；習之爲字，羽下白也。釋姤后以施命誥四方云：夏大禹八年，天元入於午會，姤當其運，故夏不稱人而稱后。釋中孚豚魚謂：豚魚，魚鼈之魚，龜之屬也，其象有似于豚，故曰豚魚。江以北爲團魚，江以南爲腳魚。釋中孚我有好爵，以爵爲鳥之小者；與上鳴鶴在陰，鶴爲鳥之大者相對。又釋白茅爲蓍。凡此於故訓名物皆甚疏略，信口臆説，有如王氏字説。又如釋易有四象，爲上卦象、下卦象、全卦象、互卦象；説小畜輿説輻、既濟曳其輪，謂離有車輪之象：亦前此所未聞，不可以不察也。

課易存商一卷牘山類稿本[一]

　　清周鎬撰。鎬字懷西，號牘山。金匱人。乾隆舉人，官至漳州府知府，署汀漳龍道。生平敏學，至老不衰。所著有牘山類稿，課易存商其一也。是書不章解句釋，每卦只一二條，皆先問而後答，蓋皆答門人弟子之問難者也。全書皆闡義理，不言卦象，大抵以程傳、朱義爲宗，故於程、朱有異義者多爲之調和。如泰九四有命无咎，本義以爲天命，程傳以爲君命，鎬則謂天命、君命一而已矣。損初九已事遄往无咎，本義謂輟所爲之事而速往，程傳謂事既已則速去，鎬則謂二者相須而足。井木上有水，程傳謂以木器承水而上之，朱子則謂水之津潤上行於木杪。鎬則謂：程子釋其象，朱子釋其義；義雖確而於井之象難明，象雖粗而於養之義不悖。凡此皆爲程朱作調人者也。間有取他家之説，以補程、朱所未備者。如蒙之義，尊信吳澄；比卦之義，有取王弼。亦有不以程、朱爲然者。如无妄剛自外來而爲主於內，謂程傳之義未見確鑿，朱子以二爲外，未知何據。又于頤卦，謂傳、義之説，未可憑。離卦，謂不必如程傳。若此之類，尚能無所

〔一〕此篇排印本署尚秉和先生名，已遵尚囑歸返黃著。

阿唯,好而知其惡者也。至其自所發明之論,則頗涉虛妄。
如釋屯剛柔始交而難生云:知難而不交者,佛、老是也,其弊
至於滅倫;樂交而忘難者,桀、紂是也,其禍極於亡國。釋歸
妹九二眇能視云:於文少目爲眇,昔人譬夫婦于比目魚,蓋
合則雙明,離則偏視者。故魚目不閉謂之鰥,無妻之人亦謂
之鰥。釐降之前,舜曰有鰥在下,即眇能視之義也。若此之
論,直與易義了不相關,蓋去易遠矣! 不可以不察也。

易經札記三卷_{光緒四年竹簡齋刊本}

　　清朱亦棟撰。亦棟,原名芹,字獻公,號碧山。上虞人。
乾隆間舉人,官平陽訓導。著十三經札記、羣書札記等。此
書係十三經札記之第一種。全書共三卷,卷上三十二條,卷
中二十四條,卷下亦二十四條,總共八十條。因係隨手札
記,故頗凌亂無序。然其中不乏精義。如説需九二小象,辨
惠定宇以衍屬上讀之非;釋以此毒天下而民從之,訓毒爲
育;釋利執言,謂係聲罪致討;釋舍逆取順,謂舍其迎我來
者,取其背我而去者;又辨輿説輹之不當作輻;釋遯上六肥
遯,以肥爲飛;釋喪羊于易,以易爲場,譏朱子作容易解之
非;釋莧陸夬夬,辨虞翻以莧爲莞,以陸爲睦之爲曲説;釋一
握爲笑,謂即握手言歡,破涕爲笑之意;釋中孚豚魚,亦不以
虞氏讀作遯魚爲然;釋冶容誨淫,前引鄭注證冶與野通,又
引文選注及後漢書注證蠱亦與冶通;又釋何以守位曰仁,證
仁與人通;釋巽爲寡髮,謂寡髮、宣髮義得兩通;釋兑爲羔,

謂羔如字解亦無不可；釋明夷誅也，取白雲郭氏以誅爲眛誤
之說：凡此皆能蠲除漢、宋門户之成見，平心静氣，以權衡諸
家之得失，故所取每得其當。又其辨正郭京舉正、朱子本義
及俞氏集説者尤多，皆能深中三家之病，是皆此書之所長
也。獨其釋貫魚以宫人寵，取或人以貫魚即今帶魚之説；釋
服牛乘馬，取謝氏二五互巽股，四上反巽亦股，四五乾爲馬，
馬在兩股間，如人在馬上跨鞍，故曰乘馬云云，以證古人之
有單騎：此則不免失之穿鑿，未能悉當於人心也。

周易顯指四卷 乾隆間研經堂刊本

　　清單鐸擇。鐸字木齋。高密人。乾隆間舉人，官銅梁
知縣。著朱子論易語釋要一卷、答問三卷并此書四卷。按
此書大旨在闡明易理，故其注釋頗尚簡明，綜合前人成説而
不標舉其名。然其中亦不無謬誤者，如釋小畜初九復自道，
據伏羲圓圖乾爲陽終、巽爲陰始爲説。夫伏羲圓圖始出自
宋，文王繫辭豈能據之？單氏當有清乾、嘉之世，而不能辨
此，其陋可知。又如釋訟云：訟以柔弱爲貴，故初六、六三皆
獲吉。按訟卦爻詞之吉，無過於九五，九五非剛爻而何？不
得謂訟以柔弱爲貴也。又如説卦巽爲臭，單氏釋之云：陰伏
於陽，則將潰爛，故爲臭。按，臭，氣也，故繫曰其臭如蘭。
巽爲風，故爲氣。以香臭之臭釋之，雖本於王肅，其實非也。
又書中分散序卦於各卦之首，而仍另存序卦，近於畫蛇添
足。此雖本之李資州，究不足爲法。又六十四卦卦畫下，均

書錯某卦、綜某卦、反易某卦、中爻某卦或互得某卦各字，既
與卦畫相連，又不小字分註，頗嫌與經文相混。至其所謂之
綜者，乃以乾綜復，以坤綜姤，其名雖本之來氏，其義則前此
未聞，單氏亦無所説明。斯皆此書之病也。

復堂易貫無卷數 聽雨山房刊本

　　清于大鯤撰。大鯤字南溟，號復堂。直隸河間人，乾隆
間歲貢生。據其鄉人李建天序，其著書大旨，以爲近世言易
之家多墨守一家言，又或襭湊庸説，陳腐相因，往往説爻背
象，説象背爻，俾讀者支離轇輵而不能曉暢其詞。兹書不列
圖象，不牽伏互，不膠先入，不列成説，推陳出新，獨尋真面，
綴屬成文，期于言簡意賅，貫通經義而止，故曰易貫。云云。
今觀其書，將河洛圖書並一切卦氣、爻辰、納甲、納音諸術概
行屏除，宜若簡明，實則其書於經文既不章解句釋，於十翼
亦未全注，祇於六十四卦每卦作一總論，前後牽合成篇，殊
嫌籠統。又其釋義亦多浮泛。如説小畜、大畜，謂小畜，伊
周之於成甲；其于天下，則大畜也。按，陽大陰小，畜之義爲
積、爲聚、爲止、爲養，然則小畜、大畜猶言小有所畜、大有所
畜而已。以伊周之于成甲、天下説之，附會無理。又如釋蠱
之先甲、後甲，巽之先庚、後庚，謂文王作易，本伏羲先天卦
圖，羲圖甲居東方離位，前歷三位而遇乾，後歷三位而遇坤，
治蠱者非用乾健、坤順本領，不能另造乾、坤也。至巽卦之
庚居西方坎位，亦前、後歷三位而遇乾、坤，亦此義。云云。

按先天圖至宋始出，何從見文王繫易根據此圖？已屬不經。而斥康成取辛取丁爲穉而無理，尤爲盲説。書中若此之類尚多，舉一二以概其餘。然如釋訟天與水違行，謂天西轉，水東注，此本荀爽説；釋天火同人，謂天居上，火炎上，其性同，此本鄭玄説：雖未標舉其名，亦間存古義，學者並宜分別觀之。

撰蓍演易備考六卷舊鈔本[一]

清張炌撰。炌字藜閣。遂城人。乾隆進士，嘉慶間官雲南騰陽等縣知縣，擢龍陵撫彝守。是書凡分六卷：筮原考第一，筮象考第二，卦變考第三，義例考第四，筮儀考第五，斷占考第六。最後有續篇八葉，抄張行成太玄、元包數義及周易大衍數義，似是補筮原篇者；又有補遺一册，全輯歷代筮案，標題曰撰蓍古占，則似係補斷占篇者。尋其大旨，蓋欲以邵、朱爲宗，而證以各家之論説。然其書大抵皆從撮抄而成，自己所考索而得者甚少。如筮原考，先録周易折中天一地二章起，至知變化之道者其知神之所爲乎止，通段注釋全文，次録朱子周易五贊，又次録張行成皇極經世觀物外篇衍義諸條，已皆無所案辨。筮象考，除抄朱子啓蒙明著策篇全文外，其餘亦皆節抄折中啓蒙附論，并朱子、來氏諸圖而成。又卦變考，全抄啓蒙之考變占篇；義例考，全抄折中之義例及綱領二之文，一字不易；筮儀考，除抄朱子所訂筮儀

[一] 此篇排印本未收入。

外，又摘録啓蒙明著策篇之文數條，朱子考訂著卦之文十數條。蓋此書自卷一至卷五，殆無一不抄自它書，而又以抄自折中者爲最多。惟卷六之斷占考一卷，及補遺之撰著古占，裒集春秋內外傳及歷代筮案頗詳盡，雖云亦自它綴輯而成，究不似前五卷之毫不用心、徒事抄襲也。

周易引端四卷 光緒辛卯同文堂刊本[一]

　　清邵寶華撰。寶華字荆獻，號純齋。河南西平布衣，先賢邵康節二十七世孫。少應童子試，見吏搜夾帶，怫然曰：國家待士何輕侮乃爾！拂衣徑歸，隱居著書，壽至百有三歲而卒。著有易經引端、周易解、周易説約、四書餘鑑、邵注四書、皇極經世續編、自省觀人表等書。惟周易引端行世。按是書凡四卷，經傳注釋均極簡略，大致在説明義理，少涉象數。而間引史事以相參證，然多不切者。如釋時乘六龍云：舜有臣五人以行舜道，乾有六龍以御天。釋屯其膏云：君非亡國之君，臣皆亡國之臣，吾於前明崇禎見之。釋比之自內云：如伊尹之于成湯是也。釋明夷夷于左股謂：文王之長子爲紂所殺，故曰夷于左股。釋震來厲，億喪貝，躋于九陵，勿逐，七日得謂：昔太王避狄，邑于岐山之下，後日興周，有此象。釋節不出門庭凶謂：巢父許由牽牛洗耳是也。諸如此類，比附史實，皆浮泛不切，於義無取。又書中俚俗之言刊落未盡。如釋坤上六龍戰于野，其血玄黃云：母雞盛極鬬公

____

[一] 此篇排印本署尚秉和先生名，已遵尚囑歸返黃著。

雞也，公雞宜爲母雞伏乎？徒見其血玄黃耳。釋屯卦云：如人患風寒病，將汗未汗，甚悶亂也。釋小畜云：如一個小母豬，畜十八九個大豬孩，乳不足食，繼而無乳。其言太俚，不宜以入經注，況又於經義不合乎？他如說十二辟卦，謂其圖出於邵子，則於漢、魏人古注均未寓目。又釋參天兩地以倚數，引乾氏曰垂皇策者羲云云。按此語出乾鑿度，乾鑿度乃易緯之名，而邵氏乃誤以爲人名，稱爲乾氏，則並不知易緯爲何物。惟其書卷首序例，統論山河大地有八卦之象，説頗近理。又論地球形狀及日月蝕之故，均能與近今歐西學説相冥合。蓋邵氏務傳其祖康節之學，屏絕世務，恬淡自適，故能頤養天和，潛心觀物，此其所長。而窮居鄉僻，不獲與魁儒碩士交游，又不易得書，故復孤陋如是也。

河洛圖説四卷　道光七年刊錦官録本[一]

　　清季李錫書撰。錫書字見庵。山西静樂人。乾隆五十五年進士，歷官四川汶川、蒲江、大邑各縣知縣，江北同知，又三爲蓬州知州。所著書凡十餘種，總名錦官録，河洛圖説乃其一也。是書凡四卷。卷一論河洛，推本朱子之説，以十爲河圖，九爲洛書，凡爲朱學者皆同此見，固亦無庸置議。惟其定朱子所作之圖爲古河圖、古洛書，又從曲沃崔致遠説，作河圖圓圖、洛書方圖，以爲河圖之數、洛書之文，數當從點，文當從畫，而又自謂未知龜馬舊文果如是焉否。夫既

[一]　此篇排印本署尚秉和先生名，已遵尚囑歸返黄著。

不知龜馬舊文果如何，又何從而分古今？又何從而分點畫？
是則所謂不知而强作者。卷二論先後天之圖皆係後儒因聖
人之言而爲之圖，非羲、文舊有此圖。按易卦自有方位，其
方位皆據古注所述，古注既未指明孰爲伏羲、孰爲文王，漢
魏儒者亦無傳説，而宋以後諸儒究辨紛紛，必以某屬之羲、
某屬之文，原爲詞費。李氏此論，尚未爲無見。卷三襍論太
極圖、卦氣、五行、納甲諸事。謂太極圖爲河圖之小像，亦爲
河圖之總像，所以狀河圖，所以注河圖。立説似甚奇衺，然
言之不能成理，不足以證成其説。論卦氣，亦祇本胡玉齋，
以二十四節氣分配先天圖，不能遠稽漢儒六日七分之舊術，
亦殊嫌疏陋。卷四標名周易備占。首陳筮義十説：卜筮尚
占第一，蓍卦方圓第二，大衍之數第三，再扐後掛第四，參伍
錯綜第五，參天兩地第六，乾策坤策第七，初九初六第八，用
九用六第九，爻象象文言第十。凡此十義，其九義皆略述舊
説，無所是非。惟論用九用六，謂：乾皆以九變，坤皆以六
變，無得七、八者，故用九、用六以占；自乾、坤以外皆不然。
按筮卦之法，七、八不變而九、六變，任何一卦六爻皆變，事
所恒有，豈獨限於乾、坤二卦乎？若乾坤二卦六爻變，占用
九、用六之辭，則其他卦六爻變豈可無辭以占之乎？是不知
用九、用六純指揲蓍時所得之一爻言，並不明用九、用六之
爲聖人以筮例教人也。十義之後，次列筮儀，次列占法，最
後列古占備考，採摭雖未詳備，尚可足資參考。要之，此書
臆説多而考訂少，故瑜不掩瑕。又其書命名爲河洛圖説，實
則内容不僅圖説河洛，亦未甚洽當也。

周易恒解六卷致福樓重刊晚年定本[一]

清劉沅撰。沅字止唐。四川雙流人。乾隆五十七年由拔貢中式舉人，道光六年選授湖北天門縣知縣。安貧樂道，不願外任，改國子監典簿，尋乞假歸，遂隱居教授。博覽羣書，過目不忘，人咸服其博洽。所著有周易恒解六卷、書經恒解六卷、詩經恒解六卷、周官恒解四卷、儀禮恒解四卷、禮記恒解十卷、春秋恒解八卷、四書恒解十卷、大學古本質言一卷、孝經直解一卷，及其他襍著若干卷。卒年八十有八。先是，沅父汝欽善易學，謂河出圖，洛出書，聖人則天，實天啓聖人以明道化，不僅在數術也；連山首艮，歸藏首坤，艮止坤藏之義，即大學止至善，中庸致中和之學，文王之緝熙敬止、成王之基命宥密，胥不外此。沅因本其父說，而著周易恒解，曰：連山首艮，艮止也。天地之化不止，則不能蓄生機；人心之神不止，則不能養元德。文王繫詞艮其背不獲其身，行其庭不見其人，而夫子傳之曰時止則止，時行則行，動靜不失其時，其道光明，正謂此也。歸藏首坤，萬物皆致養於坤土，天地之元亦惟中黃胎育。是二者皆示人以天人合一之義。然特以其致功之要言之，實則天地未嘗有爲，而靜存動察、內外本末之功，亦非二卦所可盡也。故文王首乾、坤。按連山首艮，艮先天西北；歸藏首坤，消息卦坤西北；周易首乾，後天乾西北：西北者，氣之終，生之始，故三易皆首

〔一〕此篇排印本署尚秉和先生名，已遵尚囑歸返黃著。

於此。豈謂以此三卦盡易理乎？又周易，坤雖次于乾，不得謂坤亦爲首。是皆謬説無理。劉氏又云：詩書名象，悉由繼起；窮神知化，必有心源。易故爲文字之祖，王功聖德之全。而歷代諸儒或僅貌玄虚，或徒求術數，顧此失彼，聖人之教不其隱乎？是徒襲理學家客氣之談，而無實際。總觀全書，雖不廢象數，實全重義理；既以玄虚爲不可尚，而稱王弼之功甚偉。程傳、本義與王弼雖皆演空理，而義實各別。乃劉謂程、朱皆演王説，似是實非。又謂用九、用六乃承上九、上六而言，以先儒通釋全書九、六説爲非。又謂不得以陽爲君子，以陰爲小人。若此之類，既與前儒相違，抑亦不協經旨。而沅自謂不必沾沾求合於傳註，唯期不謬於聖人。徒爲大言，不足重也！

周易後傳八卷 初刻本

清朱兆熊撰。兆熊字公望，號兹泉。浙江海寧人。乾隆甲寅舉人，官龍游訓導。爲學長於易、春秋，著周易後傳八卷、易互卦圖一卷、冬夜講易録一卷、春秋新義十三卷、春秋歲星超辰表一卷、春秋日食星度表一卷、春秋日表一卷，又有禮注、家訓、兹泉詩古文集、恒星形名指南等。此書據其自序：象同漢儒者不十之一，象必索諸理，非荀、虞之象也；理同宋儒者不十之一，理必合諸象，非程、朱之理也。窺其意，似欲原本象數，發爲義理，冶象數、義理二者於一爐，以救漢、宋二家偏勝之失。宗旨甚正。然察其實，與其所志多不相副。如釋乾九二見龍在田,利見大人云:二變成離,故見。釋比初六有孚盈缶云:坤器爲缶,坎水流坤,初動成屯;屯盈也,有盈缶象。釋履九二履道坦坦云:二變震爲大塗,故坦坦。釋同人九五,同人先號咷而後笑,大師克相遇云:巽爲號咷,卦旁通師,有大師象。釋隨上六拘係之,乃從維之云:艮爲手,巽爲繩,有拘係維之象。釋坎六四樽酒簋貳用缶云:坎爲酒;簋,黍稷器,震獻在中爲簋;震足,坎酒在下,樽酒之象。釋坎上六係用徽纆,寘于叢棘云:巽爲繩,變入坎,故係用徽纆;坎多心,故叢棘。釋姤初六繫于金柅云:乾爲金,巽木入金柅象,巽爲繩繫象。凡此取象,皆無一字不本虞翻之舊説。又釋坤西南得朋,東北喪朋云:西南者,自姤五月一陰生,至剥九月五陰,位自南歷西,皆坤類,故得朋;東北者,自復十一月一陽生,至夬三月五陽,位自北歷東,故喪朋。按集解虞翻引荀爽云:陰起于午,至申三陰,得坤一體,故曰西南得朋;陽起于子,至寅三陽,喪坤一體,故曰東北喪朋。朱氏之説,實原本于荀氏。又釋坤上六龍戰于野云:乾西北卦,亥其都也;坤十月卦,亥所建也。陰陽同居亥地,故相薄而戰。按集解引荀爽云:消息之卦,坤位在亥,下有伏乾,陰陽相和,故言天地之雜。朱氏之説,亦實與荀氏相合。諸如此類,其言象幾盡本於漢儒,又安得自謂非荀、虞之象乎? 必欲自異於荀、虞,則失之誕。且其言義理,自好稱引史實,略近李光、楊萬里外,其餘所説,亦未能盡脱程、朱之範圍。而朱氏自謂所言理非程、朱之理,亦違情實。又其解釋象辭常用爻變,如謂:陰在中爲邪,陽實爲誠,變離成乾，閑邪而存誠矣；兑口爲辭，陽爲誠，兑變成乾，修辭而立誠矣。夫本乾卦也，朱氏前既使二變成離、三變成兑，兹又使離、兑反變成乾。若是乎任意之變，果有何説乎？尚不如虞翻之正之説之爲有據矣。雖然，義理、象數偏勝久矣，朱氏能兼收並蓄，所採漢、宋二家之説亦尚扼要，雖其自序之言略失之誇，要不宜以之盡棄其書也。

易學羣書平議卷四

虞氏易言二卷_{張皋文全集本}[一]

　　清張惠言撰。惠言字皋文。武進人。嘉慶己未進士，終翰林院編修。於學無所不究，而尤邃於易，所著有周易虞氏義九卷、虞氏消息二卷、虞氏易禮二卷、虞氏易事二卷、虞氏易候一卷、周易鄭荀義三卷、鄭氏易注一卷、荀氏九家義一卷、易義別錄十七卷、易緯略義三卷、易圖條辨一卷，並此虞氏易言二卷，凡四十有四卷。然易言本未成之書，故下經自震以下皆闕。所以謂之易言者，案劉逢祿劉禮部集卷二易言篇跋云：初張皋文先生述易言二卷，自震以下十四卦未成而先没。其甥董士錫學於先生，以余言易主虞仲翔氏，於先生言若合符節，屬爲補完之。先生善守師法，懼言虞氏者執其象變，失其指歸，故引申文言舉隅之例，一正魏晉以後儒者望文生義之失，於諸著述爲最精。又卷九易虞氏五述序云：余既補張皋文先生易言二卷，蓋先生思學虞氏者執象

〔一〕此篇排印本署尚秉和先生名，已遵尚囑歸返黃著。

變而失指歸，參天象而疏人事，故此以言尚辭之義，捄其失也。依劉氏之説而推之，蓋知惠言之易以虞氏爲宗，其辨章句者備於虞氏義，闡消息者備於虞氏消息，考典禮者備於虞氏易禮，説人事者備於虞氏易事，推時訓者備於虞氏易候，獨虞氏之微言大義尚未有所明，故又本乾坤文言之例，作易言以推衍其説。通體舍象變而論義理，雖未知其悉中虞氏之旨否，要其説理樸實，遣辭典雅，無穿鑿傅會、支離謬輖之習，較其他書特爲平正。苟能合劉氏所補而行之，雖未足以薄王、程，越傳注，要亦爲言義理者所必當取資焉爾。

河圖洛書考無卷數樂山堂説緯附刊本[一]

　　清王崧撰。崧字伯高，號樂山。雲南浪穹人，原名藩，字西山。嘉慶己未進士，官山西武鄉縣知縣。讀書淹博，尤長於考據，深爲阮元所器重，延總纂雲南通志。年八十有六而卒。著有滇南志略十六卷、説緯二卷。此書附刊於説緯之末。大意謂：自漢至唐，言易之家於河圖、洛書但懸空立説，而未親見其狀。五代宋初，乃有流傳二式，曰河圖、曰洛書，並以白點、黑點分奇偶之數：一爲五十五點，其數自一至十；一爲四十五點，其數自一至九。朱子本義首載入經，而未言傳自何人。因據東都事略儒學傳，宋史隱逸傳、道學傳、儒林傳，漢上易傳，晁氏讀書志，直齋書録解題諸書，首考定二式並傳自陳摶；次又據左傳、大戴禮、乾鑿度、太玄、

[一] 此篇排印本未收入。

漢書五行志、律歷志、周易鄭注、論語、孔傳及參同契、孔氏
正義諸書，推定唐以上言卦疇圖書者皆與陳、邵所傳不合，
而其所言五行生成數位及太乙下行九宮之法，則具合陳、邵
二式之義。因斷言陳、邵二圖之所從來，固有所在，以駁清
儒錢澄之、黃宗羲、宗炎、毛奇齡、胡渭、沈起元、惠棟諸儒動
以陳、邵所傳出於僞造之非。引據博洽，立論亦無所偏倚。
惟末段斷定此圖既非陳、邵僞造，亦非易傳所稱之圖書，乃
黃帝時之河圖。以凡陰陽歷算、納甲飛伏、太乙壬遁、占候
相地、兵法方脈、神仙修養、龍虎丹竈一切方技術數無不本
於圖書，即無不祖夫黃帝，其以之説易而亦可通。黃帝之學
後世流爲道家，故輾轉而至于陳摶。云云。按古圖書，衹聞
其名，至其形狀究若何，從無確徵。夫形狀尚不能明，而欲
以陳、邵之圖屬之伏羲，屬之黃帝，其無當等耳。存之以備
參考可也。

雕菰樓易學四十卷_{焦氏叢書本}[一]

　　清焦循撰。循字理堂，一字里堂，晚號里堂老人。世居
江都黃珏橋，分縣爲甘泉人。嘉慶辛酉舉人，一試禮部不
第，年纔四十，即家居不出。覃思典籍，著述頗多。而所撰
易章句十二卷、易圖略八卷、易通釋二十卷，合稱雕菰樓易
學三書，在當時尤負盛名，亟爲英和、阮元、王引之諸名公所
稱誦。近時梁啓超亦推服其精詣，以爲乃易説之最近真者。

〔一〕此篇排印本署尚秉和先生名，已遵尚囑歸返黃著。

蓋循生平邃於天文、算學,因以測天之法測易,以數之比例求易之比例,而悟得易學有三:一曰旁通,二曰相錯,三曰時行。故其易圖略自序云:夫易猶天也,天不可知,以實測而知。七政恒星錯綜不齊,而不出乎三百六十度之經緯;山澤水火錯綜不齊,而不出乎三百八十四爻之變化。本行度而實測之,天以漸而明;本經文而實測之,易亦以漸而明。非可以虛理盡,非可以外心衡也。余初不知其何爲相錯,實測經文、傳文,而後知比例之義出于相錯;不知相錯,則比例之義不明。余初不知其何爲旁通,實測經文、傳文,而後知升降之妙出於旁通;不知旁通,則升降之妙不著。余初不知其何爲時行,實測經文、傳文,而後知變化之道出於時行;不知時行,則變化之道不神。既撰爲通釋二十卷,復提其要爲圖略。凡圖五篇,原八篇,發明旁通、相錯、時行之義;論十篇,破舊説之非。共二十三篇,編爲八卷,次章句後。其著書之大旨畢見于是。然今考循所破漢儒卦變、半象、納甲、納音、卦氣、爻辰之非,咸能究極其弊;至其所自建樹之説,則又支離穿鑿,違於情理,實有較漢儒諸術過之而無不及者。如説中孚與小過旁通云:明夷六五箕子之明夷,箕子即其子。中孚九二鳴鶴在陰,其子和之。謂九二旁通小過六五。惟小過六五不和中孚之九二,而以四之初成明夷,故云其子之明夷。苟其子與鶴鳴相和,則明不傷夷。是中孚、小過旁通。又釋井泥不食云:豐四之井初成需,故需于泥,豐成明夷,需二之明夷五,爲致寇至,傳云災在外,即豐過旬災之災。又釋小畜密雲不雨,自我西郊云:其辭又見于小過六五。小畜上之豫三,則豫成小過,中孚三之上則亦成需。以小過爲豫之比例,以中孚爲小畜之比例。又釋文言同聲相應,同氣相求,水流濕,火就燥,雲從龍,風從虎云:同聲相應,謂乾成家人、坤成屯。同氣相求,謂乾成革、坤成蹇。水流濕,謂乾二、四之坤成屯,承同聲而言。水坎也,濕下也,泥塗沮洳之地,震爲大塗是也。乾二流於坤五,而四應之,成屯,是爲水流濕。火就燥,謂坤五、三之乾成革,承同氣而言。火離也,燥爲秋金之氣,兑是也。坤五就於乾二,而三求之,成革,是爲火就燥。此言乾、坤之當位行也,若不當位,有濕而無水,則乾四之坤初成復;有燥而無火,則坤三之乾上成夬。復變通於姤,姤二之復五成屯。復下震先有龍,成屯則上有坎雲以從之,故雲從龍。夬變通於剥,夬二之剥五成觀。剥下先有坤爲虎,成觀則上爲巽風以從之,故風從虎。若此之類,初觀其法似密,實按其義皆非。牽合膠固,殆過於虞翻遠甚,而竟不自知其謬,豈非明於燭人而暗於見己乎?英和、阮元、王引之之徒,以故舊之雅而妄相推許,後儒不察,隨聲附和。獨南皮張之洞撰書目答問以告學者,於循之易取其周易補疏,而舍此易學三書,可謂知所去取矣。

易圖略八卷焦氏叢書本[一]

　　清焦循撰。循著雕菰樓易學三書凡四十卷,已著録。此書即三書之一。凡圖五篇,原八篇,論十篇。圖、原之大

〔一〕此篇排印本署尚秉和先生名,已遵尚囑歸返黃著。

旨,皆在推闡其自所發明之旁通、相錯、時行三義例。其論
十篇,一曰論連山歸藏,明二易傳於夏、殷,原非禹、湯之制
作也。二曰論卦變上,三曰論卦變下,駁荀、虞卦變之謬也。
四曰論半象,駁虞氏半象之不當也。五曰論兩象易,駁虞氏
兩象易之非也。六曰論納甲,論虞氏納甲之謬也。七曰論
納音,論其説起於緯家,非焦、京所有也。八曰論卦氣六日
七分上,九曰論卦氣六日七分下,論卦氣之序非易之序也。
十曰論爻辰,定爻辰爲鄭氏一家之言,悠謬非經義也。歸納
其書,不外兩端:前者所以表明其自所建樹,後者所以破漢
儒諸説之謬。當清代乾、嘉之隆,舉世崇尚漢學,好古不好
是風氣正盛之時,而循能獨立爲説,力闢荀、虞及康成諸家
之謬,固可謂豪傑之士。惟其自所建立諸例,以測天之法測
易,以數之比例求易之比例,雖曰自成一家之説,竟皆牽合
膠固,無當經旨,較之鄭氏爻辰有過之而無不及。又以荀、
虞卦變爲不當,乃循所著易通釋少則一卦五變,多則十餘
變,視荀、虞爲尤甚。所謂明於燭人,闇於自照者,非耶?

仲軒易義解詁三卷 鈔本[一]

卷上首尾不具,中、下兩卷均題江都焦循定稿。循家有
仲軒,因藏仲長統石刻得名,則仲軒誠爲循之軒名。惟按循
子廷琥所撰事略,述循先後著作甚詳,其於易則有易通釋二
十卷、易圖略八卷、易章句十二卷、周易補疏二卷、易話二

〔一〕此篇排印本署尚秉和先生名,已遵尚囑歸返黄著。

卷、易廣記三卷,獨未聞有易義解詁之説。此其可疑者一。
此本既分上、中、下三卷,宜是完書,實則其中只釋乾、坤、
屯、蒙四卦,乾、坤各爲一卷,屯、蒙又爲一卷,以下六十卦并
繫辭、説卦、序卦、雜卦之屬皆闕,而標題之字蹟墨色又不與
正文同。此其可疑者二。循之易學,乃以數之比例求易之
比例,謂易例有三,曰旁通、曰相錯、曰時行,力破舊説之非,
故其序周易補疏譏王弼知卦變之非而用反對,知五氣之妄
而信十二辟,唯之與阿,未見其勝。又易圖略論卦氣云:嘗
謂納甲、卦氣,皆易之外道,趙宋儒者闢卦氣而用先天;近人
知先天之非矣,而復理納甲、卦氣之説,不亦唯之與阿哉!
是循于漢儒納甲、卦氣、五行、十二辟之術以及宋儒先後天
之説皆所不信。而此書於納甲、卦氣、五行、十二辟之術,既
屢屢稱述,而于先後天之説尤篤信不惑。如云:邵子詩乾遇
巽時觀月窟句,屬先天;地逢雷處見天根句,屬後天。羲、文
兩八卦皆有先後天。又謂:乾之利貞二字,包先天三節;元
亨二字,包後天三節。並譏來矣鮮讀先迷後得主句,爲不識
先後之別。與循素日持論之宗旨正相刺謬。此其可疑者
三。循所著書,徵引古今皆極淵博,訓詁名物研求尤精。而
此書所徵引儒先舊説,在漢、魏惟一虞仲翔,在宋明惟程子、
邵子、朱子及來矣鮮氏四人。且其釋乾卦之義云:卦名雖作
乾,實當讀作乾濕之乾。釋長爲元之義云:長即大,大即元,
如考試稱榜首爲元。釋筮字之義云:筮字,上從竹,下從工,
而加以東西二人字。東西二人者即震、兑也,工謂此震、兑
二者之兩端,爲萬事萬物取中之道,由天地化工所出也。既

爾孤陋,而復穿鑿,有似童騃。此其可疑者四。他如牽引論語或問禘之説,子曰,不知也,知其説者之於天下也,其如示諸斯乎,指其掌。及中庸,明乎郊社之禮,禘嘗之義,治國其如示諸掌乎。二文,繪示諸掌一圖。又以禮、樂、刑、政皆本于元、亨、利、貞,作五音必爲十二律所節始可感動人好善惡惡之心諸説。於禮樂之制度精意不獨無所發明,且穿鑿附會,令人發噱,與循六經補疏之文毫不相似。此其可疑者五。依此而言,可知此書乃鄉曲俗士所爲,久而殘闕,佚其名氏,作僞者乃嫁名於循,以圖射利明矣,不足重也。

周易通義十六卷 道光十六年刻本[一]

清邊廷英撰。廷英字育之。任邱人。嘉慶六年辛酉進士,官至禮部員外郎。是書排除象數,專闡義理,忽略天道而重人事。故其自序謂:聖人教人之法,惟具於四子之書;大易一書,實即四子之書之所自出。故易言健順,四子言仁義;易言元亨,四子言誠明,名不同而實同。又謂:漢後儒者注易,或主象數,或主義理,然皆與四子之學不能歸一。廷英中年以後,始因讀陸、王書,有得於孟子本心,大學、中庸慎獨之旨。自是之後,讀易則惟以四子之學求之,逐卦逐爻皆必切體之心,切體之人倫日用,以求其致用之實。十年之久,乃覺易與四子之學渾合爲一,無纖毫之可疑者。至是乃敢筆之書。云云。其著書之大旨,畢見於是。原廷英之學,

〔一〕此篇排印本署尚秉和先生名,已遵尚囑歸返黄著。

既以陸、王爲主，故逐卦逐爻皆謂聖人指言心德，教人以盡
心盡性之學，故不獨不取漢、魏儒者之説，即周、程、張、邵、
朱諸家之論，亦在所不取。夫易原本象數，發爲義理，苟舍
象數而談義理，則易與詩、書、禮、樂何以異？聖人又何必獨
爲此艱深怪奇之詞？易之理，原本天道，指明人事。必謂其
專言人事，則天行、地勢、先甲、後庚之語，皆爲無稽，聖人又
何必爲此駢枝贅疣乎？斯皆執于一端，而未達乎全體者也。
至于易之推衍極致，則格致誠正、修齊平治之道，殆無所不
包。即周、程、張、邵、朱，固亦不能謂其毫無冥契，何況乎四
子？然必謂大易之旨與四書之説渾合爲一者，又固執之論
也。蓋廷英持理學門户之見，已失持平；而又拘守陸、王之
言，姝姝自悦，徒見其褊狹而已。

周易輯義初編四卷<small>道光八年刊本</small>[一]

　清盧兆鰲著。兆鰲字桐坡。湖南安仁人。嘉慶辛酉進
士，官萬州、化州知州，署潮州府同知。是書據其自序謂：宜
奉程傳及本義爲正宗。又謂：聲音之道，感人最深，故六經
皆有韻之文。而三百篇外，周易尤最爲活變，最爲精密。故
諧其音節，備述舊聞，一以貫之。云云。按程傳、本義，自明
以來即爲功令所必讀之書，謂爲正宗，原不足怪。惟此書所
述義理之空疏淺陋，大有出乎程、朱之外者，而其所諧之音
節更多無據。如其釋或躍在淵云：躍淵，乃内卦互兑澤，有

〔一〕此篇排印本署尚秉和先生名，已遵尚囑歸返黃著。

日浴咸池之象,猶云樓觀滄海日耳。若粘定龍德説,則九二
已見而在田,何得隔卻九三從新又轉到淵耶?按乾卦,爻以
氣表,繇以龍興_{本干寶語},潛、見、飛、亢既指龍言,則所謂躍
者,非言龍而何?初爲地下,故淵指初;初以四爲應,故或躍
在淵。而盧氏乃謂何從轉到淵,殆不明初、四相應之理。
程、朱無是淺陋也。又釋用九云:爻無論奇耦,總把一畫分
出中間左右。陽爻則中間實得一分,故每爻算三分。乾三
奇,三其三則九,此之謂參天。陰爻則中間虛卻一分,故每
爻算二分。坤三耦,三其兩則六,此之謂兩地。震、坎、艮爲
少陽,則兩耦一奇,爲七。巽、離、兌爲少陰,則兩奇一耦,爲
八。故七、八、九、六之數,皆倚參兩而成。按七、八、九、六
之數,純視揲蓍而定,唐僧一行論之已詳。以乾爻三分,坤
爻二分爲説,是盧氏並揲蓍之法皆不明,程、朱亦無是空疏
也。至其叶音韻之處,如乾初九潛龍、九二見龍,音龍爲林;
九五飛龍,則音龍爲能;上九亢龍,則音龍爲黎。需之有孚,音
孚爲肥;訟之有孚,音孚爲焚;泰之其孚,音孚爲其該切。凡此
本皆一字,而任意叶韻,改作異音。又凡經中之龍字、疑字、年
字、虞字、泥字、言字、麟字、能字、宜字、盧字、牛字、雷字、靈
字、南字、蠱字、羸字、陵字、孿字等,皆音作黎。凡此本異字,
而任意叶韻,改作同音,而不知其有可通者,有絕不可通者。
其他任意改叶之字,尚不勝枚舉。雖朱子詩傳,亦無是妄誕。
夫有清自乾、嘉而後,經學昌明,訓詁、音韻,闡研尤精,即清初
崑山顧亭林亦有易音專書。乃盧氏於漢、魏古注及清儒纂述
一無所覽,而妄著作,適以自示其不學而已。

周易繹傳四卷 道光甲申刊本

清汪景望撰。景望字企山。宜興人。嘉慶九年舉人，官太平教諭。是書不載繫辭以下各篇，惟有上下經，又各分上下卷，故凡四卷。卷前載讀易巵言七則，讀易傳例九則，而無序跋。案宜荆縣志藝文志載此書作九卷，則此本似是殘闕。考其以繹傳命名之意，蓋以十翼爲依歸者。尋其繹傳所得，蓋有四端。一曰釋卦，爲讀易第一要義。例如：乾乃以元釋卦，故乾之四德及乾之六爻，皆一元所統；坤乃以順釋卦，故坤之彖辭及六爻皆言順。故乾卦重在乃統天一句，坤卦重在乃順承天一句是也。二曰釋辭，釋辭必揭出彖辭所指之卦主。如需以九五爲成卦之主，訟以九二爲成卦之主等是。三曰大象傳，專指用此卦而言。凡體易、占易，遇此卦之吉爻而用大象，則吉者愈吉；遇此卦之凶爻用大象，則凶者亦轉而爲吉。蓋伏羲合二體而成大象，夫子則合六爻而善處大象之方是也。四曰卦變，即襍卦反對之義。其例如：需、訟反對，在需則有孚，反訟則有孚窒；在訟則九二剛來而得中，反需則九五位乎天位而正中；在需則利涉大川，反訟則不利涉大川。泰之象曰小往大來，由否反也；否之象曰大往小來，由泰反也。臨反至觀，爻凡八變，則曰至于八月有凶；復反自剥，爻歷七位，則七日來復。又如大壯之三，反遯之四，兩爻皆有君子、小人之辭；既濟之三，反未濟之四，兩爻皆取鬼方之象是也。按汪氏此論，雖屬尋常，然與易義頗有合。以卦變爲反對,與江慎修主張亦同,足備一説。又其書闡繹義理,不廢象數,故能簡明切要,不蹈於空虚,不涉於穿鑿。名曰繹傳,允有當焉。

易酌十五卷_{手稿本}

清何詒煦撰。詒煦字春渠。東垣人^{按畿輔通志作正定人。}嘉慶十年進士。是書分爲酌註、酌圖兩部。酌注又分經、傳,經部六卷,自卷一至卷三釋上經,卷四至卷六釋下經;傳部亦分六卷,卷一釋彖傳,卷二釋象傳,卷三釋文言,卷四釋繫辭,卷五釋説卦,卷六釋序卦及雜卦。并酌圖上、中、下三卷,都十五卷。其註釋之例有五:曰正義,所以發明經義也;曰釋義,所以考究字義也;曰精義,所以發明卦象也;曰別義,所以存異説也;曰總義,則總論一卦或數卦之義也。區別意義,條理尚頗明晰。其自述謂:正義多取之程傳,精義多取之胡氏函書。又謂:古聖則象繫辭,一字不苟;字義不明,經義便晦。又謂:別義與正旨不甚浹洽,而立言有本,不同臆説,取之漢儒者爲多。漢學久廢,僅存什一于千百,吉光片羽,少當益珍。察其意,似頗欲函雅故,明義理,兼綜漢、宋之長。惟按其實,則殊不然。如何氏論之、疊曰:之,非變也。易之妙,體剛者用必柔,體柔者用必剛。之者,自體而達於用。疊,如屯卦上坎下震,疊之則成雷雨解,是易置看法。又如姤卦下巽與伏坤疊成觀,亦是一疊法。按,之之爲變,古義顯然,故春秋内外傳占筮凡遇某卦之某卦者,

皆變卦也。何氏以之爲非變,是明與古義相背。又何氏所
謂易置看法之疊卦,本即虞氏兩象易之説,而命名不從虞
氏,已爲不根。至其以近卦下巽與伏坤疊成觀爲疊卦,則先
儒所未有,真自我作古也。何氏又以震正對巽、兑正對艮爲
正射,震反對兑、巽反對艮爲反射。按,震、巽相對,艮、兑相
對,漢儒謂之旁通,何氏正射之名雖不當,其義尚可通。若
反射之説,則立名取義,皆無所當。蓋震、艮相反對,巽、兑
相反對,則有之;未聞震與兑爲反對,巽與艮爲反對也。何
氏又以震足、艮手之屬爲小象,頤肖離、大過肖坎之屬爲大
象。按此所謂大象,即虞氏所謂體象,先儒亦有名爲大象
者,立名尚爲有本。若以震足、艮手爲小象,則又何氏所新
立者也。何氏又云:孔子作十翼,蓋彖傳、象傳、文言各分上
下二篇,加繫傳一、説卦一、序卦一、雜卦一,故凡十篇。按,
繫辭分上下,漢魏以來儒者未聞異説;文言爲一翼,先儒亦未
有異議。何氏獨欲分文言爲二,而合繫辭爲一,亦未免好奇逞
異。他如釋先甲後甲,謂甲者胎象;釋不事王侯,高尚其事,謂
爲婦人懷妊獨宿,不復交乾之義;釋盥而不薦,謂是但同巾櫛,
不薦枕席之義:斯又皆猥褻不堪,漢、宋儒先皆未有若是之妄
誕者。酌圖卷上,載河洛圖像、河圖畫卦、文王演圖證易諸圖,
及蓍卦方圓等;卷中載卦納干支攷、音律應卦攷、爻辨等物攷、
風雨應卦攷、京氏易傳攷等;卷下載洪範五行攷、太上天易攷、
太上人易攷、太上地易攷及元會運世攷等。大抵抄自他書,雖
徵引頗繁,而實多與易無關。乃何氏自謂此書爲三十年精力
所集,則其用力之勤且久,頗可惜也。

周易新解六卷 光緒十二年刊本

清唐守誠撰。守誠字馨丹，號真峰。雲南曲靖府南寧
縣人。嘉慶庚午舉人，道光丙午大挑一等，得知縣。不樂爲
吏，呈請改就教職，歷官通海縣訓導，廣南府教授。在通海
尤久，專意著述。所著有亦夢軒集等書，種類甚多，多未刊
行。此書存稿於家者數十年，至光緒丙午，其子永齡始募貲
刊行。全書凡六卷，註釋甚簡略，義亦膚淺，似專備童蒙諷
誦。書上有眉批，分作兩層。上層多取來知德之說，如，乾
初九批云：變姤綜夬錯復。九二批云：變同人綜大有錯師。
他卦皆如此例。自釋變、錯、綜之外，間引史事以申明卦爻
之義，然亦甚簡略。下層之眉批則大抵言文章之脈絡關節，
亦無其他發明。綜觀唐氏此書，所據參考書籍自周易折中
外，惟有來氏易註，其他古註殆一無所覽，已爲荒陋。而前
後諸家序跋且云：折中宏深，學者難讀。則滇南僻遠，士風
錮塞，經學不昌，其來已久。然則唐氏此書雖云淺陋，亦地
域使之然矣。

易鑑三十八卷 同治甲子重刊本[一]

清歐陽厚均撰。厚均字福田，號坦齋。湖南安仁人。
嘉慶進士，官至御史。以母老告歸，主講嶽麓書院凡二十有

〔一〕此篇排印本署尚秉和先生名，已遵尚囑歸返黃著。

七年,弟子著録者三千餘人。著有易鑑、望雲書屋集、粤東
游艸等書。遭洪、楊之亂,遺稿多散亡,惟易鑑以先刊獨存。
其著書大旨,以爲大易一書,聖人所以垂教於天下萬世者,
罔不切於人事。上自朝廷君相,下及於閭巷士民,誠能觀其
象變,玩其辭占,大之可以行政蒞官,小之亦足以束身寡過。
古今來之治法、道法,盡備於此,誠千古之寶鑑也。故名其
書曰易鑑。厚均又以爲:易之爲書,原以致用,聖人作易以
垂訓,將欲使天下萬世無不知所從違,故隨人、隨時、隨事皆
可用。泥於象數而不切於人爲,空談義理而無關於行習,則
易幾爲無用之書,非聖人所以立教牖民之意。故其書既盡
屏棄漢、魏諸儒所用之象數,亦不專尚王弼、程子所談之義
理。它如陳搏、邵子所傳之河洛、先後天諸説,亦不闌入一
語。凡六十四卦三百八十四爻,皆引據古今史事以相參證。
採取於古人者以此,其自加案語者亦以此,大致蓋與楊誠齋
易傳同。夫易在明夷之彖,夫子釋之曰:内文明而外柔順,
以蒙大難,文王以之;内難而能正其志,箕子以之。在復之
初不遠復,无祗悔,元吉,夫子釋之曰:顏氏之子,其殆庶幾
乎。其在爻辭,亦有箕子之貞、帝乙歸妹、高宗用伐鬼方諸
文,釋者皆以爲係上古史事。則是以史事證明易理,亦未嘗
不得易之一義。然易之本在乎象,故曰易也者象也;其要在
以明天地陰陽,故曰易以道陰陽。是故言易者必本象數以
發爲義理,必原天道以推人事。言義理而舍象數,則爲無
本;推人事而遺天道,則爲一偏:是二者皆未得也。況乎厚
均專以史事推闡易理,則易之用幾與春秋、史傳相同,聖人

又何必於詩、書、禮、樂之外別爲一易？故朱子嘗言：聖人以詩、書、禮、樂教人，而不及於易，看來易別是一個道理。厚均蓋未達朱子之旨。若誠齋楊氏，生當南宋之末，其書本感憤時事而作，故其初自名爲易外傳，楊氏其亦知徒以史證經，非説易之正宗矣。是以陳櫟駁之於前，吳澄議之於後。今厚均不察，尤而效之，未爲通才達識也。

周易本義闡旨八卷　嘉慶十七年蘭桂堂刻本[一]

清胡方著。方字信天，一字大靈。新會人，歲貢生。歿後數十年，其玄孫捷登，始以家藏鈔本示同里觀察使盧觀恒，觀恒爲編校刊行之。書分上下經計卷，上經由卷一至卷四，下經亦然，故凡八卷。馬其昶周易費氏學敍録作本義注六卷者，蓋未見原書而誤也。是書先列經文，次列本義，皆大字；後列闡旨，小字雙行夾注，眉目尚爲清晰。卷首除列朱子九圖、八卦取象歌、八宮次序、卦名卦變歌、筮儀之外，薈萃朱子平日論易之説，爲易説綱領一篇，次筮儀後，又録朱子周易五贊、周易圖説及啓蒙補略諸書次綱領後，是頗足以窺朱子易説之全體，補本義所未備，有益於讀者。獨惜其於書中之闡旨，則墨守本義，句梳字櫛，無所徵引，無所參證，故用力雖勤而毫無發明。有時淺俗，且類坊間之高頭講章。如釋大象云：此象曰，是周公言卦之象，若曰是記述之詞。小象之象曰，是象詞之意，若曰是論議之詞。釋先迷失道,後順得常云:此節與論語仁甚於水火,未見蹈仁而死同義。釋説卦坤爲文爲衆云:色繁而整爲文,形繁而整爲衆。不繁,非文衆;不整,則繁不可辨,亦不成文衆也。此皆支離無當。又如將六十四卦三百八十四爻,自定爲註釋之例、提撕之例、因象辭而決之之例、因爻辭而決之之例、釋爻辭正含之例、釋爻辭所以然之例、釋爻辭所以未及之例等,亦皆强爲支配,不協經旨。蓋方生居窮僻,潦倒棘闈,既不獲與通人達士交遊,又罕覯漢、魏易説,故孤陋如是也。

周易集解纂疏十卷 湖北叢書本〔一〕

清李道平撰。道平字遠山。安陸人。嘉慶戊寅舉人,晚官嘉魚教諭,卒於官。案湖北通志本傳及藝文,均作三十六卷,謂書刻於道光壬寅,其本海内少見,後督學趙尚輔刻入湖北叢書。惟今本祇作十卷,首末完具,疑是後人所併。易自王注盛行之後,漢易日就淪亡,幸賴李鼎祚集解存什一於千百,延一線之墜緒。後來考漢儒舊説者,其所徵引,要不外集解一書。道平以唐迄清千餘載,無人起而爲之疏,乃獨毅然爲之而不辭,其志在闡明漢儒象數。其序有云:古人之説易也,言象數而理義在其中;後人之説易也,言義理而象數因之以隱。又曰:使象數可廢,則聖人之言爲無稽,而羲、文之假象數以垂訓者,反等駢拇坿贅。又曰:作易者不能離象數以設爻象,説易者即不能外象數而空談乎性命。

〔一〕此篇排印本未收入。

又曰:説易莫先于左氏内傳,然解釋象辭,皆準象數,猶可考
見古人説經之遺。漢儒踵周秦而興,易師授受,一脈相承,
恪守典型,毋敢失墮。凡互卦、卦變以及卦氣、爻辰、消息、
納甲、飛伏、升降之説,皆所不廢。蓋去聖未遠,古義猶存,
故其説往往與羲、文之旨相契合。凡此皆真知灼見,卓然不
隨流俗,固非徒以漢學爲名高者也。其書大抵採惠棟父子
及張惠言之説爲多,參合成文,而不詳著其姓氏。集解於古
人易説,不拘宗派,兼收并蓄,多兩存其説,道平亦兩釋之。
諸家各遵其例,不相混淆,以重家法。間于注義未協經旨
者,必詳加辨正。亦有舊義不詳不確,或另申一説以備參
考,兼引諸家者,但加案字;自攄己見者,則加愚案以別之。
義例謹嚴,條理秩然,可謂美善。惟其間疏義亦有不了不協
者。如乾象大明終始,荀爽注:乾起坎而終于離,坤起于離
而終于坎。離坎者,乾坤之家,而陰陽之府。此乃以十二月
消息卦方位言,消息乾起于坎方而終於離方,坤起于離方而
終于坎方,故曰離坎者乾坤之家而陰陽之府。離爲日,坎爲
月。乾鑿度曰:日月終始萬物,故曰大明終始。此與下荀注
六位時成爲六爻隨時而成乾,説正合。而疏乃謂:坎本乾之
氣,故乾起于坎之一陽,而終于離之二陽;離本坤之氣,故坤
起于離之一陰,而終于坎之二陰。乾寓坎中,坤寓離中。不
實指消息卦方位爲説,徒以一陰、二陰、一陽、二陽疏起終,
義殊不明。蒙六五小象,荀注:順於上巽於二,謂五上承上
九,下應九二,皆以陰從陽;互坤爲順,故曰順於上巽於二,
巽亦順也。而疏必謂:五變爲巽,以應二。夫五變則爲陽,

與二陽如何相應？且又不能上承，於順上巽二之旨全悖矣。觀九五虞注云：震生象反，坤爲死喪，嫌非生民，故不言民。觀三至五互艮，艮覆震也，震爲生，震覆故曰震生象反。此與繫辭重門擊柝，九家注震覆爲艮；上棟下宇，虞注巽爲長木，反在上爲棟義正同。而疏説九家不誤，説兩虞注皆未協，以不知虞氏亦用覆象也。若此之屬，多襲舊説而未能有所匡正。至若博雅之士，更有惜其考訂詁訓名物未盡翔實者。要之，道平於集解疏通證明，厥功已多；雖有一眚，固不足以掩其大德矣。

易義原則七卷易義附編五卷<small>道光丁亥刻本</small>[一]

　　清張瓚昭撰。瓚昭字斗峰。湖南平江人。嘉慶辛酉優貢，道光乙未舉人，官東安訓導。所著曰經笥質疑，有易義原則、易義附編、書義原古等。易義原則六卷，並卷首凡七卷；易義附編四卷，並卷首凡五卷。瓚昭爲人詭僻好異，而自謂不甘爲古人所愚，故於羣經諸傳罔不妄肆詆毀。如易義原則中云：讀其書，期知其人，豈説卦象而不述羲皇本紀？譏太史公爲未之思。遂採皇甫謐世紀、司馬貞補本紀、羅泌路史等書，參以卦象，作羲皇本紀冠之於首。而不知百家言黃帝，其文不雅馴，太史公且不取，豈反取乎牛首蛇身，神異諸謬説，以傳伏羲氏？此正所謂好學深思者，而瓚昭譏之，妄矣！瓚昭又以伏羲葬於平江天岳山，世遠而人無知，因作

〔一〕此篇排印本署尚秉和先生名，已遵尚囑歸返黄著。

天岳皇壇圖及圖説,次於本紀之後。又以古經傳所謂帝、所
謂上帝者,皆指伏羲,作上帝考;黃陵廟記所稱黃龍助禹治
水,其龍即伏羲氏以龍紀官之真龍,作黃龍考:次圖説後。
又以十翼中惟繫辭、説卦非孔子高弟不能;其餘彖、象、文言
諸篇,語既淺滑,意亦含糊,皆非古易所有,乃費直輩所僞
託。并謂古今文體唯時文爲尤得卦體,凡八股與八韵試帖,
皆取諸八卦。又以繫辭傳所謂河出圖洛出書,圖者即乾坤
六十四卦之卦象,書者即卦爻辭,因于六十四卦卦象上各冠
一圖字,象辭上各冠一書字。其所言所爲,誕妄不經,皆類
是。附編卷首全載五行圖説;卷一、卷二曰天文類,謂周易
卦象與星象同,因以卦象附會星象;卷三、卷四曰地理類,謂
包犧畫卦,仰則觀象于天,俯則觀法于地,故經義在輿圖,因
以輿圖文飾經義。又凡醫經、方伎、襟術之學,罔不援引比
附,濫廁於其間。蓋其人學無家法,又師心自用,故涉獵愈
多,而其書愈見駁襍而無當云。

三易註略四卷三易讀法一卷嘉慶四年刊本[一]

　　清劉一明撰。一明係道士,自號悟玄子,又自號素樸散
人。其先晉人。中年慕道,游學三秦,棲隱於金縣南棲雲山
巔,號其洞曰自在窩。據其自序,有乾隆庚辰歲西游,幸遇
吾師龕谷老人,打開先天窟竅,指示易理源流之語,則其學
傳自龕谷。按蘇寧阿所作序,龕谷係廣東人,蓋亦道士。又

[一] 此篇排印本署尚秉和先生名,已遵尚囑歸返黃著。

按自序,有:細辨圖卦之藴,深索經傳之義,將圖卦可折可合
處悉爲指出,或一圖分爲數圖,或數圖合爲一圖,或於本圖
所藏之秘別立變圖。以明圖爲活圖,卦爲活卦,不得按圖説
圖,按卦説卦。又於義易、文易、孔易分爲三易而註之,以明
三聖各有其易,不得以文易爲義易,以孔易即爲義、文之易。
如其説,則是一明所著有圖、有註,而註且分義易、文易、孔
易三部。今考此本,除卷首附三易讀法一卷一百二十餘條
外,祇有上經兩卷,下經兩卷,各載卦爻詞解註,而無一圖説
並一語及於十翼。則此本殆一明所謂義易、文易之部,而孔
易之部並所有圖均闕,其爲殘本無疑矣。今姑就其殘本及
讀法所見論之,一明之學,純以圖書爲主,故其言曰:易即圖
書,圖書即易。學者欲知卦理,須玩圖書。圖書者,易之根
本;易者,圖書之發揮,易所以演圖書之秘藏。云云。按宋
人所謂圖書者,乃五行數及九宮數。易之理原於象,象原於
數;圖書者,數之根,故宋人以圖書爲易本。惟一明實未知
此義,而徒以圖書錯綜之説相糾纏。而其所謂錯綜,乃有謬
誤不可勝言者。如於上下經六十四卦三百八十四爻卦畫
下,均註錯字、綜字或錯綜二字。尋繹其例,則以陽爻居陽
位、陰爻居陰位爲綜,陽爻居陰位、陰爻居陽位爲錯。然有
時陽爻居陽位,陰爻居陰位亦有爲錯者,如遯之九三、坤之
上六是也;亦有時陽爻居陰位,陰爻居陽位亦不盡爲錯者,
如乾之九二、九四,坤之六三、六五,皆曰錯中有綜是也。故
其爲例,果孰當爲錯,孰當爲綜,孰當爲錯中之綜,純以意
造,毫無標準,而強附會之圖書,烏乎其可?況其以錯誤釋

錯義,以得中釋綜義,尤爲古今易家之所未聞乎! 又其書句
讀亦多不可通者,如訟象作有孚窒句,惕中吉句;小畜六四
爻詞作有孚血句,去惕出句;明夷六二爻詞作用拯句,馬壯
吉句。若此之類甚多,其義皆難通,而註中亦無所説明。舉
此兩端,則可概見一明乃一無實學而好立異者。至其釋坤
之西南得朋東北喪朋,蹇之利西南不利東北,以月體盈虧爲
説,其義本之魏伯陽參同契,虞仲翔亦嘗用之,固無庸以譏
方外之一明矣。

易理闡真六卷卷首一卷嘉慶二十四年重刊本

　　清劉一明撰。一明有三易註略、三易讀法已著録。考
梁溪楊芳燦所作序,一明蓋先著三易註略,而後著此書。此
書凡六卷,前四卷曰周易闡真,後二卷曰孔易闡真。而卷首
列圖説四十餘篇,前半皆推演河圖、洛書、先天、後天之説,
假易學以明其丹家養生之術;後半如金丹圖、金丹論等,則
純係丹家之説,并易亦無所假借。周易闡真祇釋經文卦爻
辭,而不取十翼;孔易闡真則擇釋大象傳及雜卦傳,而不一
及經文。原一明之意,蓋以卦畫爲羲易,十翼爲孔象,惟卦
爻辭爲文周所作,方爲周易也。其註釋大旨,與三易註略、
三易讀法同,惟不復用其錯綜之術,較爲差勝。尋以道家之
言解易,論者咸謂始于王弼。實則虞翻納甲之術,既同於參
同契,而其注中引老子之言者亦時有之。則是易學之雜入道
家,蓋自虞氏已然。迨及宋世,圖書之學興,陳、邵之術尤鄰於

方外,儒者復取以附經,而後易之爲書,實雜道家言而至不可分離。然則圖書、先後天之説,雖云盛起於宋,而淵源亦有自矣。清儒有作,悉力排擊宋儒,然至今宋儒之説亦未能盡廢。良以易道廣大,無所不包,水火匡郭,亦未始非易之一蘊。亦猶楊簡之徒以佛家言解易者,亦得自名其家也。然則一明以道家言解易,雖非吾儒之真義,固亦無庸悉擯之矣。

孔易闡真二卷嘉慶二十四年重刊本[一]

清劉一明撰。一明所著有三易註略、三易讀法、易理闡真等,已著録。此書即易理闡真之後二卷,而別出單行者。原一明之學爲道家,故其嘗言:體龕谷、仙留二師之旨,述伯陽之意,盡將丹法寓於周易圖卦繫辭之中。略譬象而就實義,去奧語而取常言。直指何者爲藥物,何者爲火候,何者爲進陽,何者爲退陰,何者爲下手,何者爲止足,何者爲煅煉,何者爲温養,何者爲結丹,何者爲脱丹,何者爲先天,何者爲後天,何者爲有爲,何者爲無爲,何者爲逆運,何者爲順行,就其圖象、卦象、爻象細爲分析。云云。則其爲學之大旨,已昭然若揭。惟此書以孔易爲名,孔子之易,自當包括十翼而言;然十翼之辭,未易悉以丹家之言傅會。故一明自序此書,則謂:十翼乃宣聖直言其理,學者自能推求,故餘不及註,惟取大象傳、雜卦傳略釋數語,以備參考。云云。夫既祇釋大象及雜卦,則此書正名當云周易大象傳雜卦傳闡

〔一〕此篇排印本未收入。

真,不當云孔易闡真矣。

固村觀玩集稿二卷_{嘉慶丁卯年刻本}^{〔一〕}

清侯起元撰。起元,里居事蹟均不詳。惟據書中屢引及周易折中,又凡顒字皆避諱,知其爲嘉慶間人。是書於經傳不章解句釋,六十四卦各爲一篇,文言則祇釋數處,其餘繫辭、説卦、序卦、雜卦之屬皆闕。其要演繹義理,大抵以程傳、朱義爲宗。然有空泛甚於程、朱者,如釋飛龍在天云:孟子願學孔子。則其稱大人者或即以九五飛龍尊孔子。釋蒙九二納婦吉云:不曰后,而曰婦,愛憐少子,婦人之性。則浮僞不切。有穿鑿背于程、朱者,如釋小畜六四血去惕出云:血謂四,惕謂三。巽陰木屬肝,肝藏血,四巽主故以血象,三于乾惕龍也。釋小畜上九君子征凶云:上九之君子,若以三不能正室,往而正之,恐三不免有獅吼之誚,上亦不免池魚之凶,蓋雖閉户可也。釋歸妹六三歸妹以須云:須,即鬚字。九四長男,故有須象。以三歸之,是以未及期之少女歸而從逾期之鬚丈夫也。則俚而不當。又有與易旨全相背者,如釋革、釋中孚、釋未濟諸卦,均云:某講孚字,只以陽與陽孚,陰與陰孚爲義。而不思俱陰俱陽謂之敵應,傳有明文;既是敵應,如何可相孚乎?其他訓詁之未審者,如謂比原筮,爲伏羲原有之筮辭;履不咥人,謂咥字從口從至,蓋不啻以肉送至虎口:若此之類,更不足掛齒。蓋易解至斯,爲最下矣。

〔一〕此篇排印本署尚秉和先生名,已遵尚囑歸返黃著。

易學羣書平議卷五

易象集解十卷_{同治甲戌漱芳園刻本}[一]

　　清黄守平撰。守平字星階,號莒田。山東即墨人,道光
戊戌歲貢。是書大抵以明易象爲主,故所採多漢、魏諸儒及
清人之説。然皆綜合舊注,鎔貫成文,未嘗標舉名字,自謂
係倣高閌注春秋例。於宋儒程、朱,陳、邵兩派,則皆所不
取。故其言曰:先儒舊説,理有可從,概爲摘録,不能悉符
傳、義。又曰:先天河洛皆因易而作圖,乃陳、邵之易,非孔
子之易。圖中奇偶乃揲蓍之法,非畫卦之本。四庫書目所
辨析者甚詳。故附會圖書者隻字不載。又云:朱子釋剛上
柔下諸説,已與卦變圖不符,不若從漢易較爲明暢。凡此皆
顯然不滿宋易,其宗旨已可概見。夫宋儒之説理,動欲以危
微精一之談,施之於易,藉以發揮其身心性命、聖功王道之
學,誠往往不能免于空虛,要其立言之大者,間亦有合于洙
泗,未可偏廢也。六七八九、水火木金及戴九履一之數,漢

魏儒者皆知之,皆用之,特不言其名。至宋儒必實指曰此爲河圖,此爲洛書,誠爲無據。然其數墨子即言之,大戴禮、小戴禮皆用之,繫辭亦明言之。其名可議,其數不可非,已不詳考。耳食盲從,斯爲大患。卦變之説,蓋緣卦象失傳,諸儒求其象而不得,故爲紛紛,要皆支離穿鑿。守平既不取於朱子,又何取乎漢易哉？斯皆胸有成見,未盡爲能持平之論也。雖然,易也者,象也。象爲易之本,後儒不識久矣。守平獨能奮然自拔,以搜集易象爲職志,則其識有過人者。觀其於説卦傳之末,廣八卦象,除本釋文補入荀九家逸象外,又增之以毛西河所採輯於左傳注、國語注及漢、魏以來儒者馬融、鄭玄、虞翻、何妥、干寶、蜀才、盧氏、侯果諸家之象尤夥。則其重視易象,洞明易本,求之晚近,實鮮其人。斯足貴也！

易藝舉隅六卷道光己亥天香閣刊本

　　清陳本淦撰。本淦字念吾。長沙人,諸生。以經術友教四方,前後掌陝西横渠、古莘兩書院,治易尤有名。原其初志,在表彰漢學,又憫窮鄉僻壤之士得書不易,於漢魏古注及乾嘉諸老書均無所知,因著此書,專以甄錄漢代鄭、虞、荀、陸諸家之遺説,及清儒毛奇齡、惠棟、焦循、張惠言諸氏書之要義,亦兼及唐李鼎祚、宋朱震、明來知德諸家,而于來氏尤詳。其意蓋欲學者手此一編,而于歷代象數家所謂爻辰、卦氣、變互、錯綜、旁通、反對、納甲、納音諸術,均可得其梗概,用意甚善。惟其又恐諸生之習制舉業者無所取資,末並附諸名家易藝十餘首,以資矜式,且名其書曰易藝舉隅。
一若其書乃專爲習制藝者而設,無與于經生之業。而世人
遂亦祇以制藝選本目之,兹可惜耳。

周易本意四卷 光緒間刻本[一]

清何志高撰。志高字西夏。四川夔州萬縣人,道光間
廩生。所著有易本意、春秋傳説、詩書禮釋及大象穀語、四
書論、中庸註等,總名西夏經義。是書篇第,不以彖、象傳附
經。故經文分兩卷,卷一上經,卷二下經。傳文亦分兩卷,
卷三彖、象、文言,卷四上下繫並説卦、序卦、襍卦。察其意,
頗欲復古易篇第。然古易十二篇,經兩篇,而傳十篇,則彖
傳與象傳各分篇別上下,今以彖象上爲一篇,彖象下爲一
篇,且參襍而行,使十翼僅有八篇,則復古而不盡,失所據
矣。至其註釋經傳之辭,大抵推闡義理而證史事。説理尚
爲平實,援引亦多切當,蓋宗法程傳、朱義而益之以李光、楊

〔一〕 此篇排印本署尚秉和先生名,已遵尚囑歸返黄著。惟作者其後又對原文
作較大修訂,故與排印本所收頗有異同。所異者約有二端。一是重考何
志高名字。原文題"清何西夏撰",謂何氏"名字皆不詳",並云:"唯據魏
元烺、張鱗、劉伯藴、黄琮、黄雲鵠、高賡恩等所作序跋,知其爲道光間隱君
子,足不履城市,閉户著書者數十年。"又云:"有子曰貞幹,孫曰佩融,又有
裔孫曰紹先,以諸人皆稱西夏先生,則西夏或是其號,故姑題何西夏撰。"
後經重考,乃删以上諸文,改題"清何志高撰",並確定"志高字西夏"。二
是改訂此書爲"四卷"。原文題"五卷",並云"是書卷首載《易經圖説》",
下又詳論《圖説》得失。後蓋因《圖説》另有別行刊本,所論皆備於下篇提
要中,遂删此部分論説,更定此書爲"四卷"。

萬里之説者歟？

易經圖説一卷南浦三塗邱刻本〔一〕

　　清何志高撰。志高有易經本意四卷，已著録。此書所載，凡圖十篇：曰立象本圖，曰命象表，曰大衍數，曰筮策象數，曰十二經卦應辰，曰八卦居方，曰周易上篇卦序，曰周易下篇卦序，曰河圖，曰洛書。立象本圖畫作七圜，層層包裹，内一圜象太極，其餘六圜分左右陰陽，由二而四而八而十六而三十二而六十四，蓋本邵子六十四卦次序横圖屈折而爲圜，謂爲伏羲易象之本。斯嫌臆造，不足依據。命象表，將兩儀、四象均畫作圜形；大衍數，以四十九點圍作一圜，置虚一於中央：是二者，于古亦爲無徵。十二卦應辰，即漢人所謂十二辟卦也。八卦居方，即宋人所謂後天方位也。上下經卦序及河洛二圖，則本啓蒙，無所變更。圖之後繼之以説。説亦十首：曰立象説，明伏羲之本象也；曰命象説，明八卦及六十四卦之取象也；曰爻例説，明爻位之義例也；曰筮占説，明筮策之數也；曰十二經卦應辰説，明十二辟卦與十二辰相應也；曰居方説，明八卦之方位也；曰序卦説，明六十四卦所以相次之理也；曰河圖説，明十爲河圖也；曰洛書説，明九爲洛書也；曰易義説，則明全易之大義也。此十篇中，如命象、爻例、應辰諸説，論述尚爲明通。然立象之談既屬

〔一〕此篇排印本署尚秉和先生名，已遵尚囑歸返黄著。惟篇首題“清何志高撰”，與排印本題“清何西夏撰”者有異，乃作者後作修訂。詳前注。

不經,而河洛二圖命名之無據,尤未能有所駁辨,君子無取焉爾。

周易述翼五卷懺花盦叢書本[一]

清黃應麟撰。應麟字厚庵。番禺人,道光間舉人。嘗主講始興、文明各書院,前後十餘年,皆以易教授生徒,因著是書。名曰述翼者,蓋述孔子附翼周易之意也。書凡五卷,其次序:先序卦傳,次説卦傳,次上經,次下經,次繫辭傳,次襍卦傳。其自序以爲:讀易者不知乾元亨利貞所由來,即講易者必另究乾元亨利貞所由起,難矣。故爲之先序卦傳以編其次,説卦傳以廣其象。云云。按古本周易上下經與十翼各自爲篇,自鄭康成而後始以彖、象之文附于經,先儒多有譏其變亂篇次。然其本通行已久,世所共習,因而不改猶有可言。今黃氏既不遵古本,又不因鄭氏,而自行變亂篇第,殊不足爲訓。若云學易者宜先知卦序,則教人先讀序卦可矣,何必移置之乎?又其釋彖、爻之義,謂全爻爲彖,分爻爲爻。按之訓詁,顯爲臆説。釋卜筮之義,謂以錢卜龜,想孔子時已有。似不知卜筮之分。釋説卦傳,除據荀九家增三十一象外,又據虞翻增三百二十有二象。按虞氏逸象不止三百二十二,此乃惠棟所輯之數,其後張惠言、馬國翰諸家所輯均有增加。黃氏不取其多者,亦嫌漏略。釋小畜九三之輿脱輻,與大畜九二之輿脱輹,謂二輻字義異,小畜九

〔一〕此篇排印本署尚秉和先生名,已遵尚囑歸返黃著。

三剛過當作輻，大畜九二剛中當作轉。強歧同義作二解，亦殊無當。此皆足見其疏於訓詁考訂。惟其述説易理，則頗有勝人者。如論四德謂：非元不亨，無貞不利，而亨、利、貞皆統於元。論用九、用六謂：凡三百八十四爻，有遇三十六策而老陽變者，皆以見羣龍无首之義推之；有遇二十四策而老陰變者，皆以利永貞之義推之，不專爲乾、坤二卦言。若乾、坤二卦六爻皆變，皆有辭義，豈屯、蒙以下六爻皆變遂無辭義耶？六十二卦皆變無辭義，則此用九、用六云云者，不獨謂乾、坤言。釋坤西南得朋，東北喪朋謂：舊解以得柔爲得朋，以得剛爲喪朋，無乃失坤從乾之義。又釋乾卦謂：乾卦不專取象於乾，猶之坤卦不專取象於坤，六十四卦亦猶是。凡此等類，冥思精索，於易理大有所悟，能與古易注相契合，非空演義理者所能及。又觀其注，義有不盡，每云詳見總論，今此本無之。倘獲見其全書，則其所貫通者當不止此也。

卦氣表一卷 光緒戊子湘南皋署會心閣刊本 [一]

　　清蔣湘南撰。湘南字子瀟。固始人，道光間舉人。著有七經樓文集、周易鄭虞通旨等書。先是，湘南著卦氣考二卷，載在周易鄭虞通旨中，宗惠徵君棟及劉禮部逢禄之説，然心有所疑，逾十餘年復作此書。大意謂：卦氣乃歸藏之法，歸藏乃黃帝之秫。黃帝八年，始造甲子，作調秫，漢志謂

〔一〕此篇排印本署尚秉和先生名，已遵尚囑歸返黃著。

之名察發斂,定清濁,起五部,建氣物分數。蓋其時歲在甲子,月建甲子,朔日甲子,夜半甲子,時冬至,黃帝推步之以爲秝首。六十四卦中,惟中孚之陰陽相含象之,因取中孚以爲氣首,非甲子卦氣起中孚乎?冬至以坎主之,夏至以離主之,春分以震主之,秋分以兌主之,非即名察發斂乎?五日一微,三微一著,三著一體,凡二十四氣、七十二候,均統於三百六十爻中,以八十分日之七爲法,非即建氣物分數乎?八風調,五行正,十二律應陰陽消息之節,非即定清濁,起五部乎?上古未有書契,伏羲畫卦以象天地人物,本名之爲象;黃帝作甲子秝,即取六十四卦分爻值日,以紀秝中之節氣,故名之爲秝象。帝堯命羲和曰,欽若昊天,秝象是也。秝象之名,在帝堯之前,故帝堯得而舉之。而秝始於黃帝,則所謂秝象者,非甲子秝而何?秝與象連名,非卦氣而何?按其言似甚辨,然考周官太卜掌三易,一曰連山,二曰歸藏,三曰周易,以連、歸與周易並列,則歸藏爲易書無疑。況桓譚明言:連山八萬言,歸藏四千三百言;連山掌於蘭臺,歸藏掌於太卜。而鄭康成亦言:殷陰陽之書存者有歸藏。是在後漢之世,尚確有歸藏一書。而易以道陰陽,所謂陰陽之書即易。且漢儒均以卦氣爲占驗。故蔣氏必以歸藏爲黃帝之秝,殊未敢輕信。況揚子雲太玄明係模仿周易,而其次序一本卦氣。若必以卦氣爲歸藏之法,則太玄乃模仿歸藏矣!又其以歸藏之名本於中孚,謂中孚上下四陽,中包二陰,陰中又藏乾元,故名之爲歸藏。既無舊義可證,亦頗嫌近臆說。惟其變圖爲表,加入宮度日躔斗建八風十二律,以補卦氣圖之缺，頗爲明備，亦便省覽。末有卦氣序，義多精當。
又有卦氣證，徵引亦翔實可觀。固不得以其主張歸藏爲黄
帝之秭而并議之也。

淡友軒讀易稿無卷數民國二十二年排印本

　　清徐步瀛撰。步瀛，原名業煌，字有光，號小蓬。瑞昌
人。增生，咸豐、同治間壬子、丁卯兩科鄉試均擬元，卒不
第。遂不復求聞達，而壹志著述。所著有文集、詩集、詞集、
雜集，及讀易稿等。遭亂，他書皆散亡，惟讀易稿獨存。民
國二十二年，其第六孫作喆，始爲印行，即此本也。此書原
名隨緣讀易稿，後作喆承其鄉前輩南昌魏元曠之教，改題今
名。其書無卷數，祇分四編：首曰易説聯珠，次曰易例粹語，
又次曰觀象，最末爲元會運世表。聯珠之名，殆不可解。據
魏元曠序所釋，則謂聯珠者，以其即一卦之理，通貫而聯屬，
如珠之照乘。其言雖未必的是作者之意，義或近之。今觀
聯珠編之文，大抵推闡每卦之大誼。故不録經文，亦不實指
説某字某句，每卦只標一卦名、卦畫，其下則條列其解説而
已。易例粹語，則採集易學之義例，有專就一卦言者，有通
指六十四卦言者，約六十餘則；在四編中爲最少。觀象編，
先總釋各卦之所取象，以卦爲綱；次分類解釋，以名物爲綱，
如曰草木、木器、屋宇、門户類，金石、彩色、日月類等，然後
取卦象實之。元會運世表，則據皇極經世而爲者。約而言
之，徐氏此書大抵首編志在明易理，次編志在明易例，三編

志在明易象,四編志在明易數:蓋欲兼通義理、象數之學者。
書雖不悉具,亦足多矣。惟此書元會運世表既在末編,不應
在編首圖其總綱。又書中未嘗涉及太極圖之説,亦不應在
編首附一太極圖,使之無所附麗。竊意太極圖當删,而總綱
可移於表末,則不至無倫次。又聯珠編六十四卦卦畫之旁,
均畫白圜黑圜,或半白或半黑之圜,註中既未申述其義,則
亦在所當去矣。

周易經略證略十卷卷末一卷光緒十二年刊本[一]

　　清何其傑撰。其傑字俊卿。山陽人。同治甲子舉人,
官至内閣中書,委署侍讀。此書凡例自謂:純以他經解此
經。或藉證子史諸集,皆與易義詞異而義同者;或時有採輯
解易各家注釋,則列入夾注中。又謂:引易之書以左氏爲最
古,亦最富,編中謹列全段,庶可以觀其象而玩其辭。蓋凡
經傳子史之文,其零詞片義有關於易者,此書所輯大略俱
備,頗便檢覽。然其中有與易義毫無關聯者。如需九五需
于酒食,引春秋傳曰:水火醯醢鹽梅以烹魚肉,燀之以薪,宰
夫和之,齊之以味,濟其不及,以洩其過。君子食之,以平其
心。按此文見左昭二十年,乃晏子對齊景公語,非論易需于
酒食之義,引之何用? 又訟上六終朝三褫之,引尚書大傳:
歲之朝,月之朝,日之朝,則后王受之。按此乃尚書大傳及
洪範五行傳之文,謂凡六沴之作,歲之朝,月之朝,日之朝,

〔一〕此篇排印本未收入。

則后王受其凶咎。其與易以訟受服，終朝三褫，亦風馬牛不相及。刪之不損，引之無益。他如履九四履虎尾，愬愬終吉，引公羊傳靈公望見趙盾，愬而再拜；泰九四翩翩不富，引洪範毋偏毋頗，遵王之路；豫九四朋盍簪，引鹽鐵論神禹治水，遺簪不顧；坎六三險且枕，引詩角枕粲兮、内則斂枕簟；寨九五大寨朋來，引洛誥孺子其朋、大司徒五曰聯朋友；解六二負且乘，引夏本紀至于負尾；姤九五有隕自天，引穀梁傳星隕如雨；旅六三旅即次，引詩豈不爾思，子不我即；兌商兌未寧，引孟子商賈皆欲藏于王之市；繫辭天地之大德曰生，引詩維嶽降神，生甫及申，天命玄鳥，降而生商；序卦兌者說也，引詩士之耽兮，猶可說也：凡此所引經典十餘條，皆與易義了不相涉，無證可言。而何氏徒因其辭有一字與易辭相同，便連累而及，實與凡例詞異義同之旨大背。蓋何氏之意，亟欲炫博，故爾貪多而失斷制若是。至卷末所附卦氣起中孚、納甲值月候、爻辰、消息四圖，則尚簡明切要，然亦人所共知也。

易翼貫解七卷 <small>光緒壬辰刻本〔一〕</small>

　　清佘德楷撰。德楷字務齋。皋蘭人，同治九年舉人。是書篇第，一依古本，經文與十翼分列。而釋經之旨，則以爲十翼之言，如平直之依準繩，務期經文翼傳融會貫通，故名易翼貫解。按周易一書，其初蓋與連山、歸藏等列，其後

〔一〕此篇排印本署尚秉和先生名，已遵尚囑歸返黃著。

二易亡而周易獨存者,徒以有孔傳十篇而已。是以歷代説易之家,罔能外乎十翼。佘氏務期經文翼傳融會貫通,蓋不失爲易家正軌。然易繫明言易有聖人之道四焉:以言者尚其辭,以動者尚其變,以制器者尚其象,以卜筮者尚其占。今觀佘氏注釋全易,於象皆不談,不獨春秋内外傳及漢魏諸儒所用之象一無所引,即説卦所有之象,注中亦不一及,徒襲義理家空疏之言,敷衍爲説。是與十翼尚變、尚象、尚占之旨皆背,不稱其名。且其説多不切者。如釋坎上六係用徽纆云:係用徽纆,文巧而密。按徽纆者,黑索也,大索也。以黑索、大索爲係,從何見其文巧而密乎?又釋既濟六四繻有衣云:繻所以爲符信也。按説文以繻爲繒采,然則繻有衣者言有繒采之衣而已。漢書終軍入關棄繻,漢時偶以帛爲符信耳,從何見殷周時亦如是?是亦謬説無理。書中若此之類,蓋不勝枚舉。至第七卷附載尼山寶鏡圖,闡明先天太極、河圖洛書、大衍卦變諸襍説,仍多採摭前人成説,無何獨特之發明也。

篤志齋周易解三卷同治十年南皮張氏刊本〔一〕

清張應譽撰。應譽字伊知。南皮人,歲貢生。著篤志齋經解五卷,内易三卷而春秋二卷。易解卷一釋上經,卷二釋下經,卷三釋繫辭及説卦。其書不全列經文,衹於所釋之處標舉其文,而注其卦名於下。每卦或一、二事,或三、四

〔一〕此篇排印本署尚秉和先生名,已遵尚囑歸返黄著。

事,亦有一語不釋者。故上經無師、比、履、同人四卦,下經無大壯、睽、蹇、夬、困、巽、兌、節八卦。而十翼亦惟文言、繫辭、說卦略有解釋,其餘皆闕然不備。其言大抵宗尚義理之學,而淺陋虛妄特甚。釋小畜密雲不雨,自我西郊云:此二句是文王隱語,明己之不克畜紂也。直是妄語。釋隨上六王用亨于西山云:賢人者山靈之所結,誠於隨賢若此,山神其喜之矣。釋咸九四憧憧往來云:憧,童心也。童心何知?惟喜熱鬧而已。皆淺俗可哂。又如釋說卦乾爲寒爲冰云:春秋書無冰,皆朝政縱弛所致。乾之在人者苟失之,而乾之在天者亦不能不病。是以君子不憚于自克,務使心常如寒泉,而清正之氣凜若冰霜,此孔孟之所以嘆想伯夷也。釋爲大赤云:大赤之色,著于人顏面之間,自古貴之矣。關壯繆之面如重棗,與包孝肅之笑比黃河清,皆乾象也。釋坎爲薄蹄云:世之用人者,將使人馳驅四方,以成己之事,而不能使其無內顧之憂。與夫委身事主者,將以天下之事爲己事,而家累之關心,絕不早爲區處,皆修馬蹄者之所笑也。釋艮爲小石云:石雖小,亦從山之全體分來。故山爲巨鎮,而小石亦爲一事一物之鎮。今村俗童子,名壓做石爲鎮紙,其義可思。書中若是之類,不勝臚舉,不獨虛妄,而且淺俗,不類士大夫語。蓋自明以來,士之習爲制藝者,惟知掯摭經中一二語以爲作文之用,而實不知經爲何物,於易尤甚。若應譽,其尤甚者已。

易解經傳證五卷卷首一卷 _{同治十年刊本}[一]

　　清張步騫撰。步騫字乘槎。益陽人,諸生。是書大旨,以明象爲主,謂朱子本義等書舍象説理,與易潔静精微之旨不合。謂玩來氏易,始悟易中錯綜、中爻與取象之説;又觀焦贛易林,始悟得旁通之説。故張氏説易,無處不以錯綜、中爻與旁通闡明易象,可謂知易之本原,勝於空談義理者。然考其所謂錯綜、所謂中爻,與來氏説同外,又以互卦合上卦及互卦合下卦亦爲中爻,不限於中四爻,此其與來氏微異者。又考漢儒所謂旁通,實即來氏之所謂錯,而張氏則以遇失位之爻彼此易位爲旁通,如初應四、二應五、三應上,則初通四、二通五、三通上;若本卦無可通,則通錯卦,均照應爻例通。按張氏此説,實本於焦循。循著易圖略旁通圖説云:凡爻之已定者不動,其未定者,在本卦初與四易、二與五易、三與上易;本卦無可易,則旁通於他卦,亦初通於四、二通於五、三通於上。是張氏此説正與焦循之説合。而張氏書中乃屢謂焦氏易林主旁通之説,只云某卦通某爻,亦不註明何以某卦通某爻。按焦贛於易無章句,只傳有易林。而林辭用象,正象與旁通常不分。如剥之巽云:三人同行,一人言北。則全林皆用震象,巽通震也。然林辭皆占辭,言吉凶則有之,明言某卦通某卦則林所無也。今責以不注明某卦通某爻,何支離若是? 豈張氏耳食焦循之談,而未考其原書,

---

遂誤以清焦氏循之易爲漢焦氏贛之易林耶？不然，何所見易林之異如是？張氏又以逸象證字形，謂點畫偏旁，無一非八卦之相合。如乾爲金，凡字從金者皆乾；坤爲土，凡字從土者皆坤；震、巽爲木，凡字從木者皆震、巽；坎爲水，凡字從水者皆坎；艮爲山，凡字從山者皆艮；兌爲口，凡字從口者皆兌。今按，果如張氏説，則澤字從水，其象當屬坎，何以説卦以兌爲澤？柄字從木，其象當屬震、巽，何以説卦以坤爲柄？釜字從金，當屬乾，何以説卦以坤爲釜？塗字從土，宜當屬坤，何以説卦以震爲大塗？號咷之咷從口，宜當屬兌，何以孟氏逸象以號咷屬巽？凡此皆不能通貫其説，縱使一二偶合，已無當易例。而張氏且謂：從二口則取兌二之義，從三口則取離三之義，從四口則取震四之義。並以易中字象，有一字合數卦以取象者。如乾通二、上兩爻于坤，上兌爲口，中互大坎爲耳，内乾爲壬，合看有聖字象，故曰其惟聖人乎；又大坎爲矢，兌爲口，合看有知字象，故曰知進知退，知存知亡。書中此等字象之説甚多，幾同江湖術士拆字之法，尤爲俚俗。而張氏乃自詡爲漢以來失傳，由彼玩易數十年而悟得，抑何愚妄之甚！蓋張氏以陋巷寒儒，艱於得書，故雖苦心思索，終身玩易，而疏陋如是也。

易理尋源三卷咸豐五年刊本[一]

　　清張步騫撰。步騫有易解經傳證，已著録。此書據其

[一] 此篇排印本署尚秉和先生名，已遵尚囑歸返黄著。

題端小註,有所註全册易經尚未成編,茲因同學索稿參閱,暫將易中凡例、總論與辨證朱註、來註處,付之梓人,願以質疑於同學云云。則是步騫此書之成,蓋先於易解經傳證,而易解經傳證亦即本以此書爲綱領者也。全書凡三卷,大意謂陰陽之理蘊於河圖,故羲之畫卦本於河圖,文本於羲,周本於文,孔又本羲、文、周公之旨。然則説易者必溯源於河圖而後可。故第一卷論列易例本於河圖者凡十九事,如九六、大小、内外、中正、往來、吉凶、承乘、比應,以及君子小人、天地人道、當位不當位等等,罔不推論其本於河圖。夫朱子所謂河圖者,乃天地生成之數,未見其果爲聖人則以作易之河圖也。圖之是否,且不可知,又安得謂易中凡例盡本於是?況乎張氏之説盡多牽强無理者。如謂河圖在内之生數一、三、五合成九,二、四合成六。河圖以九、六之生數爲主,聖人卦爻亦以九、六爲主。夫周易占變,故用九、六。二易占不變,故用七、八。觀春秋内外傳所載泰之八、艮之八、貞屯悔豫皆八諸辭可知。苟必以周易用九、六爲非尚變,而乃本於河圖之生數;然則二易之用七、八,聖人又果何所本乎?是所謂知其一而不知其二者矣。又如謂河圖上下除去六、七,中得四爻;左右除去八、九,中亦四爻,便是中爻。夫天地生成,衹有數耳,上下除六、七,左右除八、九,皆餘四數,何得曰皆餘四爻?以此傅會,亦徒見其妄。至卷二所載旁通解,實本焦循舊説。説見易解經傳證篇。其他如謂坤卦利牝馬之貞,此牝馬實統七馬而言,駁朱子及來氏舊注之非。攻訐仍多無當,不可以信。惟卷三末載讀易説一篇,歷論西漢以來説易之家互有短長,宜彙諸家説以折衷之,無庸各守師説,致有牴牾,則頗爲持平之論也。

周易通義十六卷冶城山館刻本〔一〕

清莊忠棫撰。忠棫字中白。江南丹徒人,流寓泰州。性玄穆,好深湛之思。少治易,通張惠言、焦循之學。又好讀緯,以爲微言大義,非緯不能通經。世業鹽筴,方九歲即入貲以部郎候選,後又改府同知。時遭兵亂,功業無所成,家又中落,以連蹇死,年未五十也。所著有蒿庵遺集十二卷、易緯通義八卷、荀氏九家義九卷、静觀堂文十八卷、東莊筆談八卷。而周易通義尤爲平生心力所注,自云以待後世子雲。按是書分十六卷,實八十有一篇,篇各有贊。初名大圜通義,其友仁和譚獻,爲易今名。蓋忠棫之學,以董子公羊春秋爲主,謂爲孔門微言所寄。故此書放繁露而作,欲合易與春秋爲一。嘗以精氣爲物,游魂爲變,人道之大端,爰託始於此;而終之以貞下起元,則虞氏乾元用九之義也。夫易本隱以之顯,春秋推見至隱,二者之體若相表裏。然易之要以道陰陽,而春秋之重則在以斷事,是二者之用,判然不同。必欲合易與春秋之道爲一,則鮮不流爲緯候之術,此吕步舒所以以其師爲大愚,而劉子駿所以不滿於其父之贊論也。況乎忠棫以孟氏受易家陰陽,其説易本於氣,而後以人事明之;京氏用納甲、世應諸法,推驗災異;虞仲翔以陰陽消息、六爻發揮、旁通上下，歸諸乾元用九而天下治：是皆與董子陰陽五行之說相傅近。因以孟、京、虞氏之言陰陽，與董子之言陰陽，糅雜比附，推演成文。豈知易之道無所不賅，仁者見仁，知者見知。昔人謂孟子不言易而無處非易，中庸不言易而中庸即易，推之於老、莊無不然，固不祗春秋也。忠棫所見，何其狹乎！忠棫與譚獻最友善，獻於忠棫之學，傾服備至。惟其敍此書則以爲：憂患之餘，而有此言，固非經生博士之家法也。是在當時已有人明議其非，固無俟今之論定已。

易鏡十一卷附易學管窺二卷<small>光緒間刊本</small>[一]

　　清何毓福撰。毓福字松亭。漢軍鑲紅旗進士，官山東歷城縣知縣。是書依古易本，經傳各自爲篇。上下經兩卷；十翼說卦、序卦、雜卦三篇併一卷，只八卷；并序例圖說一卷：故凡十一卷。其要旨在發明五中歸一之說。所謂五中歸一者，言河圖四方之數歸於中五，洛書四正四隅之數亦歸於中五，而河洛中五之數又皆歸於五中之一。由一而五，而四正、四隅，所謂一本散爲萬殊；由四正、四隅而歸於中五，中五復歸於一，所謂萬殊歸於一本。中五之一，即無極，即太極，即心即命，即性即道，即誠即善，亦即中，亦即鏡。凡象數理氣皆昉於此。故嘗自謂：探原於圖書太極，得五中歸一之旨。地二之心，納乾一之性。一六智，二七禮，三八仁，四九義，五十信。倫敍即由此生。五行立命，五德爲性，五

〔一〕此篇排印本署尚秉和先生名，已遵尚囑歸返黃著。

倫爲道與教,萬古不磨之鏡以開。此卦所由畫與重,象爻十翼所由作也。又謂:圖,天象也,出於河。書,地形也,別於洛。以圖餘之五,交書之五,地虛承天實也。圖與書合,中五乃立太極之宗,分而二之則誤矣。故其註釋卦爻,多推原圖書,以發揮心性之説。按易之義,乾坤爲本,乾坤毁則易不可見。以乾坤之德言之,則爲元亨利貞;以天地之時言之,則爲春夏秋冬;以方位之向言之,則爲東西南北;以數目之字表之,則爲一二三四;以五行之性言之,則爲金木水火;以人倫之道言之,則爲仁義禮智。是故元亨利貞也,春夏秋冬也,東南西北也,一二三四也,金木水火也,仁義禮智也,一而二,二而一,融會貫通。天行人道,萬事萬物之理,莫不悉蘊於此,誠易理之大要。然總言易理可耳,若欲盡以此理注釋卦爻辭,此蘇軾所謂捫籥扣槃以爲日也,胡有合乎?且一六、二七、三八、四九,古以爲天地生成之數,亦或謂爲五行數;戴九履一者,大戴禮以爲九宫之數。至宋儒始强名某爲河圖,某爲洛書,究辨紛紛,要之於古皆無確徵。夫圖書尚不知爲何物,而欲藉是以解釋卦爻,發揮心性,不亦疏乎?至末所附易學管窺二卷,仍發揮圖書心性之説,大旨與易鏡同,而特詳其所略云。

陳氏易説四卷附録一卷 光緒丁未刊木活字本[一]

清陳壽熊撰。壽熊字獻青,又字子松。江蘇震澤諸生。其學兼綜漢、宋,不務表暴,於易用力尤深。所著有周易集

[一] 此篇排印本署尚秉和先生名,已遵尚囑歸返黄著。

義、讀易漢學私記、讀易啓蒙、周易正義舉正、周易本義箋及明堂圖考、考工記拾遺、詩説、静遠堂文集等，以罹兵燹，頗多散亡。其弟子凌淦家存獻青治易稿一種，就注疏本蟻書之，眉列旁行，冗褩複沓；又就疏文而節乙之，羼以散稿，塗改漫漶，不可辨次。淦因請其友長洲諸福坤等爲之編次。福坤以其中正駁注疏之言，與節乙疏文爲一類，即正義舉正。其餘釐次繕録，去複存疑，訂爲四卷：上經一卷，下經一卷，繫辭上下傳一卷，説卦、序卦、雜卦傳一卷，又別爲附録一卷，題曰陳氏易説，即此書也。書中大旨，以推衍虞翻變既濟定之説爲主。故其釋乾彖云：乾元交坤而亨，凡爻位未當者，皆裁制得宜，以歸于正，而利於凡所貞問之事。又云：乾與坤必表裏相錯，而反覆以交變。乾二交坤五，四交坤三，上交坤初，則陽爻居初、三、五陽位，陰爻居二、四、上陰位，而乾、坤皆成既濟。六十四卦莫不皆然也。又云：彖辭以變既濟總明卦義，而六爻辭以變既濟別爻變之宜否。凡此皆發明虞氏之正之説。蓋其書之體例，略具于此。然虞氏之易，於消息、卦變之外，間有用覆象者。如繫辭蓋取大壯注，巽爲長木，反在上爲棟是。惟不多見耳。至壽熊乃大暢其論，如釋乾云：震反則爲艮，今六爻反覆皆得取震象者，凡反覆不變之卦，皆顛倒取象。又釋坤云：震之上反，即艮門之闕也。按此明震、艮相反覆也。又其釋大過云：卦反覆取兑澤、巽木象。楊，在澤之木，而見滅于澤則枯。故二、五皆言枯楊。按此明巽、兑相反覆也。他如釋豐之九四云：體震下反則爲艮。又釋中孚九二云：卦反覆體巽白，且與五迭互震爲善鳴，故鳴鶴在陰，其子和之。若此之類，蓋已深明乎象覆而辭即于覆中取義之意，駸駸乎與焦氏易林取象之消息相通。是不獨爲能紹述虞氏之義，抑且發揮而光大之矣。惜其書破碎不完，雖經諸福坤輩之苦心整理，其條貫仍不悉具。福坤嘗疑此書即周易集義之稿，不知信否。世倘得其完書，則其見重當不在惠棟、張惠言之下，可斷言也。

周易易解十卷民國二十年排印本[一]

清沈紹勳撰。紹勳字竹礽。錢塘人。生三歲而孤，咸豐十一年太平軍入杭城，紹勳母子相失，時年僅十三，爲洋將華爾所拯，編入童子隊，隨常勝隊習洋操。華爾守松江，攻慈谿，紹勳皆與焉。既而華爾戰死，乃至上海操錢業，計奇贏。生平著作甚富。隨華爾戰後，以所閱歷著泰西操法六卷、地雷圖說二卷，李鴻章曾爲刊行。又有詩文集若干卷及周易易解、周易示兒錄、周易說餘等書。周易易解凡十卷，其書大旨蓋欲泯漢、宋門户之見，合象數、義理於一爐而冶之。故其所擇，上極漢師，而下兼綜宋世諸儒之學，包羅廣博，而於先天之說主之尤力。如釋先天而天弗違，後天而奉天時謂：先天即先天卦位，後天即後天卦位。且贊端木國瑚易中凡言先後皆以先天、後天爲義之言，爲發前人所未發，易之大義一言括盡云云。夫先天之說，清儒攻訐不遺餘力，而不知左氏及焦氏易林並漢人易注言之已詳，特後人不

[一] 此篇排印本署尚秉和先生名，已遵尚囑歸返黄著。

察耳。紹勳生清儒之後，而能不惑於清儒之好惡，是真可謂能獨立爲説者。惟紹勳之易，好用爻變，凡六十四卦三百八十四爻，幾無一不以爻變爲説。夫使不當位之爻變以成既濟定，猶有法度可尋；若不問其當位不當位，而使六爻盡變，則一卦可變爲六十四卦，未免漫衍無經。又紹勳每以殷周史事參證易爻，如謂積善之家喻周，積不善之家喻商。納婦吉，子克家，爲指周之家事。以其亡其亡，繫于苞桑，爲紂時民間歌謡之辭。釋家人之王假有家，謂王指文王。釋睽卦，謂指紂不能正室，如寵妲己之類。此雖本乎干氏令升説易之法，亦終不能免於傅會。又如釋乾之反復道也，與復之反復其道，謂即術家之反吟伏吟。釋噬腊肉遇毒，謂毒者相刑之意，六三變離，則己亥與上九之己巳相遇，是巳亥相害也，故曰毒。皆以術數之學釋易，尤未能免於穿鑿。其他若釋比之有它吉，讀它爲蛇；釋履虎尾不咥人，以尾爲交尾之尾。諸如此類，創解甚多，而違失固亦難免矣。

周易示兒録三卷民國二十年排印本[一]

清沈紹勳撰。紹勳有周易易解十卷，已著録。此書乃以教其子祖緜者，故曰示兒録。凡三編。上編計十五章，論成卦之理，大致皆發揮邵子太極兩儀、四象八卦、先後天河洛之説，兼論世應、歸游及互卦。中編亦分十五章，首論辟卦之理爲易學之關鍵，次論先天乾坤、後天坎離適成游魂、

[一] 此篇排印本署尚秉和先生名，已遵尚囑歸返黃著。

歸魂之理，三論貴陰而賤陽，四論八卦之正位，五論中正、不中正，六論易尚變，七論用九用六即出後天卦位，八論生成之數，九論後天之數本出先天，十論互卦之理，十一論互卦之奧在立卦，十二論爻辰，十三論先甲後甲、先庚後庚、己日乃革之理，十四論先後天卦位同位，或先天後天對待之功用，十五釋心。凡此各章，頗多創獲。其尤勝者，曰：游魂、歸魂，即後天與先天之理也。先天之乾，即後天之離，離加乾位，謂之歸魂。歸魂者，先後同一位也。游魂者，離在乾對宮之坤也。斯義實爲古人所未言。下編亦分十五章，前三章均論爻辰、納甲，次五章皆論易數，第九章再論先甲後甲、先庚後庚，甲、庚皆在互卦之中。自第十章以下，雜論連山、歸藏與周易之別，論楊、魏、關、來、馮、姜、瑞木諸氏之易，論易與方技之關係，論參同契爲人易，釋焦氏易林及論玩易之法。其最精絶者，爲釋焦氏易林。其言曰：周易至漢，分而爲三，焦氏贛其一也。易林十六卷，爲言易者所不解，其學遂絶。苟有深明象數者，就焦氏之説一一爲之詮注，可以發無窮之義蘊。又曰：焦氏之説，蓋取諸古人及當時之繇詞。不明其理，始終不能解其一字。見易林註數種，大都望文生訓，與易理不相涉，安用此註也？云云。故其釋易林艮之離及乾之隨繇詞，皆原本象數而爲之釋。吳江金天羽贊爲發焦氏不傳之秘，千數百年而僅覯，良非過譽。惟紹勳評覈古今易家，而獨表章楊雄、魏伯陽、關朗、來知德、馮景、姜堯及端木國瑚六家，斯已爲一褊之見。況關朗洞極舉世皆以爲偽書，又何足算耶？

周易説餘一卷民國二十年排印本[一]

清沈紹勳撰。紹勳撰周易易解十卷、周易示兒録三卷，已著録。此書乃紹勳説易之文散見各處者，上虞鍾歆編次爲一卷。首論京房世位爲上下經序卦之本，次論序卦與辟卦有關，又次論象數理，論卦位，論辟卦之世位，論先後天同位，論之變，論歸魂游魂之理，論九卦，又次論子夏傳、孟喜易、蜀才易，論八卦九宮無區別，論參同契屯蒙二卦，釋震足艮手，論卦七十二候可以由策推出之，論道書多採互卦，論卦爻十二辰，及釋神道設教，釋比之初六有它吉，釋履，釋家人、睽兩卦，釋觀之六四小象尚賢也，釋小象用矣字，答或問等，凡二十餘條。雖多與示兒録相複，或大義已見於易解，然其中亦尚有獨特之發明。如論先後天同位云：或問先後天同位，于理則確乎其不可拔，奈古人未言之乎？答曰，古人言此者甚多，惜人不悟耳。如左傳閔二年，成季之將生也，筮遇大有之乾，同復于父，敬如君所。又如成公十六年，晉楚戰於鄢陵，筮之，遇復，曰南國蹙，射其元，王中厥目。非以先後天同位釋之，則理萬不能通。云云。真所謂深思妙悟，發前人所未發，足以杜漢學反對先天方位者之口矣。惟是紹勳惑于干令升之術，好以殷周故事比附卦爻。如以履之虎謂指紂，人即文王自謂，素履爲指微子，幽人爲指伯夷；又以睽之惡人爲指紂，元夫爲指文王；觀之六四小象尚賢也，以尚爲

───────────

[一] 此篇排印本署尚秉和先生名，已遵尚囑歸返黃著。

呂尚,疑西伯得呂尚立爲師,當時所卜者即此爻:皆傅會無理。又如論道書多採互卦,謂道書言神人,神人卦也。身披之衣,頭頂之冠,手執之物,從者幾人,其狀若何,多從互卦演出。一言道破,則全部道藏所不易解者,亦一目了然矣。云云。其語隱晦,令人難解,又未免故弄玄虛矣。

序卦分宮圖一卷光緒乙酉刻本

清辛本榮、王殿黻合撰。本榮字戟臣,蓬萊人。殿黻字子佩,福山人。二人均光緒間濟南尚志書院諸生。其書凡爲圖十篇,一曰先天八卦相錯爲後天序卦綱領圖,二曰後天八卦相錯爲序卦之根圖,三曰卦對總圖,四曰卦對爲三十六宮圖,五曰上經第一宮圖,六曰上經第二宮圖,七曰上經第三宮圖,八曰下經第一宮圖,九曰下經第二宮圖,十曰下經第三宮圖。末又附有上下經總論一篇。每圖之後,均有集説,所甄録凡鄭康成、李道成、章潢、邵堯夫、汪鈍翁、顔復初、熊天傭、趙鐸峰、王世業、吳灌先、任啓運、仇滄柱、章本清、邱仰文、李西溪、萬善及折中等十七家。而其要在發明邵子三十六宮之説,以爲先天八卦相錯爲後天序卦綱領,後天八卦相錯爲序卦之根。故於上下經各分爲三宮,爲三大卦,合之爲六大卦,如卦之有六爻焉。此則所謂三十六宮也。其法分上經自乾至履爲第一宮,一宮六卦,不易之卦二,反易之卦四;自泰至賁爲第二宮,一宮六卦,皆反易之卦;自剥至離爲第三宮,一宮六卦,反易之卦二,不易之卦四。下經自咸至益爲第一宫，一宫六卦，皆反易之卦；自夬至歸妹爲第二宫，一宫六卦，皆反易之卦；自豐至未濟爲第三宫，一宫六卦，反易之卦四，不易之卦二。凡此六宫，各六卦三十六爻，發明邵子三十六宫之説，視前儒特爲詳明，頗足以備一説。惟此書卷端自李中鑰序、辛氏自序外，又附有蓬萊劉奉璋先天圖爲三才説一篇，疑奉璋亦是尚志書院生徒，與辛、王爲同志，故並附其説也。

易經指掌四卷光緒丙子臨淄桂香齋刊本

清相永清撰。永清字海同。臨淄人，諸生。此書大旨在闡明易象，故其自序謂：易之爲書，象焉而已。讀易而不玩其象，烏在其爲讀易？按其立説，似甚正當，爲能知易之本源。惟其參考書籍極其謭陋，自御纂周易折中而外，所見之書只有來氏易註。自餘漢魏古注及清代乾、嘉諸老書，均無所知。故其所闡易象，要不外來氏錯綜、卦變諸術，特較來注簡明耳。名曰指掌，殊不符實。古今聰明才智之士，往往鋭志著述，而徒以生居鄉曲，不獲與通人碩士交接，致所成不足以稱其志。如相氏者，亦其一耳。

周易大象應大學説無數卷光緒二十三年刊本[一]

清高賡恩撰。賡恩字曦亭。河北寧河人。光緒二年丙

〔一〕此篇排印本署尚秉和先生名，已遵尚囑歸返黄著。

子恩科進士,翰林院庶吉士,授職編修,後官四川學政。此書大旨,謂周易六十四卦大象,與大學八條目相應。故以大學八條目分門,以易八純卦大象爲綱,而以五十六卦大象附於下,每條復加注釋,末復舉大學以證之。其義如:格物主講習,爲兑,故兑爲格物類之綱,大畜、同人、未濟三條屬之;致知主常而習之,故肖坎水,用以坎大象爲致知類之綱,訟、歸妹兩條屬之;知止而後有定,艮之思不出其位象之,故以艮大象爲誠意類之綱,既濟、損兩條屬之;正心之功以自彊爲本,以不息爲極,道主乾,猶人主心,故以乾大象爲正心類之綱,晉、蒙、升三條屬之;一陽動而生雷,震之恐懼,修身之則也,故以震大象爲修身類之綱,益、小畜、頤、恒、大壯、大過、否、困、蹇、隨十條屬之;順德之行,自閨門始,恩勝義,柔濟剛,坤則齊家之則也,故以坤大象爲齊家類之綱,需、謙、咸、睽、家人、小過六條屬之;申命於臣下,欲其巽以入,故以巽大象爲治國類之綱,漸、屯、夬、履、剝、井、蠱、師、萃、明夷、遯、噬嗑、賁、豐、旅、解、中孚十七條屬之;聖人治天下以文明,故繫辭以嚮明而治屬諸離,因以離大象爲平天下類之綱,革、節、鼎、大有、姤、无妄、臨、豫、渙、泰、復、比、觀十三條屬之。其注則雜採先儒義理之説,而不著其名氏。夫易義圓轉多通,包羅萬狀,故昔人嘗謂易爲五經之原。五經既以易爲原,則其相應者豈祇大學乎?又高氏於分配條目之間,多有未當。例如以否之遠小人不惡而嚴,屬之治國類。夫遠小人者,豈獨治國之事乎?小而修身、齊家,大而平天下,亦何莫不須遠小人耶?又如以謙之裒多益寡稱物平施,屬之齊家類。夫多寡相均，物施相平，固不獨齊家者宜然，治國、平天下者尤爲當務之急，故孔子曰不患寡而患不均。今徒以屬之齊家，反使經義狹隘。若是之類，皆未免强爲分配矣。至篇末所附卦畫生數序，無甚意義，今不具論。

删訂來氏易註象數圖説二卷_{光緒間刊本}〔一〕

清張恩霨删訂。恩霨字慈元。官永定河南岸同知。按明來知德著周易集註十六卷，卷首、卷末各附圖説甚多，頗涉繁碎，其間亦有支離不經者。恩霨官永定河時，駐金門閘防汛，公餘之暇，研究易學，以爲來氏易註，高氏、凌氏合刻，異於郭氏、劉氏，前後圖説駁雜不純，來氏原本必不若是。乃重爲删訂，計成三十四圖，其説亦爲增減點竄，較原本約存十之二三。註則一字不移，只於眉批旁批迂腐不經者一概芟除。又恩霨自敍，謂楊氏太玄八十一首，關氏洞極二十七象，司馬氏潛虛五十五名，皆不知而作者。蔡氏皇極八十一數，未離楊氏之見，亦非知易者也。掃而空之，廬山之面目以真。命曰删訂來氏易註象數圖説，上下二卷。下卷讀易之法，上卷窮易之源，天道人事之故將於是乎會。云云。案來氏窮居深山，伏處村塾，不盡覩遺文秘籍，不盡聞老師宿儒之論，前人已譏其私心自智，其所著圖説誠有可删者。惟其書通行已久，自明季以來，信其説者即多。恩霨必謂其圖説駁襍不純，非來氏原本，未免過爲來氏護短文飾。又太

玄、洞極、潛虛、經世諸書，世既不能毀棄，則來氏所附諸書
之圖，自亦可存之以備條考，恩霽何故必欲掃而空之？殆所
謂人病舍其田而芸人之田者歟？

易學羣書平議卷六

周易明報三卷光緒壬午家刻本^[一]

清陳戀侯撰。戀侯字伯雙。閩縣人。光緒丙子進士，官翰林，越四年己卯，視學四川。旋丁內憂，服闋入都。乙酉襄順天鄉試，戊子主試湖南，辛卯補授江南道監察御史，明年卒於官。是書係戀侯丁內艱時所著。謂之明報者，蓋取繫辭因貳以濟民行，以明失得之報語意。以易之爲書，固爲五位失得而發，孔子所謂吉凶者失得之象也，故六十四卦三百八十四爻皆分繫得、失於句下，自謂使讀者兼正句讀。其例如：乾，元亨利貞。注云：得。初九，潛龍勿用。注云：失。九二，見龍在田，利見大人。注云：得。此則一卦爻辭自爲得失者也。亦有一卦爻辭而得失互見者，如乾九三君子終日乾乾句，注云：得。夕惕若厲句，注云：失。无咎句，又注云：得。坤彖辭元亨，利牝馬之貞句，注云：得。君子有攸往，先迷句，注云：失。後得主句，注云：得。西南得朋句，

注云：得。東北喪朋句，注云：失。安貞吉句，又注云：得。大體皆此類。夫易之句讀難分，離經以明句讀，便學者，其法未爲不善。至若失得之報，則似宜隨其卦爻時位而易，非可執一而論。是故視其辭吉則爲得，凶則爲失；或先吉而後凶，則爲先得而後失；或先凶而後吉，則爲先失而後得，此固宜然。惟如在乾之初當潛，在二當見。當潛而潛，則潛者固未爲失也；不當見而見，則見者亦未爲得也。失、得之故，既以其時，又以其位，純視其變化而云爲，故曰不可爲典要，唯變所適。苟必以潛爲失，見爲得，世固無貴乎遯世无悶者矣！是未可爲恒例定論也。全書訓釋簡略，大抵在明義理，不取象數。故卷末所輯易義節録及讀易要言，十九皆取宋、元、明理學家之説云。

知非齋易注三卷光緒戊子家刻本[一]

　　清陳懋侯撰。懋侯有周易明報三卷，已著録。先是，懋侯於光緒辛巳視學蜀中，丁母憂回里，閉門謝客，著成周易明報，取繫辭因貳以濟民行，以明失得之報語意。板既鋟行，或有慮經注過簡，人不得解，且恐學者誤會明報二字以爲類於佛氏因果之説，服闋入都，乃取舊注略加删潤，改名知非齋易注，即此書也。書中於各卦爻下仍逐句注失、得字，與明報體例同。明報卷末附有易義節録及讀易要言兩篇，此書改易義節録爲綱領移置卷首，讀易要言則散附注中

_____

〔一〕此篇排印本署尚秉和先生名，已遵尚囑歸返黄著。

不另名篇。所注較明報略詳，然其中頗多謬説。如釋用九云：此發五宜用九不宜用六之例。又釋用六云：五位用六，陽失其正；變九居之，久於其道。如戀侯之説，則是易乾、坤二卦所以贊用九、用六云者，乃本扶陽抑陰之意，純係示人五爲尊位，只宜九居，不宜六居。而不知易之道雖以扶陽抑陰爲主，然非所以論用九、用六也。用九、用六乃聖人教人以筮例，因易之本爲六七八九，故申言用九明不用七也，申言用六明不用八也。周易用九六，與二易用七八異，故不得不於乾坤發其例，此中並無其他深意。倘必以爲專用指示五宜用九，不宜用六言，則聖人只言用九可矣，又何必贅曰用六？且何以解左傳、國語艮之八、泰之八、貞屯悔豫皆八諸辭？可謂不思之甚。又經中所謂應與者，其位皆指初與四、二與五、三與上而言，且必陰陽相配方爲應，若俱陰俱陽則必爲敵應。而戀侯釋同聲相應云：九上五下，陽與陽應，所謂剛中而應也。以陰居五，則爲敵應。如其説，則是以畫之奇耦與位之陰陽爲應與，且必俱陰俱陽方相應，是直可謂與易之義例完全刺謬。他如坤象傳明言至哉坤元，而戀侯謂：元不得屬陰。屯象利建侯明指初九，而戀侯獨謂：五爲君位，利用九爲君。若此之類，不可勝指。原其過，則似皆泥於扶陽抑陰之旨而來。豈其生當同、光之際，覩女后之專橫，惕嗣君之幼弱，有激於中而欲藉經義以寄意歟？不然，何其倶也！

知非齋易釋三卷_{光緒戊子家刻本}〔一〕

　　清陳懋侯撰。懋侯有周易明報、知非齋易注,已著録。
此書將易之象辭義意,故訓名物,分類解釋,其體例頗類爾
雅。卷上七目,曰釋象,曰釋辭,曰釋位,曰釋名,曰釋義,曰
釋得,曰釋失;卷中三目,曰釋天,曰釋地,曰釋人;卷下四
目,曰釋身,曰釋物,曰釋鳥獸,曰釋草木:凡共一十四目。
分類尚無不當,然其義有不分析者。如釋象篇,不能廣説卦
之義,依卦定象,徒以陰陽分屬。如云陽火陰水,陽雨陰雲,
陽富陰貧,陽木陰草,陽鳥陰獸,陽首陰足,陽氣陰血,陽信
陰疑,陽喜陰憂。若是之類,或與説卦取義相違,或説卦本
明晰而此反圇圄。又有不賅括者。如釋名篇云:蒙,陰蒙
也;豫,疑也;震,恐也。此雖得立卦之一義,仍不足以賅其
全體,不如説卦、襍卦原釋之簡當。又有不切合者。如釋義
篇云:隨,宜維不宜拘;賁,宜白不宜飾;漸,宜桷不宜木。斯
皆卦無其義,而强爲交配,浮泛少當。亦有謬誤者。如釋辭
篇,謂坤陰不得爲元,明與坤象傳至哉坤元之語舐觸;謂乘
剛者乃乘五位之剛,非乘下爻之剛,明與夬卦卦象不合;謂
陽爻陽位謂之得朋,陰爻陰位謂之喪朋,明與復朋來无咎、解
朋至斯孚之義相違;又謂剛中而應,乃五剛中而九應之,非謂
二五應,以爻之奇耦與位之陰陽爲應,尤與全易義例不符。凡
此皆其所蔽也。至如釋天、地、人,釋身、物,釋草木、鳥獸諸

〔一〕　此篇排印本署尚秉和先生名,已遵尚囑歸返黄著。

篇,分析故訓名物雖無所發明,而訓義解詁大抵祖述先儒,無多臆造,則仍不失爲有本之學焉,固未可一例非之也。

周易集義八卷南林劉氏求恕齋刊本〔一〕

清强汝諤撰。汝諤字虩原。溧陽人。廩貢生,官震澤縣訓導。少承家學,與兄汝詢、汝諶齊名。是書大旨,宗尚程傳,以闡明義理爲主。凡漢儒互體、卦變、五行、飛伏、爻辰、納甲、卦氣值日諸術,皆所不信。而宋儒邵子所傳先天後天加一倍諸法,亦所不取。於元以後之儒,獨取明來知德之言錯綜及王夫之之釋繫辭。其他有清一代鉅儒如惠棟、張惠言輩之號稱漢學者,汝諤尤深致不滿。夫漢儒之術,誠不無可議,然先庚後庚、先甲後甲、己日乃孚、木道乃行明見于經,不可謂不涉五行、納甲也;七日來復、八月有凶、得朋喪朋、龍戰于野非皆衍文,不可謂無與卦氣、消息也。且漢學家又何嘗不言理? 惟所言易理多,義理少。汝諤殆不識易理爲何物,故妄言如此耳。邵子皇極,雖云別派,然先天之位明見左傳,九家、荀爽亦有確徵。是邵子之學非無本也。且也來氏所謂錯,即漢儒之所謂旁通;來氏所謂綜,即漢儒之所謂反對:汝諤既不取漢儒象數,何獨有取來氏錯綜? 是豈非知二五而不知一十乎? 船山王氏之易,其可取者,正以其生乎明末空疏説易之後,獨能稍爲徵實之學,略考漢魏古義,乃汝諤不取其徵實而尚其理論,是猶舍和璧而

寶武珙也。況乎汝諤既不取互體，而教人學筮占則謂當觀
左氏。夫左氏之言互體，明見於遇觀之否。既信左氏，何又
不信互體？凡此所論，具見其前後矛盾，惶惑多歧。蓋衛道
心切，故多客氣之談；義理念深，則考古之功自疏矣。惟其
一意欲效法乎程傳，故于太極無極之紛紜，河圖洛書之繳
繞，以及近世一切聲光化電之新學説，尚能無所沾染傅會。
在近人易説中，雖曰空疏，猶未觭袤也。

易説二卷<small>宣統二年重刊本</small>[一]

　　清周韶音撰。韶音字諧伯。沭陽諸生。是書上下二
卷，皆隨筆體例，無甚次序，共計一百一十一條。大致闡明
義理，然於程朱之説頗多駁議。如程傳謂：元亨、大亨有二
例。韶音則謂：元爲善長，長即大，大之與元非有二義。以
程子爲過。又朱子謂：元亨利貞，文王之意但作大通而至
正，孔子始以爲四德。韶音則謂：如朱子之説，則是孔子之
意與文王之意有二，不幾示人以惑？深不以朱子爲然。又
大有六五厥夫交如威如吉，取孔疏而駁程傳。臨六三甘臨
无攸利，取折中而並駁傳、義。遯六二執之用黄牛之革莫之
勝説，程傳義同孔疏，則以爲皆非。升九三升虛邑，謂傳、義
之説未合。帝出乎震一節，譏朱子詳所不詳，而不詳所當
詳。而於朱子所用卦變，尤深致不滿。若此之類，似能不溺
於世俗所聞見。然韶音祇能指摘古人之非，亦不言如何爲

〔一〕此篇排印本署尚秉和先生名，已遵尚囑歸返黄著。

是。所有議論，皆演空言，不著邊際。偶下己意，則淺陋難免。如釋君子以嚮晦入宴息云：洋舶互市，火德爲災，舉國若狂，幾無不俾晝作夜者，此開闢以來未有之奇事。蓋陰陽之令，于是而大悖矣。禍福無常，惟人自召，胥天下而反易天明，則其他亦何所不施而不可？毋惑乎其舍昭昭而即昏昏也。如韶音之説，是欲今日世界之人，入夜盡息滅燈火而不事事，然後與嚮晦入宴息之義合，不亦大謬乎？又如贊周易折中，謂其卓識偉論，超越前古，則其識從可知矣。

易説二卷光緒間排印本〔一〕

清蕭德驊撰。德驊字滌凡。四川富順人。光緒辛卯舉人，陝西候補知縣。爲正定知府蕭世本之子。是書前後無序跋，亦不著撰者名氏，惟前有一疏，上慈禧皇太后及德宗皇帝，論隱憂、大害、大法三事，稱具呈人舉人蕭德驊云云，因知爲德驊所撰。全書不章解句釋，每卦惟總論大義。自云意在匡時，辭取淺近，異於經生著作家言。故通體皆藉經義以譏切時事，以建議治法。如説嘉會足以合禮云：前之哥老會，今之革命黨，皆不善合羣。將來開國會、結社會，我國民務體嘉會合禮之意。釋匪我求童蒙，謂今日學堂之無起色，皆我求童蒙之故。釋武人爲于大君，謂庚子之變，自履於危。此藉經義以譏切時事者也。釋泰翩翩不富以其鄰，謂此意以清國債爲去否來泰之道，因建議欲強國，須先清國

〔一〕此篇排印本署尚秉和先生名，已遵尚囑歸返黃著。

債。釋同人類族辨物,謂此意即書平章百姓,因建議分姓而治之法。釋蠱教思无窮,謂非推廣學堂不可,因條陳辦學之法。釋容民无疆,謂非變通警察不可,因臚舉訓警之方。釋噬嗑之利用獄,則謂此即改良監獄之議。釋坎之設險守國,則謂此即言海防之患。此藉經義以建議治法者也。夫援禮說易,康成偶啓其端;以史證經,令升略衍其說。至宋李泰發、楊誠齋,始以史事證經,論者固已譏其徒聳文士之觀瞻,已越窮經之軌轍矣。然鄭、干所言不廢象數,李、楊之論尚關義理。若蕭氏之書,既舍象數不言,亦于義理不合,徒摭拾易之一二字以誹議時事、發揮政論,已極不當。乃更有荒謬怪誕者,如釋泰云:姤次夬,象言施命,卦詞女壯,姤字女后,隱寓武后制字臨朝事。泰次履,大象言后,明繫泰字,乃今日議禮開泰之證。釋城復于隍云:此殆隱寓庚子之變。釋晉如愁如,受茲介福于其王母云:以福字蒙晉上,隱寓福晉字,爲本朝之王妃制。夫羲、文生千載之上,而能預知千載下之有武后制字臨朝、慈禧議禮開泰,與夫庚子之亂、福晉之制,豈非夢囈? 若此之類,直視易經同於符讖,誣經巇聖亦已極矣。而猶謝謝然自謂爲秉經翼聖,抑何慎也!

易經困學錄四卷_{舊稿本}[一]

　　清楊嘉撰,楊椿年校補。嘉字曦齋,安徽桐城諸生。椿年字蔚喬,嘉之族孫也。是書凡四卷。卷一載圖說、通論及

［一］此篇排印本署尚秉和先生名,已遵尚囑歸返黃著。

上經。卷二下經。卷三繫辭、説卦、序卦、襍卦。卷四附載襍論,歷考日月之行度,旁推釋老之流弊。因係稿本,故頗零亂無序。其中又有眉批、附註及粘貼籤條甚多。細按其文字與墨跡,大抵正文皆嘉原作,眉批、附註與籤條則皆椿年校補之文。考嘉自序,有課蒙之餘,閒取周易本義讀之,玩索反復,至再至三,竊嘆紫陽夫子纂輯之精,措辭之簡,抉理之細,窮變之廣,誠非淺學鄙識所能窺其藩籬之萬一。云云。則嘉似服膺朱子之學者。而椿年校補之注,則時時矯正嘉之解説,似椿年之學不盡以朱子爲宗。較其得失,嘉實弇陋謬妄。例如,嘉通論易之名義,謂朱子言易有交易、變易之義。椿年補云:交易、變易、不易之義,此爲漢儒要義,不始於朱子。嘉釋彖、象諸字之義云:象字以夕豕爲義。夕,明入地中也;豕,爲坎象,險也。文之作彖,明入地中,處險之道也。象字以禸豕爲義。禸,內也;豕,險難也。公之作象,以內難而作也。文字以二乂爲義,爻也。交字以六、乂爲義,六合也。又釋歲字之義爲止而成。椿年校補,則依説文一一駁正,並謂若如所云,大似荆公字説。嘉又謂天行健,疑是周公之大象辭,所以明重卦體象;君子以下,方是孔子之傳辭。後人以孔子作傳,全述周公卦象之辭,而後以人道明之,故删周公之辭以省重複,而以文王卦辭統周公爻辭。云云。椿年校補,謂夫子象傳,所以解卦畫之誼也,與文王彖辭、周公爻辭絶不相蒙。凡此駁議,俱屬切當。蓋嘉徒慕程、朱義理之名,不獨於漢魏諸儒易説及清諸儒訓詁考訂之書未嘗寓目,即程、朱傳義亦非真能切實體會。不然,何至荒陋如是？椿年能糾正嘉之誤謬，斯可謂幹蠱者矣！

費氏古易訂文十二卷<small>光緒辛卯文莫室刊本</small>

　　王樹枏撰。樹枏字晉卿。新城人。光緒十二年進士，官至新疆布政使。著陶廬叢稿等凡數十種。此書大旨專在辨明易今文、古文之異同。考漢世經學，分今文、古文兩家。易施、孟、梁邱、京，皆今文，惟費氏爲古文。在前漢之世，費氏易不列於學官，故不得盛行。至後漢陳元、鄭衆皆傳費氏易，其後馬融亦爲其傳，融授鄭玄，玄作易注，荀爽又作易傳，自是費氏始興。王弼易注雖與鄭氏不同，而所據之文，變而未屬，固依然鄭氏之本，亦即費學之流。居今日而言費學，蓋不得不以諸家爲斷。故王氏訂正費本，以馬、鄭、荀三家爲據。先鄭雖無易注，而其説之見於他經足資考證者，亦備爲採録。王弼之易，間亦取資。斷制既謹，家法自明。而其訂正文字，間亦多所發正。如謂坤，古易必作《《，不作坤。童蒙來求我，王弼本原有來字。履虎尾咥人凶，云此咥，鄭本亦當爲噬。謙上六征邑國，云衍邑字。睽六三其人天且劓，謂天，馬本當作夭，於喬切。夬九二爻詞，謂據象傳，當讀錫號莫夜爲句。又謂渙匪夷所思，當從荀讀爲匪弟所思。既濟繻有衣袽，袽當從鄭司農説作絮。又謂蒙象傳時中也，據荀、王注，時上有得字。隨大亨貞，據荀、王注俱有利字。凡此諸條，皆有心得，非徒事抄撮者所可同日而語。近世言費氏者二家，一爲桐城馬氏，一爲王氏。若律以漢人家法，則王氏較爲得之。

周易釋貞二卷_{陶廬叢刻本}

王樹枏撰。樹枏有費氏古易訂文十二卷,已著録。此書專釋貞字。謂易爲卜筮之書,三易掌於太卜,周易凡言貞者,皆占之假字。貞上從卜,其義可知。貞、占一聲之轉。并舉周禮春官天府季冬陳玉以貞來歲之媺惡之鄭司農注,及太卜凡國大貞卜立君卜大封之鄭康成注,以證明貞字之義必爲占問。按易詞中如小貞吉、大貞凶、不利君子貞諸貞字,誠宜解作占問,文義較順。然貞之爲正、爲固,象傳、文言均有明訓,易家遵守,非爲無據。王氏必欲堅守其説,以占問之義推之全易,於是遂訾文言爲僞,子夏傳爲不足據,左氏解易乃筮家占斷之法,不必與易相符。甚至疑同人象傳君子正也之正字當是貞字,爲後儒竄易。是皆未免勇於自信,過於疑古。蓋易中之字,往往非一義所能盡貫,必有數詁,然後可通。貞固有占問之訓,亦未嘗無正固之義,何可執一也!

重定周易費氏學八卷首末各一卷_{民國庚申刊本}

馬其昶撰。其昶字通伯。桐城諸生。宣統間以碩學通儒徵授學部主事,袁世凱時授參政院參政,任清史館總纂。民國十九年卒,年七十五。著有抱潤軒文集等,均行世。是書注釋經、傳者八卷,卷首易例舉要一卷,卷末序錄一卷,故凡十卷。先是,馬氏主講潛川書院三年,成易費氏學八卷,光緒三十一年,其門人合肥李國松輯入集虛草堂叢書。刊板行世已十餘年,至民國八年己未,馬氏又加重定;翌年庚申,豫章饒氏、廬陽聶氏助資刊行,即此本也。尋馬氏説易,其大旨有四:觀易象以窺制禮之原,一也;明易辭以舉其大義,二也;言易變必觀其時位當否,三也;論易占不信焦、京、管、郭之術及諸讖緯書,四也。故其自序備陳往古説易諸家象辭變占之弊,其言皆極允當。而其爲書,上採周秦、下迄清末,將及四百家,參考既博,抉擇亦精,在近時説易諸書中允爲不可多得之作。惟馬氏以費學名篇,按之班固稱費氏長於卦筮,亡章句,徒以彖、象、繫辭十篇文言解説上下經之旨,頗相戾。況其所引子夏傳則韓氏之易,引淮南子則九師之義,引虞翻注則爲孟氏易,引陸績注則爲京氏易,今概謂之費氏易,名實亦殊不符。膠西柯劭忞氏序此書,雖曲爲之辯,亦終不足以杜非議者之口也。

易經古本一卷　四川成都存古書局刊本

廖平撰。平字季平,原名登廷,字學齋。四川井研人。光緒十五年己丑恩科進士,歷官射洪訓導,龍安府教授。嘗受業於王闓運,著書甚多。廖氏謂易古本,非反覆繫辭,則上下無常剛柔相易之道不能顯明,失易周流不居之旨。因著此書,以推演之。先引繫辭易之爲書也三節、易之興也二節、書不盡言二節以爲序例。次以乾、坤、坎、離、頤、中孚、大過、小過等八錯卦，皆以三爻反復爲六爻，一卦自爲一圖；其餘屯、蒙、需、訟等五十六綜卦，則六爻反復繫辭，二卦合爲一圖，共計三十六圖。上經十八，下經十八，以符六六、二九之數。末又將乾、坤等八錯卦分立八圖，以見八卦自綜之義；又合爲四圖，以見連反錯綜之法。按廖氏用此諸圖，以明六十四卦所以反易、不反、變易及錯綜諸義，圖甚明顯，足資考覽。惟前儒所謂易經古本者，皆指如漢志十二篇之舊第而言，未嘗謂此錯綜諸圖便足以當古本之名也。是廖氏此書，立名殊屬未當。又其謂合上下經諸卦，有順逆兩讀，而每卦又有順逆兩讀之法。上經主內，順行，每卦由初而上，舊讀不誤；下經逆行，主外，每卦當由上而初。云云。按此説昔儒所無，亦無甚確切之義據，則未免故爲新説以矜奇立異矣。

易生行譜例言無卷數四川成都存古書局刊本

廖平撰。平有易經古本一卷，已著録。此書大意，謂易孳乳相生，宗支少長，最爲森嚴。經有祖妣、婚媾之名，傳有父母、男女之説。考一卦生三子，三子生九孫，一圖三十六內卦，主生孫九，孫客九；外卦客生九孫，又客九卦，生之謂易，本謂所生九卦也。憧憧往來，即謂爲客之二十四卦也。又易由下生上，周譜旁行斜上，本法於易。今史記改爲由上而下，不可解矣。分三十六卦爲四隅，以四聲名之：去九卦，爲孫；入九卦，爲孫中客；上九卦，爲客中孫；平九卦，爲客中客。此指下行譜而言，合生與行，爲生行圖譜。按此據平自述其書之綱領，大略如此。説甚不經，學者未能置信。然考光緒井研志藝文志，載平此書作易類生行譜二卷，並謂平癸巳於九峰先成此書，爲四益易學之初階。其書不用京氏八宮法，每卦内三爻爲生，外三爻爲行，一卦生三，故八別生二十四子息，八和生二十四子息。外卦則皆一人行，三人行於内爲客，故曰有不速之客三人來。因取左氏一爻變之例，每卦六變爻爲一卦，又六變合爲三十六卦。因編爲圖，縱橫往復，悉有條理。每卦一圖，由一圖以推三十六圖。其辭説不下數十萬言。云云。按志之説，是平此書已有完書。今此本祇刻例言，並無圖説，蓋係編刻未完之本無疑，則亦無由盡觀其會通矣。

邵村學易二十卷民國丙寅鉛印本

張其淦撰。其淦字豫泉，號邵村。東莞人。光緒十八年壬辰進士，甲午補殿試庶吉士，山西黎城知縣，改安徽候補道，署安徽提學使。辛亥革命後，隱居滬上，著書二十餘種。兹書命名，蓋取孔子假年學易之義。繹其大意，約有兩端：謂老子之所謂道，即羲、農、黃帝、堯、舜、禹、湯、文、武相傳之道。老子之五千言，於歸藏首坤之義蓋有合，頗採老子之義以補先儒之所未及。一也。謂周易之言切於人事，又採諸儒之證史事、闡儒理者附錄于後，以發明之。二也。原張氏之意，蓋一方以易爲明道之書，道在無爲，故有取於老子。王弼以老、莊言演易，故言易道以弼爲宗。邵子之學出于道家，故亦採取先後天之説。一方又以爲，周易切於人事，言人事者莫若程、朱、李、楊之徒，故又兼取其説。質而言之，張氏實欲會通老、易之旨而仍附之以儒家言而已。夫易之爲書，廣大悉備，老、易之義容或相通。特歸藏已亡，要不可質言老子五千言與歸藏首坤之義必相合耳。至若同人、大有二卦，張氏以大同之世釋之，自詡爲發前人之未發，且言他人見之，必有大笑之者。實則張氏並世之易順豫，著周易講義，其釋同人先號咷而後笑，即言此所謂大同之世，與張氏所説正同。特張氏未見其書耳。

易獨斷一卷萬載辛氏刊潛園二十四種本

魏元曠撰。元曠字斯逸，原名焕奎。南昌人。光緒乙未進士，官刑部主事。著潛園二十四種，此書其一也。考此書命名獨斷之義，蓋本之蔡伯喈。今綜其所斷定者，約有十事：一曰，易者周之書，連山、歸藏不名易；二曰，文王非爲卜筮而作易；三曰，重卦必係文王；四曰，八卦即古之文字；五曰，陰陽老少、乾一兑二之説不足信；六曰，太極生兩儀，兩儀生四象，四象生八卦，乃大衍之法，非畫卦之序；七曰，十翼或不皆成於孔子，門弟子本孔子之言成之，如論語之作，文言、繫傳皆是；八曰，邵子所傳後天圖，非文王作，其黄帝、神農之所作；九曰，邵子所傳伏羲四圖，自先天方位圖外，其他三圖皆僞；十曰，易之諸圖不必毀。按魏氏所論，謂重卦必係文王，其説本之太史公；謂八卦即古之文字，其説略同楊萬里；謂太極生兩儀，兩儀生四象爲大衍之法，立説本之崔憬：皆不爲無據。即論十翼成於孔子之門弟子、乾一兑二之圖不足信及文王非爲卜筮而演易三條，先儒亦多有此説，可毋置議。獨其謂連山、歸藏不名易，其言顯與周禮太卜掌三易之説相背。又其既斥邵子諸圖爲僞，則不宜獨信先天方位。蓋僞則俱僞，何一是一不是？他如指五行數、九宮數爲河圖、洛書，仍襲宋人之誤説，而未加考辯；指後天圖爲黃帝或神農所作，亦臆測無據：斯則未能悉當於人心者也。

補周易口訣義闕卦無卷數
民國八年重印鐵研齋叢書本

　桑宣撰。宣字又生，號磨盦。宛平人，原籍紹興。光緒間進士，入民國，曾官禮制館編纂。著有鐵研齋叢書五種，此書其一也。考唐史徵所著周易口訣義六卷，載永樂大典，世罕有其書。至清孫星衍刻入岱南閣叢書，海内人士始得共窺秘籍。然其書已闕豫、隨、无妄、大壯、晉、睽、蹇、中孚八卦，學者憾焉。桑氏因本原書體例，取材注疏，糅雜以漢魏諸家精義，補其闕卦，卦自爲篇，凡八篇四千餘言。夫居千載之下，而續補前人之作，雖未見其必能與原闕之文悉相符合，然修墮補亡，儒者有責，過而存之，固亦足以備參考焉。

周易講義一卷琴思樓雜著本

易順豫撰。順豫，順鼎之弟也。著易釋四卷及此書一卷。此書僅釋乾、坤兩卦及繫辭上下兩篇，蓋是未完之書。尋其旨意，則與易釋略同，皆欲以禮説易。如釋乾云：周公爻辭，六爻六位，一皆以禮言之。初爲士位，九有陽德，士有陽德，故以潛龍爲喻。二爲大夫之位，陽德益進，有所表見於世，故曰見龍在田。三爲三公之位，古者天子無責任，國之責任在三公，故終日乾乾，夕惕若寅。四爲諸侯之位，古諸侯之禮，入爲三公，進爲方伯，故有或躍之象。五爲天子之位，九爲聖人之德，以聖人而居天子之位，故曰飛龍在天，利見大人。上爲致仕之位，古者七十致仕，所以退避賢路。又釋繫辭鳴鶴在陰，其子和之，謂此蓋言天子宴同姓諸侯之宴禮。釋同人先號咷而後笑，謂此所謂大同之世。按援禮説易，本於康成，易氏之學未爲無據。獨其訓釋易辭則有未盡當者，如釋乾九三爻辭謂：夕惕若下舊脱寅字，今據説文補正。繼又謂：説文又誤寅作夤。夫夤字之不當增，高郵王氏父子及段玉裁早已明之，易氏復蹈惠氏之失，已爲無當；更進而疑説文之夤亦誤字，復改爲寅，更未免輕改古書，不足爲法。又如謂：太極即一天圓，兩儀即兩既濟之象，四象即説卦傳中天地定位，雷雨相薄不相悖，水火相逮不相射，山澤通氣之謂。按以太極爲一天圓，義尚可通；以兩儀爲兩既濟，説殊不了；況天地定位，山澤通氣，雷風相薄，水火不相射則八卦之象已具矣,不得指爲四象,更難以解四象生八卦。此節雖立新解,義皆不當。他如釋坤上六龍戰于野,謂孔子之作春秋,孟子之闢楊、墨,即其義。真妄説無理,不經之甚矣!

易象數理分解八卷宣統三年中道齋刊本

謝維嶽撰。維嶽字龍山。邵陽人,諸生。是書體例,以伏羲六十四卦重卦圖爲宗祖,用象數理爲分解。謂易言象者十之五六,言數者十之一二,直言其理者十之七八。不知象數理者,不可與明易;混同而説之者,亦不可與明易。故將推闡象數之原由者,表解於右;説明義理者,則指陳史事纂解於左。每卦均附有寧鄉喻遜之總論,其他先儒議論則或採或不採。其自加之案語,亦時有焉。尋其著書之意,頗欲兼賅象數、義理以名其家。惟核其內容,則所謂象數者,皆爻位、陰陽、九六、奇偶、剛柔、中正、承乘、比應諸通例;所謂義理者,亦皆宋明以來浮泛不切之議論。於漢、魏古注及清代漢學諸家之書,均未有所見,淺陋殊甚,不稱其志。又謝氏既不信邵子先後天之説,而獨取其六十四卦生卦次序,亦爲無識。觀其書中註釋,或大字,或小字,或旁註,或夾註,或眉批,凌亂無序。所加圈點,亦無法度。益足以證其爲鄉曲之士已。

易通例一卷民國十二年刊本

陳啓彤撰。啓彤字管侯。泰州諸生。私立北平中國大
學教授。民國十五年卒,年四十四。是書凡六篇:曰説道,
曰説象數,曰説引申,曰説卦,曰説象象,曰説爻。附象言作
於周公説一首。前有其友袁鑣、凌文淵序各一首,後有其弟
子程習跋一首。總其全書,不過萬有餘言。繹其大旨,要在
發明引申之義。其義蓋本於繫辭引而申之,觸類而長之,天
下之能事畢矣之語而來,故謂引申爲極變之方,演象數、釋
形名之要道。而引申之法二:曰歸納,曰演繹。引申之例
三:曰正引,亦曰直引;曰轉引,亦曰旁引;曰反引,亦曰對
引。於六泛例之外,又立三特例:曰質、曰德、曰用。如説道
篇云:曰開物成務,演繹之謂也;曰冒天下之道,歸納之謂
也。此自道體言可歸納可演繹也。是故聖人以通天下之
志,此自用言可歸納也。以定天下之業,以斷天下之疑,此
自用言可演繹也。説象數篇云:象立陰陽,數立奇偶,歸納、
演繹之方也。又曰:納象於數,納數於象,歸納、演繹之宗
也。説引申篇云:歸納、演繹之術,在易謂之類聚、羣分。類
聚,歸納也;羣分,演繹也。凡此皆發明歸納、演繹之説者
也。其釋正、轉、反之例,與質、德、用之説,則如説引申篇
云:易爲變易,正引也。易爲簡易,轉引也。易爲不易,反引
也。又曰:繫曰乾道成男,謂其質也。乾知大始,謂其用也。
乾以易知,謂其德也。乾爲天,自其質引申也,以天體陽類

也,此正引也。爲圜,自其質引申,以天形圜渾也,此轉引也。爲君、爲父,自其質引申也,以於人爲陽體也,此轉引也。爲金、爲玉,自其德引申也,以其質剛堅也,此轉引也。爲寒、爲冰,自其用引申也,乾位西北故爲寒、爲冰,此轉引也;自德言,乾陽暖,則反引也。其釋說卦,皆依此例。按陳氏之説,純以論理學家之術推演易義,與舊來兩派六宗之易皆異致。惟其推尋易例,能自成條貫,又明於訓詁,故立言簡奧,頗足以自名其學。特其論十翼,定象傳爲周公作,大象爲孔子作,其他則子夏與傳易諸賢所繫;又論易本,宜彖言爲首,次象傳,次爻辭,次大象、小象,文言、繫辭諸篇當別爲經釋。按此二説,前者既無確徵,嫌近臆測;後者變易篇第,徒滋紛亂:其説皆在所可廢矣。

易通釋二卷民國十二年刊本

陳啓彤撰。啓彤有易通例一卷,已著録。此書名易通釋者,乃以其設立科程,自成條貫,與焦理堂之學略相類,焦又爲其鄉先輩,故襲用其名。其學宏綱大要,均已見於通例,此書不過演繹通例之説而已。故其釋乾卦云:自象數、形名而釋之,類聚、羣分而言之,乾有德、質、用。六畫,以象數表德質用也;曰乾,以形名表德質用也,此自歸納言也。自演繹言,六畫,表質也;曰乾,表德用也。餘卦同。按此即發揮通例引申之法二:曰歸納,曰演繹;及三特例:曰德、曰質、曰用之説也。惟陳氏又謂:三聖之易,引申雖同爲演易,然各有輕重詳略。文王重演德，周公重演質，孔子重演用。故其釋六十四卦卦辭皆爲演德達用，六十四卦象傳皆爲演質釋德，六十四卦爻辭皆爲演質達用，六十四卦大象皆爲達用演德，此其大別。按陳氏以德、質、用區分卦爻辭及象傳、大象，未嘗不成條理。惟卦辭爲文王作，爻辭爲周公作，十翼爲孔子作，先儒皆同此說。後儒雖有議爻辭非周公作、十翼非孔子作者，但從無謂象傳爲周公所作。陳氏以象傳屬周公，顯爲臆測。然則以德、質、用三者區分卦爻辭及象傳、大象則可，以之區分三聖之易則不可也。又陳氏於經盡取卦爻辭，於傳則祇取象傳及大象，其他小象、繫辭、文言、說卦、序卦、雜卦均在所擯棄。夫繫辭、文言、說、序、雜諸篇，容或可謂各有見地；至小象之釋爻辭，猶象傳之釋卦辭，二者蓋無異致。陳氏獨取象傳而棄小象，取舍從違，亦自失據。又其書詮釋義理，辭尚簡要；其推闡卦象，則多空泛。如說坤六五云：五，陰爻，故云黃。坤上六云：六，陰爻，故擬野。說睽六三見輿曳，其牛掣云：以陰爻，故擬輿、牛象。上九見豕負塗，載鬼一車云：陰爻，故擬豕、鬼象。按黃、野、鬼、輿、牛、豕諸象，說卦及虞氏等均有取象，陳氏不能備舉，而徒以陰爻概括之，殊嫌不切。況睽上九明是陽爻，而竟誤指爲陰爻乎？又如小畜之輿脱輹，夫妻反目，損、益之或益之十朋之龜等辭，均不詮釋其取象所由，皆非觀象之道。要之，陳氏此書循論理而讀書，定界說而求道，頗有合於近世治科學之程式。若律以漢、宋儒先之家法，則皆無與焉爾。

周易異同商十卷_{舊鈔本〔一〕}

　　無名氏撰。卷一總論，首辨本義九圖之非，斷爲非朱子所作，次辨京氏分宮卦象次序之不足以解易，次辨王輔嗣不取互卦及次五陽一陰則陰爲主説之非，又次論古易十二篇之數及爻辭不宜屬周公，末又有大象辭當別爲一編説、中字不泥定二五説、正字不專主當位説、易經貞多訓當當多讀平聲説、乾統六十四卦説等五篇：駁議既多有當，發明亦頗可取。自卷二至卷十，則皆注釋經傳之文，然不章解句釋，每卦隨條標舉，或三五事，或十數事，前後頗多顛倒，條貫亦不悉具，蓋猶是未定稿本。大抵於卦爻辭多異議者，取一説以爲正解，其餘各家褵説亦兼採並蓄，附存異中以待讀者抉擇。間亦略加按語，辨正其是非，所謂異同商者以此。其中如説利見大人，取朱霈之説，謂只是大人見，猶春秋書龍見同，駁鄭康成、孔穎達、程子九二利見九五、九五利見九二、庶人利見九二諸説之非。釋用九、用六，獨取歐陽修易道占其變，故以其占者名爻，不謂六爻皆九、六也之説，而辨衆家之未審。釋无妄六二不耕穫，不菑畬，則利有攸往，據象辭及禮記注之意，疑則當爲不字之誤。凡此皆具識力，不爲羣言淆亂。至若釋乾九三夕惕若厲，必從惠氏易依説文改厲爲蠆，而謂人、蠆、淵、天叶韻，而不知易卦爻辭間雖用韻，而不必句句皆韻。苟必以乾二、四、五各爻皆叶而三不宜不

〔一〕此篇排印本未收入。

叶,然則初、上兩爻皆不叶,又將何説?且前乎許氏者,淮
南、班固、張衡之徒皆作夕惕若厲,又將何以解之乎?又如
釋坤六三,謂霜、方、章、囊、裳、黄六字爲韻,謂直方大之大
字爲衍文。且謂陽大陰小,坤不宜爲大,象辭、文言亦俱不
及大。若經有大字,聖人釋經豈有反將坤德遺漏者乎?而
不記象辭明云:含弘光大,品物咸亨。所謂光大者,非説坤
德而何?聖人何遺漏之有?文言明云:直方大,不習无不
利,則不疑其所行也。豈經文既衍大字,而文言又從而衍之
乎?此何異于程傳讀主利爲句,而疑後得主而有常之脱利
字乎?他如釋元字不取易見之説,必從文言訓元爲長,譏朱
子釋元爲大之謬。夫元固有長義,亦未嘗無大義。苟必從
文言以元爲長,謂大哉乾元不能釋爲大哉乾大,果如其説,
然則文言亦嘗釋亨爲會、釋利爲和、釋貞爲幹,豈可讀坤象
辭爲坤長會,和牝馬之幹乎?若此之類,又未免膠固鮮通,
亦宜分別觀之。

易學羣書平議卷七

三墳無卷數天一閣叢書本[一]

此本題明范欽訂。欽字堯卿,一字安卿,號東明。鄞人。嘉靖進士,累官兵部右侍郎。有天一閣集。案三墳之名,首見春秋左氏傳云:楚左史倚相,能讀三墳、五典、八索、九丘。其次則僞孔安國尚書序云:伏羲、神農、黃帝之書,謂之三墳,言大道也。據此,則古碻有三墳其書。然自漢書藝文志以迄隋唐二志,並未著録,而周秦以來經傳子史亦從無一引其説者。則是書之亡佚蓋已久。且據劉熙釋名及僞孔序之言觀之,則是書乃書類,非易類。今此書首曰山墳,爲天皇伏犧氏之連山易;次曰氣墳,爲人皇神農氏之歸藏易;末曰形墳,爲地皇軒轅氏之乾坤易。三墳均有爻卦大象,由八卦重爲六十四卦,是顯然以三墳爲三易,與釋名及僞孔之説均不合。又此書六十四卦之後,均有傳,傳各小註雙行,亦不題何人所撰。而山墳末有太古河圖代姓紀一篇、天皇

[一] 此篇排印本署尚秉和先生名,已遵尚囑歸返黃著。

伏犧氏皇策辭一篇，氣墳末有人皇神農氏政典一篇，形墳末有地皇軒轅氏政典一篇。皇策及政典之辭，大氐摹仿尚書之意。太古河圖代姓紀，則純是撏拾讖緯諸書雜湊而成，如以燧人氏爲有巢氏子、伏犧氏爲燧人氏子等，於史實尤多乖謬。四庫提要謂古來僞書之拙，莫過於是，良非誣衊之言。又此書前後兩序，後序無名，前序題毛漸正仲撰。案晁公武郡齋讀書志，謂張商英得此書於比陽民舍。陳振孫直齋書錄解題，謂毛漸得於唐州。此本前序題毛漸撰，蓋范欽刻書時據直齋之説而加題者也。

古三墳無卷數明天啓丙寅刊本[一]

案此書題明新都唐琳訂。其本正文與各本均無異同，惟有圈點及眉批。眉批採錄之説凡三家，一劉辰翁，一茅坤，一孫鑛。辰翁凡八則，坤凡十二則，鑛凡十則，共三十則。案辰翁字會孟，號須溪，宋廬陵人。少舉進士，以親老請濂溪書院山長。宋末託方外以歸，著須溪集。坤字順甫，號鹿門，明歸安人。嘉靖進士，善古文，又好談兵，官至廣西兵備僉事。鑛字文融，號月峰，餘姚人。萬曆會試第一，累官兵部右侍郎，加右都御史，進兵部尚書。今考辰翁評語，如連山易，爻卦大象條云：朱子謂伏犧以上皆無文字，只有圖畫，爻卦大象卻何從起？又太古河圖代姓紀條云：太極者，未見氣也；太初者，氣之始也；太始者，形之始也；太素

────────

〔一〕此篇排印本署尚秉和先生名，已遵尚囑歸返黃著。

者，質之始也。乾鑿度演此。歸藏易條云：讀此知周易卦象亦是以述爲作。察辰翁之意，既疑朱子謂伏犧以上無文字之説，而又以周易及乾鑿度皆出其後，似篤信此書，不疑其僞。而茅氏與孫氏則極贊其文辭。如茅氏評伏犧氏皇策辭云：此真渾噩之文。又云：藹藹乎太古之風。又評軒轅氏政典云：此便留下西漢一脈。而孫氏之評伏犧氏皇策辭亦謂：文辭質穆，洵古之遺。評神農氏政典更謂：精瑩純粹，此開闢以來，有數文字。風雨石裂，吾知其精光有不容没者。則其贊賞此文可謂備至。是茅、孫二氏亦均不疑其僞。夫此書僞作，昭然若揭，而歷代賢士尚有篤信若此者，足見世之好奇者之多。而四庫提要謂自宋、元以來，自鄭樵外，無一人信之者。其言亦未免過當。又此書前有唐琳之序，謂文辭古穆，駕謨典而上之，獨惜前後二序竟亡姓名云云。考晁公武郡齋讀書志，謂張商英得此書於比陽民舍。陳振孫直齋書録解題，謂毛漸得於唐州。則此前後兩序，疑出於張商英或毛漸之手，而琳未之詳考耳。

易緯無卷數<small>漢學堂叢書本</small>

　　清甘泉黄奭輯。奭著漢學堂叢書，考輯逸書，凡易緯之可成專書者，若周易乾鑿度、易乾坤鑿度、易是類謀、易坤靈圖、易乾元序制記、易稽覽圖、易辨終備、易通卦驗等，均專篇存録。其各書泛引易緯，未指名爲何書者，及雖有書名而條數無多者，均彙録一篇，總名易緯。今按篇中所載泛引易緯凡二十有一條,輯自漢書五行志者一條,輯自隋書王劭傳者三條,輯自文選注者兩條,輯自開元占經者十條,輯自易正義者兩條,輯自初學記及太平御覽者三條。又附困學紀聞論易緯者一條,何孟春論易緯者一條,並定後漢書郎顗傳所引易及易傳者亦是易緯之文,爲案語附後。於羣書泛引之易緯,採輯雖尚有遺漏,未能俱備,然亦頗足參考。其末所附有書名而條數無多者計四種:一易萌氣樞,二易通統圖,三易通卦驗玄圖,四易九厄讖,大抵亦皆從漢書律曆志、晉書五行志、開元占經、太平御覽、事類賦、古微書諸書輯得,而於各書徵引字有異同或謬誤者,亦頗加以校訂焉。

泛引易緯無卷數 光緒三年刻緯攟本[一]

　　清喬松年輯。松年字健侯,號鶴儕。徐溝人,道光進士,歷官安徽、陝西巡撫,平粵平捻皆有功,官至東河總督。議築隄束水,順黄北趨入海,爲一勞永逸計,惜不果行。卒謚勤恪。所著有蘿藦亭札記、緯攟及詩文集等。此篇載緯攟内。考緯攟所輯易緯,凡有書名者,若易乾鑿度、乾坤鑿度、易通卦驗、易稽覽圖、易是類謀、易辨終備、易中孚傳、易天人應、易通統圖、易運期、易内傳、易萌氣樞、易内篇、易傳太初篇等,均行專篇輯録。其各書祇引易緯而不指名何書者,均彙録於此篇,故曰泛引易緯。全篇所輯凡一十有九條,輯自後漢書荀爽傳者一條,輯自易正義序論者兩條,輯

〔一〕此篇排印本署尚秉和先生名,已遵尚囑歸返黄著。

自周禮大宗伯疏及詩長發疏者一條,輯自公羊狩于郎疏者一條,輯自文選詩賦注者三條,輯自馮惟訥古詩紀者兩條,輯自俞安期唐類函者一條,輯自通考者三條,輯自太平御覽者五條。與黃奭漢學堂叢書逸書考易緯所輯互有詳略異同,可並存相參證云。

易萌氣樞無卷數_{古微書本}〔一〕

明華容孫瑴輯。全書僅引人君不好士,走馬被文繡,犬狼食人食,則有六畜談言一條。案此條見晉書五行志下,自是萌氣樞正文。然晉志尚有聖人受命而王,黃龍以戊己日見一條,孫氏遺漏。又宋書符瑞志引有聖人清淨行中正,賢人福至民從命,厥應麒麟來;及上下流通聖賢昌,厥應帝德鳳皇翔,萬民喜樂無咎殃;並聖人得天受命,黃龍以戊寅日見三則,孫氏亦遺漏未輯。又占經九載:日夜蝕者,天中無影,言日當夜蝕,建八尺竹,視其下無影,不可見,故以表候之耳。其所以夜者,人君諱其過,臣下強,君不能制,見臣之惡,反以爲善,見臣邪僻,反以爲正直,故日夜蝕。陰過盛,陽道微,日夜蝕,有謀臣誅。及昭明蔽塞,政在臣下,親戚滿

〔一〕此篇排印本署尚秉和先生名,已遵尚囑歸返黃著。按尚氏存稿亦有《易萌氣樞》提要一篇,與此篇名同而文異(詳前《易說評議》卷十二),未收入排印本。蓋尚稿用喬松年《緯攟》本,黃稿用《古微書》本且考訂尤詳,故尚氏置己稿不用,而以黃稿付續修提要館。此亦可想見尚、黃師弟間學術風誼之篤厚,與《逐齋易義通攷》提要撰寫情實略同(參見《易說評議》卷五及《易學羣書平議》卷三該篇提要注)。

朝，君不覺瘝，即襪氣失，以星奔日蝕爲咎二則。及占經十：臣道修則月明有光。及月當滿不滿，君侵臣；當毁不毁，臣陵君。君侵臣則有大旱之災，臣侵君則有兵水之難。並月盈則有人君之憂，縮則有臣下之害三則。及占經十七：俟月晝蝕，視水中不見影者一則。及占經七十一載：星出光芒，疾流而過，入於何宫，即爲害何地，其應不爽一則。均云本諸易萌氣樞，則亦當爲萌氣樞之佚文，似亦可輯入。而孫氏均遺漏之，殆未見其書也。

易中孚傳無卷數古微書本[一]

明華容孫瑴輯。全書僅引陽感天不旋日，諸侯不旋時，大夫不過期一條。案此條見後漢書郎顗傳注，並引及鄭玄注云：陽者，天子爲善一日，天立應以善；爲惡一日，天立應以惡。諸侯爲善一時，天立應以善；爲惡一時，天立應以惡。大夫爲善一歲，天立應以善；爲惡一歲，天立應以惡。一説云：不旋日，立應之；不旋時，三辰間；不過期，從今旦至明日旦也[二]。考緯書之文義，大都怪奇難解，古注存者又極稀，此條雖寥寥祇十六字，而竟得存有如此詳明之鄭注，彌可寶貴。惟案書金縢疏引此條首句祇云易緯，而殿本易緯稽覽圖中亦悉載此三語。則此文或亦他緯所有，今不可得而詳考矣。又後漢書楊賜傳引蜺之比無德以色親一語，亦云出易中孚傳，宜可採入。而孫氏遺漏之，何也？

易九厄讖無卷數_{古微書本}〔一〕

明華容孫瑴輯。篇首注云：凡言讖者皆依于數。數積九六而必窮，故天地有劫災，世運屯厄，古之智人于是衍讖。其所採輯之文，凡四則。其聰明蔽塞，政在臣下，婚戚干朝，君不覺寤，虹蜺貫日；及君舒怠，臣下有倦，白黑不別，賢不肖並，不能憂民急，氣爲之舒緩，草不搖兩則，均見續漢書五行志注引。主失禮煩苛，則旱之，魚螺變爲蝗蟲一則，亦見續漢書五行志注引，而通考三百十四亦引用之。然續漢志只云讖曰，通考但謂是先儒之語，未嘗云易九厄讖也。九厄讖之名，孫氏蓋本之漢書律歷志。然案漢志引初入元百六陽九之文，祇云易九厄曰云云，孟康注曰：易傳也。則九厄確是書名，而無讖字。疑讖字爲孫氏妄增。又，三統是爲元歲，元歲之閏，陰陽災十三字，爲班孟堅語，初入元百六陽九以下方爲易傳語，文義顯然易見。孫氏將上兩句併作緯文，亦誤。況九厄讖之名不見於古籍，故孫氏首自解凡言讖者皆依于數云云，則此書名爲孫氏臆造無疑也。

〔一〕此篇排印本署尚秉和先生名，已遵尚囑歸返黃著。

易河圖數無卷數_{古微書本}〔一〕

　　明華容孫轂輯。所採凡四則。篇首孫氏有自注：易大
衍之數，原起河圖。故河圖雖自有緯，而未嘗言數，此傳易
者窮其數之原也。云云。按河圖果爲何物，實難質言。易
大衍之數容或原於河圖，亦未可知。惟考孫氏所輯四則，其
一與六共宗，二與七同道，三與八爲朋，四與九爲友，五與十
同途一則，係説明河圖方位，未注明其所本外，其龜取生數
一三五七九，筮取成數二四六八十一則，則注明語見周禮校
人疏，此乃賈公彥之疏語，非引河圖之文。孫氏乃造一易河
圖數之名，而摭此條以實之，妄甚。又東方南方，生長之方，
故七爲少陽，八爲少陰；西方北方，成熟之方，故九爲老陽，
六爲老陰一則，亦見周禮校人疏，亦是賈公彥之疏語。又孫
氏末一則所引：五運皆起於月初，天氣之先至，乾知大始也。
六氣皆起於月中，地氣之後應，坤作成物也。其文見楊慎丹
鉛録，且其上明著醫家二字。孫氏乃並前三則，皆造爲易河
圖數。而易河圖數之書名，於古又無所徵。後喬松年作緯
攟，逐條斥駁，謂爲妄造，非盡苛語也。

〔一〕此篇排印本署尚秉和先生名，已遵尚囑歸返黃著。

河圖會昌符無卷數_{古微書本}〔一〕

明孫瑴輯。凡五條。首條：漢大興之道，在九代之王，封於泰山，刻石著紀，禪於梁父，退省考功。次條：河圖曰，漢高祖親祀汶水，見一黃釜，卻驚反，化爲一翁，責言劉季何不受河圖。三條：河圖龍文曰，鎮星光明，八方歸德。四條：赤九會昌，十世以光，十一以興。五條：九名之世，帝行德封刻政。按此五條，除首條引見後漢書祭祀志，確爲會昌符外，其次條之文御覽引之，四條之文後漢書律歷志及曹襃傳引之，五條之文後漢書律曆志引之，但均作河圖，未指爲會昌符，不諳孫氏何據。若三條之文，文選蜀都賦注、袁淑俲白馬篇注、石闕銘注均引作河圖龍文，孫氏亦以河圖龍文曰五字冠於上，而置之會昌符中，殊不可解。又按後漢書祭祀志所引河圖會昌符之文凡五則，除漢大興之道一則已爲孫氏所引外，尚有赤劉之九，會命岱宗，不慎克用，何益於承，誠善用之，姦僞不萌一則。又赤帝九世，巡省得中，治平則封，誠合帝道孔矩，則天文靈出，地祇瑞興一則。又帝劉之九，會命岱宗，誠善用之，姦僞不萌一則。又赤漢德興，九世會昌，巡岱皆當，天地扶九，崇經之常一則。計四則。孫氏皆遺漏未輯，殊嫌疏略。其後喬松年緯攟重輯此書，嘗增補赤帝九世、帝劉之九及赤漢德興三則，而赤劉之九一則仍遺

〔一〕此篇排印本署尚秉和先生名，已遵尚囑歸返黃著。

漏未輯。甚矣,輯佚之難也!

河圖考靈曜無卷數古微書本[一]

明孫瑴輯。瑴自注云:一作考曜文。全書所採凡二則。首曰:秦王政以白璧沉河,有黑頭公從河出,謂政曰,祖龍來授,天寶開,中有尺二牘。次曰:高皇攝政總萬庭,四海歸詠理威明,文德道化承天精,元祚興隆協聖靈。按首條之文,太平御覽八百六引作河圖天靈,不作考靈曜,亦不作考曜文。次條之文,據御覽及說郛所引,又皆是龍魚河圖之文,亦不作考靈曜及考曜文。然孫氏既列其文於龍魚河圖,又列其文於此篇,二書互見,蓋本之初學記。喬松年緯攟古微書訂誤,輒詈孫氏妄立篇名,亦未免武斷。又按緯攟本首條之文作:祖龍來,天寶開,中有尺二玉牘。較此本來下少授字,牘上多玉字,來、開三字句叶韻,其文似較順也。

河圖稽命徵無卷數古微書本[二]

明孫瑴輯。全書僅一則。文爲:帝劉即位,百七十年,太陰在庚辰,江充詭其變,天鳴地坼。凡二十二字。按此文引見御覽八百七十三,說郛亦引之。考漢書:征和元年冬十一月,巫蠱起。二年夏四月,大風發屋折木。閏月,諸邑公

〔一〕此篇排印本署尚秉和先生名,已遵尚囑歸返黃著。
〔二〕此篇排印本署尚秉和先生名,已遵尚囑歸返黃著。

主陽石公主皆坐巫蠱死。秋七月，按道侯韓說使者江充等掘蠱太子宮。壬午，太子與皇后謀斬充，以節發兵，與丞相劉屈氂大戰長安，死者數萬人。庚辰，太子亡，皇后自殺。八月辛亥，太子自殺于湖。癸亥，地震。其事與此書所云江充詭變，天鳴地坼等語均合。則其亦爲漢世之緯書蓋無疑義。又按喬松年緯攟輯此書，多君急恚怒，無雲而雨一條，自注引據說郛。孫氏遺之，宜據補入。

河圖要元篇無卷數_{古微書本}〔一〕

明孫瑴輯。全書僅：句金之壇，其間有陵，兵病不起，洪波不登。又曰：乃有地脈，土良水清，句曲之山，金壇之陵，可以度世，上昇曲城一條。孫氏自注云：要元篇，蓋漢世緯書，後漢書志注不載其目，今見茅山志。按此文丹鉛續錄及廣博物志亦引之，又太平御覽一百七十引下半截但作河圖，無要元篇字，當是省文。又地脈作地肺。喬松年考訂，以爲作地肺者是。又按，茅山即句曲山，漢茅盈隱居句曲，人稱茅君。茅君內傳云：洞天三十六所，乃真仙所居，第八句曲之洞名曰金壇。其文與此書所云略相類，孫氏定爲漢世緯書，非無見云。

〔一〕此篇排印本署尚秉和先生名，已遵尚囑歸返黃著。

河圖提劉篇無卷數古微書本[一]

　　明孫瑴輯。全書僅一則。文爲：帝季日角，戴勝斗胸，龜背龍眼，長七尺八寸，明聖寬仁，好士主軫。凡二十五字，狀漢高祖之體貌神異及其德性之美。其文蓋引自唐類函及藝文類聚。惟喬松年緯攟輯此書，較多兩條。一曰：九世之帝，方明聖持，衡矩九州，平天下予。自注引據後漢書祭祀志及通考。一曰：帝將怒，蚩尤出乎野。自注引據御覽八百七十五。按此二條既是提劉篇之文，孫氏遺之，當據補入。至此書名曰提劉，則其爲漢世之緯書確乎無疑矣。

河圖帝通紀無卷數古微書本[二]

　　明孫瑴輯。全書僅有：雲者天地之本也，雨者天地之施也，風者天地之使也，雷者天之鼓，彗星者天之旗一則。凡三十二字而已。按此文第一句引見御覽八，第二句引見御覽十，第三句引見御覽九，第四句引見御覽十三，第五句引見御覽八百七十五。又藝文類聚及文選羽獵賦注亦頗引此文。所云雲、雨、風、雷、彗星之狀，語尚平實，無甚怪奇。此外藝文類聚二尚引有黃帝以雷精起一條，隋書王劭傳尚引有形瑞出，變矩衡，赤應隨，叶靈皇一條。亦云係帝通紀之

〔一〕此篇排印本署尚秉和先生名，已遵尚囑歸返黃著。
〔二〕此篇排印本署尚秉和先生名，已遵尚囑歸返黃著。

文，孫氏遺之，當據補入也。

河圖祕徵無卷數<small>古微書本</small>

明孫瑴輯。凡四條。首曰：帝貪暴，則政苛而吏酷，酷則誅深必殺，主蝗蟲。次曰：主急妄怒，失陽事，則天無雲而雨。三曰：黃帝起，大螾見。四曰：帝失德，政不平，則月生足。又陪臣擅命，羣下附和，則月舉足垂爪。云云。按此四則皆言災應之事，殆易家候陰陽災變之屬。惟晉書戴洋傳，尚引有地赤如丹血丸丸一條，孫氏遺之，似可補入。又第三條之文，太平御覽九百四十七引作河圖說徵，天中記、格致鏡原諸書亦皆引之。說、秘字異，而孫氏均列祕徵中，殆以二者異名而同實歟？

河圖真紀鉤無卷數<small>古微書本〔一〕</small>

明孫瑴輯。全書僅一則。文爲：王者封泰山，禪梁父，易姓奉度、繼典崇功者七十有二君。二十二字。按此文太平御覽、初學記、唐類函、五禮通考等書均引之。惟初學記及藝文類聚引，但作河圖真紀，無鉤字；史記正義引，但作河圖，並無真紀鉤字：殆是省略。若說郛引作稽耀鉤，蓋誤。又按史記封禪書引管子云：古者封泰山、禪梁父者七十二家。韓詩外傳亦云：孔子升泰山，觀易姓而王可得而數者七

〔一〕此篇排印本署尚秉和先生名，已遵尚囑歸返黃著。

十餘人。其語皆略與此文同,足資參證矣。

河圖著命無卷數_{古微書本}[一]

明孫瑴輯。全書計五則,首曰:摇光之星,如虹貫月,正白,感女樞於幽房之宮,生黑帝顓頊。次曰:握登見大虹,意感,生舜于姚墟。三曰:修己見流星,意感,生帝戎文禹,一名文命。四曰:扶都見白氣貫日,意感,生黑帝子湯。五曰:太姙夢長人,意感,生文王。其文多輯自御覽注及文選注。大抵皆言帝王誕生爲神靈所感,與詩所詠玄鳥生商、履帝武敏之旨略同也。

洛書録運法無卷數_{古微書本}[二]

明孫瑴輯。凡四條。首曰:黄帝坐玄扈閣上,與大司馬容光、左右輔將周昌二十二人,臨觀鳳圖。一作[三]臨觀鳳皇之至。次曰:舜以太尉受號爲天子,五年二月東巡狩至於中州,與三公諸侯,臨觀黄龍五采負圖出置舜前也。三曰:逢氏抱小女妹嬉,帝孔甲悦之[四],以爲太子履癸妃。四曰:有人卯金握天鏡。按此書首條引見路史後紀及太平御覽二百

〔一〕此篇排印本署尚秉和先生名,已遵尚囑歸返黄著。
〔二〕此篇排印本署尚秉和先生名,已遵尚囑歸返黄著。
〔三〕"一作",原稿"作"上脱"一"字。排印本二字皆脱。兹據墨海金壺本《古微書》校補,並從其本作小字註。
〔四〕"孔"上,原稿脱"帝"字。據墨海金壺本《古微書》校補。

九,次條引見唐類函,然均作河圖録運法。而孫氏納之洛書
録運法中,不譾何據。又三條之文引見御覽一百三十七,然
繹史亦引此文則作河圖始開圖;四條之文昭明文選廣絶交
論李善注且引作春秋孔録法。是二條皆兩書互見,不知果
當誰屬。又按此書篇首有孫氏自注,謂此其書亦必有關運
位,蓋隱讖存焉,而世不聞耳云云。今以有人卯金握天鏡之
言考之,蓋仍影射劉氏而言,似亦漢世之褗讖也。又第三條孫
氏尚録有:孔子曰,昔逢氏抱小女妹喜觀帝,爲履癸妃。下又
引一本云云。兹從其又一本之文,以此文甚順,且與繹史引
同。孫氏不見繹史,而文與之同,可見此文可信,故從之。

雒書録運期讖無卷數古微書本[一]

　　明孫瑴輯。全書僅九侯七傑爭民命,炊骸道路,籍籍履
人頭,誰使主者,玄且來一則句讀依考正古微書。祇二十有三
字。孫氏注云:謂劉玄德。按孫氏以玄且來爲指劉玄德,若
然,則所謂九侯七傑者蓋指漢末羣雄如袁紹、袁術、呂布、馬
超等是也。惟爭民命,蜀書引作命民,其句讀似較順適。又
按蜀書引書名祇作雒書録運期,無讖字。則此讖字當爲孫
氏所增無疑也。

〔一〕此篇排印本署尚秉和先生名,已遵尚囑歸返黃著。

雒書甄曜度讖無卷數古微書本^{〔一〕}

　　明孫殼輯。凡二條。首曰：赤三德，昌九世，會修符，合帝際，勉刻封。次曰：沙流出不言，小人起，擅百川，亂不言，小人執政。句讀依考正古微書。首條孫氏自注云：指劉備也。考蜀書先主傳引此文，作赤三日，德昌九世，會備合，爲帝際。三下多日字，脩作備，備下無符字，際下又無勉刻封三字。按光武曾封禪刻石，見後漢祭祀志，末句曰勉刻封，疑指光武。然有備字，故蜀書引之，而不引勉刻封三字。誠以此三字，與備不類也。又按蜀書所引祇作洛書甄曜度，孫氏增一讖字，未知果何所據也。

孔子河洛讖無卷數古微書本^{〔二〕}

　　明孫殼輯。全書僅一條。文爲：二口建戈不能方，兩金相刻發神鋒，空穴無主奇人中，女子獨立又爲雙。二十八字。注云：二口建戈，劉字也。晉金行，劉姓又金，故曰兩金。空穴奇人，爲寄字。女加又爲奴字。按此文隱寓劉寄奴三字，其語明甚。而其詞甚俚，當爲晉宋之間人所造，而假名於孔子。不然，河洛讖緯從無以孔子名者，茲獨曰孔子河洛讖，即可知矣。

〔一〕此篇排印本署尚秉和先生名，已遵尚囑歸返黃著。
〔二〕此篇排印本署尚秉和先生名，已遵尚囑歸返黃著。

易學羣書平議附録

易學羣書平議提要

此書爲余近年讀易筆記所得，凡一百三十四篇，釐爲七卷。問學淵源，著書體例，已略具於目録後記及凡例中。若其内容要點，可得而言者約有四端：

一曰命名之義。此書原仿劉向別録、晁公武郡齋讀書志、陳振孫直齋書録解題及清儒四庫全書總目提要之法，凡校讀一書訖，即撰具提要一篇。先述其書名、卷數、版本、作者事略，次及全書内容，最後論其是非得失，爲重點所在。故本德清俞氏考論羣經諸子之意，名之曰平議云爾。

二曰立論之旨。從來治易者兩宗六派互相攻難，實則各有所長，亦各有所短。故兹書立論，於義理、象數，漢學、宋學，各無偏主，務爲持平，以得情實。

三曰取材之方。漢魏六朝易説遺佚者多，清儒輯佚之作，多爲四庫館臣所未見。又清乾、嘉以後之書，四庫亦不及搜羅。兹書所論，以此兩時期者爲最多。其唐、宋、元、明之易説，四庫多已論定，其有未收者亦爲之補撰。實足以補四庫總目之闕漏，爲研究經學者之所取資。

四曰行文之法。自來考據家之文字，往往失之蕪雜繁瑣，令讀者厭倦。玆編敍述務期簡而能賅，評論亦力求要言不煩。雖間有援據紛紜者，而行文亦未嘗不歸之於簡括明潔也。

繋維上聖韋編三絶，猶曰假年學易，前代經師亦大抵童而習之，皓首始窮一經。況余末學膚受，未及不惑之年，何足以言治易通經？更何敢輒論前賢？亦聊輯見聞，以自備省覽而已。謬誤之處，自知不免，所冀大雅君子，匡其不逮，則幸甚矣。

　　　　　　　　中華民國三十六年十月十日
　　　　　　　　霞浦黄壽祺自識

與邱竺巖丈論易學羣書平議札
丁亥

竺巖吾兄大鑒：

按奉手書，垂念賤恙，至深感謝。弟於前月病喘，入院療治後，近已漸次復原，惟尚須稍事調養耳。承惠壽祺兄大著易學羣書平議一書，窮搜博採，披窾摘微，均能曲盡其奧。拜讀之下，令人韋編三絶不置也。至於撰擬序言一節，容批閲竣事，有所心得，再行報命。但恐班門弄斧，貽笑方家耳。

專此奉復,祇頌公綏。

弟丁超五敬啓
十二月十八日

六庵叢纂序

　　乙亥夏,予識霞浦黄子之六於會城,其後不相聞問。壬午春乃再遇於永安,今秋共事南平。始黄子居故都十年餘,問易於行唐尚先生節之,問禮於歙吳先生檢齋,問春秋左氏於桐城馬先生岾庭。之三人治經籍,在朔方固號爲專學者也。而霸高先生閬仙、建寧范先生秋帆,亦以宿學稱,黄子皆資而問業焉。故其學咸有本源,自羣經傳注,汎濫於辭章,持説雅馴可觀。顧黄子尤竺於易,自言所入,以象數、義理爲本幹,考春秋內外傳諸占筮,觀漢、魏、六朝、隋、唐古注義疏,參稽宋、元以後各家經説。而其歸也,以漢易者還之漢易,以宋易者還之宋易。漢易之中以京、孟者還之京、孟,鄭、虞者還之鄭、虞;宋易之中以陳、邵者還之陳、邵,程、朱者還之程、朱,李、楊者還之李、楊。家法師承,不可糅亂。左氏僖十五年傳獲其雄狐,引虞翻逸象艮爲狐之説,而艮復爲少男,故知所獲爲雄狐,補杜征南之所不及。安陸李道平爲易集解纂疏,義多未了協者。乾象大明終始,荀爽注:乾起於坎,而終於離;坤起於離,而終於坎。疏謂:坎本乾之氣,故乾起於坎之一陽,而終於離之二陽;離本坤之氣,故坤起於離之一陰,而終於坎之二陰。不知荀注乃以十二月消

息卦方位言,消息乾起於坎方而終於離方,坤起於離方而終
於坎方,故曰坎離者,乾坤之家而陰陽之府。離爲日,坎爲
月,乾鑿度日月終始萬物,故大明當兼日月言也。蒙六五小
象,荀注:順於上,巽於二。疏謂:五變爲巽,以應二。不知
五變則爲陽,與二陽不相應。五承上九,下應九二,皆以陰
從陽,互坤爲順,故曰順於上,巽於二。巽亦順也。乃得其
義。故黃子慨然有志欲爲周易通考、周易集解義疏、周易正
義三書,退索旁捃,劄寫繁富。其先成者,已有六庵讀易前
錄四卷,續錄一卷,續錄補一卷,漢儒説易條例五卷,周易要
略十卷,嵩雲草堂易話二卷,尚氏易要義二卷,歷代易家考
五卷。於禮,有喪服淺説四卷,六庵讀禮錄二卷。於左氏
傳,有要略一卷。他著尚有宋學綱要十六卷,明儒學説講稿
七卷,世説新語注引書考一卷,閩東風俗記一卷,阿比西尼
亞王國記六卷,六庵別錄一卷,詩文札記若干卷,綜曰六庵
叢纂,徵序及予。予惟昔者高密鄭君,師事京兆第五元先、
東郡張恭祖。以山東無足問者,乃西入關,因涿郡盧植師事
馬融。及其去也,融喟然曰:吾道東矣! 黃子襆被北行,遊
於太學,爲都講,及南歸,師友皆惜其別。而方壯之年,造述
既已若此,以視前修,可不謂有志之士哉! 予深幸羣言紛殽
之日,得黃子而振先民之墜緒,學術人心,賴所防閑。若夫
契而弗已,祈嚮雅言,吾不能檃其所至矣。壬午九月,上杭
包樹棠序。